P9-CQZ-597

Маленький друг

Donna Tartt

The Little Friend

Донна Тартт

Маленький друг

роман

Перевод с английского
Анастасии Завозовой

издательство аст

МОСКВА

УДК 821.111-31(73)
ББК 84(7Сое)-44
Т21

Художественное оформление и макет Андрея Бондаренко

Тартт, Донна

Т21 Маленький друг : роман / Донна Тартт; пер. с английского А. Завозовой. — Москва : Издательство АСТ : CORPUS, 2015 — 640 с.

ISBN 978-5-17-088752-1

Второй роман Донны Тартт, автора знаменитого "Щегла", вышел в свет в 2002 году. Девятилетнего мальчика Робина находят повешенным во дворе родительского дома. Убийцу найти так и не удалось. Когда случилась эта трагедия, сестра Робина Гарриет была совсем маленькой. Теперь она — упрямый, волевой, решительный подросток. Она решает во что бы то ни стало найти и покарать убийцу, но и не догадывается поначалу, какую опасную игру она затеяла.

УДК 821.111-31(73)
ББК 84(7Сое)-44

ISBN 978-5-17-088752-1

ОГЛАВЛЕНИЕ

Нилу

Крупица знаний, которую можно получить о вещах высшего толка, нам желаннее самых точных познаний о вещах низких.

Святой Фома Аквинский
"Сумма теологии"

Дамы и господа, на мне надеты наручники, над которыми пять лет трудились лучшие британские механики. Не знаю, удастся ли мне выбраться или нет, но уверяю вас, что приложу к тому все усилия.

Гарри Гудини,
лондонский театр-варьете "Ипподром",
День святого Патрика, 1904

ПРОЛОГ

Всю оставшуюся жизнь Шарлотта Клив будет винить себя в смерти сына из-за того, что решила в День матери садиться к столу не в полдень, после церкви, как было заведено у Кливов, а вечером, в шесть. Новые порядки пришлись старшим Кливам не по нраву — они, правда, с подозрением относились ко всему новому, но Шарлотте все равно казалось, что надо было тогда прислушаться к этому глухому ворчанию, что то был еле приметный, но зловещий знак — жди недоброго; конечно, знак этот и по прошествии времени было трудно углядеть, но как знать, может, на большее-то в жизни рассчитывать и не стоит.

Хоть Кливы и обожали пересказывать друг другу даже самые незначительные моменты семейной истории — они могли картинно, с риторическими паузами, слово в слово, воспроизвести сцены у смертного одра или предложения руки и сердца, приключившиеся сотню лет тому назад, — но события того ужасного Дня матери они не обсуждали никогда. Не обсуждали они их даже когда пару Кливов сводила вместе долгая поездка в авто или бессонница на полуночной кухне и можно было посекретничать, это-то было из ряда вон, потому что в таких семейных беседах Кливы и познавали мир. Они без устали воскрешали в семейном кругу даже самые страшные, самые непостижимые беды — как еще младенцем угорела при пожаре двоюродная сестра Шарлотты, как погиб на охоте ее дядя, когда Шарлотта была еще школьницей. Мягкий голос бабки и суровый матери гармонично сплетались с дедовым баритоном и трескотней теток, и стоило одному предприимчивому солисту приукрасить мелодию, как хор тотчас же подхватывал и доводил новый мотив до ума, пока всеобщими усилиями не выходила совсем новая песня, после чего вся честная компания заучивала эту песню наизусть и пела ее до тех пор, пока песня не подменяла собой правду, потихоньку стирая все воспоминания о произошедшем. Вот так вот и выходило, что разъяренный пожарник, которому не удалось откачать крохотное тельце, в пересказе принимался трогательно рыдать, а приунывшая охотничья собака, которую смерть хозяина на пару недель выбила из колеи, назначалась вдруг той самой сраженной горем Султанкой из семейных легенд, что безустанно рыскала по дому в поисках любимого папочки, ночи напролет безутешно выла в будке и принималась радостно гавкать, стоило появиться во дворе милому призраку, потому что только она его и чуяла. "Собаки видят то, чего люди не видят", — как по команде в нужный момент нараспев произносила тетка Тэт. Она была склонна к мистицизму, и призрак был ее изобретением.

Но вот Робин, славный их малыш Робс... Уж больше десяти лет прошло, а его смерть по-прежнему их мучила — на такие подробности не наведешь глянец, такой ужас не поправишь, не перекроишь никаким сюжетным приемом из арсенала Кливов. И — раз уж эта умышленная амнезия не дала сделать из смерти Робина милый семейный рассказец, который и самые горькие тайны обточил бы в понятную, удобоваримую форму — воспоминания о событиях того дня были хаотичными и разрозненными, кошмаром, распавшимся на яркие зеркальные осколки, которые вспыхивали, едва запахнет глицинией, заскрипит бельевая веревка, потемнеет к грозе — как тогда — весенний воздух.

И бывало так, что живые эти всполохи воспоминаний казались обрывками дурного сна, как будто бы ничего этого на самом деле и не было. И только для Шарлотты реальнее этого больше не было ничего.

Традиция — вот единственная история, в которую она могла собрать эту мешанину образов, традиция, которая не менялась с самого ее детства, сюжетный каркас из семейных сборищ. Но и это не помогало. Заведенным порядком в тот год пренебрегли, все домашние правила нарушили. Теперь казалось, что все тогда было сигналом — жди беды. Ужинали они не как обычно, в дедовом доме, а у нее. Букеты на столы всегда ставили из роз, а тут — из орхидей. Или вот куриные крокеты — их все любили, у Иды Рью они отлично получались, Кливы ели их на дни рождения и в сочельник, но никогда они эти крокеты не готовили на День матери, да они в этот день ничего особо и не готовили — обычно обходились свежим горохом в стручках, кукурузной запеканкой да окороком.

Предгрозовой, прозрачный весенний вечер, низкие, растекшиеся облака и золотой свет, лужайка перед домом пестрит одуванчиками и диким луком. Воздух пахнет свежо и остро, как перед дождем. В доме смеются, разговаривают, вдруг взмывает над общим гамом плаксивый, недовольный голосок старенькой тетки Шарлотты, Либби: "Да нет же, ничего я такого не делала, Аделаида, да никогда в жизни!" Кливы обожали поддразнивать тетю Либби. Она была старой девой и боялась всего на свете: собак, грозы, алкоголя в пудингах, пчел, негров, полицейских. Порыв ветра покачал белье на веревке, пригнул к земле сорняки, вымахавшие на пустыре через дорогу. Хлопнула дверь с москитной сеткой. Робин выскочил на улицу, прыгая через две ступеньки за раз, покатываясь со смеху над шуткой, которую ему рассказала бабушка ("Отчего письмо намокло? Потому что бумага *с водяными* знаками…").

Но ведь кто-то должен был быть во дворе, приглядывать за ребенком. Гарриет — толстому хмурому и молчаливому младенцу с целой копной черных волос — тогда еще не исполнилось и года. Она была накрепко пристегнута в креслице заводных качелей, которые стояли на дорожке перед домом. Ее четырехлетняя сестра Эллисон тихонько играла на ступеньках с котом Робина по кличке Вини. В отличие от Робина, который в этом возрасте уже вовсю трещал забавным сипловатым голоском и складывался пополам, хохоча над собственными шутками, Эллисон была пугливой, застенчивой и начинала рыдать, едва кто-нибудь пытался обучить ее алфавиту, а потому их бабка, у которой на этакие выкрутасы терпения не хватало, ее почти что и не замечала.

Тетка Тэт была во дворе с самого утра, играла с младшенькой. Сама Шарлотта металась между кухней и столовой, и хоть пару раз за дверь высунулась, но особо за детьми не следила, потому что их домработница Ида Рью, решившая, что, пожалуй, можно и пораньше начать запланированную на понедельник стирку, то и дело выходила на улицу — повесить белье. Потому-то Шарлотта и не беспокоилась, ведь обычно по понедельникам, когда Ида стирала, она и детей не теряла из виду — вечно была то во дворе, то на заднем крыльце возле стиральной машинки, а значит, даже самых маленьких можно было спокойно оставлять на улице. Но усталость, роковая усталость в тот день навалилась на Иду, ведь ей надо было и гостей обхаживать, и приглядывать за плитой, да еще и за младенцем, а настроение у нее и без того было хуже некуда, потому что обычно по воскресеньям она возвращалась домой к часу, а тут не только ее мужу, Чарли Ти, пришлось самому себе обед готовить, так и сама она, Ида, из-за этого в церковь не попала. Поэтому Ида настояла на том, чтоб на кухне включили радио — тогда уж она хоть воскресную службу из Кларксдейла послушает. В черном форменном платье с белым передником она, надувшись, хлопотала на кухне: из динамиков, включенных на всю громкость, неслись госпелы, Ида разливала чай со льдом по высоким стаканам, а выстиранные рубашки крутились и хлопали на веревке, с отчаянием воздевая рукава к надвигающимся тучам.

Совершенно точно выходила на крыльцо и бабка Робина — ведь это она сделала снимок. В семье Кливов мужчин было немного, поэтому вся грубая мужская работа доставалась ей — она подрезала деревья, возила старушек в церковь и за покупками. Делала она все бодро и с бойкой решительностью, которой дивились ее робкие сестры. Из них-то никто не умел водить авто, а бедняжка тетя Либби так боялась любых приборов и механизмов, что принималась плакать, если вдруг надо было разжечь газовую горелку или поменять лампочку. Фотоаппарат вызывал у них любопытство, но они все равно его побаивались и восхищались тем, как легко и невозмутимо их сестра управляется с этой мужской штуковиной, которую надо было заряжать и наводить на цель — точно ружье. "Вот так Эдит, — приговаривали они, глядя, как Эдит сноровисто перематывает пленку или подкручивает объектив, — Эдит все по плечу".

В семье считалось, что Эдит, несмотря на все ее многочисленные и поразительные умения, с детьми ладила не особо. Она была самолюбивой, несдержанной, да и в манерах у нее не было даже намека на теплоту; за любовью, поддержкой и утешением Шарлотта, единственный ее ребенок, вечно бежала к теткам (к Либби — чаще всего). Гарриет была еще слишком мала, чтоб выделять кого-то из родственников, а вот Эллисон до ужаса пугалась, когда бабка в очередной раз пыталась ее растормошить, и, если ее оставляли у Эдит дома, ревела. Но до чего же, ох, до чего же мать Шарлотты любила Робина, и как же он обожал ее в ответ. Она — почтенная дама средних лет — играла с ним во дворе в мячик, ради забавы ловила ему в саду змей и пауков и пела смешные песенки, которым ее научили солдаты во Вторую мировую, когда она была медсестрой:

Говорят, что эта Пег
Была пегой, как на грех…

и он подпевал ей милым хрипловатым голоском.

ЭдиЭдиЭдиЭдиЭди! Даже отец с сестрами звали ее Эдит, а он, едва научившись говорить, обозвал ее Эди — наворачивая круги по двору, визжа от восторга. А как-то раз, когда Робину было года четыре, он с самым серьезным видом назвал ее *старушенцией*. "Бедная ты моя старушенция", — сказал он и глазом не моргнув и похлопал ее по лбу веснушчатой ручкой. Шарлотта в жизни бы не осмелилась так фамильярничать со своей резкой, деловитой матерью — тем более когда та лежала в постели с головной болью, но Эди тот случай здорово насмешил, и она любила всем о нем рассказывать. Когда Робин родился, она уже была вся седая, но в молодости волосы у нее были такие же огненно-рыжие, как и у него: все подарки ему — на Рождество ли, на день рождения — она подписывала: "Робину-Красноголовке" или "Моему Лисенку. С любовью, от старушенции".

ЭдиЭдиЭдиЭдиЭди! Ему было уже девять, но теперь это приветствие превратилось в семейную шутку, в его серенаду для Эдит, и он, как всегда, пропел ее, едва она вышла на крыльцо в тот вечер, когда она видела его в последний раз.

— А поцеловать старушенцию? — крикнула она ему.

Вообще-то он любил фотографироваться, но иногда капризничал и выходил на снимках рыжеволосой кляксой, острые локти да коленки, поскорее вон из кадра — и теперь, стоило ему завидеть, что у Эди на шее висит фотоаппарат, как он умчался, всхлипывая от хохота.

— Ну-ка поди сюда, негодник! — закричала она, порывисто вскинула камеру и все равно щелкнула Робина. Сделала последнее его фото. Сам он — не в фокусе. Зеленый простор лужайки слегка перекошен, возле крыльца, на переднем плане резко выделяются белый поручень да тяжелый глянец кустов гардении. Мутное, влажно-грозовое небо, беспокойная жижа из смеси сизого с индиго, свет спицами проткнул бурлящие облака. В углу снимка — размытая тень Робина, сам он отвернулся, мчится по нерезкой траве навстречу смерти, которая ждет его — почти виднеется — в тени большого дерева.

И потом, когда Шарлотта лежала в наглухо зашторенной комнате, в ее затуманенной таблетками голове билась только одна мысль. Куда бы Робин ни собирался — в школу, в гости к другу, к Эди вечером, ему всегда надо было сначала попрощаться — ласково, а еще — долго и церемонно. Сколько же вспоминалось его записочек, воздушных поцелуев из окошка, как он машет ей ручкой — вверх-вниз — с задних сидений отъезжающих автомобилей: *до свиданья! до свиданья*! "Пока-пока" он выучился говорить раньше, чем "привет!", так он и здоровался со всеми — так и прощался. И горше всего Шарлотте было от того, что именно в этот раз не было никаких прощаний. Она так забегалась, что и не помнила толком, о чем в последний раз говорила с Робином, когда в последний раз его видела, а ей нужно было что-то осязаемое, самое распоследнее крохотное воспоминание, чтоб в него можно было вцепиться и с ним вместе — не разбирая дороги, спотыкаясь — преодолеть жизнь, которая с этой самой минуты и до конца ее дней вдруг раскинулась перед ней огромной пустыней. Наполовину обезумев от боли и бессонницы, она все лепетала что-то бессвязное Либби (тетя Либби ее тогда и выходила, Либби — с этими ее холодными компрессами и ее заливными, Либби, которая ночи напролет не смыкала подле нее глаз, Либби, которая от нее не отходила, это Либби ее спасла), потому что больше никто не мог ее утешить — ни муж, да никто вообще, а мать ее хоть внешне и не переменилась (соседям казалось, что она "держится молодцом") и все так же деловито хлопотала по дому, но прежней Эди было не вернуть. От горя она словно окаменела. На это невыносимо было смотреть. "А ну вставай, Шарлотта, — рявкала она и раздергивала шторы, — давай-ка, выпей кофе, причешись, нельзя же всю жизнь так проваляться", и даже безобидная старенькая Либби, бывало, ежилась под хрустально-холодным взглядом Эди, когда та — безжалостная, беспощадная, как Арктур — поворачивалась к своей лежащей в темноте дочери.

"Жизнь продолжается". Любимое выражение Эди. Вранье. Шарлотта, оглушенная успокоительными, бывало, просыпалась, чтобы собрать умершего сына в школу, по пять, по шесть раз за ночь она вскакивала с кровати и звала его. И иногда — секунду-другую — ей верилось, что Робин спит себе наверху, что это все — дурной сон. Но тут ее глаза привыкали к темноте, она замечала отчаянный, жуткий беспорядок (салфетки, пузырьки с таблетками, осыпавшиеся лепестки цветов) на прикроватном столике и принималась рыдать снова — хотя и без того нарыдалась уже так, что ныла грудь, — потому что не было наверху никакого Робина и ниоткуда он больше не вернется.

В спицы велосипеда он навтыкал игральных карт. Она и не понимала, пока он был жив, что по их-то перестуку и отмечала его приходы и уходы. У кого-то из соседских детей велосипед стучал так же, один в один, и стоило Шарлотте заслышать этот звук вдали, сердце у нее на один головокружительный, невозможный, непередаваемо жестокий миг так и подскакивало в груди.

Звал ли он ее? Мысли о последних секундах его жизни рвали душу, но ни о чем другом она не могла думать. Долго это все длилось? Он мучился? Дни напролет она лежала на кровати, уставившись в потолок, до тех пор пока на него не наползали тени, да и потом она лежала без сна и разглядывала светящийся в темноте циферблат будильника.

— Никому не станет легче от того, что ты целыми днями валяешься в кровати и плачешь, — бодро говорила Эди. — Тебе же самой лучше будет, когда встанешь, оденешься и волосы приведешь в порядок.

Во сне он всегда был где-то далеко, ускользал от нее, утаивал что-то. Ей хотелось услышать от него хоть словечко, но он так ни разу и не взглянул ей в глаза, так ничего и не сказал. В самые черные дни Либби все бормотала и бормотала над ней что-то, чего она никак не могла взять в толк. *Миленькая, ну вот так ненадолго нам его подарили. Не был он никогда наш. Побыл с нами хоть чуть-чуть, и то радость.*

Эта-то мысль и пробилась к Шарлотте сквозь дурман успокоительных тем жарким утром в темной спальне. Что Либби тогда говорила правду. Что всю свою жизнь, всеми возможными способами, с самого младенчества Робин пытался с ней попрощаться.

Эди последней его видела. Что было потом, никто толком не знал. Вся семья собралась в гостиной, паузы между репликами затягивались, все благодушно озирались по сторонам и ждали, когда их позовут к столу, а сама Шарлотта, стоя на коленях, рылась в ящике серванта — искала парадные льняные салфетки (она увидела, что Ида сервировала стол обычными, хлопчатобумажными и — ну как всегда — начала уверять, что никаких других салфеток она в глаза не видала, что сумела отыскать только клетчатые, для пикника). Шарлотта как раз нашла парадные салфетки и хотела было крикнуть Иде: *вот видишь, где я сказала, там и лежат*!, но тут ее как током ударило — что-то случилось.

Гарриет. Первое, что пришло в голову. Она вскочила, разбросав салфетки по полу, и выбежала на крыльцо.

Но с Гарриет было все хорошо. Из креслица она никуда не делась, на мать взглянула огромными серьезными глазами. Эллисон сидела на дорожке, засунув палец в рот. Она раскачивалась из стороны в сторону и гудела что-то себе под нос, будто оса — вроде цела, но видно было, что ревела.

Что такое? спросила Шарлотта. Ушиблась?

Но Эллисон, не выпуская пальца изо рта, помотала головой.

Краем глаза Шарлотта заметила, будто кто-то мелькнул во дворе — Робин? Она вскинула голову — никого.

Честно-честно? спросила она Эллисон. А может, тебя киса поцарапала?

Эллисон опять помотала головой. Шарлотта нагнулась и быстро ее осмотрела — ни синяков, ни шишек. Кота было нигде не видать.

Но беспокойство не проходило. Шарлотта поцеловала Эллисон в лоб, отвела ее в дом ("Ну-ка, сладкая моя, беги, посмотри, что там Ида на кухне делает?") и вернулась на крыльцо за младенцем. Такие, похожие на кошмарный сон, приступы паники с ней и раньше случались, чаще всего посреди ночи, обычно пока ребенку где-то полгода не исполнилось, — она тогда просыпалась, подскакивала и мчалась к колыбельке. Но Эллисон цела, с Гарриет все в порядке… Она пошла в гостиную и вручила Гарриет тетке Аделаиде, собрала в столовой с полу салфетки и — двигаясь как во сне, а с чего бы это вдруг, она и сама не понимала — поплелась на кухню за абрикосами для малышки.

Дикс, ее муж, сказал, чтоб к ужину его не ждали. На уток уехал охотиться. Всё как всегда. Если Дикс не в банке, значит, на охоте или дома у матери. Шарлотта толкнула дверь на кухню, подтащила табуретку к буфету, чтоб достать с верхней полки банку с абрикосами. Ида Рью, нагнувшись, вытаскивала из духовки сковороду с булочками. *Господь*, потрескивал в транзисторе негритянский голос, *Господь, он везде*.

Эта служба по радио. Шарлотта никому об этом и словом не обмолвилась, но думала она о ней неотвязно. Если б только Ида не выкрутила этот вой на всю громкость, им бы, может, слышно было, что там во дворе происходило, может, они бы поняли — творится что-то неладное. Но, с другой стороны (Шарлотта металась по ночам в кровати, пытаясь отыскать первопричину всех событий), разве не сама Шарлотта заставила набожную Иду работать в воскресенье. *Помни день седьмой, чтоб святить его*. Ветхозаветный Иегова карал людей и за меньшие прегрешения.

Булки почти готовы, сказала Ида Рью, снова склоняясь к духовке.

Ида, я их сама выну. Похоже, дождь будет. Сними, наверное, белье и зови Робина ужинать.

Когда Ида — надувшись, ощетинившись — протопала обратно с охапкой белых сорочек, то сказала: Не идет.

Скажи, чтоб шел сию же секунду.

Не знаю я, где он. Уж тыщу раз звала.

Может, убежал через дорогу?

Ида свалила сорочки в корзинку для глажки. Хлопнула дверь-сетка. Шарлотта услышала, как та вопит: *Робин! А ну домой, не то выдеру*!

И потом снова: *Робин*!

Но Робин так и не появился.

Ох, Господи ты Боже, сказала Шарлотта, вытерла руки кухонным полотенцем и вышла во двор.

Едва выйдя на улицу, она с легким беспокойством, да что уж там, скорее даже с раздражением поняла, что и не представляет, где его искать. Велосипед его вон стоит, прислонен к крыльцу. Знает ведь, что нельзя убегать далеко, если уже скоро ужинать и у них гости.

Робин! позвала она. Прячется, что ли? Сверстников Робина в округе не было, правда сюда, на широкие, усаженные тенистыми дубами дорожки Джордж-стрит иногда забредали чумазые ребятишки с реки — и черные, и белые, но сейчас и этих видно не было. Ида запрещала Робину с ними играть, хотя изредка он все равно ее не слушался. Самых маленьких — коленки ободраны, ноги грязные — было, конечно, очень жаль, и хоть Ида свирепо гнала их со двора, Шарлотта, бывало, расчувствовавшись, давала им по четвертаку или угощала лимонадом. Но едва они дорастали лет до тринадцати-четырнадцати, как Шарлотта только рада была спрятаться дома, и пусть бы Ида гнала их подальше со всей строгостью. Они палили из воздушек по собакам, тащили со дворов все, что плохо лежит, сквернословили и носились по улицам до самой темноты.

Ида сказала: бегали тут недавно мальчишки, шваль всякая.

Швалью Ида звала только белых. Детей белой бедноты Ида терпеть не могла и со слепой злобой валила на них каждую поломку во дворе, даже когда Шарлотта точно знала, что ко двору они и близко не подходили.

И Робин с ними был? спросила Шарлотта.

Не-а, мэм.

А теперь они где?

Прогнала.

Куда?

Онтуда, к складам.

Соседка, старая миссис Фонтейн — в белом кардигане и узких очках в толстой роговой оправе — вышла к себе во двор, узнать, что происходит. За ней плелся ее дряхлый пудель Микки, с которым они были до смешного схожи: острый носик, жесткие седые кудельки, недоверчиво вздернутый подбородок.

Привет-привет, весело крикнула она, что, закатили вечеринку?

Да просто семьей собрались, отозвалась Шарлотта, вглядываясь в темнеющий горизонт за Натчез-стрит, где уходили вдаль железнодорожные пути. Надо было, конечно, и миссис Фонтейн пригласить к ужину. Миссис Фонтейн была вдовой, а ее единственный сын погиб в Корее, но она вечно совала нос в чужие дела, да еще и без конца на все жаловалась. Мистер Фонтейн, владелец химчистки, умер еще не старым, и люди шутили, что жена его, мол, уболтала до смерти.

А что стряслось-то? спросила миссис Фонтейн.

Вы Робина, случаем, не видели?

Нет, я весь вечер на чердаке проубиралась. Знаю, знаю, сама выгляжу как чучело. Видите вон, сколько мусора выволокла? Знаю, знаю, мусорщик теперь приедет только во вторник, и уж так мне неохота, чтоб до тех пор это все на улице валялось, ну а что поделать? А куда Робин-то убежал? Никак не сыщете, что ли?

Да вряд ли он далеко убежал, сказала Шарлотта, шагнув на дорогу, оглядев улицу, но ведь уже пора ужинать.

Сейчас как ливанет, сказала Ида Рью, взглядывая на небо.

А не в пруд ли свалился, нет? с тревогой спросила миссис Фонтейн. Я так всегда боюсь, что кто-то из деточек туда упадет.

Да тот пруд меньше фута глубиной, ответила Шарлотта, но все равно развернулась и пошла на задний двор.

На крыльцо вышла Эди. Случилось что? спросила она.

Взади нету его, проорала Ида Рью. Смотрела уж!

Когда Шарлотта проходила мимо открытого на кухне окна, то снова услышала Идину церковную передачу:

Зовет нас Иисус
Ласково, нежно
Тебя и меня зовет
Ждет, у ворот
Тебя и меня
Он ждет…

На заднем дворе никого не было. Дверь в сарай распахнута: пусто. На поверхности пруда с золотыми рыбками плавает склизкая пленка зеленой пены, целехонька. Когда Шарлотта подняла голову, черные облака взлохматила электрическая вспышка молнии.

Первой его заметила миссис Фонтейн. От ее крика Шарлотта так и застыла на месте. Потом развернулась и побежала назад — быстро, быстро, и все равно слишком медленно, — прогрохотали вдали пустые раскаты грома, под грозовым небом все до странного осветилось, туфли проваливались в грязь, земля будто бы вскидывалась ей наперерез, где-то все пел хор и внезапный сильный порыв сырого от дождя ветра, словно огромными крыльями, зацепил макушки дубов; вокруг нее вздымалась лужайка, колыхалась зеленью, захлестывала ее, как морской прибой, а она бежала, спотыкаясь и ничего не видя от ужаса (потому что уже услышала все, все в крике миссис Фонтейн) — по направлению к самому худшему.

Где же была Ида, когда она туда добежала? А Эди? Шарлотта помнила только миссис Фонтейн, та прижала ко рту кулак со скомканной салфеткой, за дымчатыми очками — вытаращенные, безумные глаза, только миссис Фонтейн, и тявканье ее пуделя, и еще — раздававшаяся откуда-то отовсюду и из ниоткуда — густая, нечеловеческая дробь криков Эди.

Мертвый Робин свисал с нижней ветки черного тупело, стоявшего возле разросшейся живой изгороди между домами Шарлотты и миссис Фонтейн, веревка была переброшена через ветку и затянута у него вокруг шеи. Обмякшие носки кед болтались дюймах в шести от земли. Кот Вини, распластавшись на ветке сверху, обхватив ее задними лапами, ловко, проворно теребил медно-рыжие волосы Робина, которые шевелились и поблескивали на ветру. После его смерти только они и остались прежнего цвета.

Воротись домой, —

мелодично пел хор по радио, —

Всяк, кто устал,
Воротись домой.

Из кухонного окна повалил черный дым. На плите сгорели куриные крокеты. В семье все их обожали, но с того дня на них больше никто смотреть не мог.

ГЛАВА 1

Мертвый кот

Двенадцать лет прошло с тех пор, как умер Робин, но никто по-прежнему не знал, как так вышло, что его нашли, повешенного, во дворе его же дома.

В городе о его смерти до сих пор судачили. “Несчастный случай”, так обычно говорили, хотя все факты (которые обсуждали за бриджем, в парикмахерских, рыболовных лавочках, врачебных кабинетах и в банкетном зале “Загородного клуба”) свидетельствовали об обратном. Сложно, конечно, было представить, чтоб девятилетка сам повесился — случайно или по глупости. Подробности все знали, и тут было о чем поговорить и поспорить. Висел Робин на волоконном кабеле, который не везде достанешь — такой разве что электрикам иногда нужен, но никто не знал, откуда этот кабель тут взялся или где его раздобыл Робин. Кабель был толстый, тугой, и следователь из Мемфиса сказал ныне ушедшему на пенсию городскому шерифу, что, по его мнению, маленький мальчик вроде Робина сам узлы ни за что бы не затянул. На ветке кабель был закреплен неумело, кое-как, но кто же знает, это потому, что убийца был неопытный, или потому, что он торопился. А отметины на теле (сообщил врач Робина, который поговорил с судмедэкспертом, который в свою очередь прочел отчет окружного дознавателя) указывали на то, что причиной смерти стала не сломанная шея, а удушение. Одни считали, что он задохнулся в петле, другие — что его сначала задушили, а уж потом повесили.

Но родные Робина, да и все жители города не сомневались, что умер Робин не своей смертью. Но как именно все произошло и кто убийца, так никто и не узнал. С двадцатых годов убийства в уважаемых городских семействах случались дважды, когда ревнивые мужья убивали жен, но то были давние дрязги, и все, кто имел к ним какое-то отношение, уже давно умерли. В Александрии, правда, то и дело убивали негров, но почти любой здешний белый вам скажет, что и убивали их тоже негры из-за каких-то своих сугубо негритянских дел. Другое дело, что теперь убили ребенка — от такого любому станет страшно, богатому и бедному, черному и белому, но никто не мог взять в толк, кто мог сотворить такое и зачем.

В округе говорили, что это все, мол, Жуткий Бродяга, многие рассказывали, что видели его и через несколько лет после смерти Робина. Все сходились на том, что росту он был огромного, но потом описания начинали разниться. Кто говорил, что он белый, кто говорил, что черный, иногда всплывали и яркие приметы вроде недостающего пальца на руке, хромоты, синюшного шрама во всю щеку. Говорили, что он наемный бандит, который удушил ребенка техасского сенатора, а потом скормил его свиньям; что он — выступавший на родео клоун, который хитроумными трюками с лассо подманивал к себе детей, а потом убивал их; что он — сбежавший из Уитфилдского дурдома умственно отсталый психопат, которого в одиннадцати штатах разыскивают за преступления. Но хоть родители в Александрии и пугали детей Бродягой, а в Хэллоуин обязательно кто-нибудь видел, как огромный дядька хромает в двух шагах от Джордж-стрит, изловить Бродягу так и не удалось. После того как погиб мальчик Кливов, каждого бездомного, побродяжку и извращенца в радиусе сотни миль схватили и допросили, но расследование ничего не дало. Конечно, никому не хотелось думать, что убийца прячется где-то за соседним деревом, но страх так никуда и не делся. Особенно боялись, что он так и рыщет поблизости, припарковался где-нибудь в укромном местечке, засел в машине и подсматривает за детьми.

Но такие вещи обсуждали только жители города. Родные Робина о таком даже не заговаривали, ни за что.

Родные Робина говорили о Робине. Рассказывали забавные истории из его детства, про то, как он ходил в детский сад и как играл в бейсбол в Малой лиге, припоминали милые и смешные пустячки, что он говорил или делал. Его старые тетки навспоминали горы подробностей: какие у него были игрушки, какая одежда, каких учителей он любил, а каких терпеть не мог, в какие он играл игры и какие рассказывал им сны, чего ему хотелось, а чего — нет, и что он любил больше всего на свете. Что-то из этого было правдой, что-то — нет, но как тут проверишь, к тому же, если уж Кливы сходились насчет чего выдуманного, как это тотчас же — автоматически и бесповоротно — становилось истиной, хотя сами они об этой своей коллективной магии даже не подозревали.

Сложные и загадочные обстоятельства смерти Робина этой магии были неподвластны. Как бы ни любили Кливы переписывать историю, но на эти разрозненные отрывки сюжета было не накинуть, к логическому знаменателю все не привести, не извлечь уроков, не вывести морали. У них остался только Робин, точнее то, что они о нем помнили, и изысканный абрис его характера, который за долгие годы оброс сложнейшими узорами, стал их величайшим шедевром. Робин был обаятельным непоседой, но именно за ужимки и чудачества все они его так и любили, и когда принялись создавать его заново, порывистость Робина кое-где вышла до болезненного реальной, еще секунда — и он, подавшись вперед, промчится мимо тебя на велосипеде: ветер бьет ему в лицо, а он что есть сил жмет на педали, так что велосипед слегка потряхивает — резвый, своенравный, живой ребенок. Но реальность эта была ненадежной и добавляла обманчивого правдоподобия сказочному по сути сюжету, потому что в других местах историю затерли чуть ли не до дыр, и она стала яркой, но до странного гладенькой, какими бывают иногда жития святых.

"Вот Робин бы обрадовался!" — с нежностью говорили его тетки. "То-то Робин бы посмеялся!" По правде сказать, Робин был егозливым, непоседливым ребенком — то молчит серьезно, то покатывается от хохота, — и львиная доля его обаяния была в этой непредсказуемости. Однако его младшие сестры, которые Робина толком и не помнили, росли, твердо зная, какой у их умершего брата был любимый цвет (красный), какая любимая книжка ("Ветер в ивах") и кто у него там любимый герой (мистер Тоуд), какое он любил мороженое (шоколадное), за какую бейсбольную команду болел ("Кардиналы") и еще сотню других вещей, которых они, живые, настоящие дети, сегодня любившие шоколадное мороженое, а завтра уже персиковое — не всегда знали про самих себя. Поэтому их связь с умершим братом была крепче некуда, ведь по сравнению с их собственными, непознанными, переменчивыми натурами, по сравнению с другими людьми, Робин весь был как источник сильного, яркого, непоколебимого сияния, и они выросли с верой в то, что все дело было в редком, ангельском, светлом характере Робина, а никак не в том, что он умер.

Младшие сестры Робина выросли непохожими и на Робина, и друг на друга.

Эллисон исполнилось шестнадцать. Невзрачная белокожая девочка, которая легко обгорала на солнце и ревела почти по каждому поводу, вдруг выросла в длинноногую красавицу с золотисто-рыжими волосами и влажными золотисто-карими глазами. Красота ее была ускользающей. Голос у нее был мягким, движения неспешными, выражение лица сонным, томным, поэтому ее бабка Эди, которая в женщинах ценила живость и огонек, была даже разочарована. Прелесть Эллисон была в ее хрупкости, безыскусности, она вся, словно цветущие июньские луга, была сложена из юной свежести, которая (и кому как не Эди это знать) быстрее всего и увядает. Она витала в облаках, она часто вздыхала, ходила, запинаясь, косолапо подворачивая ноги, и говорила с запинками. Она была красива — неброской, свежей, как парное молоко, красотой, и парни из ее класса уже начали ей позванивать. Эди подсматривала, как она (опустив глаза, раскрасневшись, прижимая трубку к уху плечом) водит по полу носком ботинка и заикается от смущения.

И до чего же жаль, то и дело вслух расстраивалась Эди, что такая *прелестная* девочка (в устах Эди это слово звучало почти так же, как "слабенькая" и "вялая") совершенно не умеет себя подать. Эллисон надо убрать челку со лба. Эллисон надо распрямиться, держаться ровно, уверенно, не сутулиться. Эллисон надо улыбаться, говорить погромче, начать хоть чем-нибудь интересоваться, спрашивать, как у людей дела, раз уж она сама не может сказать ничего интересного. Эти советы Эди давала из самых добрых побуждений, но зачастую — при людях и таким нетерпеливым тоном, что Эллисон убегала в слезах.

— Ничего, — громко говорила Эди, нарушая тишину, которая обычно наступала после этого, — кто-то ведь должен научить ее жизни. Я вам так скажу, если б я не держала ее в ежовых рукавицах, она б до десятого класса не доучилась.

И то верно. На второй год Эллисон никогда не оставляли, но пару раз, особенно в начальной школе, она была к этому близка. "Витает в облаках", сообщал раздел "Поведение" в табеле Эллисон. "Неряха". "Медлительная". "Не работает на уроках". "Ну, надо побольше стараться", — вяло говорила Шарлотта, когда Эллисон приносила из школы очередные тройки или двойки.

Плохие оценки, казалось, не волновали ни Эллисон, ни ее мать, зато они волновали Эди, да еще как. Она врывалась в школу, требовала, чтоб ей дали переговорить с учителями, изводила Эллисон списками книг, карточками со словами и делением в столбик, с красным карандашом проверяла все сочинения и письменные работы Эллисон, даже когда та перешла в старшие классы.

Бессмысленно было напоминать Эди, что сам Робин, и тот не всегда хорошо учился. "У него был бойкий характер, — ядовито отвечала она. — Но вскоре он бы взялся за ум". Тогда Эди, пожалуй, почти проговорилась о том, что ее по-настоящему беспокоило, ведь все Кливы прекрасно понимали, что, будь Эллисон такой же бойкой, как ее брат, Эди спустила бы ей с рук все тройки и двойки в мире.

Если Эди за годы, прошедшие со смерти Робина, несколько озлобилась, то Шарлоттой завладело безразличие ко всему, и от этого жизнь ее застопорилась, стала бесцветной. Если она и пыталась вступиться за Эллисон, то делала это неумело и без особого энтузиазма. Она стала походить на своего мужа Диксона — тот сносно обеспечивал семью, но дочерям никогда не уделял заботы. Ничего личного в таком равнодушии не было, Дикс был человек разносторонний, и одна из его сторон маленьких девочек ни в грош не ставила, о чем он всегда сообщал открыто и с беспечной, дружелюбной веселостью. (*Его* дочерям, любил повторять он, от него ни цента не достанется.)

Дикса и раньше почти никогда не было дома, а теперь он и вовсе там редко появлялся. Его родителей Эди считала нуворишами (отец Дикса торговал сантехникой), и когда Дикс, ослепленный происхождением Шарлотты и ее семьей, на ней женился, то думал, что она еще и богата. Счастливым их брак никогда не был (Дикс допоздна засиживался в банке, допоздна играл в покер, ездил на охоту, на рыбалку, играл в гольф и под любым предлогом старался ускользнуть из дома на выходные), но после смерти Робина даже у Дикса поиссякло терпение. Ему хотелось уже разделаться с этим трауром, он на дух не переносил тишины в доме, воцарившейся атмосферы запустения, апатии, печали и потому выкручивал на всю звук телевизора, раздраженно ходил из комнаты в другую, хлопал в ладоши, раздвигал занавеси, то и дело повторяя: “Ну-ка, встряхнитесь!”, или “Давайте-ка возьмем себя в руки!”, или “Мы же все заодно!” До чего же он удивился, когда его усилий никто не оценил. В конце концов, когда он своими подбадриваниями не сумел разогнать тоску дома, ему сделалось там совсем скучно, и он сначала все чаще и чаще стал сбегать в свой охотничий домик, а потом взял и согласился, когда ему предложили работу в другом городе, в банке, с хорошей зарплатой. Вроде как беззаветно всем пожертвовал. Но всякий, кто знал Дикса, хорошо понимал, что тот перебрался в Теннесси совсем не ради семьи. Дикс любил, чтоб жизнь била ключом — “кадиллаки”, вечера за картами, футбольные матчи, ночные клубы в Новом Орлеане и каникулы во Флориде, — ему хотелось коктейлей, смеха, чтоб жена ходила с идеальной прической, держала дом в чистоте и по первому его слову выносила поднос с закусками.

Но жизнерадостной и развеселой семьи Диксу не досталось. Его жена и дочери были нелюдимыми, чудаковатыми, угрюмыми. Хуже того, после всех этих событий они, и сам Дикс в том числе, стали как прокаженные. Друзья начали их избегать. Другие семейные пары больше их никуда не звали, знакомые перестали к ним заходить. Поэтому Диксу ничего не оставалось, кроме как променять семью на обшитую деревянными панелями контору и бурную светскую жизнь в Нэшвилле — и никаких угрызений совести это у него не вызвало.

Эллисон, конечно, раздражала Эди, зато двоюродные бабки души в ней не чаяли, и все, что Эди находила в ней несносным, им казалось романтическим, поэтичным. По их мнению, Эллисон была в семье не только самой красивой, но и самой славной — терпеливая, безропотная, умеет обходиться с животными, стариками и детьми, — а эти качества, считали бабки, куда важнее хороших оценок и умничаний.

Бабки всегда преданно вставали на ее сторону. *Ребенку и без того много вынести пришлось*, как-то раз свирепо сказала Тэт, обращаясь к Эди. Ее слова подействовали — ненадолго, но Эди поутихла. Все ведь помнили, что в тот ужасный день во дворе были только Эллисон с младенцем, Эллисон тогда, конечно, было всего четыре года, но она, несомненно, что-то видела, и, судя по всему, что-то очень страшное, потому что с тех самых пор была слегка не в себе.

В тот же день ее настойчиво допрашивали и члены семьи, и полицейские. Видела ли она кого-то во дворе, взрослого, например, какого-нибудь дядю? Но Эллисон, которая вдруг ни с того ни с сего начала писаться в кровать и просыпаться с воплями от жутких кошмаров, отказывалась что-либо говорить. Она сосала палец, крепко прижимала к себе плюшевую собачку и не отвечала даже на вопросы о том, как ее зовут и сколько ей лет. Либби, самой мягкой и терпеливой ее двоюродной бабушке, и той не удалось и слова из нее вытянуть.

Эллисон не помнила брата, не вспомнила она ничего и о его смерти. В детстве, бывало, она часто лежала без сна — в доме все уже спят, а она лежит, разглядывает джунгли теней на потолке и изо всех сил роется в памяти в поисках воспоминаний, но так ничего и не находит.

Милая будничность детства никуда не делась — вот крыльцо, пруд с рыбками, киса, клумбы, все привычное, яркое, незыблемое, но всякий раз, когда она пыталась вспомнить что-то, что было еще раньше, у нее перед глазами возникала одна и та же странная картинка: во дворе никого, по пустому дому гуляет эхо, все ушли совсем недавно, потому что белье развешано, со стола после ланча еще не убирали, а вся семья куда-то делась, пропала, а куда, она не знает, и рыжий кот Робина — не тот вальяжный, мордастый котище, в которого он вырос, а еще совсем котенок — вдруг взбесился, глаза у него остекленели, и он метнулся через весь двор, взлетел на дерево, в ужасе отпрыгнув от нее так, будто в первый раз ее видел. В этих воспоминаниях она сама на себя была не похожа, особенно если воспоминания были из раннего детства. Окружающую обстановку она опознавала с ходу — дом номер 363 по Джордж-стрит, место, где она всю жизнь жила, — но саму себя, Эллисон, не узнавала: вместо нее там был кто-то другой, ни младенец, ни ребенок, так — взгляд, пара глаз, которые оглядывали знакомые места и видели их так, будто за этим взглядом не стояло никакой личности, тела, возраста или прошлого, как будто она вспоминала то, что случилось еще до ее рождения.

Сознательно Эллисон обо всем этом не думала, так, всплывали какие-то бесформенные обрывки. В детстве ей в и голову не приходило, что эти разрозненные впечатления могут что-то означать, а став старше, она и вовсе перестала об этом задумываться. О прошлом она почти не вспоминала и в этом сильно отличалась от своих родных, которые только о нем и думали.

В семье ее не понимали. Но они не поняли бы ничего, даже если б она попыталась им что-то объяснить. В их головах, занятых бесконечным припоминанием того или этого, прошлое с будущим представали повторяющимися сюжетами, и другой взгляд на мир был для них непостижим.

Память — хрупкая, зыбко-яркая, чудесная — для них была жизненной искрой, и с обращения к памяти они начинали почти каждую фразу. "Помнишь, у тебя было батистовое платьице в зеленый листочек? — напирали на нее мать с бабками. — А розовый куст помнишь? А лимонные пирожные? А помнишь, какая замечательная выдалась морозная пасха, когда Гарриет была еще совсем крошкой и вы с ней в снегу искали яйца и вылепили у Аделаиды во дворе пасхального зайчика?"

"Ну да, ну да, — врала в ответ Эллисон, — помню". И ведь можно сказать, что помнила. Она столько раз уже слышала эти рассказы, знала все наизусть, а если что, и сама могла их повторить, ввернув подробность-другую, которыми другие пренебрегли: как, например, они с Гарриет собрали розовые лепестки, облетевшие с побитых морозом диких яблонь, и сделали из них зайчику нос и уши. Все эти рассказы она знала, как знала еще истории из маминого детства — или из книжек. Но по большому счету с собой лично никак не связывала.

А правда была такова (и в этом Эллисон никогда и никому не признавалась): очень многих вещей она вообще не помнила. У нее не сохранилось никаких воспоминаний о том, как она ходила в детский сад, да и в первый класс, да и вообще она толком не помнила ничего, что с ней происходило лет до восьми. Эллисон этого страшно стыдилась и всеми силами (и по большей части успешно) старалась скрыть. Ее младшая сестра Гарриет, например, якобы помнила события, которые происходили, когда ей еще и года не было.

Гарриет не было и полугода, когда умер Робин, но она утверждала, что помнит и его, и Эллисон, да и все Кливы верили, что, скорее всего, так оно и было. Время от времени Гарриет вдруг выдавала какой-нибудь напрочь позабытый всеми, но удивительно точный факт — какая была погода, кто как был одет и что подавали на обедах в честь чьего-нибудь дня рождения, когда ей еще и двух лет не исполнилось, — так что все только рты разевали.

Но Эллисон совсем не помнила Робина. До чего непростительно. Ей было почти пять, когда он умер. И что было после его смерти, она тоже вспомнить не могла.

Разыгравшееся потом действо она, конечно, знала до мелочей: слезы, плюшевая собачка, ее молчание, и как детектив из Мемфиса по имени Белок Оливет, здоровяк с верблюжьим лицом и ранней сединой в волосах, показывал ей снимки своей дочери Селии и угощал ее батончиками "Миндальная нега", целая коробка которых стояла у него в машине, как он показывал ей еще и другие снимки — чернокожих мужчин, белых мужчин, остриженных под ежик, с набрякшими веками, как Эллисон сидела на синей бархатной козетке дома у Тэттикорум — они с сестрой тогда жили у Тэт, потому что мать не вставала с постели, — по лицу у нее катились слезы, она отколупывала с "Миндальной неги" шоколад и упорно молчала. Она это знала не потому, что помнила, а потому, что ей об этом рассказывала тетка Тэт — много раз подряд, сидя в кресле, придвинутом поближе к обогревателю, когда зимой после школы Эллисон заходила ее проведать: ее подслеповатые буровато-карие глаза всегда смотрели куда-то вдаль, а слова лились плавно, ласково, с ностальгией, будто героиня ее рассказа вовсе не сидела с нею рядом.

У проницательной Эди не хватало ни ласки, ни терпения. В историях, которые она рассказывала Эллисон, часто прослеживалась занятная аллегоричность.

"Сестра моей матери, — заводила, бывало, Эди, когда везла Эллисон домой с уроков фортепиано, ни на секунду не сводя глаз с дороги, высоко вздернув крупный элегантный ястребиный нос, — сестра моей матери знавала одного мальчика, Рэндалла Скофилда, у которого вся семья погибла во время торнадо. Приходит он, значит, домой после уроков, и знаешь, что видит? Весь дом разнесло в щепки, а негры, их работники, вытащили из-под обломков трупы его отца, матери и трех младших братьев, и вот так они и лежат, все в крови, даже простынку никто не набросил —

лежат рядком, что твой ксилофон. Одному брату руку оторвало, а у матери в виске чугунный упор для двери застрял. Ну и знаешь, что с этим мальчиком сталось? Он онемел. И семь лет потом еще слова не мог вымолвить. Отец рассказывал, что он всюду с собой таскал стопку картонок, какие в рубашки вставляют, и восковой карандаш, чтоб писать все, что он хотел сказать. Хозяин местной химчистки бесплатно ему эти картонки давал".

Эди любила рассказывать эту историю. У нее были варианты: дети то слепли, то откусывали себе языки, то впадали в беспамятство, столкнувшись с ужасными зрелищами. Звучала в этих историях какая-то укоризненная нотка, которую Эллисон все никак не могла полностью уловить.

Эллисон много времени проводила одна. Слушала пластинки. Клеила коллажи из журнальных вырезок и лепила из расплавленных восковых карандашей неопрятные свечи. Рисовала балерин, лошадей и мышат на полях тетради по геометрии. В столовой она сидела за одним столом с группкой довольно популярных в школе девочек, но вне школы редко с ними виделась. С виду она была совсем как они: модная одежда, чистая кожа, живет в большом доме на приличной улице, ну и пусть что не слишком бодрая или смышленая, так ведь и плохого о ней сказать нечего.

— Захочешь, так можешь стать всеобщей любимицей, — сказала Эди, которая все социальные выгоды просчитывала с ходу, даже на уровне десятого класса. — Самой популярной в классе девчонкой стать можешь, стоит только постараться.

Стараться Эллисон не желала. Она, конечно, не хотела, чтоб над ней издевались или чтоб ее дразнили, но если никто особо не обращал на нее внимания, это ее полностью устраивало. Впрочем, кроме Эди, внимания на нее почти никто и не обращал. Она много спала. Одна ходила в школу и обратно. Если встречала по пути собаку, останавливалась с ней поиграть. По ночам ей снилось желтое небо, на фоне которого билось что-то белое, будто простыня. Она страшно пугалась, но проснувшись, тотчас же обо всем забывала.

Эллисон много времени проводила с двоюродными бабками — оставалась у них на выходные, заходила после школы. Она вдевала им нитки в иголки, читала вслух, когда у старушек стало сдавать зрение, залезала на стремянку, чтобы снять что-нибудь с пыльной верхней полки, слушала рассказы про их давно покойных одно-

классниц и фортепьянные
сти. Иногда после школы она
благотворительных распродаж –

Она охлаждала мраморную сто
ру термометром, выверяла все тща
шаг не отступая от рецепта, ножом дл
ингредиентов в мерной чашке. Ее бабка
хохотушки с нарумяненными щеками и з
потали туда-сюда, носились, суетились, зва
прозвищами, радуясь тому, что кто-то хлопоч

Хозяюшка ты наша, выпевали бабки. Красави
гой, не забываешь нас. Славная девочка. Миленьк

Младшая сестра, Гарриет, не была ни миленькой, ни
кой. Гарриет была умной.

Едва выучившись говорить, Гарриет внесла в жизнь Кли
кую сумятицу. Она дралась на детской площадке, дерзила
лым, препиралась с Эди, брала в библиотеке книги про Чинги
на и матери не давала спокойно вздохнуть. Она училась в седьмо
классе, ей было двенадцать.

Училась она на отлично, но учителя никак не могли с ней сладить. Иногда они звонили матери или Эди — все, кто хоть капельку разбирался в Кливах, понимали — говорить надо с ней, она — семейный фельдмаршал и управитель, вся власть у нее в руках, и если кто и может что-то сделать, так это она. Но Эди и сама не знала, как вести себя с Гарриет. Непослушной или неуправляемой Гарриет не назовешь, но она была высокомерна, и любого взрослого каким-то образом ухитрялась вывести из себя.

В Гарриет не было ничего от мечтательной хрупкости сестры. Она была крепко сбита, как барсучок — круглые щеки, острый носик, черные, остриженные в каре волосы, тонкие, решительно поджатые губы. Говорила она резким, пронзительным фальцетом — слишком отрывисто для уроженки Миссисипи, поэтому те, кто видел ее впервые, часто спрашивали, где она выучилась говорить, как янки. Глаза у нее были светлые, проницательные — совсем как у Эди. Все отмечали, как сильно она похожа на бабку, но от стремительной, свирепой красоты Эди в Гарриет осталась одна

...м действовала на нервы. Садовник Че-
...ребом и ястребенком.
... Гарриет бесконечно и смешила, и доводи-
...? Как только она научилась говорить, стала
...и хвостом и расспрашивать обо всем, что они
...да получает денег? А Честер знает “Отче наш”?
...рочитает. Еще их веселило то, что она вечно ссо-
...о миролюбивых Кливов. Несколько раз они чуть ли
...ругались из-за Гарриет: когда та, например, сообщила
...о ни Эди, ни Тэт не пользуются наволочками, которые
...для них вышила, а передарили их другим людям, или
...просветила Либби, что ее соленья в укропном маринаде,
...е Либби считала своим кулинарным шедевром, есть невоз-
...о, а у родных и соседей они пользуются такой популярностью
...ко потому, что ими отчего-то очень хорошо травить сорняки.
...Видела во дворе такой лысый пятачок? — спросила Гарриет. —
...озле заднего крыльца? Тэтти туда выплеснула твой маринад лет шесть назад, и с тех пор там ничего не растет”. Гарриет горячо продвигала идею о том, что маринад надо разливать по бутылкам и продавать как гербицид. Либби заделается миллионершей.

Тетя Либби перестала рыдать только три или четыре дня спустя. С Аделаидой и ее наволочками все было еще хуже. В отличие от Либби та любила дуться: целых две недели она не разговаривала ни с Эди, ни с Тэт, холодно игнорировала примирительные пироги и торты, которые они оставляли у нее на крыльце — их потом съедали соседские собаки. Либби в ужасе от такого разлада (она-то была как раз ни в чем не виновата, потому что только у нее хватало сестринской любви на то, чтобы пользоваться уродливыми Аделаидиными наволочками) семенила туда-сюда, пытаясь всех помирить. Ей это почти удалось, но тут Гарриет снова взбаламутила Аделаиду, рассказав той, что Эди никогда не разворачивает подарки от нее, а только отвязывает с них подарочные ярлычки, привязывает новые и рассылает их по всяким благотворительным организациям — даже для негров. Скандал вышел такой, что и теперь, столько лет спустя, стоило кому-то об этом вспомнить, и снова отовсюду сыпались завуалированные ядовитые обвинения, а Аделаида с тех пор на Рождество и дни рождения специально покупала сестрам вызывающе дорогие подарки — например, флакон “Шалимара” или ночную сорочку от “Голдсмита” в Мемфисе, с которых к тому же частенько забывала снимать ценники. “Сама я предпочитаю подарки, сделанные своими руками, — громко сообщала она дамам из своего бридж-клуба, трудившемуся во дворе Честеру или пристыженно склонившим головы сестрам, которые разворачивали непрошеные щедрые дары. — Они куда ценнее. Это проявление заботы. Но некоторым важно только то, сколько ты на них потратил денег. Они подарок за подарок не считают, если он не куплен в магазине”.

“Мне нравится, как ты шьешь, Аделаида”, — всегда говорила Гарриет. И ей правда нравилось. Фартуки, наволочки, посудные полотенца ей были ни к чему, но аляповатым Аделаидиным рукоделием у нее в комнате были под завязку забиты все ящики комода. Впрочем, нравилось ей не рукоделие, а вышивка на нем: голландские крестьянки, танцующие кофейники, храпящие мексиканцы в сомбреро. Она так их обожала, что даже подворовывала аделаидины подарки из чужих комодов, и ее чертовски злило, что Эди отсылала наволочки в благотворительные организации (“Не глупи, Гарриет. Тебе-то они зачем сдались?”), когда они ей самой были нужны.

— Я знаю, что тебе-то нравится, милая, — бормотала Аделаида срывающимся голосом — до того ей было себя жаль — и наклонялась, чтоб театрально чмокнуть Гарриет в лобик, пока Тэт с Эди переглядывались у нее за спиной. — Когда меня не станет, ты будешь рада, что хоть у тебя эти вещи остались.

— Эта штучка, — сказал Честер Иде, — любит воду мутить.

Эди, которая сама в общем-то любила помутить воду, обнаружила, что младшая внучка ей мало в чем уступает. Но, несмотря на это, а может быть, как раз поэтому, им и было хорошо вместе, и Гарриет много времени проводила дома у бабки. Эди часто жаловалась, что Гарриет упрямая и невоспитанная, ворчала, что она вечно путается у нее под ногами, но хоть Гарриет и выводила Эди из себя, та предпочитала ее общество обществу Эллисон, которой всегда было нечего сказать. Эди скучала по Гарриет и любила, когда внучка ее навещала, хотя сама бы, конечно, в жизни в этом не призналась.

Двоюродные бабки тоже любили Гарриет, но она не была такой ласковой, как ее старшая сестра, и ее заносчивость их обескураживала. Слишком она была прямолинейная. Она не умела вести себя сдержанно и дипломатично, и, хоть Эди этого и не замечала, Гарриет в этом отношении была здорово похожа на бабку.

Напрасно тетушки пытались обучить ее вежливости.

— Как же ты не поймешь, милая, — говорила Тэт, — что, если пудинг тебе не нравится, лучше все равно его съесть, нежели обидеть хозяйку дома отказом?

— Но я не люблю пудинг.

— Знаю, что не любишь, Гарриет. Поэтому-то я привела этот пример.

— Пудинги — это отвратительно. Их все терпеть не могут. А если я ей скажу, что пудинг мне нравится, она так и будет мне его подкладывать.

— Да, милая, но смысл-то не в этом. А в том, что если кто-то ради тебя расстарался и что-то приготовил, съесть это будет проявлением хорошего тона, даже если тебе не хочется.

— В Библии сказано, что лгать — нехорошо.

— Это другое. Это ложь во благо, белая ложь. В Библии про другую ложь сказано.

— В Библии не сказано, черная ложь или белая. Там написано просто — ложь.

— Ну правда, Гарриет. Конечно, Иисус велел нам не лгать, но это же не значит, что нужно грубить хозяйке дома.

— Про хозяйку дома Иисус ничего не говорил. Он говорил, что ложь — это грех. Он говорил, что Сатана — лжец и князь лжецов.

— Но Иисус ведь еще говорил, "возлюби ближнего своего", правда? — сымпровизировала Либби, перенимая эстафету у потерявшей дар речи Тэт. — Разве это не про хозяйку дома? Если она живет близко.

— Верно, — радостно подхватила Тэт. — Ну то есть, — поспешила заметить она, — не то чтобы твой ближний непременно должен близко от тебя жить. "Возлюби ближнего своего" означает, что нужно есть что дают и быть за это благодарной.

— Не понимаю, с чего это любить ближнего — значит говорить ему, что я люблю пудинг. Я же не люблю пудинг.

С этаким мрачным занудством не могла сладить даже Эди. Гарриет могла препираться часами. Уговаривать ее можно было хоть до посинения. И — самое возмутительное — даже в самых своих дичайших доводах Гарриет всегда опиралась на Библию. Эди, впрочем, этим было не пронять. Сама она, конечно, помогала и религиозным, и благотворительным организациям, и в церковном хоре пела, но, по правде сказать, не особо верила во все написанное в Библии — так же, как в глубине души не верила в свои любимые присказки: что все, например, делается к лучшему или что негры по сути своей ничем не отличаются от белых. Но если остальные бабушки задумывались над словами Гарриет, то им — и Либби в особенности — делалось не по себе. Свои софизмы Гарриет неизменно подкрепляла примерами из Библии, и выходило, что они полностью противоречат и здравому смыслу, и их убеждениям.

— Может быть, — смущенно сказала Либби, когда Гарриет умчалась домой ужинать, — может быть, Господь не делает различий между плохой ложью и хорошей. Может, для Него они все плохие.

— Да будет тебе, Либби.

— Может, нам надо было это от малого ребенка услышать?

— Да пусть я в аду сгорю, — взорвалась Эди, которая не застала начало разговора, — все лучше, чем рассказывать всем направо и налево, что я про них думаю.

— Эдит! — хором вскричали ее сестры.

— Эдит, ты ведь это не серьезно?!

— Я серьезно. И что обо мне другие думают, я тоже знать не желаю.

— Ума не приложу, что ты такого натворила, Эдит, — заметила праведница Аделаида, — что воображаешь, будто все о тебе думают только плохое.

Служанка Либби, Одеан, которая притворялась глухой, невозмутимо подслушивала их разговор, разогревая на кухне ужин для старушки: курицу с булочками в сливочном соусе[1]. Ничего интересного дома у Либби не происходило, зато после визитов Гарриет хоть разговоры делались поживее.

Если Эллисон другие дети смутно одобряли, сами, впрочем, не зная за что, то Гарриет, которая любила всеми покомандовать, мало кому нравилась. Зато и дружили с ней не как с Эллисон — вяло и походя. Друзьями Гарриет были в основном фанатично преданные ей мальчишки помладше, которые после школы вскакивали на велосипеды и ехали через полгорода, лишь бы увидеться с ней. Она заставляла их играть в крестоносцев и в Жанну д'Арк, по ее

1 Традиционное блюдо южных штатов, булочки запекают в духовке прямо поверх мясного рагу.

приказу они напяливали на себя простыни и разыгрывали сценки из Нового Завета, в которых сама Гарриет всегда была Иисусом.

Больше всего она любила тайную вечерю. Они все усаживались за стол на одну лавку — в духе Леонардовой фрески — в увитой мускатом беседке на заднем дворе у Гарриет и, затаив дыхание, ждали, когда она, раздав опресноки из крекеров и виноградную фанту вместо вина, по очереди смерит холодным взглядом каждого из них.

— Истинно, истинно говорю вам, — произносила она так спокойно, что у них мурашки бежали по коже, — один из вас предаст меня.

— Нет! Нет! — с восторгом взвизгивали они — и вместе с ними Хили, который играл Иуду, но Хили был у Гарриет любимчиком, и ему перепадали все козырные роли, не только Иуды, но и апостолов Иоанна, Луки или Симона Петра. — Никогда, Господи!

За этой сценой следовало шествие в Гефсиманский сад, который находился в глубокой тени черного дерева тупело во дворе у Гарриет. Здесь Гарриет-Иисуса хватали римские воины — хватали буйно, куда яростнее, чем было сказано в Писании, что само по себе уже было страшно увлекательно, но мальчишкам нравилось играть в Гефсиманский сад, потому что играли они под деревом, где убили брата Гарриет. Его убили, когда многие из них еще даже не родились, но историю эту они все знали, сложив ее из обрывков родительских разговоров или того, о чем перешептывались перед сном их старшие братья, половину сами перевирая или додумывая, а потому дерево отбрасывало густую тень на их воображение с самых их малых лет, с той самой поры, когда им его показывали няньки — замедляя шаг на углу Джордж-стрит, склоняясь поближе, ухватив покрепче за руку, шипя, что нельзя никуда убегать одному.

Никто не знал, почему дерево так и не срубили. Все были уверены, срубить его надо — и не только из-за Робина, а еще и потому, что с верхушки оно начало чахнуть — над рыжеватой листвой торчали переломанными костями унылые серые ветки, как будто в них ударило молнией. Осенью листья делались яркими, яростно-красными, но красота эта держалась всего день-другой, после чего все они разом облетали и дерево стояло голым. Новые листья были блестящими, кожистыми и такими темными, что казалось, будто они совсем черные. Они отбрасывали такую густую тень, что под деревом почти не росла трава, а кроме того, оно было таким огромным и стояло так близко к дому, что, подуй тут ветер посильнее, сказал кронировщик Шарлотте, и однажды утром она проснется, а дерево будет торчать у нее в окне спальни («А про мальчонку я вообще молчу, — сказал он напарнику, забираясь обратно в грузовик и захлопывая за собой дверь. — Неужто эта бедняга всю жизнь будет просыпаться, глядеть в окно и видеть там вот это?»)

Миссис Фонтейн говорила, что сама заплатит, лишь бы его спилили, тактично притворяясь, будто дерево и на ее дом рухнуть может. Предложение совершенно неслыханное, потому что миссис Фонтейн была такой скрягой, что даже фольгу мыла, скатывала в рулончики и потом использовала снова, но Шарлотта только головой покачала:

— Нет, спасибо, миссис Фонтейн, — отозвалась она так бесстрастно, что миссис Фонтейн даже показалось, что та ее не совсем поняла.

— Говорю же, — взвизгнула миссис Фонтейн, — я сама заплачу! С радостью! Оно и к моему дому слишком близко стоит, а если вдруг торнадо…

— Нет, спасибо.

Шарлотта не глядела на миссис Фонтейн, не глядела на дерево, в высохшей развилке ветвей которого догнивал опустевший шалашик ее умершего сына. Она глядела вдаль — за дорогу, за пустырь, заросший пыреем и кукушкиным цветом, туда, где за ржавыми крышами негритянского квартала исчезала суровая нитка железнодорожных путей.

— Послушай, — сказала миссис Фонтейн уже другим тоном, — послушай-ка меня, Шарлотта. Ты думаешь, я ничего не понимаю, но я-то знаю, каково это — потерять сына. Но на все Божья воля, и с этим надо просто смириться. — Молчание Шарлотты она сочла добрым знаком и продолжила: — А кроме того, он ведь не один у тебя был. По крайней мере, у тебя еще дети есть. А вот у меня только и был бедняжка Линси. Каждый день вспоминаю то утро, когда мне сообщили, что сбили его самолет. Мы как раз украшали дом к Рождеству. Стою я на лестнице в халате и ночной рубашке, прилаживаю к люстре веточку омелы и тут слышу, что в дверь стучат. Портер, упокой его Господь — это было уже после того, как у него первый раз был инфаркт, но еще до второго…

Голос у нее задрожал, и она взглянула на Шарлотту. Но Шарлотта уже ушла. Отвернулась от миссис Фонтейн и поплелась к дому.

Уж сколько лет прошло с того разговора, а дерево так никуда и не делось, и домик Робина так и догнивал в ветвях. Теперь миссис Фонтейн с Шарлоттой держалась куда прохладнее.

— На дочерей она вообще внимания не обращает, — сообщила она дамам в салоне миссис Нили, когда укладывала волосы. — И дома развела бардак. Заглянешь в окно, а там стопки газет аж до потолка.

— Я вот думаю — сказала остролицая миссис Нили, потянувшись за лаком для волос и перехватив в зеркале взгляд миссис Фонтейн, — уж не выпивает ли она?

— Вот уж чему не удивлюсь, — ответила миссис Фонтейн.

Из-за того, что миссис Фонтейн часто выскакивала на крыльцо и разгоняла детей, про нее ходили разные слухи: что она, мол, ворует (и ест) маленьких мальчиков, а их толчеными костями удобряет свои клумбы с призовыми розами. Из-за того, что двор Гарриет был рядом с царством ужасов миссис Фонтейн, разыгрывать там сцену ареста в Гефсиманском саду было в разы увлекательнее.

Иногда на эту удочку кто-нибудь даже попадался, а вот про дерево мальчишкам даже и выдумывать ничего не надо было. От одних его очертаний у них по коже бежали мурашки, от его душной бурой тени — дерево росло всего-то в двух шагах от залитого солнцем двора, но как будто в другом мире — делалось не по себе, даже если не знать, что тут случилось. А уж про то, что случилось, им и напоминать было не нужно, им об этом напоминало само дерево. Была у него своя сила, своя темная власть.

Из-за Робина Эллисон в начальной школе чуть не задразнили. (*"Мама, мама, можно мне поиграть с братиком во дворе? — Конечно, нет, ты на этой неделе его уже три раза выкапывала!"*) Издевательства она сносила молча, безропотно — никто и не знал даже, сколько это все длилось, давно ли началось, — и только какой-то добросердечный учитель, узнав, что творится, сумел положить этому конец.

А вот Гарриет никто не дразнил — может, из-за того, что характером она была посильнее, а может, просто потому, что ее одноклассникам дела не было до убийства, потому что тогда они были слишком малы. Но семейная трагедия придавала Гарриет жутковатого шарма, перед которым мальчишки не могли устоять.

О покойном брате она говорила часто, всякий раз — со странным, своенравным упрямством, так, будто она не только знала Робина, но он и не умирал вовсе. Снова и снова мальчишки скашивали на Гарриет глаза, глядели ей в затылок. Иногда им казалось, будто она и есть Робин: такой же ребенок, как и они, который вернулся с того света и теперь знает то, что им неведомо. Вот оно, таинство кровного родства: стоило Гарриет на них посмотреть, как их так и обдавало взглядом ее умершего брата. Никому из них и в голову не приходило, что Гарриет с братом не были похожи — даже на фотографиях: живой, непоседливый, вертлявый, как малек, Робин и мрачная, надменная, неулыбчивая Гарриет, но это сила ее, а не его характера притягивала их к Гарриет, приковывала их взгляды.

Мальчишки не замечали иронии, не проводили никаких параллелей между трагедией, которую они разыгрывали в тени смолисто-черного тупело, и трагедией, которая произошла тут двенадцать лет назад. У Хили было дел невпроворот: в роли Иуды Искариота он должен был выдать Гарриет римлянам, но он же (в роли Симона Петра) должен был отрезать центуриону ухо, защищая ее. Дрожа от волнения, довольный собой Хили отсчитал тридцать вареных арахисовых орешков, за которые он должен был продать Спасителя, и пока другие мальчишки его пихали и подталкивали, глотнул еще виноградной фанты, чтоб смочить губы. Чтобы предать Гарриет, ему надо было поцеловать ее в щеку. Однажды его подначили другие апостолы, и он с размаху чмокнул Гарриет в губы. То, как сурово она вытерла рот, презрительно мазнув по губам тыльной стороной ладони, пробрало его почище самого поцелуя.

Всем, кому попадались на глаза замотанные в простыни апостолы Гарриет, делалось не по себе. Ида Рью, бывало, поднимала глаза от кухонной мойки и аж вздрагивала — до того странно выглядела эта мрачно шагавшая по двору маленькая процессия. Она не видела, как Хили пересчитывает на ходу арахисовые орешки, не замечала торчащих из-под его облачения зеленых кед, не слышала, как остальные апостолы вполголоса возмущаются, что им не дают защищать Иисуса игрушечными пистолетами. Она смотрела на маленькие закутанные в белое фигурки и волочившиеся за ними по траве края простыней с тем же любопытством и предчувствием чего-то дурного, с каким смотрела бы на них в теплых сумерках дня Песаха палестинская прачка: погрузив руки по самые локти в корыто с грязной колодезной водой, встрепенувшись, утирая лоб запястьем, озадаченно глядя, как мимо нее, надвинув капюшоны на глаза, идут по пыльной дороге в сторону оливковой рощи на холме тринадцать человек — и по тому, как строго и неспешно они движутся, видно, что дело у них важное, но вот какое — трудно вообразить: быть может, они идут на похороны? К постели умирающего, на суд, на религиозный праздник? Уж верно что-то серьезное — она даже на пару мгновений отвлеклась от работы, впрочем, потом она снова примется за стирку, и не подозревая, что маленькая процессия серьезно движется к новой странице в истории.

— И чего вы вечно играете под этим гадким деревом? — спросила она Гарриет, когда та вернулась домой.

— Потому что, — ответила Гарриет, — там темнее всего.

Гарриет с малых лет увлекалась археологией: индейскими курганами, разрушенными городами, зарытыми кладами. Все началось с ее интереса к динозаврам, который потом перерос в нечто совсем иное. Едва Гарриет смогла облечь это в слова, стало ясно — интересуют ее не сами динозавры, не мультяшные бронтозаврики с длинными ресницами, которые позволяли на себе кататься и кротко выгибали шеи, чтоб дети могли съезжать с них, как с горки, не рыкающие тираннозавры и не кошмарные птеродактили. Ее интересовало то, что они вымерли.

— Откуда же мы знаем, — спрашивала она Эди, которую уже тошнило от динозавров, — как они на самом деле выглядели?

— Потому что люди нашли их кости.

— Но, Эди, если я найду твои кости, то не узнаю, как ты выглядела.

Эди ничего не ответила и продолжила чистить персики.

— Эди, вот посмотри. Здесь пишут, что нашли только кость ноги, — она вскарабкалась на табуретку и с надеждой протянула книжку Эди. — А тут нарисован целый динозавр.

— Ты ведь помнишь эту песенку, Гарриет? — вмешалась Либби, перегнувшись через кухонную стойку, где она вытаскивала косточки из персиков. Дрожащим голоском она пропела:

— Кости ног, кости ног сосчитать никто не мог… а за-пом-нить очень просто…

— Откуда узнали, как они выглядели? Откуда узнали, что они были зеленые? На картинке они зеленые! Посмотри. Эди, посмотри!

— Ну, смотрю, — кисло отозвалась Эди, даже не взглянув на картинку.

— Нет, не смотришь!

— Насмотрелась уже.

Став постарше, лет в девять-десять, Гарриет переключилась на археологию и обнаружила родственную душу в тетке Тэт, которая охотно, хоть и путано отвечала на ее вопросы. Тэт тридцать лет преподавала латынь старшеклассникам, а выйдя на пенсию, стала интересоваться всякими "Загадками древних цивилизаций". Многие из этих цивилизаций, по ее мнению, зародились в Атлантиде. Это атланты построили пирамиды, говорила Тэт, и статуи на острове Пасхи — тоже их рук дело, и если в Андах нашли черепа со следами трепанации, а в гробницах древних фараонов — электрические батарейки, то это все — благодаря мудрости атлантов. Книжные полки у нее дома были забиты популярными псевдонаучными книжками 1890-х годов, которые она унаследовала от своего весьма образованного, но легковерного отца, знаменитого судьи, который последние годы жизни провел под замком у себя в спальне, откуда он то и дело порывался сбежать в одной пижаме. Библиотеку он завещал своей почти самой младшей дочери Теодоре, которую он прозвал Тэттикорум[1] (сокращенно — Тэт), и туда входили такие труды, как "Антеделювиальные контроверзы", "О существовании других миров" и "Цивилизация Му: факт или выдумка?".

Сестры Тэт эти расспросы не поощряли, Аделаида и Либби думали, что это не по-христиански, Эди — что просто глупо.

— Но если эта Атланта и впрямь существовала, — сказала Либби, наморщив гладенький лобик, — почему тогда в Библии про нее ничего не сказано?

— Потому что ее тогда еще не построили, — несколько бессердечно заметила Эди. — Атланта — это столица Джорджии. Ее Шерман спалил в гражданскую войну.

1 Тэттикорум — персонаж романа Чарльза Диккенса "Крошка Доррит", служанка со вспыльчивым, вздорным нравом. Примечательно, что настоящее имя Тэттикорум из романа Диккенса — Гарриет.

— Ой, Эди, ну не будь ты такой гадкой.
— Атланты, — сказала Тэт, — были прародителями древних египтян.
— Вот-вот. Древние египтяне не были христианами, — сказала Аделаида. — Они поклонялись кошкам, собакам и всякому такому.
— Они и не могли быть христианами, Аделаида. Христос еще не родился.
— Может, и не родился, но Моисей хоть заставил их соблюдать десять заповедей. Никаким кошкам-собакам они не поклонялись.
— Атланты, — надменно заявила Тэт, перекрикивая смех сестер, — да нынешние ученые запрыгали бы от радости, знай они то, что знали атланты. Папочка знал все про Атлантиду, и он был добрый христианин, и уж образованнее нас всех вместе взятых.
— Папочка, — пробормотала Эди, — папочка меня подымал посреди ночи, говоря, что на нас вот-вот нападет кайзер Вильгельм и мне надо поскорее припрятать серебро в колодце.
— Эдит!
— Эдит, так нельзя. Он ведь тогда уже болел. Он ведь столько хорошего нам сделал!
— Я и не говорю, что папочка был плохим, Тэтти. Я просто напоминаю, что это мне пришлось за ним ухаживать.
— Меня папочка всегда узнавал, — живо вклинилась Аделаида, самая младшая сестра, она верила, что была отцовской любимицей и никогда не забывала другим сестрам об этом напомнить. — До самой своей кончины меня узнавал. В тот день, когда он умер, он взял меня за руку и сказал: "Адди, милая, что же они со мной сделали?" Не знаю, почему он только меня одну и узнавал. Так странно.

Гарриет обожала разглядывать книжки Тэт, среди которых были не только сочинения про Атлантиду, но и более признанные труды, вроде "Историй" Гиббона и Ридпата, а также любовные романы в разноцветных мягких обложках, на которых были нарисованы гладиаторы, а действие разворачивалось в древности.
— Это, разумеется, не исторические сочинения, — поясняла Тэт. — Так, легкие романчики, в которых исторические события — только фон. Зато они увлекательные, да и познавательные тоже. Я их давала почитать своим ученикам, чтоб хоть как-то заинтересовать их древнеримской историей. Нынешние-то романы сейчас вот так детям не раздашь, сплошную дрянь пишут, не чета этим славным,

невинным книжечкам. — Она провела узловатым пальцем — из-за артрита у нее все суставы распухли — по рядку абсолютно одинаковых корешков. — Монтгомери Сторм. По-моему, у него были романы и про эпоху Регентства, он писал их под женским псевдонимом, вот только не помню, под каким.

Но романы про гладиаторов Гарриет не интересовали. Все равно это были просто любовные истории, только в римских тогах, а всякую любовь и романтику Гарриет терпеть не могла. Из всех книжек Тэт она больше всего любила “Геркуланум и Помпеи. Забытые города” — с цветными иллюстрациями.

Вместе с Гарриет эту книжку любила разглядывать и сама Тэт. Они садились на бархатную козетку у нее дома и переворачивали страницы: изящные фрески из разрушенных домов, лотки булочников — даже хлеб остался, сохранился идеально под пятнадцатифутовым слоем пепла, безликие, серые слепки погибших римлян, которые навеки скрючились в мучительно красноречивых позах на мощеных булыжником улицах, где две тысячи лет назад их сбил с ног дождь из пепла.

— Не понимаю, как у этих бедняг ума не хватило уехать пораньше, — говорила Тэт. — Наверное, они тогда еще не знали, что это такое, вулкан. А еще, думается мне, почти то же самое было, когда ураган “Камилла” налетел на северное побережье. Тогда весь город эвакуировали, но нашлись дураки, которые никуда не поехали и засели в баре отеля “Буэна Виста”, как будто сейчас какое-то веселье начнется. И вот что я тебе скажу, Гарриет, когда вода сошла, их трупы потом еще недели три с деревьев снимали. А от “Буэна Висты” камня на камне не осталось. Ты, моя хорошая, “Буэна Висту”, конечно, не помнишь. У них воду подавали в стаканах, на которых были нарисованы рыбы-ангелы, — она перевернула страницу. — Гляди-ка. Видишь этот слепок — мертвого песика? У него в пасти так и осталось печенье. Про этого пса кто-то написал премилый рассказ, я его даже читала. Якобы пес принадлежал маленькому побирушке, которого тот очень любил, и, когда они бежали из Помпей, пес погиб, пытаясь принести мальчику еду, чтоб ему было в дороге чем питаться. Грустная история, верно? Как оно там все было, уж никто, конечно, не знает, но, по-моему, здорово похоже на правду, а?

— А может, пес сам хотел съесть печенье.

— Сомневаюсь. Вряд ли бедняжка мог думать о еде, когда вокруг него с криками носились люди и повсюду летал пепел.

Тэт разделяла увлечение Гарриет погибшим городом, но исключительно с сентиментальной точки зрения, и не понимала, отчего Гарриет так страстно интересуют даже самые мелкие и малозанятные подробности его гибели: разбитая утварь, бурые черепки, какие-то проржавевшие металлические обломки. Она, конечно, не догадывалась, что любовь Гарриет ко всякого рода обрывкам связана с их семейной историей.

Как и большинство старинных семей в Миссисипи, Кливы когда-то были богаты. Но так же, как сгинули Помпеи, так и от этого богатства не осталось и следа, хотя Кливы очень любили сами себе рассказывать истории о былой роскоши. Кое-что даже было правдой. Янки и впрямь украли у Кливов кое-какое серебро и драгоценности, хотя несметных богатств, по которым плакали сестры, там отродясь не было. Обвал двадцать девятого года сильно подкосил судью Клива, а на старости лет он сделал несколько неудачных вложений, в том числе вбухал почти все свои сбережения в безумный прожект по созданию "машины будущего" — летающего автомобиля. Когда он умер, его дочери с ужасом узнали, что судья был главным акционером несуществующей компании.

Поэтому большой дом, которым Кливы владели с 1809 года — с тех самых пор, когда он и был построен, — пришлось спешно продать, чтобы расплатиться с долгами судьи. Сестры от этого так и не оправились. В этом доме выросли и они, и сам судья, и его мать, и его бабка с дедом. Хуже того, покупатель их родового гнезда мигом его перепродал, а новый хозяин сначала организовал там дом престарелых, а потом, когда дому престарелых не продлили лицензию, стал сдавать в нем жилье задешево. Через три года после смерти Робина дом сгорел. "Этот дом Гражданскую войну пережил, — горько заметила Эди, — но ниггеры его все-таки спалили".

Вообще-то дом разрушил судья Клив, а никакие не "ниггеры", потому что почти семьдесят лет судья его не ремонтировал, как и сорок лет до того — его мать. Когда он умер, в доме уже прогнили все половицы, а фундамент был начисто изъеден термитами, еще бы немного — и он рухнул бы, но сестры только знай вспоминали с придыханием бирюзовые, с огромными махровыми розами обои ручной работы, которые выписывали аж из Франции, мраморные каминные полки с резными купидонами, люстру из шлифованного вручную богемского хрусталя, двойную лестницу, сработанную так, чтоб можно было без опаски устраивать совместные праздники: одна лестница — для мальчиков, другая — для девочек, и верхний этаж разделен надвое перегородкой, чтоб озорники посреди ночи не пробрались на девичью половину. Они почти позабыли, что к тому времени, когда судья умер, мальчики по северной лестнице не ходили уж лет пятьдесят, и ступеньки на ней так расшатались, что ею вовсе перестали пользоваться, что столовая однажды выгорела дотла, когда старенький судья выронил там парафиновую лампу, что полы проседали и протекала крыша, что в 1947 году под ногами газовщика, который пришел снять показания счетчика, просело и развалилось заднее крыльцо, а знаменитые обои ручной работы свисали со стен огромными плесневелыми лохмотьями.

Забавно, кстати, что дом назывался "Напастью". Так его прозвал дед судьи Клива — он не раз говорил, что строительство дома чуть не свело его в могилу. Теперь от дома остались только две дымовые трубы да замшелая дорожка из выложенного хитрой "елочкой" кирпича — дорожка вела к парадному крыльцу, где на приступке еще сохранились пять растрескавшихся бледно-голубых плиток с буквами "К-Л-И-В-Ы".

Гарриет эти пять голландских изразцов — осколок погибшей цивилизации — занимали куда сильнее мертвых собак с печеньями в пасти. Их нежная блеклая голубизна казалась ей лазурным цветом богатства, Европы, рая; "Напасть", которую она восстанавливала по этим плиткам, оживала в ослепительном, фосфоресцентном ореоле мечты.

Она представляла, будто ее погибший брат бродит, словно принц, по залам этого утраченного ими дворца. Дом продали, когда ей было всего полтора месяца, но вот Робин съезжал вниз по перилам красного дерева (он так однажды, рассказывала Аделаида, чуть не пробил ногами стеклянные дверцы серванта, который стоял внизу) и играл в домино на персидском ковре, а мраморные купидоны простирали над ним крылья и лукаво глядели на него из-под набрякших век. Он засыпал под чучелом медведя, которого подстрелил его двоюродный дед — дед же потом и набил чучело, он видел стрелу, украшенную выцветшими перьями сойки — стрелу эту в его прапрадеда пустил индеец-натчез во время набега в 1812 году, и она так и осталась торчать в стене гостиной.

Кроме изразцов от "Напасти" уцелело немногое. Почти все ковры и мебель, все предметы интерьера — и мраморных купидонов, и люстру — распихали по ящикам с надписью "Разное" и продали гринвудскому антиквару, который дал за них от силы половину стоимости. Знаменитая стрела рассыпалась у Эди прямо в руках, когда та попыталась выдернуть ее из стены, а крошечный наконечник даже ножом не смогли выковырять из штукатурки. Изъеденное молью чучело медведя выкинули на помойку, откуда его радостно вытащили какие-то негритята и за задние лапы уволокли по грязи домой.

Как же тогда воссоздать этого сгинувшего колосса? Где ей искать подсказки, на какие глядеть окаменелости? На окраине города до сих пор сохранился фундамент дома, где именно, она, правда, не знала, да и знать ей отчего-то не хотелось; посмотреть на развалины дома ее водили всего раз, давным-давно, холодным зимним днем. Она тогда была совсем маленькой, и потому ей казалось, что на фундаменте стоит что-то гораздо больше дома, может быть, даже целый город; она помнила, как Эди (одетая по-мальчишески, в брюках цветах хаки) возбужденно перепрыгивала из комнаты в комнату и показывала, где была гостиная, где столовая, где библиотека, а изо рта у нее вырывались клубы белого пара — впрочем, куда сильнее ей в память врезалось другое воспоминание — преужасное — как одетая в красный труакар Либби вдруг принимается рыдать, тянет руки к Эди и та ведет ее обратно к машине по хрустящему зимнему лесу, а Гарриет плетется за ними.

Из "Напасти" удалось спасти кое-какие артефакты калибром помельче — постельное и столовое белье, посуду с вензелями, громоздкий палисандровый буфет, вазы, настольные часы из фарфора, обеденные стулья, — и они расползлись по ее дому и по домам ее бабушек; и по этим отдельным фрагментам (там берцовая кость, там позвонок) Гарриет и принялась восстанавливать облик сгинувшей в огне былой роскоши, которой она никогда не видела. Уцелевшие предметы сияли стариной — тепло, безмятежно, совершенно по-особенному: серебро было тяжелее, вышивка — богаче, хрусталь — прозрачнее, а голубой цвет фарфоровых чашек — нежнее, изысканнее. Но красноречивее всего были истории, которые достались ей от старших Кливов — разукрашенные виньетки, которые Гарриет расписывала еще причудливее, старательно создавая миф о зачарованном алькасаре, сказочном замке, которого никогда не было. Амбразурное видение мира, благодаря которому Кливы легко забывали все, чего не хотели помнить, или приукрашивали и меняли то, чего забыть не могли, у Гарриет было сужено еще больше — в самой пренеприятнейшей степени. Нанизывая заново скелет вымершего чудища, в роли которого выступало семейное богатство, она и не подозревала, что не все кости подлинные, а кое-какие и вовсе принадлежат совсем другим животным и что большая часть массивного, выпуклого остова — никакие не кости, а гипсовые подделки. (Например, знаменитая люстра богемского хрусталя приехала вовсе не из Богемии, более того — она даже хрустальной не была: мать судьи заказала ее у “Монтгомери Уорда”.) И Гарриет совсем не замечала кое-каких пыльных, незаметных мелочей, на которые она постоянно наталкивалась в своих изысканиях, а вот если б заметила, то уже держала бы в руках ключ к подлинной — и довольно неприглядной — конструкции. К тому, что пышная, внушительная, монументальная “Напасть”, которую она с таким тщанием выстроила у себя в голове, даже и близко не походила на когда-то стоявший дом, а была лишь сказкой, химерой.

Гарриет целыми днями могла разглядывать старые снимки в фотоальбоме, который хранился дома у Эди (не чета “Напасти”, конечно — так, бунгало с двумя спальнями, и построен в сороковых). Вот тоненькая, застенчивая Либби — она и в восемнадцать выглядела бесцветной старой девой — волосы гладко зачесаны, в очертаниях рта, в глазах — неуловимое сходство с матерью Гарриет (да и с Эллисон тоже). Рядом с ней девятилетняя Эди — глядит презрительно, хмурит лоб, выражение лица один в один как у ее отца-судьи, который хмурится у нее за спиной. Тэт и вовсе не узнать — лицо чудно́е, глуповатое, она развалилась в плетеном кресле, на коленях у нее размытой тенью лежит котенок. Хохочет, глядя прямо в камеру, кроха Аделаида, которая потом троих мужей переживет. Из четырех сестер она была самая хорошенькая, если вглядеться, то и тут сходство с Эллисон просматривалось, хотя уголки губ у Аделаиды уже начали капризно опускаться. За ними высился роковой дом, на ступеньках которого виднелись голландские изразцы с буквами "К-Л-И-В-Ы": заметить их, правда, можно было только, если изо всех сил вглядываться, но зато только эти плитки в отличие от всего остального на фото с тех пор и не переменились.

Больше всего Гарриет любила фотографии с братом. Их почти все забрала себе Эди: так тяжело было глядеть на эти снимки, что их вынули из альбома и хранили отдельно, на полке в чулане у Эди, в коробке-сердечке из-под шоколадных конфет. Гарриет было лет восемь, когда она их откопала, и эту ее археологическую находку по значимости можно было сравнить разве что с обнаружением гробницы Тутанхамона.

Эди и не подозревала, что Гарриет нашла фотографии, и уж тем более не догадывалась, что из-за них внучка постоянно и торчала у нее дома. Вооружившись фонариком, Гарриет разглядывала снимки, сидя в Эдином затхлом чулане, под подолами Эдиных выходных платьев, а иногда запихивала их в игрушечный чемоданчик с Барби и утаскивала к Эди в сарай — Эди, радуясь, что Гарриет больше не путается у нее под ногами, никогда не мешала ей там играть. Несколько раз она приносила фотографии на ночь домой. Как-то раз, когда их мать уже улеглась, она показала снимки Эллисон.

— Смотри, — сказала она, — это наш брат.

Эллисон уставилась на открытую коробку, которую Гарриет поставила ей на колени, и как будто даже испугалась.

— Давай же! Посмотри! Там и ты есть.

— Не хочу, — сказала Эллисон, захлопнула коробку и сунула ее обратно Гарриет.

Снимки были цветные: поблекшие "полароиды" с зарозовевшими краями, липкие и рваные, потому что их выдрали из альбома. Они были заляпаны отпечатками пальцев, как будто их часто пересматривали. Самые заляпанные были проштемпелеваны черными каталожными номерами — их забирали полицейские для расследования.

Разглядывать их Гарриет никогда не надоедало. Все краски на фото были нереальными, с просинью, и с годами цвета сделались еще более хрупкими, более чудными. Через них Гарриет приоткрывалась дверка в сказочный мир — магический, цельный, утраченный навеки.

В этом мире был Робин — вот он спит вместе с рыжим котом Вини, вот, захлебываясь от хохота, носится по солидному — с колоннами — парадному крыльцу "Напасти": кричит что-то в камеру, пускает мыльные пузыри через катушку, держа в руках блюдечко с пеной; вот он в скаутской форме — вытянулся в струнку, раздулся от гордости, а вот совсем маленький Робин в костюме жадной вороны — это у него была такая роль в детсадовской пьеске "Пряничный Человечек". Костюм этот произвел фурор. Либби над ним корпела несколько недель: черное трико, сверху — оранжевые гольфы, а швы — от запястья до подмышки и от подмышки до бедра — прошиты перьями из черного бархата. Клювом стал картонный оранжевый конус, который Робину прицепили к носу. Костюм вышел такой красивый, что Робин надевал его два Хэллоуина подряд, а за ним — и его сестры, да и теперь, столько лет спустя, соседские матери, бывало, одалживали его у Шарлотты.

В тот вечер, когда состоялась премьера спектакля, Эди извела на Робина целую пленку: вот он исступленно носится по дому, размахивая руками — парусят черные крылья, несколько перышек облетают на огромный, потертый ковер. Вот обхватил за шею черными крыльями зардевшуюся портниху — засмущавшуюся Либби. То он снят с друзьями — с Алексом (пекарь в белом колпаке и халате) и самим Пряничным Человечком — хулиганом Пембертоном, у которого личико аж раскраснелось от злости, до того он стыдится своего костюма. Снова Робин — извивается от нетерпения, зажат у матери между колен, пока Шарлотта пытается его причесать. Задорная молодая женщина на снимках — это, конечно, мать Гарриет, но такой легкой на подъем, очаровательной мамы, в которой так и кипит энергия, Гарриет никогда не знала.

Фотографии завораживали Гарриет. Больше всего на свете ей хотелось ускользнуть из этого мира в их прохладную, синеватую прозрачность, где был жив ее брат, и стоял красивый дом, и все всегда были счастливы. Вот Робин с Эди в громадной, мрачной гостиной — оба стоят на четвереньках и играют в какую-то настольную игру, что это за игра была, она не знала, там были яркие фишки и надо было раскручивать разноцветную рулетку. Вот они снова, Робин стоит к объективу спиной и бросает Эди огромный красный мяч, а Эди, смешно выпучив глаза, подалась вперед, чтоб его поймать. Вот он задувает свечки на торте — девять свечек, это будет его последний день рождения, и Эди с Эллисон высовываются у него из-за плеча, они помогают ему задуть свечи, и смеющиеся лица так и сияют в темноте. Горячечный рождественский водоворот: сосновые ветки и мишура, под елкой гора подарков, на буфете посверкивает хрусталь — чаша с пуншем, блюда сластей и апельсинов. Стоят на серебряных подносиках припорошенные сахарной пудрой кексы, у каминных купидонов висят на шеях гирлянды из остролиста, и все хохочут, а в высоченных зеркалах отражается яркий свет люстры. На заднем плане Гарриет сумела разглядеть стоявший на праздничном столе знаменитый рождественский сервиз: с рисунком из алых ленточек, под которыми болтались позолоченные бубенцы. Сервиз этот побился при переезде, потому что грузчики его упаковали кое-как, и теперь от него ничего не осталось, кроме пары блюдец да соусника, но на фотографии вот он, целехонек — божественная роскошь.

И сама Гарриет родилась в канун Рождества, когда на дворе бушевала самая снежная за всю историю Миссисипи вьюга. В коробке-сердечке нашелся снимок и этого снегопада: по обледеневшей дубовой аллее, ведущей к "Напасти", несется Прыгунок, давно умерший Аделаидин терьер — мчится к своей хозяйке, которая держит камеру, разбрасывая снег, обезумев от радости, застыв навеки с раззявленной пастью, счастливо предвкушая, как вот-вот напрыгнет на мамочку. Вдалеке виднеется распахнутая дверь "Напасти", в дверях стоит Робин и весело машет фотографу, а за его пояс робко цепляется Эллисон. Он машет Аделаиде, которая и сделала этот снимок, и Эди, которая помогает ее матери вылезти из машины, и еще он машет своей новорожденной сестре Гарриет, которой он еще и в глаза не видел — ее только-только, в белоснежный сочельник, привезли домой из больницы.

Гарриет видела снег всего два раза в жизни, но всю жизнь помнила, что родилась в снегопад. И каждый сочельник (рождественские обеды теперь стали скромнее, печальнее, все собирались вокруг газовой горелки в душном, низеньком домике Либби и пили эгтног) Либби, Тэт и Аделаида рассказывали одну и ту же историю, как они, значит, набились в Эдино авто и поехали в Виксбург, в больницу, чтобы по этакому снегу привезти Гарриет домой.

— Ты стала самым лучшим нашим рождественским подарком, — повторяли они. — А как радовался Робин! Накануне того, как мы поехали тебя забирать, он всю ночь не мог уснуть и до четырех утра и бабке своей спать не давал. А когда он тебя впервые увидел, когда мы уже принесли тебя домой, он минутку помолчал, а потом и говорит: “Мам, ты, наверное, у них там самого хорошенького малыша выбрала”.

— Гарриет была таким послушным ребенком, — вздохнула мать Гарриет, которая сидела возле горелки, обхватив колени руками. Рождество, как и день рождения Робина, и годовщину его смерти, Шарлотта переживала особенно тяжело, это все знали.

— Я была послушной?

— Да, солнышко, очень послушной.

И это была правда. Гарриет никогда не плакала и вообще никому не доставляла никаких неудобств, пока не выучилась говорить.

Была у Гарриет в коробке-сердечке и самая любимая фотография, которую она разглядывала снова и снова при свете фонарика: на ней Робин и Эллисон вместе с Гарриет сидят в гостиной “Напасти” под елкой. Насколько Гарриет было известно, это был их единственный общий снимок, единственное фото с ней в их старом доме. Ничто на снимке не указывало на то, что их ждет череда несчастий. Через месяц умрет старик-судья, они потеряют “Напасть”, а весной Робин погибнет, но тогда, конечно, этого никто не знал: на дворе было Рождество, в семье было прибавление, все были счастливы и думали, что счастье это будет длиться вечно.

На фотографии босая и насупленная Эллисон в белой ночной рубашке стояла рядом с Робином, который с восторгом и замешательством держал малютку Гарриет — как будто ему купили новомодную игрушку, к которой он пока не знал, как подступиться. За ними переливалась огнями елка, а в уголке снимка виднелись любопытные морды кота Вини и терьера Прыгунка, они были что те животные, которые пришли поклониться чуду в вифлеемских яслях. Улыбались сверху мраморные купидоны. Свет на фото был дробленый, сентиментальный, пылающий предвестием беды. К следующему Рождеству помрет даже Прыгунок.

Когда Робин погиб, Первая баптистская церковь объявила о сборе пожертвований в его честь — на них купили бы потом куст японской айвы или новые подушки на скамьи, но никто не думал, что денег соберут так много. Церковные окна — шесть штук — были витражными, с изображением сцен из жизни Христа, один из витражей во время вьюги пробило суком, и оконный проем с тех пор так и был забит фанерой. Пастор, который уж отчаялся прикидывать, во сколько обойдется церкви новый витраж, предложил на него и потратить собранные деньги.

Значительную сумму собрали городские школьники. Она ходили по домам, устраивали лотереи, торговали печеньем собственной выпечки. Друг Робина, Пембертон Халл (тот самый Пряничный Человечек из детсадовской пьески), отдал на памятник погибшему другу почти двести долларов — этакое богатство, уверял всех девятилетний Пем, хранилось у него в копилке, но на самом деле деньги он стащил из бабушкиного кошелька. (Еще он пытался пожертвовать обручальное кольцо матери, десять серебряных ложечек и невесть откуда взявшийся масонский зажим для галстука, усыпанный бриллиантами и явно недешевый.) Но и без этих внушительных пожертвований одноклассники Робина собрали весьма солидную сумму, а потому вместо того, чтоб снова вставлять витраж со сценой брака в Кане Галилейской, было решено не только почтить память Робина, но и отметить так старательно трудившихся ради него детей.

Новое окно представили восхищенным взорам прихожан полтора года спустя — на нем симпатичный голубоглазый Иисус сидел на камне под оливковым деревом и разговаривал с очень похожим на Робина рыжим мальчиком в бейсболке.

ПУСТИТЕ ДЕТЕЙ ПРИХОДИТЬ КО МНЕ

— такая надпись бежала по низу витража, а на табличке под ним было выгравировано следующее:

Светлой памяти Робина Клива-Дюфрена
От школьников города Александрии, штат Миссисипи
"Ибо таковых есть Царствие Небесное".

Всю свою жизнь Гарриет видела, как ее брат сияет в одном созвездии с архангелом Михаилом, Иоанном Крестителем, Иосифом, Марией, ну и, конечно, самим Христом. Полуденное солнце текло сквозь его вытянувшуюся фигурку, и той же блаженной чистотой светились его одухотворенное курносое личико и озорная улыбка.

И так ярко оно светилось потому, что чистота его была чистотой ребенка, а значит — куда более хрупкой, чем святость Иоанна Крестителя и всех остальных, однако на всех их лицах — в том числе и на личике Робина — общей тайной лежала тень вечного равнодушного покоя.

Что же именно произошло на Голгофе или в гробнице? Как же плоть проходит путь от скорби и тлена до такого вот калейдоскопного воскресения? Гарриет не знала. А вот Робин — знал, и эта тайна теплилась на его преображенном лице.

Воскресение самого Христа очень ловко называли таинством, и отчего-то никому не хотелось в этом вопросе докопаться до сути. Вот в Библии написано, что Иисус воскрес из мертвых, но что это на самом деле значит? В каком виде Он вернулся — как дух, что ли, как жиденький какой-нибудь призрак? Но нет же, вот и в Библии сказано: Фома Неверующий сунул палец в рану от гвоздя у Него на ладони; Его во вполне себе телесном обличии видели на пути в Эммаус, а в доме одного апостола Он даже немного перекусил. Но если Он и впрямь воскрес из мертвых в своей земной оболочке, где же Он сейчас? И если Он взаправду всех так любил, как сам об этом рассказывал, то почему тогда люди до сих пор умирают?

Когда Гарриет было лет семь-восемь, она пришла в городскую библиотеку и попросила дать ей книжек про магию. Но открыв эти книжки дома, она пришла в ярость — там были описания фокусов: как сделать так, чтобы шарик исчез из-под стаканчика или чтоб у человека из-за уха вывалился четвертак. Напротив окна с Иисусом и ее братом был витраж, изображавший воскрешение Лазаря. Гарриет снова и снова перечитывала в Библии историю Лазаря, но там не было ответов даже на простейшие вопросы. Что рассказал Лазарь Иисусу и сестрам о том, как он неделю пролежал в могиле? И что, от него так и воняло? А он сумел потом вернуться домой и жить с сестрами, как и прежде, или теперь все соседи его боялись и потому ему, может быть, пришлось уехать куда-нибудь и жить в одиночестве, как чудищу Франкенштейна? Гарриет никак не могла отделаться от мысли о том, что будь она там, то уж рассказала бы обо всем поподробнее, чем святой Лука.

Но, может, это все была выдумка. Может, и сам Иисус никогда не воскресал, а люди просто придумали, что Он воскрес, но если Он и впрямь откатил камень и вышел из гробницы живым, то почему тогда этого не мог сделать ее брат, который по воскресеньям сиял подле Него?

И это стало самой большой навязчивой идеей Гарриет, породившей все другие ее навязчивые идеи. Потому что больше "Напасти", больше всего на свете — она хотела вернуть брата. Или найти его убийцу.

На дворе был май, со дня смерти Робина прошло уже двенадцать лет, и как-то утром Гарриет сидела на кухне у Эди и читала путевые журналы последней экспедиции капитана Скотта в Антарктику. Она ела яичницу-болтунью с тостом, и книжка лежала у нее под локтем, возле тарелки. По пути в школу они с Эллисон часто заходили к Эди позавтракать. Дома у них за готовку отвечала Ида Рью, но раньше восьми утра она не приходила, а их мать, которая, впрочем, вообще почти ничего не ела, обычно завтракала сигаретой, иногда разбавляя ее бутылкой "Пепси".

День был будний, но каникулы начались, и Гарриет не надо было идти в школу. На Эди был фартук в горошек, она стояла у плиты и готовила яичницу себе. Чтение за столом она не слишком одобряла, но пусть уж Гарриет читает, все легче, чем одергивать ее каждые пять минут.

Вот яичница и готова. Она выключила плиту, пошла к буфету за тарелкой. При этом ей пришлось переступить через другую свою внучку, которая распласталась ничком на кухонном линолеуме и монотонно всхлипывала.

Всхлипывания Эди проигнорировала, осторожно перешагнула через Эллисон и ложкой переложила яйца на тарелку. Опять осторожно обошла Эллисон, уселась за стол рядом с погруженной в чтение Гарриет и молча принялась за еду. Нет, для такого она уже старовата все-таки. С пяти утра на ногах и все это время — с детьми.

Беда была с их котом, который лежал на полотенце в коробке возле головы Эллисон. Неделю назад он перестал есть. Потом начал вопить, когда до него дотрагивались. Кота принесли к Эди, чтоб Эди его осмотрела.

Эди умела обращаться с животными и частенько думала, что из нее вышел бы отличный ветеринар или даже врач, если бы в ее время девушки таким занимались. Она вечно выхаживала то котят, то щенков, спасала птенцов, выпавших из гнезд, промывала раны и вправляла кости попавшим в беду животным. Об этом знали не только ее внучки, но и все соседские дети, которые вечно тащили к ней не только своих прихворнувших питомцев, но и всех бездомных кошечек-собачек и прочих зверьков.

Эди животных любила, но сентиментальничать не сентиментальничала. И чудес не творила тоже, напоминала она детям. Деловито осмотрев кота — тот и вправду был вяловат, но с виду вполне здоров, — она встала и отряхнула руки об юбку, пока внучки с надеждой глядели на нее.

— Лет-то ему сколько уже? — спросила она.

— Шестнадцать с половиной, — ответила Гарриет.

Эди нагнулась и погладила беднягу — кот жался к ножке стола, таращился на них — безумно, жалобно. Этого кота она и сама любила. Котик был Робина. Тот его летом подобрал на раскаленном тротуаре, когда кот помирал и даже глаз уже не мог раскрыть, и с робкой надеждой притащил ей — в сложенных ковшиком ладонях. Эди пришлось попотеть, чтоб его спасти. Опарыши проели котенку бок, и она по сей день помнила, как он лежал покорно, не жалуясь, пока она промывала рану, и какая красная потом была вода.

— Он ведь поправится, правда, Эди? — спросила Эллисон, которая уже тогда была готова разреветься. Кот был ей лучшим другом. После смерти Робина он привязался к Эллисон: ходил за ней по пятам, как что убьет или стащит — нес ей (дохлых птиц, лакомые кусочки из мусорного ведра, а однажды каким-то загадочным образом притащил даже непочатую пачку овсяного печенья), а когда Эллисон пошла в школу, кот каждый день без пятнадцати три принимался скрестись в заднюю дверь, чтоб его выпустили и он мог встретить ее на углу.

И Эллисон обходилась с котом куда нежнее, чем с родственниками. Она вечно с ним разговаривала, подкармливала с тарелки курицей и ветчиной, а ночью брала к себе в кровать, где он укладывался у нее на шее и засыпал.

— Наверное, что-нибудь не то съел, — сказала Гарриет.

— Поживем — увидим, — ответила Эди.

Но, похоже, все было, как она и думала. Ничем кот не болел. Старый он был, вот и все. Она пыталась кормить его тунцом, поить молоком из пипетки, но кот только жмурился и сплевывал молоко, которое пенилось у него в пасти противными пузырями. Накануне утром, пока дети были в школе, она зашла на кухню, увидела, что кота, похоже, скрутило в припадке, завернула его в полотенце и отнесла к ветеринару.

Когда девочки пришли к ней вечером, она им сообщила:

— Уж простите, но поделать ничего нельзя. Утром я кота носила к доктору Кларку. Говорит, его надо усыпить.

Гарриет могла бы тоже истерику закатить, с нее бы сталось, но она восприняла новости на удивление спокойно.

— Бедный старичок Вини, — сказала она, присев возле коробки, — бедный котик, — и погладила его вздрагивающий бок. Как и Эллисон, она очень любила кота, хотя он, правда, ее не особо жаловал своим вниманием.

Зато Эллисон вся так и побелела:

— Что значит — усыпить?

— То и значит.

— Ни за что. Я тебе не позволю.

— Мы ему больше ничем не поможем, — резко ответила Эди. — Ветеринару лучше знать.

— Я тебе не дам его убить.

— Ну а чего ты тогда хочешь? Чтоб несчастное животное еще помучилось?

У Эллисон затряслись губы, она рухнула на колени рядом с коробкой, где лежал кот, и истерично зарыдала.

Это все было вчера, в три часа пополудни. С тех пор Эллисон от кота не отходила. Ужинать она не ужинала, от подушки с одеялом отказалась и так и пролежала, плача и подвывая, всю ночь на холодном полу. Эди где-то с полчаса просидела с ней на кухне, деловито пытаясь ее вразумить — мол, все мы смертны, и Эллисон пора бы с этим смириться. Но Эллисон рыдала все громче и громче, и тут уж Эди сдалась, поднялась в спальню, захлопнула дверь и уселась за детектив Агаты Кристи.

Наконец около полуночи — Эди глянула на стоявшие возле кровати часы — рыдания стихли. А теперь вот снова-здорово. Эди отхлебнула чаю. Гарриет с головой ушла в приключения капитана Скотта. На другом краю стола стоял завтрак Эллисон, к которому она так и не притронулась.

— Эллисон, — позвала ее Эди.

Эллисон не отвечала, плечи у нее ходили ходуном.

— Эллисон. Ну-ка садись и позавтракай, — это она уже третий раз повторяла.

— Я не хочу есть, — сдавленным голосом отозвалась Эллисон.

— Знаешь что, — рявкнула Эди, — с меня хватит! Взрослая уже, а так себя ведешь. Ну-ка, кончай валяться! Чтоб сию же секунду встала с пола и села завтракать. Ну все, хватит. Еда стынет.

В ответ несся только страдальческий вой.

— Ох, ну и черт с тобой, — сказала Эди и снова принялась за яичницу, — как хочешь. Что, интересно, учителя бы твои сказали, если б видели, как ты тут бьешься в истерике на полу, будто дитя малое.

— Вот, послушайте, — сказала вдруг Гарриет и в свойственной ей суховатой манере стала зачитывать вслух: — "Ясно, что Титус Оутс близок к концу. Что делать нам или ему — одному богу ведомо. После завтрака мы обсуждали этот вопрос. Оутс благородный, мужественный человек, понимает свое положение, а все же он, в сущности[1]..."

— Гарриет, сейчас никому из нас особо нет дела до капитана Скотта, — сказала Эди. Сейчас ей казалось, что и она сама недолго протянет.

— Я просто хочу сказать, что капитан Скотт и его команда были храбрецами. Они не падали духом. Даже когда их застигла буря и они знали, что умрут, — возвысив голос, она продолжила: — "Мы очень близки к концу, но не теряем и не хотим терять своего бодрого настроения..."

— Конечно, смерть — это часть жизни, — покорно согласилась Эди.

— Участники экспедиции Скотта любили и всех своих собак, и пони, но когда дела у них пошли совсем плохо, им пришлось их пристрелить, всех до единого. Вот, послушай-ка, Эллисон. Им пришлось их съесть, — она вернулась на пару страниц назад, снова склонилась над книжкой: — "Бедняжки! Удивительную службу сослужили они, если принять в расчет ужасные условия, при которых работали..."

— Пусть она замолчит! — провыла Эллисон, заткнув уши.

— Замолчи, Гарриет, — сказала Эди.

— Но...

1 Перевод В. А. Островского.

— Никаких “но”. Эллисон, — прикрикнула Эди, — встань с пола. Слезами коту не поможешь.

— Только я одна Вини и люблю. Всем на него наплева-а-ать.

— Эллисон. Эллисон! Однажды, — Эди потянулась за ножом для масла, — твой брат принес мне жабу — ей лапку отрезало газонокосилкой.

Услышав это, Эллисон взвыла так, что Эди показалось, у нее голова сейчас лопнет, но она упрямо мазала уже давно остывший тост маслом и продолжала:

— Робин хотел, чтобы я ее вылечила. Но я не могла ее вылечить. Мне ничего не оставалось, кроме как убить бедняжку. Робин не понимал, что, когда животные вот так мучаются, иногда милосерднее всего — прекратить их страдания. Он все плакал, плакал. Никак я ему не могла объяснить, что жабе лучше было помереть, чем так мучиться. Конечно, он тогда был помладше тебя.

На адресата этот монолог не произвел никакого впечатления, но тут Эди подняла взгляд от тоста и с легкой досадой заметила, что Гарриет смотрит на нее, раскрыв рот.

— А как ты ее убила, Эди?

— Так, чтоб она не мучилась, — отрезала Эди. Она отхватила жабе голову тяпкой — да еще и, не подумав, сделала это прямо у Робина на глазах, о чем потом страшно жалела, но об этом она распространяться не желала.

— Ногой раздавила?

— Никто меня не слушает! — внезапно вскинулась Эллисон. — Это миссис Фонтейн Вини отравила. Это все она, я знаю. Она грозилась его убить. Он бегал у нее по двору, и потом у нее на машине, на лобовом стекле, отпечатки его лап оставались.

Эди вздохнула. И это она уже не впервые слышит.

— Я Грейс Фонтейн люблю не больше твоего, — сказала она. — Завистливая старая грымза, вечно нос свой всюду сует, но чтоб она кота отравила — ни за что не поверю.

— Отравила! Ненавижу ее.

— Нехорошо так думать.

— Она права, Эллисон, — вдруг вмешалась Гарриет. — Не думаю, что миссис Фонтейн отравила Вини.

— Это еще почему? — поглядела Эди на Гарриет, что-то уж очень подозрительно этакое единодушие.

— Потому, что если она его отравила, я, скорее всего, об этом бы знала.

— Это как же такое узнаешь?

— Не переживай, Эллисон. Не думаю, что она его отравила. Но если вдруг это все-таки ее рук дело, — Гарриет снова уткнулась в книжку, — она об этом пожалеет.

Эди решила, что так просто этого не оставит, однако едва она открыла рот, чтоб насесть на Гарриет, как Эллисон снова закричала, теперь еще громче:

— Да все равно, кто это сделал! — всхлипывала она, с силой размазывая по лицу слезы. — Почему Вини надо умирать? Почему все эти бедняги должны были замерзнуть насмерть? Почему все всегда так ужасно?

Эди сказала:

— Потому что так устроен мир.

— Тогда тошнит меня от этого мира.

— Эллисон, перестань.

— Не перестану! Никогда вы меня не переубедите.

— Ну, это ребячество, — сказала Эди, — мир ненавидеть. Миру-то наплевать.

— Всю жизнь буду его ненавидеть. Никогда не перестану!

— Скотт и его команда были очень храбрыми людьми, Эллисон, — сказала Гарриет. — Даже когда умирали. Вот слушай: “Мы в отчаянном состоянии, отмороженные ноги и т. д. Нет топлива, и далеко идти до пищи, но вам было бы отрадно с нами в нашей палатке слушать наши песни и веселую беседу о том…”

Эди встала.

— Значит, так, — сказала она. — Повезла я кота к доктору Кларку. Вы, девочки, тут побудьте.

— Нет, Эди, — Гарриет выскочила из-за стола, подбежала к коробке. — Бедняжка Вини, — она погладила трясущегося кота. — Бедненький котик. Пожалуйста, Эди, не забирай его пока.

Старичок-кот от боли и глаз широко не мог раскрыть. Он вяло постукивал кончиком хвоста по коробке.

Эллисон, давясь рыданиями, обняла его, прижалась щекой к его мордочке.

— Нет, Вини, — икая, всхлипывала она. — Нет, нет, нет.

Эди подошла к ней и взяла кота — на удивление нежно. Когда она осторожно приподняла его, у кота вырвался тоненький, почти человеческий крик. Его осунувшаяся седая мордочка и разверстая желтозубая пасть казались стариковскими — притерпевшимися к боли.

Эди нежно почесала его за ушком.

— Подай-ка мне полотенце, Гарриет, — сказала она.

Эллисон хотела что-то сказать, но рыдала так судорожно, что и слова не могла вымолвить.

— Не надо, Эди, — умоляла ее Гарриет. Она тоже начала реветь. — Пожалуйста. Я с ним еще не попрощалась.

Эди нагнулась, сама подняла полотенце, распрямилась.

— Так прощайся, — нетерпеливо сказала она. — Кот сейчас уедет и вернется не скоро.

Через час Гарриет, с заплаканными красными глазами, сидела на заднем крыльце у Эди и вырезала картинку с бабуином из тома "Б" комптоновской "Энциклопедии". Когда голубой "олдсмобиль" Эди вырулил со двора, она тоже повалилась на кухонный пол возле пустой коробки и зарыдала чуть ли не громче сестры. Когда слезы поутихли, она отправилась в бабушкину спальню, вытащила булавку из лежавшей на бюро подушечки для иголок в виде помидорины и пару минут развлекалась, выцарапывая в изножье Эдиной кровати: "НЕНАВИЖУ ЭДИ". Но отчего-то особой радости ей это не доставило, и пока она сидела, скрючившись, в ногах кровати и шмыгала носом, в голову ей пришла идея позанятнее. Вот вырежет она морду бабуина из энциклопедии и прилепит Эди вместо лица — в семейном фотоальбоме. Она и Эллисон попыталась заинтересовать этим проектом, но Эллисон, которая так и лежала ничком возле котовой коробки, даже поглядеть отказалась.

На заднем дворе скрипнула калитка, во двор влетел Хили Халл — даже и не подумав закрыть калитку за собой. Он был на год младше Гарриет — ему было одиннадцать, свои песочного цвета волосы он отпустил до самых плеч, подражая старшему брату. Пембертону.

— Гарриет! — крикнул он, протопав по ступенькам. — Эй, Гарриет! — но так и застыл на месте, заслышав из кухни монотонные всхлипывания. Когда Гарриет подняла на него глаза, он заметил, что и она тоже плакала.

— Ой, нет, — с ужасом сказал он. — Тебя в лагерь отправляют?

Больше всего на свете Хили и Гарриет боялись лагеря на озере Селби. Прошлым летом их обоих запихнули в этот детский христианский лагерь. Девочек и мальчиков (живших раздельно, на разных берегах озера) заставляли по четыре часа в день изучать Библию, а в оставшееся время — плести шнурочки или разыгрывать безвкусные унизительные пьески, написанные воспитателями. В мальчиковой половине имя Хили вечно перевирали — звали его не "Хили", как надо было, а оскорбительным "Хелли", чтоб рифмовалось с "Нелли". Хуже того: на общем собрании его насильно обстригли на потеху всем собравшимся. С одной стороны, Гарриет на своей половине даже получала удовольствие от изучения Библии, в основном потому, что могла перед пугливой и легковерной публикой козырять своей специфической трактовкой Писания, но с другой — страдала не хуже Хили: в пять утра подъем, в кровать — в восемь вечера, одну тебя ни на секунду не оставят и книжек никаких, кроме Библии, зато вдоволь "старых, добрых" наказаний (шлепки по попе, публичные унижения), чтобы дети все правила как следует усвоили. Через полтора месяца она, в зеленой фирменной футболке "Лагеря на озере Селби", вместе с Хили и другими детьми прихожан Первой баптистской церкви молча тряслась в церковном автобусе, апатично глядела в окно и была полностью раздавлена.

— Скажи матери, что покончишь с собой, — выпалил Хили. Накануне в лагерь отослали большую компанию его школьных друзей, которые тащились к ярко-зеленому автобусу так, будто их отправляют не в летний лагерь, а прямиком в ад. — Я им сказал, что покончу с собой, но еще раз меня туда не затащат. Сказал, что лягу поперек дороги, чтоб меня машина переехала.

— Не в этом дело, — и Гарриет вкратце рассказала ему про кота.

— Так ты не едешь в лагерь?

— Стараюсь, — ответила Гарриет.

Она уже несколько недель внимательно проверяла почтовый ящик — когда приходили бланки для регистрации в летнем лагере, она их рвала и прятала обрывки в мусорной куче. Однако опасность еще не миновала. Эди — вот кого надо было бояться (рассеянная мать Гарриет даже не заметила, что бланки так и не пришли), зато Эди уже купила Гарриет рюкзак, новые кеды и все просила показать ей список того, что надо взять с собой.

Хили посмотрел на картинку с бабуином.

— А это что такое?

— А, это… — Гарриет объяснила.

— А может, лучше другое животное взять, — предложил Хили. Эди ему не нравилась. Она вечно дразнила его из-за волос, делала вид, что приняла его за девчонку. — Бегемота. Или свинью.

— По-моему, и так неплохо.

Хили, перегнувшись через плечо Гарриет, таскал из кармана вареный арахис и смотрел, как Гарриет приклеивает скалящуюся бабуинову морду поверх Эдиного лица — так, чтобы локоны Эди его обрамляли. Бабуин, обнажив клыки, злобно пялился на них с фотографии, а дедушка Гарриет — повернувшись в профиль — восторженно глядел на свою обезьяну-невесту. Под фотографией сама Эди написала:

Эдит и Хейворд,
Оушен-Спрингс, Миссисипи,
11 июня 1935 г.

Гарриет с Хили внимательно разглядывали снимок.

— И правда, — сказал Хили. — Так очень даже здорово.

— Да. Я еще думала насчет гиены, но так лучше.

Едва они поставили энциклопедию обратно на полку, и вернули на место альбом (с золотым викторианским вычурным тиснением), как захрустел гравий под колесами Эдиной машины.

Хлопнула дверь с москитной сеткой.

— Девочки, — раздался ее деловитый — как и всегда — голос.

В ответ — молчание.

— Девочки, я решила обойтись с вами по-хорошему и привезла кота домой, чтоб вы могли его похоронить, но если вы сию же минуту не отзоветесь, я разворачиваюсь и везу его назад, к доктору Кларку.

Раздался топот. Дети, все трое, столпились в дверях гостиной и глядели на нее.

Эди вскинула бровь:

— А кто же эта юная мисс? — с наигранными удивлением спросила она Хили. Хили она очень любила, потому что он во многом — за исключением, конечно, ужасных волос — напоминал ей Робина, и даже не догадывалась, что это ее добродушное поддразнивание вызывало у него жгучую ненависть. — Никак это ты, Хили? Прости, не разглядела тебя за золотыми локонами.

Хили фыркнул:

— Мы кой-какие ваши фото разглядывали.

Гарриет пнула его.

— Ну, это не самое увлекательное занятие, — сказала Эди. — Девочки, — обратилась она к внучкам, — я подумала, что кота вы, наверное, захотите похоронить у себя во дворе, поэтому я на обратном пути к вам заехала и попросила Честера выкопать могилу.

— Где Вини? — спросила Эллисон. Голос у нее был хриплый, взгляд безумный. — Где он? Куда ты его дела?

— Он с Честером. Завернут в полотенце. Полотенце я вам, девочки, разворачивать не советую.

— Да ладно тебе, — Хили подтолкнул Гарриет плечом, — давай посмотрим.

Они были у Гарриет во дворе, в темном сарае, где на верстаке Честера лежал трупик Вини, завернутый в голубое полотенце. Эллисон, у которой слезы по-прежнему лились градом, копалась дома в комодах, искала старый свитер, на котором любил засыпать кот — она хотела его с этим свитером и похоронить.

Гарриет выглянула в заросшее пылью окошко. На краю по-летнему яркой лужайки виднелась фигура Честера, который с силой надавливал на лопату.

— Ладно, — сказала она. — Только быстро. Пока он не вернулся.

До Гарриет только потом дошло, что тогда она впервые видела — и трогала — мертвое существо. Она и не думала, что будет так жутко. Бок у кота был холодный, неподатливый, твердый на ощупь — Гарриет по кончикам пальцев будто током ударило, до того было мерзко.

Хили нагнулся, чтобы было получше видно:

— Фу, гадость, — жизнерадостно сказал он.

Гарриет погладила рыжую шерстку. Она так и осталась рыжей, мягкой, несмотря на то что тельце под ней было до жути одеревенелым. Перед смертью кот вытянул лапы вперед, будто боялся, что его бросят в корыто с водой, да так и застыл, а его глаза, которые, несмотря на старость и болезнь, так до самого конца и оставались чистого, пронзительно-зеленого цвета, теперь подернулись студенистой пленкой.

Хили нагнулся, тронул кота.

— Фу! — завопил он и отдернул руку. — Гадость!

Гарриет даже не вздрогнула. Она осторожно провела пальцем по кошачьему боку, нащупала розовое пятнышко, где шерсть у него так толком и не отросла, там, где ему, еще крохе, опарыши проели бок. При жизни Вини никому не разрешал до этого места дотрагиваться — он даже на Эллисон шипел и замахивался лапой. Но теперь кот лежал неподвижно, пасть оскалена — видны стиснутые игольчатые зубы. Кожа была сморщенная, грубая, как заношенная перчатка, и холодная-холодная-холодная.

Так вот что за тайну знали и капитан Скотт, и Лазарь, и Робин, тайну, которую в последний свой час узнал и кот: вот он каков — путь к витражному окну. Когда, восемь месяцев спустя, отыскали таки палатку Скотта, Боуэрс и Вильсон лежали в спальных мешках, застегнутых наглухо, а Скотт — в открытом, приобняв Вильсона. То была Антарктида, а тут — свежее, зеленое майское утро, но тело у нее под рукой было холодным как лед. Она поводила костяшкой пальца по лапке Вини в белом "чулочке". "Жаль, конечно, — писал Скотт холодеющей рукой, когда вокруг него мягко смыкалась белизна белых просторов, а бледные карандашные буквы на белой бумаге бледнели еще сильнее, — но вряд ли я смогу что-либо написать еще".

— Спорим, ты его глаз не сможешь потрогать, — сказал Хили, пододвигаясь поближе. — Спорим?

Гарриет его почти и не слушала. Так вот что видели ее мать и Эди: бескрайнюю тьму, ужас, из которого нет возврата. Слова, которые скатывались с бумаги в пустоту.

Хили придвинулся к ней поближе в прохладной полутьме сарая.

— Боишься? — прошептал он. Осторожно положил ей руку на плечо.

— Ну тебя, — Гарриет дернула плечом, сбросила его руку.

Она услышала, как хлопнула дверь с москитной сеткой, как мать позвала Эллисон, и быстро набросила на кота полотенце.

Чувство это — как будто на миг земля ушла из-под ног — так ее полностью и не отпустило, оно так и останется с ней на всю жизнь, и всегда у нее в памяти будет неразрывно связано с полутемным сараем — с блестящими металлическими зубьями пилы, с запахами пыли и бензина — и с тремя мертвыми англичанами в снежном могильнике, со сверкающими сосульками в волосах. Амнезия: плавучие льдины, непосильные расстояния, окаменевшие тела. Жуткие тела.

— Ну ладно, — сказал Хили, мотнув головой, — пошли отсюда.

— Иду, — ответила Гарриет.

Сердце у нее колотилось, воздуху не хватало — но задыхалась она не от страха, а от чувства, здорово похожего на ярость.

Конечно, миссис Фонтейн не травила кота, однако она все равно была рада, что он подох. Из своего кухонного окна над мойкой — с наблюдательного пункта, возле которого она каждый день простаивала часами, чтобы шпионить за соседями, — она сначала заметила, что Честер роет яму, а вот теперь, подсматривая сквозь щелочку в занавесках, увидела, что вокруг ямы сгрудились трое детей. Одна из них — младшая девочка, Гарриет — держала сверток. Старшая плакала.

Миссис Фонтейн сдвинула на самый кончик носа очки для чтения в перламутровой оправе, натянула поверх домашнего халата кардиган с блестящими пуговками — так-то на улице было тепло, но она вечно мерзла, поэтому из дома выходила, укутавшись, — и, выйдя через заднюю дверь, поковыляла к забору.

День был бодрый, свежий, чистый. По небу неслись низкие облачка. Лужайка — которую уже давненько не мешало бы подстричь, как же Шарлотта запустила дом, кошмар просто, — была усеяна фиалками, дикой кислицей, распушившимися одуванчиками, и от ветра по траве расходились круги и завихрения, словно рябь на море. Волнами лезли гроздья глицинии, хрупкие, будто водоросли. Глициния так густо облепила всю заднюю стену дома, что из-за нее и крыльца, бывало, не разглядишь; красиво, конечно, когда она в цвету, но когда она цвести переставала, то превращалась в косматые заросли, да к тому же грозилась обрушить своим весом крыльцо — сорняк эта глициния, стоит отвернуться, как она расползется и весь дом расшатает, но поди ж ты, кто-то учится только на собственных ошибках.

Она думала, дети с ней поздороваются, и пару минут выжидала у забора, но дети даже не глянули в ее сторону и продолжали заниматься своим делом.

— И что же это вы, детки, там затеяли? — приветливо крикнула она.

Они все так и вздрогнули, повернулись к ней.

— Кого-то хороните?

— Нет, — прокричала в ответ Гарриет, младшенькая, и миссис Фонтейн от ее тона прямо покоробило. Та еще штучка, эта девчонка.

— Да ведь, похоже, хороните.

— Никого мы не хороним.

— А мне кажется, вы того старого рыжего кота хороните.

Молчание.

Миссис Фонтейн прищурилась поверх очков. Так и есть, старшая девочка плачет. Большая уже, чтоб реветь-то. Вот младшая опускает сверток в яму.

— Точно, его вы и хороните, — возликовала она, — меня вам не одурачить! Одни беды были от этого кота. Каждый божий день он сюда приходил, а потом у моей машины все лобовое стекло было в отпечатках его мерзких лап.

— Не обращай на нее внимания, — сквозь зубы прошипела Гарриет сестре. — Сука старая!

Хили ни разу не слышал, чтоб Гарриет крепко выражалась. Он поежился от удовольствия.

— Сука, — погромче повторил он, с удовольствием пробуя дурное слово на вкус.

— Что-что? — взвизгнула миссис Фонтейн. — Это кто сказал?

— А ну замолкни! — велела Гарриет Хили.

— Кто это сказал?! Девочки, кто это там с вами?

Гарриет плюхнулась на колени и голыми руками стала закапывать яму, присыпая комьями грязи голубое полотенце.

— Давай, Хили, — прошипела она, — быстрее. Помогай!

— Это кто там с вами? — верещала миссис Фонтейн. — Отвечайте сейчас же! Не то я сейчас пойду домой и позвоню вашей матери.

— Вот мразь! — осмелев, выпалил Хили, раскрасневшись от собственной смелости.

Он опустился на колени рядом с Гарриет и тоже принялся быстро засыпать яму. Эллисон стояла рядом с ними, зажав рот кулаком, и по лицу у нее катились слезы.

— Дети, отвечайте немедленно!

— Постойте! — вдруг вскрикнула Эллисон. — Подождите!

Она развернулась и помчалась через весь двор домой.

Гарриет с Хили так и застыли, уперевшись ладонями в грязь.

— Чего она? — прошептал Хили, утирая лоб перепачканной рукой.

— Не знаю, — отозвалась опешившая Гарриет.

— Это кто там, младший Халл? — вопила миссис Фонтейн. — А ну иди сюда! Я сейчас твоей матери позвоню. Иди сюда сейчас же!

— Звони на здоровье, сука, — пробормотал Хили. — Ее дома нет.

Хлопнула дверь с сеткой, выбежала Эллисон — спотыкаясь, утирая слезы, из-за которых она толком ничего не видела.

— Вот, — сказала она, рухнула на колени рядом с ними и бросила что-то в могилу кота.

Хили с Гарриет вытянули шеи. В яме лежала фотография Эллисон — школьный портрет, снятый прошлой осенью, теперь улыбался им из рыхлой земли. На Эллисон был розовый свитер с кружевным воротником, в волосах — розовые заколки.

Эллисон, всхлипывая, зачерпнула огромную горсть земли и швырнула ее в могилу — прямо на свое улыбающееся лицо. Комья грязи с грохотом застучали по снимку. Какое-то время под ними еще виднелся розовый свитер, несмелые глаза Эллисон еще глядели с надеждой сквозь черные разводы, но вот и по ним прошуршала земля, и они исчезли.

— Давай! — нетерпеливо крикнула она, потому что младшие дети с удивлением таращились то в яму, то на нее. — Давай же, Гарриет. Помогай!

— Ну все, — разорялась миссис Фонтейн. — Я иду домой! И сию же секунду звоню вашим матерям! Вот, видите? Уже иду звонить! Вы, дети, еще поплачете!

Глава 2

Черный дрозд

Через пару дней, часов в десять вечера, когда мать с сестрой уже спали, Гарриет осторожно отперла шкафчик с оружием. Оружие было старое и нуждалось в починке, отцу Гарриет оно досталось от дяди, который его коллекционировал.

Про таинственного дядю Клайда Гарриет толком ничего не знала, кроме того, что он был инженером, что нрав у него, как говорила учившаяся вместе с ним в школе Аделаида, был "дрянной" и что он разбился в авиакатастрофе где-то над побережьем Флориды. Из-за того, что все в семье говорили про него "сгинул в море", Гарриет как-то всегда казалось, что он на самом деле не умер. Стоило кому-нибудь про него вспомнить, как Гарриет смутно представлялся бородатый оборванец вроде Бена Гана из "Острова сокровищ", который влачит унылое существование на каком-нибудь мрачном просоленном островке, и штаны у него уже поизносились до лохмотьев, а наручные часы проржавели от морской воды.

Осторожно, придерживая стекло ладонью, чтоб не задребезжало, Гарриет потянула на себя неподатливую деревянную дверку шкафчика. Задрожав, дверка распахнулась. На верхней полке лежала шкатулка со старинным оружием — изящными, оправленными в серебро и перламутр дуэльными пистолетами, показушными крохотными "дерринджерами", в длину от силы дюйма четыре. Под ними в хронологическом порядке, с уклоном влево были расставлены ружья помощнее: винтовки из Кентукки с кремневыми замками, грозная десятифунтовая винтовка "хокен" — напрочь проржавевшее ружье, заряжавшееся с дула (по слухам, оно Гражданскую войну пережило). Из ружей поновее самым внушительным был "винчестер", оставшийся с Первой мировой.

Хозяин коллекции — отец Гарриет — был для нее человеком неблизким и неприятным. Вокруг все шептались насчет того, что живет он в Нэшвилле, хотя они с матерью Гарриет до сих пор женаты. Сама Гарриет понятия не имела о том, как это так получилось (смутно знала только, что это как-то было связано с отцовской работой), но и не видела в этом ничего примечательного, потому что, сколько она себя помнила, отец с ними никогда и не жил. Каждый месяц он присылал им чек — на домашние расходы, а на Рождество и День благодарения приезжал домой, заезжал, случалось, и на пару деньков осенью, когда ехал в Дельту[1], где у него был охотничий домик. Такое положение дел казалось Гарриет вполне толковым, поскольку отлично устраивало обе стороны: мать, у которой вообще ни на что не было сил (и поэтому она целыми днями валялась в кровати), и отца, который своей активностью только всем мешал. Он быстро ел, быстро говорил и мог усидеть на месте только с выпивкой под рукой. На людях он вечно откалывал шутки, поэтому его считали забавным малым, но в семейном кругу его непредсказуемые выходки веселили не всех, и многих родственников задевала его необдуманная привычка говорить все, что взбредет ему в голову.

Хуже того: отец Гарриет был всегда прав, даже когда был неправ. Никому он не уступал. Чужой точки зрения он бы в жизни не принял, но поспорить любил, а когда был в хорошем настроении — развалится, бывало, с коктейлем в кресле, одним глазом поглядывая в телевизор, — то еще обожал дразнить Гарриет, подкалывать ее, только чтоб показать, кто тут главный.

— С заучками никто водиться не станет, — говорил он.

Или:

— Что толку тебя учить, все равно вырастешь и замуж выскочишь.

От таких слов, которые отец считал самой что ни на есть чистой, да еще и необидной, правдой, Гарриет только распалялась и соглашаться с этим отказывалась, а потому нарывалась на неприятности. Иногда отец лупил Гарриет ремнем — за то, что она огрызалась, Эллисон на все это глядела остекленевшими глазами, а мать

1 Северо-западная часть американского штата Миссисипи, занимающая междуречье рек Миссисипи и Язу.

и вовсе забивалась в спальню. В другой раз, в качестве наказания, он выдумывал для Гарриет сложнейшие, невыполнимые поручения (например, подстричь газон тяжелой косилкой, которую надо было толкать перед собой, или в одиночку вычистить весь чердак), но Гарриет только упиралась и отказывалась что-либо делать. "Давай-ка, — уговаривала ее Ида Рью, обеспокоенно просунув голову в чердачный люк, после того как отец, громко топая ногами, несся вниз. — Уж сделай что-нибудь, не то тебе еще сильнее попадет, когда он вернется". Но Гарриет, сидя промеж стопок старых газет и журналов, только хмуро глядела на нее и не двигалась с места. Отец может лупить ее сколько ему вздумается, ей наплевать. Здесь дело принципа. И Ида, бывало, так переживала за Гарриет, что бросала свою работу, шла наверх и делала все сама.

В общем, отец ее человек был вспыльчивый, склочный и вечно всем недовольный, поэтому Гарриет не жалела о том, что он с ними не живет. До четвертого класса, когда школьный автобус, в котором ехала Гарриет, однажды сломался на проселочной дороге, такое положение дел ей никогда не казалось странным, ей в голову не приходило, что кто-то этого может не одобрять. Гарриет сидела рядом с болтливой девочкой на год младше нее, которую звали Кристи Дули — у нее были огромные передние зубы, а в школу она всегда ходила в вязаном белом пончо. Такая она была нервная и неприметная белая мышка, и не скажешь, что дочь полицейского. Она отхлебывала из термоса овощной суп и трещала без умолку, хоть ее никто ни о чем и не спрашивал, рассказывая разные секреты (про учителей, про родителей других учеников), которые она подслушала дома. Гарриет мрачно глядела в окно и ждала, чтоб кто-нибудь уже наконец пришел и починил автобус, но вдруг вздрогнула, когда поняла, что Кристи заговорила про ее родителей.

Гарриет развернулась и уставилась на Кристи. Ой, да все знают, прошептала Кристи, скрючившись под своим пончо, пододвигаясь к ней поближе (вечно она сядет к тебе вплотную). Разве Гарриет не интересно, почему ее отец живет в другом городе?

— Он там работает, — ответила Гарриет.

Это объяснение Гарриет всегда казалось вполне логичным, но Кристи только с упоением, по-взрослому вздохнула и принялась рассказывать Гарриет, как дела обстоят на самом деле. Суть истории заключалась в следующем: отец Гарриет после смерти Робина хотел переехать — куда-нибудь в другой город, на новое место, где он мог бы “начать все сначала”. Кристи пучила глаза, было видно, что переходит к жуткому секрету:

— Но она не захотела ехать, — как будто Кристи не про мать Гарриет говорила, а про героиню какой-нибудь страшилки, — она сказала, что останется тут навсегда!

Гарриет, которая была недовольна уже тем, что ей пришлось сидеть с Кристи, отодвинулась от нее подальше и уставилась в окно.

— Обиделась? — с хитрецой спросила Кристи.

— Нет.

— Тогда что не так?

— У тебя супом изо рта пахнет.

Потом Гарриет еще не раз слышала — и от взрослых, и от детей, что мол, в доме у них все как-то “не по-людски”, но считала, что это все глупости. Их семейная жизнь была устроена самым практичным — и самым разумным даже — образом. Нэшвилльская работа отца позволяла им оплачивать счета, но, когда он приезжал на праздники, ему никто не радовался: Эди и тетушек он не любил, а уж от того, как яростно и злобно он придирался к жене, всем делалось не по себе. В прошлом году он все нудил, чтоб она пошла с ним на какую-то рождественскую вечеринку, и в конце концов мать Гарриет (она стояла в тоненькой ночной сорочке, обхватив себя за плечи) поморгала и согласилась. Но вместо того, чтобы одеваться, она просто уселась в халате за туалетный столик и уставилась на свое отражение в зеркале — ни шпилек из волос не вытащила, ни губы красить не стала. Когда Эллисон на цыпочках прокралась наверх, чтоб посмотреть, что она там делает, мать сказала, что у нее мигрень. Потом она заперлась в ванной и включила воду, а отец, раскрасневшись, трясся от ярости и молотил кулаками в дверь. Невеселый вышел сочельник: Гарриет с Эллисон жались в гостиной возле елки, из стереопроигрывателя с грохотом неслись рождественские гимны (то радостные, то заунывные), однако даже этот грохот не мог заглушить доносившийся сверху ор. Все вздохнули с облегчением, когда в Рождество отец, не дожидаясь вечера, затолкал в машину чемодан, пакет с подарками и уехал обратно в Теннесси, а в доме снова воцарилось дремотное забвение.

Дома у Гарриет жили как во сне, все, кроме самой Гарриет, которая по натуре была бодрой и бдительной. Частенько в темном, безмолвном доме не спала она одна, и тогда скука наваливалась на нее такой плотной, стеклянистой оторопью, что она и делать ничего не могла — только таращилась в стену или в окно, как в дурмане. Ее мать из спальни почти не выходила, и после того, как Эллисон — рано, как правило, часов в девять — ложилась спать, Гарриет была предоставлена самой себе: она пила молоко прямо из картонного пакета, бродила по дому в носках, пробираясь сквозь высокие стопки газет, которыми были заставлены почти все комнаты. С тех пор как умер Робин, у матери Гарриет как будто рука не поднималась хоть что-нибудь выкинуть, и барахло, копившееся на чердаке и в чулане, постепенно стало расползаться по всему дому.

Иногда Гарриет даже наслаждалась одиночеством. Она зажигала везде свет, включала телевизор или проигрыватель, звонила на христианскую молитвенную линию или разыгрывала по телефону соседей. Открывала холодильник и ела что ей вздумается, карабкалась на высокие полки, открывала ящики, куда ей запретили совать нос, прыгала на диване, да так, что пружины визжали, стаскивала на пол подушки и строила из них крепости и спасательные плоты. Бывало, вытаскивала из чулана старую одежду, которую ее мать носила еще в колледже (проеденные молью светлые кофточки, длинные перчатки всех цветов и аквамариновое выпускное платье, подол которого волочился за Гарриет по полу). С одеждой надо было поаккуратнее — мать Гарриет строго-настрого запрещала ее трогать, хотя сама давно уже ничего из этого не носила, но Гарриет всегда клала вещи на место в том же порядке, в каком они и лежали, а если мать что и замечала, то ей, по крайней мере, ничего не говорила.

Все ружья были разряжены. В шкафу лежала всего одна коробка с патронами — двенадцатого калибра. Гарриет, которая разницу между нарезным и гладкоствольным оружием представляла себе очень смутно, вытряхнула патроны из коробки и разложила их на ковре звездочками. К одному ружью был прикреплен штык — тоже интересно, конечно, но Гарриет больше всего любила "винчестер" с оптическим прицелом. Она выключила верхний свет, пристроила ствол на подоконнике в гостиной и, сощурившись, посмотрела в прицел — на припаркованные авто, посверкивающий под высокими фонарями тротуар, поливалки, шипящие на роскошных пустых газонах. На форт напали, она должна охранять свой пост до последнего, иначе всех ждет смерть.

У миссис Фонтейн над парадным крыльцом позвякивали китайские колокольчики. На другом краю заросшего двора, за промасленным оружейным стволом, виднелось дерево, на котором умер ее брат. Ветерок шелестел в его глянцевых листьях, перебирал текучие тени на траве.

Иногда, когда Гарриет ночами бродила по мрачному дому, она чувствовала, как рядом с ней, бок о бок, шагает ее умерший брат и молчит вместе с ней — доверительно, компанейски. Она слышала его шаги в скрипе половиц, приоткроется вдруг дверь, шевельнет ветром занавеску, и ей чудилось, что это он. Он мог и набедокурить — возьмет и спрячет от нее книжку или шоколадку, а стоило ей отвернуться, как он снова подложит их ей на стул. С ним Гарриет было весело. Иногда она воображала, будто там, где он сейчас живет, царит вечная ночь, и когда она уходила, он оставался совсем один: он не находит себе места, сидит одиноко, будто в приемном покое, болтает ногами, а вокруг — только часы тикают.

Я здесь, тихонько сказала она самой себе, *стою на часах*. Сидя возле окна с ружьем, она всем телом ощущала тепло его присутствия. Ее брат умер двенадцать лет назад, с тех пор много изменилось или вовсе кануло в небытие, но вид из окна остался прежним. Даже дерево было на месте.

У Гарриет заныли руки. Она осторожно положила ружье на пол рядом с креслом и пошла на кухню за фруктовым льдом. Потом вернулась в гостиную, уселась возле окна и в темноте неторопливо его съела. Положила палочку на стопку газет и снова выставила ружье в окно. Лед был виноградный, ее любимый. В морозилке стояла целая коробка, и она могла съесть ее хоть всю — никто бы и не заметил, просто неудобно было одновременно и есть, и ружье держать.

Она поводила дулом ружья туда-сюда по подсвеченным луной облакам, следуя за полетом какой-то ночной птицы по темному небу. Хлопнула дверца автомобиля. Гарриет вильнула ружьем в сторону звука, навела прицел на миссис Фонтейн, которая вернулась с вечерней репетиции хора и теперь ковыляла к дому в дымчатом свете фонарей, совершенно не подозревая, что ее сережка сверкает в самом центре прицела. Потух свет над крыльцом, включился свет на кухне. Сгорбленный козломордый силуэт миссис Фонтейн замаячил за занавесками, будто марионетка в театре теней.

— Ба-бах, — прошептала Гарриет. Всех дел-то — дернуть пальцем, надавить на спусковой крючок, и миссис Фонтейн отправится куда следует, ко всем чертям. Уж там ей самое место — сразу из перманента рога вылезут, а из-под платья — заостренный хвост. Так и будет таскаться по всему аду со своей тележкой на колесиках.

Вдали загрохотал автомобиль. Она крутнула ружье в его сторону, увеличенная машина запрыгала в окуляре прицела — какие-то подростки мчатся на повышенной скорости с опущенными окнами. Гарриет следила за машиной, пока красные задние фары не исчезли за углом.

Она снова повела ружьем в сторону дома миссис Фонтейн, но тут в окошке прицела расплылся свет из чьих-то окон, и, подкрутив фокус, Гарриет с удовольствием обнаружила, что глядит прямо в гостиную семейной пары по фамилии Годфри, которые жили через дорогу. Румяным и бодрым супругам Годфри было хорошо за сорок — церковные активисты, бездетные, общительные, и наблюдать за ними было приятно. Миссис Годфри перекладывала желтое мороженое из картонной коробки в тарелку. Мистер Годфри сидел за столом, спиной к Гарриет. Кроме них — дома никого: на столе кружевная скатерть, в уголке теплится лампа под розовым абажуром, все такое домашнее, такое четкое — до узорчиков из виноградных листьев на их креманках, до “невидимок” в волосах миссис Годфри.

Ее “винчестер” — это бинокль, камера, способ смотреть на мир. Она прижалась щекой к гладкому прохладному прикладу.

Он была уверена — в такие вот вечера не только она караулит Робина, но и Робин точно так же подкарауливает ее. Она чувствовала, как он стоит позади нее: тихонько, по-дружески, радуясь, что они вместе.

Гарриет заерзала в кресле, ружье было тяжелое, оттягивало руки. В такие вечера она иногда курила сигареты, которые таскала у матери. Но бывали вечера и похуже, когда она даже читать не могла, потому что все буквы в книжках (даже в “Острове сокровищ”, даже в “Похищенном”, которые она обожала и могла перечитывать без конца), превращались в какую-то китайскую грамоту — неразбериху и нелепицу, назойливый зуд. Однажды в порыве отчаяния она расколотила маминого фарфорового котенка, а потом в панике (мать эту статуэтку очень любила, она у нее была с самого детства) завернула осколки в салфетку, засунула их в пустую коробку из-под хлопьев, а коробку затолкала на самое дно мусорного бака. Это случилось два года назад. Насколько Гарриет было известно, мать так и не узнала, что из шкафчика с фарфором пропал котенок. Когда Гарриет подмывало выкинуть что-нибудь в таком роде (разбить чашку, изрезать ножницами скатерть), она вспоминала тот случай, и ей делалось гадко и тошно. Да захоти она даже дом поджечь, ей никто не помешает.

Луну наполовину заволокло рыжеватыми облаками. Гарриет снова навела ружье на окна Годфри. Миссис Годфри теперь тоже ела мороженое. Она лениво подносила ко рту ложку и разговаривала с мужем — выражение лица у нее было неласковое, сердитое даже. Мистер Годфри поставил локти на кружевную скатерть. Гарриет видела только его лысину — в самом центре прицела, кстати — и не знала, отвечает ли он что-нибудь миссис Годфри, да и слушает ли он ее вообще. Внезапно он встал, потянулся и вышел из комнаты. Миссис Годфри, которая осталась сидеть за столом одна, что-то ему сказала. Доедая мороженое, она слегка обернулась, словно бы слушая, что ей там из другой комнаты отвечает мистер Годфри, а потом встала и, разглаживая руками юбку, пошла к двери. Картинка погасла. На всей улице окна светились только у них. У миссис Фонтейн давно уже было темно.

Гарриет поглядела на стоявшие на каминной полке часы. Дело было к полуночи, а ей утром в воскресную школу и встать надо в девять.

Бояться было нечего — на улице все спокойно, ярко горят фонари, — но дома стояла мертвая тишина, и Гарриет сделалось слегка не по себе. Убийца пришел к ним в дом посреди бела дня, но все равно — именно ночью она боялась его сильнее всего. В ее кошмарах он всегда возвращался ночами: по дому гуляет холодный ветер, подрагивают занавески, все двери и окна стоят нараспашку, Гарриет мечется по дому, захлопывает ставни, возится с защелками, пока мать лежит себе преспокойно на диване с кольдкремом на лице и палец о палец не ударит, чтоб ей помочь, и всякий раз она не успевает ничего закрыть, разлетаются осколки стекла, и в дыру просовывается рука в перчатке, чтобы открыть дверь изнутри.

Она встала на четвереньки, собрала патроны. Аккуратно сложила их в коробку, начисто вытерла ствол, чтоб не осталось отпечатков, поставила ружье обратно, закрыла шкафчик и положила ключ на место — в коробку красного бархата, которая лежала в ящике отцовского стола вместе с кусачками для ногтей, непарными запонками, игральными костями в зеленом замшевом мешочке и выцветшими спичечными картонками из ночных клубов в Мемфисе, Майами и Новом Орлеане.

В спальне она тихонько разделась, не зажигая лампы. На соседней кровати распласталась Эллисон, уткнувшись лицом в подушку. Лунный свет падал на постель пестрым узором, который то и дело менялся, когда ветер шевелил листву. Вокруг Эллисон на кровати, словно на спасательном плоту, были рассажены игрушечные животные — сшитый из кусочков ткани слон, пегая собака с одним пуговичным глазом, курчавый черный ягненок, лиловый плюшевый кенгуру и целое семейство плюшевых медведей — наивные фигурки сгрудились возле ее головы, словно существа из ее снов.

— Так, мальчики и девочки, — сказал мистер Дайал. Он обвел ледяным, блекло-серым взглядом воскресный класс Гарриет и Хили, который — из-за пылкой любви мистера Дайала к лагерю на озере Селби и из-за того, с каким неуместным энтузиазмом он рассказывал о нем родителям своих учеников, — опустел наполовину. — Давайте-ка с вами поразмышляем о Моисее. Отчего Моисей так стремился привести детей Израилевых в Землю Обетованную?

Молчание. Мистер Дайал пробежался оценивающим, как у коммивояжера, взглядом по кучке равнодушных лиц. В церкви не знали, куда приспособить новенький школьный автобус, а потому задумали программу помощи неимущим — собирали по всей округе детей белой бедноты и свозили их под зажиточные своды Первой баптистской на уроки в воскресную школу. Лица у них были чумазые, других детей они дичились, одеты вечно были неподобающим для церкви образом и на уроках сидели, уставившись в пол. Только слабоумный верзила Кертис Рэтлифф, который был на несколько лет старше всех остальных детей, таращился на мистера Дайала, восторженно разинув рот.

— Или возьмем другой пример, — сказал мистер Дайал. — А Иоанн Креститель? Он-то почему так хотел уйти в пустыню, чтобы там дожидаться пришествия Христа?

Нет, не достучаться до этих юных Рэтлиффов, Скёрли и Одумов, до этих мальцов с гноящимися глазами и осунувшимися личиками, до их нюхающих клей мамаш и прелюбодействующих отцов с наколками по всему телу. Ничтожества. Вот не далее чем вчера мистеру Дайалу пришлось отправить своего зятя Ральфа, который работал у него, в "Шевроле Дайала", к каким-то Скёрли, чтоб тот изъял у них за неплатеж новенький "олдсмобиль-катласс". История стара как мир: возьмут вот такие бездельники в кредит дорогущий автомобиль и давай разъезжать на нем, сплевывая табак во все стороны и хлебая пивко галлонами, и плевать им, что они задолжали платежей за полгода. В понедельник утром Ральф наведается еще к одному Скёрли и к парочке Одумов, хотя те об этом еще не знают.

Мистер Дайал поглядел на Гарриет, внучатую племянницу мисс Либби Клив, на ее друга Хили Халла, просветлел взглядом. Вот они, представители старой Александрии, дети из приличных семей, члены которых состояли в "Загородном клубе" и взносы по кредитам выплачивали практически без задержек.

— Хили! — сказал мистер Дайал.

Хили, вздрогнув, оторвался от буклета воскресной школы, который он сложил в мелкий квадратик, и с ужасом посмотрел на мистера Дайала.

Мистер Дайал рассмеялся. Зубки у него были мелкие, глаза — широко посаженные, а лоб — круглый, да к тому же он еще любил смотреть на класс не прямо, а вполоборота, а потому слегка напоминал хмурого дельфина.

— Расскажешь нам, отчего Иоанн Креститель проповедовал в пустыне?

Хили заерзал.

— Потому что ему так велел Иисус.

— Не совсем! — вскричал мистер Дайал, потирая руки. — Давайте-ка все вместе подумаем над тем, в каком Иоанн был положении. Спросим себя, почему он цитировал слова пророка Исайи… — он провел пальцем по странице — …в двадцать третьем стихе?

— Потому что он знал, что таков был замысел Божий? — раздался голосок из первого ряда.

Голосок принадлежал Аннабель Арнольд, ее ручки в перчатках были чинно сложены поверх лежавшей у нее на коленях Библии в белом чехольчике на молнии.

— Замечательно! — воскликнул мистер Дайал.

Аннабель была из хорошей семьи — из хорошей христианской семьи, не то что эти Халлы, которые только коктейли по клубам распивают. Благодаря Аннабель, чемпионке по жонглированию жезлами, обрел Христа даже ее маленький еврейский одноклассник. Во вторник вечером Аннабель будет выступать на окружном чемпионате по жонглированию, среди главных спонсоров которого был и "Шевроле Дайала".

Тут мистер Дайал заметил, что Гарриет хочет что-то сказать, и зачастил снова:

— Мальчики и девочки, вы слышали, что сказала Аннабель? — бодро продолжил он. — Иоанн Креститель следовал замыслу Божию. А почему он ему следовал? Потому что, — мистер Дайал повернул голову и уставился на класс другим глазом, — потому что у Иоанна Крестителя была цель!

Молчание.

— Почему же, мальчики и девочки, нам так важно иметь в жизни цель? — в ожидании ответа он все подравнивал стопочку бумаг на кафедре, и красный камень в его массивном золотом выпускном перстне вспыхивал на свету. — Давайте-ка поразмыслим над этим. Нет цели — нет стимула что-либо делать, верно? Нет цели — нет финансового благополучия! Нет цели — и нам никогда не исполнить замысел Иисуса, не стать добрыми христианами и приличными членами общества!

Тут он с легким испугом заметил, что Гарриет довольно-таки злобно на него уставилась.

— Ни за что! — мистер Дайал хлопнул в ладоши. — Цели помогают нам сосредоточиться на том, что действительно важно! Важно иметь в жизни цель — в любом возрасте — и ставить перед собой цели каждый год, каждую неделю, каждый час даже! А иначе мы вырастаем и задницу от дивана не можем оторвать, потому что не-за-чем!

Продолжая говорить, он раздал всем бумагу и цветные карандаши. От этих юных Рэтлиффов и Одумов не убудет, если хоть кто-нибудь им привьет основы прилежания. Дома-то у них разве кто станет этим заниматься, там почитай все сидят без дела, живут за счет государства. Он хотел, чтоб они проделали одно весьма стимулирующее упражнение, которое мистер Дайал уже опробовал на себе — во время конференции по продвижению христианства в Линчбурге, штат Вирджиния, куда он ездил прошлым летом.

— Пусть теперь все напишут свои цели на лето, — сказал мистер Дайал. Он сложил ладони домиком и подпер поджатые губы указательными пальцами. — Любой проект, финансового или личного характера… или напишите, чем вы хотите помочь семье, соседям или Господу. Можно не подписываться, если не хочется, — тогда просто нарисуйте внизу страницы любой значок, который отражает вашу суть.

Все, кто до этого клевал носом, с ужасом вскинули головы.

— Не рисуйте ничего сложного! Например, — мистер Дайал сцепил пальцы в замок, — нарисуйте футбольный мяч, если любите спорт! Или улыбающегося человечка, если любите веселить людей!

И он снова уселся за стол, теперь дети смотрели на листы бумаги, а не на него, а потому его широкая, мелкозубая улыбка слегка скисла. Нет, ты хоть в лепешку разбейся, а этих малолетних Одумов, Рэтлиффов и кого там еще уму-разуму все равно не научишь. Он смотрел на их туповатые лица, на то, как они вяло мусолят кончики карандашей. Пройдет еще несколько лет, и Ральф с мистером Дайалом будут и с этих юных неудачников взыскивать задолженности по кредитам, как нынче — с их братьев.

Хили изогнулся, чтобы подсмотреть, что написала Гарриет.

— Эй! — прошептал он.

В качестве отражения своей сути он прилежно нарисовал футбольный мяч, а потом минут пять молча, оторопело таращился на чистый лист бумаги.

— Разговорчики! — сказал мистер Дайал.

С шумом, театрально выдохнув, он встал и собрал работы учеников.

— А тепе-ерь, — сказал он, выложив стопку бумаги на стол, — теперь пусть все по очереди возьмут себе один листок… Нет-нет, — прикрикнул он на детей, которые сразу рванулись с мест, — не разбегаемся, как обезьянки! Каждый по очереди.

Без особого рвения дети потянулись к столу. Вернувшись на место, Гарриет не сразу смогла развернуть вытянутый ей листок — он был сложен столько раз, что стал крохотный, как почтовая марка.

Тут Хили внезапно зафыркал от смеха. Придвинул Гарриет доставшийся ему листок. Под загадочным рисунком (безголовая клякса на ножках-палочках, не то мебель, не то насекомое, Гарриет не знала даже, что это — животное, предмет, какой-то механизм?) буквы-закорючки кубарем скатывались вниз под углом в сорок пять градусов. “Мая цель, — с трудом разобрала Гарриет, — что бы папа свазил миня в Опре Ленд[1]”.

— Ну же, ну же, — говорил тем временем мистер Дайал, — пусть кто-нибудь начнет. Неважно, кто именно.

Гарриет наконец развернула свой листок. Почерк был Аннабель Арнольд: округлый, старательный, “д” и “у” с завитушками.

моя цель!
моя цель — молиться, чтобы Господь каждый день
посылал мне человека, которому я могу помочь!!!!

Гарриет злобно уставилась на листок. Внизу страницы две прописных “В” прижимались друг к другу палочками, образуя дурацкую бабочку.

— Гарриет, — вдруг сказал мистер Дайал. — Давай начнем с тебя.

Гарриет прочла кружевную клятву плоским, невыразительным голосом, надеясь, что так в достаточной мере выразит свое презрение.

— Вот это цель так цель! — тепло воскликнул мистер Дайал. — Это не только призыв к молитве, но и призыв к служению. Вот он, юный христианин, который думает о своих ближних и в церкви, и в обще… Я сейчас что-то смешное сказал?

Вялые смешки тотчас же стихли.

Повысив голос, мистер Дайал спросил:

— Гарриет, что же эта цель говорит нам об ее авторе?

1 Оприленд — знаменитый парк развлечений неподалеку от Нэшвилла, Теннесси. Был демонтирован в 1997 году.

Хили постучал Гарриет по колену. Под столом тихонько опустил вниз большие пальцы: *неудачник*, мол.

— Там есть символ?

— Сэр? — переспросила Гарриет.

— Каким символом автор обозначил себя?

— Насекомым.

— Насекомым?!

— Это бабочка, — прошелестела Аннабель, но мистер Дайал ее не услышал.

— Что за насекомое? — спросил он Гарриет.

— Ну, точно не знаю, но, похоже, у него тут жало.

Хили вытянул шею, заглянул в листок.

— Фу! — завопил он с практически неподдельным ужасом. — Это еще что?

— Дай сюда, — приказал мистер Дайал.

— И кто только мог нарисовать такое? — спросил Хили, с тревогой оглядев класс.

— Это бабочка! — уже громче сказала Аннабель.

Мистер Дайал потянулся было за листком, но внезапно — так внезапно, что все аж подскочили, — Кертис Рэтлифф громко и восторженно заклекотал. Он возбужденно подпрыгивал на стуле и тыкал пальцем в сторону учительского стола.

— Эт моя! — булькал он. — Эт моя!

Мистер Дайал так и замер на месте. Он до ужаса боялся, что Кертис, который всегда сидел смирно, забьется в припадке или на кого-нибудь набросится.

Он быстро сошел с кафедры и бросился к нему.

— Что такое, Кертис? — мистер Дайал наклонился к Кертису поближе, а его доверительный голос разнесся по всему классу. — Тебе в туалет надо?

Кертис все клекотал, лицо у него стало пунцовым. Он так рьяно прыгал на стуле, который был ему маловат и жалобно под ним скрипел, что мистер Дайал вздрогнул и сделал шаг назад.

Кертис тыкал пальцем во все стороны.

— Эээт моя! — хрипел он.

Вдруг он вскочил со стула (мистер Дайал отшатнулся, запнулся, тоненько, позорно вскрикнул) и схватил со стола измятый лист бумаги.

Он очень аккуратно разгладил ее и вручил мистеру Дайалу. Ткнул пальцем в бумагу, ткнул в себя.

— Моя! — расплылся он в улыбке.

— А-а, — сказал мистер Дайал. С задних рядов послышался шепоток, кто-то нахально захихикал. — Совершенно верно, Кертис. Это твой листок.

Мистер Дайал нарочно отложил его в сторону и не стал класть к ответам других детей. Кертис всегда просил, чтоб ему дали ручку и бумагу, а если ему их не давали, начинал рыдать, но при этом ни читать, ни писать он не умел.

— Моя! — сказал Кертис. Он ткнул пальцем себе в грудь.

— Да, — осторожно согласился мистер Дайал. — Это твоя цель, Кертис. Совершенно верно.

Он положил листок на стол. Кертис снова схватил его и, выжидательно улыбаясь, опять всучил мистеру Дайалу.

— Да, спасибо, Кертис, — сказал мистер Дайал и указал на его пустой стул. — Кертис! Можешь вернуться на место. Я сейчас…

— Чтииии.

— Кертис. Если ты не сядешь на место, я не смогу…

— Чтииии мою! — завизжал Кертис. Он начал подпрыгивать, до ужаса перепугав мистера Дайала. — Чти мою! Чти мою! Чтииииии мою!

Мистер Дайал, растерявшись, смотрел на измятый листок бумаги. Там ничего не было написано, одни каракули, как будто ребенок намалевал что-то.

Кертис ласково заморгал, пошатываясь, сделал шажок в его сторону. Для дауна у него были удивительно длинные ресницы.

— Чти, — сказал он.

— Интересно, какая у Кертиса была цель? — задумчиво спросила Гарриет, когда они с Хили вместе возвращались домой.

Подошвы ее лакированных ботинок стучали по тротуару. Ночью шел дождь, и влажные бетонные плиты были усыпаны облетевшими с кустов рваными лепестками и остро пахнущими клоками срезанной травы.

— Ну то есть, — добавила она, — как думаешь, у Кертиса вообще есть цель?

— У меня вот есть цель — чтоб Кертис наподдал мистеру Дайалу.

Они свернули на Джордж-стрит, где темнели зеленью пеканы и аллигаторовы деревья, а пчелы звучно жужжали в кустах индийской сирени, звездчатого жасмина и чайных роз. Духовитый, хмельной аромат магнолий лип к коже и был такой тяжелый, что от него болела голова. Гарриет молчала. Щелк-щелк, шагала она рядом с Хили, опустив голову, заложив руки за спину, погрузившись в свои размышления.

Хили, пытаясь оживить беседу, запрокинул голову и мастерски прокричал дельфином.

— Плы-ывет наш Флиппер, Флиппер, — пропел он приторным голоском, — со скоростью све-ета…

Гарриет наградила его улыбкой. За писклявый смех и скругленный, как у дельфина, лобик они прозвали мистера Дайала Флиппером.

— А что ты написала? — спросил Хили. Он снял свой воскресный сюртук, который терпеть не мог, и выписывал им восьмерки в воздухе. — Это твоя была черная метка?

— Угу.

Хили просиял. Вот за такие загадочные и непредсказуемые выходки он и обожал Гарриет. Никогда не поймешь, зачем она такое вытворяет, не поймешь даже, почему это клево, но это было клево. Черная метка здорово расстроила мистера Дайала, особенно после фортеля, который выкинул Кертис. Он заморгал и явно занервничал, когда какой-то малый с задней парты показал ему чистый лист, на котором не было написано ни слова — только жутковатая метка в самом центре. “У нас тут шутники завелись, — рявкнул он после неуютной паузы и тут же перешел к следующему ученику, потому что метка была и впрямь жуткая — а с чего бы? Обычный карандашный рисунок, но на один странный миг, когда тот малый показал всем листок, класс притих. Вот она, визитная карточка Гарриет, вот она — работа мастера: напугает тебя до трясучки, а ты и сам не знаешь, как ей это удалось.

Он подтолкнул ее плечом:

— А знаешь, вот была бы умора, если бы ты там написала “жопа”. Ха! — Хили вечно придумывал, как бы его друзья могли кого-нибудь разыграть, потому что разыграть кого-нибудь самому у него не хватало духу. — Малюсенькими такими буквами, чтоб он едва смог прочесть.

— Черная метка — это из "Острова сокровищ", — сказала Гарриет. — Это значит, что пираты хотят тебя убить, тебе дают просто чистый лист, а на нем — черная метка.

Придя домой, Гарриет отправилась прямиком в спальню и вытащила из ящика комода блокнот, который она прятала под бельем. Затем уселась так, чтобы ей ненароком не помешали, выбрав место на кровати Эллисон, которого не видно с порога. Эллисон с матерью были в церкви. Эди с тетушками тоже там были, да и сама Гарриет должна была идти в церковь после школы, но мать вряд ли заметит, что она не пришла, а если и заметит — можно подумать, это ее волнует.

Мистера Дайала Гарриет не любила, но все равно этот урок в воскресной школе заставил ее призадуматься. Оказалось, она даже не представляет, какие у нее цели — на сегодня, на лето, на всю жизнь, и ей стало как-то не по себе, потому что этот вопрос каким-то образом перехлестнулся, слился у нее в голове с недавним неприятным зрелищем — мертвым котом в сарае.

Гарриет любила устраивать себе серьезные проверки на прочность (однажды, например, проверяла, долго ли она протянет на восемнадцати арахисах в день — таков к концу войны был дневной рацион конфедератов), но особого смысла в этих мучениях не было. Если хорошенько подумать, то цель у нее пока была одна, да и та неважнецкая — занять первое место в библиотечном конкурсе "Кто прочтет больше книг за лето". Каждый год, с шести лет, Гарриет участвовала в этом конкурсе и два раза даже его выигрывала, но теперь-то она выросла и читает большие романы, а потому шансов у нее — ноль. В прошлом году первый приз достался тощей чернокожей девчонке, которая приходила по два-три раза на дню и выписывала огромные стопки детских книжек, всякого там доктора Сьюза, "Любопытного Джорджа" и "Дорогу утятам!". Гарриет со своими "Айвенго", Алджерноном Блэквудом и "Японскими мифами и легендами" стояла позади нее в очереди и буквально кипела от злости. Даже библиотекарша, миссис Фосетт, так вскинула брови — сразу было понятно, *что* она обо всем этом думает.

Гарриет открыла блокнот. Его Гарриет подарил Хили. Обычный блокнот на пружинке, с мультяшным вездеходом на обложке — вездеход Гарриет не впечатлял, а вот то, что страницы в блокноте ярко-оранжевые, ей очень нравилось. Два года назад Хили принес его в школу, чтоб писать на уроках географии, но учительница, миссис Крисвелл, сообщила ему, что развеселые вездеходы и оранжевые страницы в школе неуместны. На первой странице блокнота остались обрывочные заметки, которые Хили нацарапал фломастером (его миссис Крисвелл тоже сочла неуместным и конфисковала).

География — *Александрийская академия*
Дункан Хили Халл — *4 сентября*

Два континета которые образуют обшир. просранство наз. Юропа и Азия.
Полушарие земли над икватором называется Северным.
Зачем нужна сестема мер?
Если часть природы можно объяснить только в теории?
На карте четыре части.

На эти записки Гарриет взглянула с презрительной нежностью. Одно время она даже хотела вырвать эту страницу, но со временем она стала настолько неотъемлемой частью блокнота, что Гарриет решила ее не трогать.

Она перевернула страницу — дальше начинались ее собственные карандашные записи. Списки книг, которые она прочла, и книг, которые хотела прочесть, списки выученных наизусть стихов, списки подарков на Рождество и дни рождения и списки дарителей, список мест, где она побывала (не то чтобы очень экзотических), и мест, где она хотела бы побывать (остров Пасхи, Антарктида, Мачу-Пикчу, Непал). Списки людей, которыми она восхищалась: Наполеон и Натан Бедфорд Форрест, Чингисхан и Лоуренс Аравийский, Александр Македонский, Гарри Гудини, Жанна д'Арк. Целая страница была исписана жалобами на то, что ей приходится жить в одной комнате с Эллисон. Там были списки словарных слов — латинских и английских — и совершенно неузнаваемый кириллический алфавит, который она как-то раз от нечего делать с превеликим старанием перерисовала из энциклопедии. Несколько так и не отосланных писем, адресованных людям, которых Гарриет терпеть не могла. Одно письмо было миссис Фонтейн, другое — миссис Биб, ненавистной училке, которая вела у них уроки в пятом классе. Было там и письмо для мистера Дайала. Решив убить сразу двух зайцев, Гарриет написала его прилежным, скругленным почерком Аннабель Арнольд.

Дорогой мистер Дайал (так начиналось письмо)!

Я небезызвестная вам юная особа, которая вот уже некоторое время тайно вами восхищается. Так по вам с ума схожу — спать не могу. Понимаю, что я еще очень молода, а у вас есть миссис Дайал, но, может, нам с вами удастся как-нибудь провести вечерок под сенью "Дайал Шевроле"? Я помолилась над этим письмом и Господь открыл мне, что любовь — это смысл всему. Вскоре я напишу вам еще. Пожалуйста, никому не показывайте это письмо.

p.s. Думаю, вы догадываетесь, кто я. С любовью, ваша тайная валентинка.

Внизу письма Гарриет прилепила крохотное фото Аннабель Арнольд, которое она вырезала из газеты, а рядом с ним — громадную золотушную голову мистера Дайала из его рекламки в "Желтых страницах" — от энтузиазма глаза у него чуть ли не на лоб лезут, из головы торчат короной зубцы мультяшных звезд, а над всем этим прыгают черные буквы:

КАЧЕСТВО — НАШ КОНЕК!

НИЗКИЙ ПЕРВОНАЧАЛЬНЫЙ ВЗНОС!

Снова увидев эти буквы, Гарриет подумала, а не послать ли и впрямь мистеру Дайалу письмо с угрозами — написать его детским почерком, с кучей ошибок, якобы от Кертиса Рэтлиффа. Нет, решила она, постукивая карандашом по зубам, это будет нечестно по отношению к Кертису. Кертису она зла не желала, особенно после того, как он напугал мистера Дайала.

Она перевернула лист и написала на чистой оранжевой странице:

Цели на лето
Гарриет Клив-Дюфрен

Она с тревогой смотрела в блокнот. Вдруг ее, словно дочь дровосека из какой-нибудь сказки, охватило неясное волнение, желание отправиться в дальние страны и вершить великие дела, она, правда, не знала, каких именно свершений она жаждет, но чувствовала — непременно грандиозных, лихих, безумно трудных.

Гарриет отлистала пару страниц назад, нашла список людей, которыми она восхищалась: в нем преобладали полководцы, солдаты, исследователи, в общем, все — люди деятельные. Жанна д'Арк была немногим старше Гарриет, а уже командовала войсками. А Гарриет на прошлое Рождество отец подарил обиднейшую настольную игру для девочек, которая называлась “Кем быть?”. Игра была удивительно глупая — по идее она должна помогать с выбором карьеры, но хоть как ты в нее играй, а вариантов будущего она предлагала всего четыре: учительница, балерина, мать или медсестра.

Такое будущее, точнее, как его себе представлял учебник “Здоровье человека” (в математической прогрессии: свидания, карьера, свадьба, материнство), Гарриет не интересовало. В ее списках великих людей самым великим был Шерлок Холмс, а его ведь даже не существовало. Был еще, правда, Гарри Гудини. Вот он был королем всего невозможного и, что для Гарриет было куда важнее, он был королем побега. Он мог сбежать из любой тюрьмы, он выпутывался из смирительных рубашек, выбирался из закрытых сундуков, которые несло течением по бурным рекам, вылезал из зарытых в землю гробов.

А почему ему это удавалось? Потому что он ничего не боялся. Святая Жанна, конечно, шла на врага с ангельской подмогой, но вот Гудини поборол страх самостоятельно. Безо всякой божественной помощи он на собственной шкуре выучил, как усмирить панику и не бояться темноты, воды, удушья. Когда он сидел на дне реки в запертом сундуке, то ни секундочки не извел на страх, ни на миг не испугался цепей, темноты, ледяной воды; если бы он хоть на минуту потерял голову, если б у него хоть раз дрогнула рука, пока он, задерживая дыхание, выпутывался из оков, кувыркаясь по дну реки, живым бы он не выплыл.

Регулярные тренировки. Вот в чем был секрет Гудини. Он каждый день залезал в ванну со льдом, проплывал громадные расстояния под водой, учился надолго задерживать дыхание, так что мог не дышать целых три минуты. Ванны со льдом она, конечно, себе организовать не сможет, но вот плавать и задерживать дыхание — сумеет.

Она услышала, что вернулись мать с сестрой — Эллисон что-то неразборчиво говорила плаксивым голосом. Гарриет быстро спрятала блокнот и побежала вниз.

— Милая, нельзя так говорить: "ненавижу", — рассеянно сказала Шарлотта Эллисон. Они втроем, в выходных платьях, сидели за обеденным столом и ели курицу, которую Ида оставила им к обеду.

Эллисон смотрела в тарелку, жевала дольку лимона, который она выловила из чая со льдом, челка свешивалась ей на глаза. Она, конечно, энергично расчленила еду на мелкие кусочки, сначала размазала ее по тарелке, потом сгребла в неаппетитные кучки — от этой ее привычки Эди чуть на стенку не лезла, — но съела всего ничего.

— Не понимаю, мама, почему Эллисон не может сказать "ненавижу", — вмешалась Гарриет. — Слово как слово.

— Это невежливо.

— В Библии оно есть. Господь ненавидел то, Господь ненавидел сё. Да там оно почти на каждой странице.

— А ты не говори.

— Ну хорошо, — взорвалась Эллисон, — я не выношу миссис Биггс!

Миссис Биггс вела у Эллисон уроки в воскресной школе.

Шарлотта, конечно, одурела от транквилизаторов, но тут и она слегка удивилась. Эллисон всегда была такой тихой, послушной девочкой. Таких вот безумных выпадов про ненависть как-то больше ждешь от Гарриет.

— Полно, Эллисон, — сказала она. — Миссис Биггс такая славная старушка. И с тетей Аделаидой дружит.

Эллисон, равнодушно тыча вилкой в ошметки еды, сказала:

— А я все равно ее ненавижу.

— Солнышко мое, нельзя кого-то ненавидеть только за то, что он отказался в воскресной школе помолиться за умершего кота.

— Это еще почему? Заставила же она нас молиться, чтобы Сисси с Аннабель Арнольд выиграли состязания по жонглированию.

Гарриет сказала:

— И мистер Дайал нас заставил за это помолиться. А все потому, что у них отец — священник.

Эллисон осторожно пристроила дольку лимона на краю тарелки.

— Хоть бы они уронили эти свои горящие жезлы, — сказала она. — Хоть бы там все дотла сгорело.

— Кстати, девочки, — вяло нарушила Шарлотта воцарившуюся тишину. Все эти дела с котом, церковью, жонглированием у нее в голове не особо отложились, и мысленно она уже переключилась на другое, — а вы сходили уже в поликлинику, прививки от брюшного тифа сделали?

Никто из дочерей ей не ответил, и она продолжила:

— Значит, так, пойдете туда прямо в понедельник с утра, первым делом. И заодно от столбняка прививку сделаете. А то вы все лето босиком бегаете и плаваете в прудах, где коров купают…

Она добродушно умолкла, снова принялась за еду. Гарриет с Эллисон молчали. Они никогда не плавали в пруду, где купают коров. У матери в голове события из детства опять наложились на настоящее: в последнее время это случалось все чаще, и девочки не очень понимали, что на это отвечать.

Гарриет впотьмах спускалась по лестнице — выходное платье с ромашками она с утра так и не переодела, белые носки снизу посерели от пыли. Девять тридцать вечера, а мать с Эллисон уже полчаса как улеглись.

Мать вечно хотела спать из-за таблеток, Эллисон же была сонливой по натуре. Для нее не было большего счастья, чем поспать, зарывшись головой в подушку, весь день она только и мечтала о том, как бы поскорее улечься в кровать, и едва темнело, зарывалась под одеяло. А вот Эди, которая спала от силы по шесть часов, очень раздражало, что дома у Гарриет все только и делают, что прохлаждаются в постели. Шарлотта сидела на транквилизаторах с тех самых пор, как умер Робин, с ней говорить было без толку, но вот Эллисон — другое дело. Несколько раз Эди загоняла Эллисон к врачу, потому что боялась, что у нее какой-нибудь мононуклеоз или энцефалит, но все анализы оказывались в норме.

— Растущий подростковый организм, — говорил доктор Эди. — Подросткам нужно побольше спать.

— По шестнадцать часов?! — сердито восклицала Эди.

Впрочем, она прекрасно знала, что доктор ей не верит. И совершенно справедливо подозревала, что именно он и прописывает Шарлотте ту дрянь, от которой она вечно как в дурмане.

— А хоть бы и семнадцать, — отвечал доктор Бридлав, усевшись на свой заваленный бумагами стол, глядя на Эди жуликоватыми, холодными глазами. — Хочет девчонка спать, так пусть спит.

— И как ты можешь так много спать? — однажды с любопытством спросила Гарриет сестру.

Эллисон только плечами пожала.

— И тебе не скучно?

— Мне скучно, когда я не сплю.

Тут Гарриет ее понимала. Иногда она сама так цепенела от скуки, что ей делалось дурно, тошно, как будто ее усыпили хлороформом. Сейчас, правда, она только радовалась, что у нее весь вечер впереди, и в гостиной направилась не к шкафчику с оружием, а к отцовскому столу.

У отца в ящике стола лежало много чего интересного (золотые монеты, свидетельства о рождении — вещи, которые ей строго-настрого запрещали трогать). Перерыв кучу фотографий и погашенных чеков, она наконец нашла, что искала: черный пластмассовый секундомер с красным цифровым табло, подарок от какой-то финансовой фирмы.

Она уселась на диван, сделала глубокий вдох и запустила секундомер. Гудини натренировался так, что мог по нескольку минут не дышать — на этой уловке и держались все его величайшие трюки. Посмотрим, сможет ли она задержать дыхание надолго, да так, чтоб еще и сознание не потерять.

Десять. Двадцать секунд. Тридцать. Она почувствовала, как кровь стучит у нее в висках — все сильнее и сильнее.

Тридцать пять. Сорок. Глаза у Гарриет заслезились, сердце забилось так, что зарябило в глазах. На сорок пятой секунде легкие у нее свело спазмом, пришлось зажать нос и прихлопнуть рот рукой.

Пятьдесят восемь. Пятьдесят девять. По щекам у Гарриет текли слезы, она не могла усидеть на месте, вскочила и лихорадочно закружилась возле дивана, обмахивая себя свободной рукой, отчаянно перескакивая взглядом с одного предмета на другой — стол, дверь, скосолапившиеся на светло-сером ковре парадные туфли, — а комната вокруг нее подрагивала в такт ее оглушительному сердцебиению, вибрировали стопки газет, словно в преддверии землетрясения.

Шестьдесят секунд. Шестьдесят пять. Розовые полоски на портьерах потемнели до кроваво-красного, свет от лампы пополз длинными лучистыми щупальцами — то наползут, то схлынут вместе с невидимым прибоем, но вот и они начали темнеть, в середине еще раскалены добела, но пульсирующие кончики уже почернели, и где-то вдруг зажужжала оса, где-то над ухом, а может, это и не оса, может, это у нее внутри что-то зажужжало; комната заходила ходуном, рука вдруг затряслась, перестала слушаться, сил зажимать нос больше не было, и с долгим, судорожным вздохом, с фейерверком в глазах, Гарриет рухнула на диван и остановила секундомер.

Так, отдуваясь, она пролежала довольно долго, пока по потолку неторопливо разлетались фосфоресцирующие огоньки.

В затылке у нее звонко тюкал стеклянный молоточек. Ее мысли свились в клубок и распустились сложными золочеными узорами, ажурные обрывки которых закружились вокруг головы.

Когда искры поугасли и Гарриет наконец смогла сесть — с гудящей головой, хватаясь за спинку дивана, — она взглянула на секундомер. Одна минута шестнадцать секунд.

Долго, куда дольше, чем она ожидала от первой попытки, но чувствовала себя Гарриет очень странно. У нее болели глаза, и казалось, что все содержимое ее головы перетряхнули и смяли в один ком, так что вместо слуха у нее было зрение, вместо зрения — вкус, а мысли смешались, будто детали головоломки, и она не понимала, где какой кусочек.

Она попыталась встать. Все равно что стоять в каноэ. Снова села. Эхо, мрачный перезвон.

Что ж, никто не обещал, что будет легко. Если б задерживать дыхание на три минуты было легко, каждый был бы Гудини.

Несколько минут она еще посидела, не двигаясь, делая глубокие вдохи, как ее учили на уроках плавания, и как только пришла в норму, еще раз глубоко вдохнула и щелкнула секундомером.

В этот раз она решила не глядеть на тикающие цифры, а сосредоточиться на чем-то другом. Когда глядишь на цифры — тяжелее.

Ей снова сделалось нехорошо, сердце забилось чаще, кожу головы закололо иголочками — будто ледяным дождем. Глаза защипало. Она закрыла глаза. На фоне пульсирующей красной черноты фейерверком сыпались искры.

Обмотанный цепями черный сундук застучал по каменистому речному дну, течение — плюх, плюх, плюх — поволокло его за собой, а внутри что-то тяжелое и мягкое — тело, — рука Гарриет взметнулась к носу, она хотела было его зажать, будто учуяла дурной запах, но сундук все катился себе по мшистым камням, и где-то в раззолоченном театре с полыхающими канделябрами играл оркестр, Гарриет слышала, как чистое сопрано Эди взмывает над скрипками: *"Спят храбрецы, спят в пучине морской. Стерегись, о моряк, о моряк, берегись!"*

Нет, это не Эди, это тенор — тенор с черными набриолиненными волосами, он прижал руку в перчатке к лацканам смокинга, в свете рампы его напудренное лицо казалось белым как мел, а вокруг глаз и на губах залегли глубокие тени, как у актеров в немом кино. Он стоял перед бахромчатым бархатным занавесом, который под грохот аплодисментов медленно разъехался в стороны, открывая сцену, в самом центре которой стояла огромная глыба льда с вмерзшей в нее скрюченной фигурой.

Всеобщее "Ах!" Оркестр, состоявший по большей части из пингвинов, разнервничался, ускорил темп. На галерке теснились белые медведи, у некоторых на головах были красные колпаки санта-клаусов. Они опоздали и теперь не могли договориться, кто куда сядет. В толпе медведей сидела миссис Годфри и с остекленевшим взглядом ела мороженое из тарелки с арлекинами.

Внезапно свет погас. Тенор поклонился и ушел за кулисы. Какой-то медведь перегнулся через край балкона и, подбросив в воздух красный колпак, проревел:

— Троекратное ура капитану Скотту!

Когда на сцену вышел голубоглазый Скотт в заиндевевшей шубе со слипшимся от тюленьего жира мехом, поднялся оглушительный шум, а Скотт сбил снег с одежды и, не снимая рукавиц, поднял руку в приветственном жесте. Стоявший позади него на лыжах малыш Бауэрс тихонько, загадочно присвистнул, сощурился и стал вглядываться в рампу, прикрывая рукой, как козырьком, загорелое лицо. Доктор Вильсон — без шапки, без рукавиц, на ботинках железные кошки для хождения по льду — пробежал мимо него и взобрался на сцену, оставляя за собой цепочку снежных следов, которые, впрочем, под светом софитов моментально превращались в лужицы. Не обращая никакого внимания на аплодисменты, он провел рукой по глыбе льда и сделал несколько пометок в блокноте с кожаным переплетом. Как только он его захлопнул, гул затих.

— Положение критическое, капитан, — изо рта у него вырывались клубы белого пара, — ветра дуют с норд-норд-веста, а у айсберга, похоже, верхняя часть серьезно разнится в происхождении с нижней, слои которой, судя по всему, образованы регулярными снегопадами.

— В таком случае мы незамедлительно начнем спасательную операцию, — сказал капитан Скотт. — Осман! Сидеть! — нетерпеливо скомандовал он ездовой собаке, которая, гавкая, прыгала вокруг него. — Лейтенант Бауэрс, ледорубы!

Бауэрс, похоже, вовсе не удивился тому, что в руках у него вместо лыжных палок вдруг оказались два ледоруба. Один из них он — под дикий гвалт, клекот, рев и хлопанье плавников — ловко перебросил через всю сцену капитану, и они оба, скинув покрытые снежным крошевом рукавицы, принялись рубить глыбу льда, и снова заиграл пингвиний оркестр, а доктор Вильсон продолжил делиться интересными научными фактами о природе льда. Над просцениумом завихрился легкий снегопад. Набриолиненный тенор помогал Понтингу, фотографу из экспедиции, установить штатив на краю сцены.

— Бедняга, — сказал капитан Скотт, занося ледоруб для очередного удара — пока что они с Бауэрсом не особо продвинулись, — похоже, вот-вот отдаст концы.

— Так поторопитесь, капитан!

— Поднажмите-ка, ребята! — проревел белый медведь с галерки.

— Наша жизнь в руках Божьих, и кроме Него нас некому спасти[1], — мрачно сказал доктор Вильсон. На висках у него выступили бисеринки пота, свет софитов белыми кругами отразился в старомодных очочках. — Так помолимся же вместе, прочтем "Отче наш" и "Символ веры".

1 Цитата из дневников Джорджа Вашингтона Делонга (1844–1881), американского полярного исследователя, который погиб во время экспедиции к Северному полюсу.

Оказалось, что "Отче наш" знают не все. Одни пингвины запели: "*Дейзи, Дейзи, детка, не томи, молю*", другие, прижав плавники к сердцу, принялись декламировать клятву верности флагу, но тут на сцену головой вниз, на обвязанной вокруг лодыжек цепи, спустили мужчину в смокинге, смирительной рубашке и наручниках. Публика умолкла, а мужчина, корчась и извиваясь, побагровев от натуги, выпутался из смирительной рубашки и стряхнул ее через голову. Через пару секунд на сцену с грохотом свалились наручники — он сумел расцепить их зубами, после чего, ловко сложившись пополам и высвободив ноги, спрыгнул на сцену с десятифутовой высоты и приземлился, как гимнаст, эффектно вытянув руки, взмахнув неизвестно откуда взявшимся цилиндром. Из цилиндра вылетела стайка розовых голубей и запорхала над восторженной публикой.

— Боюсь, джентльмены, традиционные методы здесь не сработают, — сказал незнакомец пораженным исследователям, засучил рукава смокинга и на секундочку отвернулся, чтобы ослепительно улыбнуться яркой вспышке камеры. — При выполнении именно этого трюка я дважды едва не погиб: один раз это случилось в копенгагенском Цирке Бекетовых, другой раз — в нюрнбергском театре "Аполлон". — Вдруг он извлек откуда-то усыпанную драгоценными камнями паяльную лампу, из которой вырывалась трехфутовая струя голубого пламени, а за ней пистолет и с треском выстрелил в воздух — из дула вырвалось облачко дыма. — Ассистенты, прошу на сцену!

На сцену выбежали пятеро китайцев с пожарными топориками и ножовками, одеты они были в алые халаты и круглые шапочки, и у каждого сзади болталась черная косичка.

Гудини швырнул пистолет в толпу — в полете пистолет превратился в лосося, который к превеликой радости пингвинов, извиваясь, приземлился в самую их гущу, — и выхватил у Скотта ледоруб. В правой руке у него полыхала горелка, а левой он теперь держал ледоруб, размахивая им во все стороны.

— Позвольте напомнить почтеннейшей публике, — вскричал он, — что наш герой пробыл без живительного кислорода четыре тысячи шестьсот шестьдесят пять дней, двенадцать часов, двадцать семь минут и тридцать девять секунд и что до сих пор американская сцена не видывала спасательной операции такого размаха! — Он бросил ледоруб обратно капитану Скотту, погладил сидевшего у него на плече рыжего кота и, вскинув голову, глянул на пингвина-дирижера: — Маэстро, прошу!

Китайцы под бодрым руководством Бауэрса, который разделся до борцовского трико и сам трудился наравне с ними, ритмично, под музыку рубили айсберг. Гудини споро и эффектно работал горелкой. По сцене расползалась огромная лужа, в оркестровой яме пингвины-музыканты весело танцевали шимми под ледяным дождем. Слева на сцене капитан Скотт изо всех сил сдерживал своего ездового пса, Османа, который взбеленился, завидев кота Гудини, и сердито звал на подмогу Мирса.

Загадочная фигура в запузырившемся айсберге теперь была всего-то дюймах в шести от горелки и ножовок китайцев.

— Мужайтесь! — ревел медведь с галерки.

Тут вскочил другой медведь. Он зажал трепещущую голубку в похожей на огромную бейсбольную перчатку лапе, откусил ей голову и выплюнул кровавый ошметок.

Гарриет не понимала, что творится на сцене, а ведь там происходило что-то важное. От нетерпения у нее засосало под ложечкой, она встала на цыпочки, вытянула шею, но пингвины, которые воркотали, вертелись и лезли друг другу на плечи, были выше нее. Несколько пингвинов вывалились из кресел, зашлепали клином к сцене, переваливаясь из стороны в сторону, трясясь всем телом, задрав клювы к потолку, с состраданием глядя на сцену ополоумевшими, выпученными глазами. Гарриет попыталась пробиться сквозь их ряды, но тут ее сильно толкнули в спину, она повалилась вперед и набрала полный рот маслянистых пингвиньих перьев.

Внезапно Гудини прокричал, торжествуя:

— Дамы и господа! Он у нас в руках!

Сцена кишела людьми. Гарриет удалось разглядеть в толпе белые вспышки старомодной фотокамеры Понтинга и наряд полицейских, которые ворвались на сцену, размахивая наручниками, дубинками и служебными револьверами.

— Сюда, офицеры, — сказал Гудини, шагнул вперед и элегантно повел рукой.

Внезапно все головы разом повернулись к Гарриет. Наступила жуткая тишина, которую нарушали только кап-кап-капли тающего льда, стекавшие в оркестровую яму. Все смотрели на нее: и капитан Скотт, и удивленный малыш Бауэрс, и Гудини, который, нахмурив черные брови, глядел на нее немигающими, как у василиска, глазами. Все пингвины как один развернулись левым боком и уставились на нее немигающими желтыми рыбьими глазами.

Кто-то пытался ей что-то всучить.

Тебе решать, дорогуша…

Гарриет так и подскочила на диване.

— Ну, Гарриет, — бодро спросила Эди, когда Гарриет, припозднившись, заявилась к ней завтракать, — и где же ты была? А мы тебя вчера ждали в церкви.

Она развязала фартук, оставив без внимания молчание Гарриет и даже то, что одета она в мятое платье с ромашками. Сегодня Эди была как-то уж слишком бодра, да еще и принарядилась с самого утра — на ней был темно-синий летний костюм и такие же элегантные двухцветные туфли-лодочки.

— Я уж собиралась без тебя завтракать, — сказала она, принимаясь за тосты с кофе. — А Эллисон придет? Не то я на встречу уеду.

— Навстречу кому?

— На встречу в церкви. Мы с твоими тетушками едем путешествовать.

От таких новостей встрепенулась даже полусонная Гарриет. Эди с тетушками никогда никуда не ездили. Либби, кажется, вообще ни разу за границы штата не выбиралась, да и все сестры страшно пугались и расстраивались, если им нужно было отъехать от дома даже на каких-нибудь пару миль. И у воды был странный привкус, бормотали тетушки, и на чужой кровати они и глаз-то не сомкнули; они вечно всего боялись: что забыли на плите кофейник, что в их отсутствие что-то случится с их кошками и цветами, что дом сгорит, что кто-нибудь их ограбит или что апокалипсис начнется, пока они будут в отъезде. Им придется пользоваться уборными на заправках, а там на стульчаках грязь и сплошные микробы. А в незнакомых им ресторанах разве есть кому дело до того, что Либби нельзя ничего соленого? А если у них сломается авто? А если кто-нибудь заболеет?

— В августе, — сказала Эди, — поедем в Чарльстон. В тур по историческим особнякам.

— Ты их повезешь?

Эди, конечно, в этом ни за что не признается, но зрение у нее начало сдавать: она пролетала на красный свет, сворачивала налево и заезжала на встречную полосу, глохла посреди дороги, потому что оборачивалась поболтать с сестрами, а сестры были Эди под стать — ни о чем не подозревая, нашаривали в ридикюлях носовые платочки и мятные конфетки, пока над их "олдсмобилем" висел, сложив крылья, усталый и осунувшийся ангел-хранитель и на каждом повороте предотвращал по страшной аварии.

— Поедут все дамы из нашего церковного общества, — сказала Эди, торопливо похрустывая тостом. — Рой Дайал из представительства "Шевроле" одолжит нам автобус. С водителем. Я бы и на своей машине поехала, да только на дорогах нынче все как с ума посходили.

— Что, и Либби согласилась поехать?

— Ну конечно. С чего бы ей отказываться? Миссис Хэтфилд Кин поедет и миссис Нельсон Маклемор, да все ее подруги едут.

— И Адди едет? И Тэт?

— Разумеется.

— И они хотят поехать? По собственной воле?

— Мы с твоими тетушками не молодеем, знаешь ли.

— Слушай, Эди, — вдруг резко сменила тему Гарриет, прожевав кусок печенья, — ты не дашь мне девяносто долларов?

— Девяносто долларов? — вдруг вспылила Эди. — Конечно, не дам. На что тебе сдались девяносто долларов?

— Мама не продлила членство в "Загородном клубе".

— И что тебе понадобилось в "Загородном клубе"?

— Хочу летом плавать в бассейне.

— Так пусть юный Халл проведет тебя как свою гостью.

— Не выйдет. Гостей можно бесплатно проводить всего пять раз. А я хочу плавать чаще.

— Нет смысла платить "Загородному клубу" девяносто долларов, чтобы только поплавать в бассейне, — сказала Эди. — В озере Селби можешь плавать сколько влезет.

Гарриет промолчала.

— Странно, кстати. Что-то лагерь в этом году поздно открывается. Мне казалось, что первая смена уже давно должна была начаться.

— Значит, не началась еще.
— Напомни-ка мне, — сказала Эди, — чтобы я им после обеда позвонила. О чем они там только думают? Интересно, когда юный Халл туда поедет?
— Я могу идти?
— Ты мне так и не сказала, куда собралась.
— Пойду в библиотеку, запишусь на читательский конкурс. Хочу опять его выиграть.

Не время сейчас, подумала она, рассказывать про свои настоящие цели на лето, особенно если учесть, что на горизонте снова замаячил лагерь на озере Селби.

— Уверена, все у тебя получится.

Эди встала, чтобы отнести чашку в раковину.

— Эди, можно кое-что у тебя спросить?
— Смотря что.
— Моего брата убили, правда ведь?

Взгляд у Эди помутнел. Она поставила чашку обратно на стол.

— Как думаешь, кто убийца?

Глаза у Эди затуманились, но лишь на миг — и вот она уже резко, сердито глядит на Гарриет. С минуту Гарриет было здорово не по себе (казалось, еще чуть-чуть, и она задымится, как горстка сухого хвороста под ярким лучом света), но вот Эди наконец отвернулась и поставила чашку в раковину. В этом синем костюме талия у нее казалась очень узкой, а плечи — по-военному прямыми.

— Не забудь свои вещи, — сухо сказала Эди, так и стоя лицом к мойке.

Гарриет не знала, что сказать. У нее с собой не было никаких вещей.

Всю дорогу в машине царило такое тягостное молчание, что Гарриет, которая то разглядывала стежки на обивке сидений, то теребила вылезший из подлокотника кусочек поролона, уже и не очень-то хотелось идти в библиотеку. Но Эди с каменным лицом так и сидела в машине, не трогаясь с места, поэтому ничего не поделаешь — пришлось Гарриет (сжавшись, спиной чувствуя, как Эди за ней наблюдает) подняться по ступенькам, отворить стеклянную библиотечную дверь.

В библиотеке было пусто. Одна миссис Фосетт сидела за стойкой, пила кофе и разбирала книги, которые вернули вчера вечером. Миссис Фосетт была маленькая и хрупкая, как птичка, да и нос у нее был клювиком, а глазки — пронзительные и слишком близко посаженные, на испещренных венами бледных руках она носила медные браслеты (от артрита), седину в темных волосах не закрашивала. Почти все дети ее боялись, но только не Гарриет — та любила в библиотеке все-все.

— Привет, Гарриет! — сказала миссис Фосетт. — Пришла на конкурс записаться? — она вытащила плакатик из-под стола. — Знаешь, что нужно делать, да?

Она протянула ей карту Соединенных Штатов, которую Гарриет принялась внимательно — даже слишком внимательно — изучать. *Наверное, и не очень-то я расстроилась*, уверяла она себя, *если миссис Фосетт ничего не заметила*. Гарриет была не из обидчивых, и уж тем более она не обижалась на Эди, которая могла раскипятиться по любому поводу, но молчание в машине ее здорово задело.

— В этом году у нас карта Америки, — сказала миссис Фосетт. — Выписываешь четыре книжки, получаешь наклейку в виде штата, лепишь ее на карту. Давай я повешу?

— Спасибо, я сама, — ответила Гарриет.

Она подошла к висевшему на стене стенду. Читательское соревнование началось в субботу, то есть всего-то позавчера. На стенде уже висело штук семь или восемь карт, в основном пустые, зато на одной карте было аж три наклейки. Кто-то с субботы прочел двенадцать книг — как такое возможно?

— Кто такая, — спросила она миссис Фосетт, вернувшись к стойке с четырьмя книжками, — Лашарон Одум?

Миссис Фосетт перегнулась через стойку и тихонько указала пальцем в сторону секции с детской литературой — там сидела маленькая девочка со спутанными волосами, одетая в замызганную футболку и штаны, из которых она уже явно выросла. Она читала книжку, свернувшись калачиком в кресле — впившись в страницы взглядом, дыша ртом, облизывая растрескавшиеся губы.

— Вон она сидит, — прошептала миссис Фосетт. — Бедная крошка. Всю прошлую неделю, каждое утро я прихожу, а она уже ждет меня на ступеньках, и потом сидит тут тихонько как мышка до шести, до самого закрытия. Если она и вправду читает эти книжки, а не притворяется, то для своего возраста читает она очень прилично.

— Миссис Фосетт, — сказала Гарриет, — а можно мне в отдел периодики?

Просьба удивила миссис Фосетт:

— Газеты нельзя выносить из библиотеки!

— Знаю, мне нужно кое-что посмотреть для научного проекта.

Миссис Фосетт поглядела на Гарриет поверх очков — видно было, что такой взрослый запрос пришелся ей по вкусу.

— Знаешь уже, какие газеты тебе нужны? — спросила она.

— Только местные. Ну, может быть, еще из Джексона и Мемфиса. За... — тут она замялась, испугавшись, что если назовет дату смерти Робина, миссис Фосетт обо всем догадается.

— Так и быть, — сказала миссис Фосетт, — вообще-то тебе туда еще нельзя, но если обещаешь вести себя аккуратно, думаю, все будет в порядке.

Гарриет решила занести библиотечные книги домой, но пошла окружным путем, чтобы не пришлось идти мимо дома Хили — он упрашивал ее с ним порыбачить. Была половина первого. За обеденным столом в пижаме сидела сонная, раскрасневшаяся Эллисон и угрюмо жевала сэндвич с помидорами.

— Тебе с помидоркой, Гарриет? — крикнула из кухни Ида. — Или с курицей сделать?

— С помидорами, пожалуйста, — ответила Гарриет.

Она села за стол рядом с сестрой.

— Я после обеда пойду в “Загородный клуб”, запишусь на уроки плавания, — сказала она. — Хочешь со мной?

Эллисон помотала головой.

— Давай я и тебя запишу?

— Да не хочу я.

— Вини не хотел бы, чтоб ты была такой, — сказала Гарриет. — Он хотел бы, чтобы ты была счастлива и жила дальше.

— Я больше никогда не буду счастлива, — сообщила Эллисон, откладывая сэндвич в сторону. В уголках ее печальных шоколадно-карих глаз запузырились слезы. — Я хочу умереть.

— Эллисон, — сказала Гарриет.

Нет ответа.

— Ты знаешь, кто убил Робина?

Эллисон принялась отковыривать корку от сэндвича. Отломила полосочку хлеба, скатала ее в шарик.

— Ты же была тогда во дворе, — сказала Гарриет, пристально глядя на сестру. — Я это прочла в газете, в библиотеке. Там написано, ты все время во дворе сидела.

— Ты тоже там была.

— Да, но я была совсем маленькой. А тебе было четыре.

Эллисон отломила еще кусочек корки и, не глядя на Гарриет, принялась старательно его жевать.

— Четыре года — это много. Я помню почти все, что со мной было, когда мне было четыре.

Тут из кухни вышла Ида Рью и поставила перед Гарриет тарелку с сэндвичем. Сестры замолчали. Когда Ида ушла обратно, Эллисон сказала:

— Гарриет, отстань, пожалуйста.

— Хоть что-то ты должна помнить, — сказала Гарриет, так и не отрывая взгляда от Эллисон. — Это очень важно. Подумай!

Эллисон подцепила вилкой дольку помидора и сжевала ее, аккуратно обкусывая краешки.

— Слушай. Я вчера ночью видела сон.

Эллисон встрепенулась, подняла на нее глаза.

Гарриет, заметив, как заинтересовалась сестра, подробно пересказала ей, что видела вчера во сне.

— По-моему, я неспроста этот сон увидела, — сказала она. — Думаю, это я должна отыскать убийцу Робина.

Она доела сэндвич. Эллисон все глядела на нее. Гарриет знала, что Эди ошибается, считая Эллисон дурой — просто по ней так сразу и не скажешь, что у нее на уме, и вести себя с ней надо поосторожнее, чтобы не напугать.

— И я прошу тебя мне помочь, — сказала Гарриет. — И Вини хотел бы, чтоб ты мне помогла. Он любил Робина. Это же его был котик.

— Не могу, — ответила Эллисон. Она встала, отодвинула стул. — Мне пора. Сейчас "Мрачные тени" начнутся.

— Нет, постой, — сказала Гарриет. — Я хочу тебя кое о чем попросить. Можешь для меня кое-что сделать?

— Что?

— Запоминать, что ты видела во сне, все записывать, а утром мне показывать?

Эллисон тупо уставилась на нее.

— Ты же все время спишь. Тебе ведь снится что-то. Иногда, бывает, люди что-то забыли, а во сне вспоминают.

— Эллисон, — крикнула Ида из кухни. — Начинается!

Они с Эллисон обожали "Мрачные тени" и летом каждый день вместе смотрели этот сериал.

— Пойдем, посмотришь с нами, — сказала Эллисон. — На прошлой неделе было очень интересно. Там теперь показывают предысторию. Рассказывают, как Барнабас стал вампиром.

— Расскажешь, в чем там дело, когда вернусь. А я пойду в "Загородный клуб" и запишу нас обеих в бассейн. Договорились? А если я тебя запишу, сходишь со мной поплавать, хоть разик?

— Кстати, а когда твой лагерь начнется? Ты разве этим летом в лагерь не поедешь?

— Иди скорее! — в комнату влетела Ида с тарелкой, на которой лежал ее собственный обед — сэндвич с курицей. Прошлым летом Эллисон приохотила ее к "Мрачным теням" — поначалу Ида настороженно присаживалась посмотреть сериал вместе с Эллисон, а потом и сама к нему пристрастилась, и весь год, когда Эллисон приходила из школы, пересказывала ей каждую серию.

Гарриет закрылась в ванной и лежала на холодном плиточном полу, занеся перьевую ручку над отцовской чековой книжкой, и собиралась с духом. Она мастерски умела подделывать почерк матери, а почерк отца — и того лучше, но чтоб вышли его размашистые каракули, надо было делать все быстро, не думая: коснулась ручкой бумаги — и пошла писать, не то получится криво и фальшиво. У Эди почерк был посложнее: четкий, старомодный, вычурно-фигуристый, и ее ажурные заглавные буквы вот так быстро не скопируешь, поэтому за Эди Гарриет всегда писала медленно, то и дело сверяясь с образцом. Выходило вполне сносно, кое-кого ей даже удалось провести — хотя удавалось это не всегда, а Эди ей и вовсе ни разу обмануть не получилось.

Гарриет занесла ручку над чеком. Сквозь закрытую дверь в ванную просочилась жутковатая музыка из заставки к “Мрачным теням”.

Платите приказу: *“Загородному клубу” Александрии*, быстро вывела она небрежным отцовским почерком, *сто восемьдесят долларов*. Теперь подпись — широкий банкирский росчерк, это вообще легче легкого. Она шумно выдохнула, оглядела чек: сойдет. Чеки были для местного банка, поэтому выписки со счета пошлют не в Нэшвилл, а к ним домой, а когда придет погашенный чек, Гарриет вытащит его из конверта и сожжет, и никто ничего не узнает. Так, понемножку, по капельке Гарриет позаимствовала с отцовского счета уже более пятисот долларов. Впрочем, она считала, что отец все равно ей должен, и если б она не боялась, что все вскроется, то уже давно бы не моргнув глазом его обчистила.

— Эти Дюфрены, — говорила тетка Тэт, — люди черствые. Всегда такими были. И как по мне, воспитанием они тоже не могут похвастаться.

Гарриет была с ней согласна. Все ее дяди со стороны Дюфренов мало чем отличались от отца: охотились на оленей, увлекались спортом, громко и грубо разговаривали, подмазывали седину в волосах черной краской и зачесывали их назад — этакие стареющие Элвисы с пивными животами и в ботинках на резинке. Они не читали книг и вульгарно шутили, а по их манерам и занятиям было видно — какой-нибудь их дед был деревня деревней. Бабушку Дюфрен Гарриет видела всего раз в жизни: вспыльчивая тетка в спортивной лайкре и розовых пластмассовых бусах, жила она во Флориде, в кондоминиуме с серебристыми жирафами на обоях и стеклянными дверьми, которые разъезжались туда-сюда. Однажды Гарриет прогостила у нее целую неделю — и чуть не сошла с ума от скуки, потому что у бабушки Дюфрен не было ни библиотечной карточки, ни книг — одна только биография основателя хилтоновских отелей да брошюрка под названием: “Линдон Б. Джонсон глазами техасцев”. Сыновья выдернули ее из бедной сельской глуши в округе Таллахатчи, где она прожила всю жизнь, и купили ей кондоминиум в поселке для престарелых в Тампе. На Рождество она присылала семье Гарриет по ящику грейпфрутов. Других вестей она о себе не подавала.

Гарриет, конечно, чувствовала, что Эди с тетушками презирают ее отца, но и представить себе не могла, каким глубоким было это презрение. Никудышный муж и отец, ворчали они, он таким и при жизни Робина был. Непростительно мало времени уделял девочкам. Непростительно мало времени уделял жене, особенно после смерти Робина. Так и работал себе дальше, даже отпуска в банке не попросил, а потом, с похорон сына еще и месяца не прошло, а он уж уехал в Канаду, на охоту. Неудивительно, что у Шарлотты ум за разум зашел — с таким-то мужем.

— Было бы куда лучше, — сердито говорила Эди, — если б он тогда уж с ней и развелся. Шарлотта еще молодая. А дом возле Гленвильда как раз купил очень приятный юноша, Уиллори — он сам из Дельты, при деньгах...

— Ну-у, — пробормотала Аделаида, — Диксон семью обеспечивает.

— А я говорю, что она могла бы кого и получше найти.

— А я говорю, Эдит, либо дождик, либо снег, либо будет, либо нет. Я вот не знаю, что сталось бы с малышкой Шарлоттой и девочками, не получай Дикс отличного жалованья.

— Это да, — согласилась Эди. — Что верно, то верно.

— Я вот иногда думаю, — дрожащим голоском сказала Либби, — правильно ли мы поступили, что не стали уговаривать Шарлотту переезжать в Даллас?

Были и такие планы, вскоре после смерти Робина. В банке Диксу предложили повышение, при условии, что он переберется в Техас. А еще через пару лет он хотел перевезти их всех в какой-то городок в Небраске. Но тетки мало того что не уговаривали Шарлотту переезжать, так еще и всякий раз впадали в дикую панику, а Либби, Аделаида и даже Ида Рью при одной мысли о переезде могли прорыдать неделю.

Гарриет подула на отцовскую подпись, хотя чернила давно просохли. Мать постоянно выписывала за него чеки — а то как еще бы она платила по счетам, но Гарриет знала, что учета расходам она не ведет. Да она и чек для "Загородного клуба" подмахнула бы не задумываясь, но на горизонте снова черной тучей навис лагерь на озере Селби, и Гарриет не хотела рисковать — вдруг она услышит про "Загородный клуб", про бассейн и вспомнит, что ей так и не прислали бланки для регистрации.

Гарриет вскочила на велосипед и поехала в “Загородный клуб”. Контора при клубе была закрыта. Все обедали в столовой. Она зашла в “СпортМаг” — Пембертон, старший брат Хили, сидел за прилавком, курил и читал журнал “Стерео”.

— Можно я тебе деньги отдам? — спросила она.

Гарриет нравился Пембертон. Он был ровесником Робина и его другом. Теперь ему уже стукнул двадцать один год, и многие считали, что его мать все-таки зря отговорила отца и тот не отослал Пембертона в военную академию, когда из него еще можно было сделать человека. В старших классах Пем пользовался огромной популярностью, и его фото красовалось почти на каждой странице выпускного альбома, но потом оказалось, что он разгильдяй да еще и битник впридачу, поэтому Пем не задержался ни в Вандербильтовском университете, ни в Миссисипском, ни даже в госуниверситете Дельты. Сейчас Пем жил дома. Волосы он отпустил еще длиннее, чем у Хили, летом подрабатывал при “Загородном клубе” спасателем, а зимой не делал вообще ничего — только копался в своей машине да слушал громкую музыку.

— Здорово, Гарриет, — сказал Пембертон. Наверное, тоскливо, подумала Гарриет, вот так сидеть целыми днями одному в “СпортМаге”. Пем был одет в рваную футболку, легкие клетчатые шорты и туфли для гольфа на босу ногу; на прилавке возле его локтя стояла тарелка с монограммой “Загородного клуба”, на которой лежал недоеденный гамбургер и несколько ломтиков жареной картошки. — Иди сюда, поможешь мне выбрать стереосистему в машину.

— Я ничего не понимаю в стереосистемах. Я хочу тебе чек оставить.

Пем мосластой рукой зачесал волосы за уши, взял чек и внимательно его изучил. Он был долговязым общительным парнем, гораздо выше Хили, конечно, но с такими же лохматыми, неравномерно выгоревшими волосами: сверху посветлее, снизу — потемнее. Да они с братом и внешне были похожи, разве что у Пема черты лица были почетче, а зубы — самую малость кривоваты, но удивительным образом это ему даже добавляло обаяния.

— Ну, ладно, оставляй, — наконец сказал он, — но я, если честно, сам не знаю, что с ним потом делать. Слушай, а я не знал, что твой отец приехал.

— Он и не приехал.

Пембертон с хитрецой вздернул бровь, указал на дату.

— Он его по почте прислал, — сказала Гарриет.

— Кстати, а где сейчас старина Дикс? Сто лет его не видал.

Гарриет пожала плечами. Отца она не любила, но знала — лишнего про него говорить не стоит, да и жаловаться на него тоже лучше не надо.

— Короче, ты как его увидишь, попроси, чтоб он и мне чек прислал. Уж очень мне эти колонки нравятся, — он подтолкнул журнал к Гарриет, ткнул пальцем в колонки.

Гарриет внимательно на них посмотрела:

— По-моему, они все одинаковые.

— Ну нет, пупсик. Вот эти, "блаупунктовские" — просто лапочки. Видишь? Черные, с черными кнопками возле ресивера. Видишь, какие они маленькие по сравнению с "пионеровскими"?

— Ну тогда их и купи.

— Куплю, если твой отец вышлет мне три сотни баксов, — он докурил сигарету и с шипением затушил ее об тарелку. — А кстати, где мой чокнутый братец?

— Не знаю.

Пембертон нагнулся к ней поближе, дернул плечом, как будто приглашая посекретничать:

— И как это ты разрешила ему с тобой водиться?

Гарриет разглядывала остатки его обеда: остывшая картошка, сплющенная сигарета, тлеющая в лужице кетчупа.

— Неужто он тебя не бесит? — спросил Пембертон. — А как ты его уговорила ходить в женских шмотках?

Гарриет удивленно на него взглянула.

— Ну, в Мартиных халатах, — Мартой звали мать Пема и Хили. — Он это просто обожает. Как ни гляну, а он то какую-нибудь дурацкую наволочку напялит, то полотенцем голову обмотает и бежит гулять. Говорит, это все ты его заставляешь.

— Ничего не заставляю.

— Ой, да брось ты, Гар-ри-эт, — ее имя он произносил так, будто это какая-то нелепица. — Всегда, как мимо вашего дома еду, так у вас во дворе вечно малышня болтается — человек семь-восемь ребят и все в простынях. Рики Эшмор говорит, что у вас там малышовый ку-клукс-клан, но я думаю, тебе просто нравится, когда парни ради тебя наряжаются, как девчонки.

— Это такая игра, — важно ответила Гарриет. Назойливость Пема ее задела: библейские игрища уже давно отошли в прошлое. — Слушай, я хотела с тобой поговорить. О моем брате.

Теперь не по себе стало Пембертону. Он взял с прилавка журнал и с подчеркнутым интересом начал его листать.

— Ты знаешь, кто его убил?

— Ну-у… — лукаво протянул Пембертон. Отложил журнал. — Так и быть, скажу тебе один секрет, только никому ни слова. Знаешь старуху Фонтейн, которая рядом с вами живет?

Гарриет поглядела на Пембертона с таким откровенным презрением, что тот так и прыснул со смеху.

— Чего? — спросил он. — Не веришь, что ли, что у нее прямо под домом трупы закопаны?

Пару лет назад Пембертон насмерть перепугал Хили, выдумав, что кто-то, мол, нашел у миссис Фонтейн в клумбе человеческие кости и что миссис Фонтейн из своего покойного мужа сделала чучело, и чучело это сидит теперь у нее дома в кресле, компанию ей по ночам составляет.

— Короче, ты не знаешь, кто его убил.

— Не знаю, — резковато ответил Пембертон.

Он до сих пор помнил, как мать зашла к нему в комнату (он тогда как раз склеивал модель самолета, надо же, чудно как — и ведь накрепко в память врезалось), вызвала его в коридор и рассказала, что Робин умер. Он ни разу не видел, чтоб мать плакала — только тогда. Пем не плакал: ему было девять лет, и он не очень понимал, что случилось, он просто вернулся к себе в комнату, захлопнул дверь и продолжил клеить модельку "Сопвич Кэмел", правда, росло в нем какое-то беспокойство — он помнил, как клей запузырился на швах бусинками, и модель вышла дрянная, он ее так и выбросил, не стал доклеивать.

— Ты с этим не шути, — сказал он Гарриет.

— А я и не шучу. Я со всей серьезностью, — надменно сказала Гарриет.

Пембертон снова подумал о том, какие они с Робином разные — Гарриет совсем на него не похожа, не верится даже, что они брат с сестрой. Может, она кажется серьезной, потому что брюнетка, но она еще и нудная какая-то, не то что Робин: надутая, лицо кирпичом, ни разу не улыбнется. В Эллисон иногда проскальзывало что-то от Робина, какая-то его чудинка (Эллисон вон уже старшеклассница, и походка у нее что надо, Пем недавно засмотрелся на нее на улице, не разобрав даже сразу, кто это), но вот Гарриет совсем не миленькая и даже не чудачка. Гарриет — просто чокнутая.

— Ты, лапуля, "Нэнси Дрю" обчиталась, — сказал он. — А это все было давно, Хили еще даже не родился, — он замахнулся воображаемой клюшкой, будто отрабатывая удар в гольфе. — Тогда здесь каждый день по три-четыре поезда останавливались, рядом с железной дорогой толпы бродяг ошивались.

— А вдруг убийца до сих пор здесь живет?

— Что ж тогда его так и не поймали?

— А до убийства не случалось ничего странного?

Пем презрительно фыркнул:

— Типа — зловещего предзнаменования?

— Да нет, просто — чего-нибудь странного.

— Слушай, ну это ж не как в кино все было. Никто, знаешь ли, не забыл случайно сообщить полиции, что поблизости слонялся громила-извращенец или маньяк, — Пем вздохнул.

В школе на переменках потом еще годами играли в убийство Робина, а в младших классах в эту игру играли до сих пор, хотя с тех времен в ней много чего поменялось. Но тогда, на школьном дворе, игра заканчивалась тем, что убийцу ловили и карали. Дети вставали в круг возле качелей и обрушивали на воображаемого убийцу, который якобы распростерся у их ног, град смертоносных ударов.

— Одно время, — сказал он, — к нам каждый день с лекциями приходили то коп, то священник. Ребята в школе хвастались, что знают, мол, кто это сделал, а некоторые и вовсе говорили, что они и убили. Только чтоб на них внимание обратили.

Гарриет так и впилась в него взглядом.

— С детьми такое бывает. Вот Дэнни Рэтлифф — ну тот вообще. Вечно любил что-нибудь напридумывать — то он якобы кому-то коленную чашечку прострелил, то старушке в машину гремучую змею подкинул. Мы с ним иногда в бильярдной встречаемся, так он такую чушь, бывает, несет...

Пембертон замолчал. Дэнни Рэтлиффа он знал с детства: слабак и трепач, ему б только кулаками махать, задаваться да раздавать пустые угрозы направо и налево. Каков Дэнни, Пем четко представлял, но не очень понимал, как донести это до Гарриет.

— Он… короче, Дэнни просто придурок, — сказал Пем.
— Где мне найти этого Дэнни?
— Ох-хо. Ты с Дэнни Рэтлиффом лучше не связывайся. Он только-только из тюрьмы вышел.
— А за что его посадили?
— Поножовщина, что-то в этом роде. Не помню уже. Да у Рэтлиффов каждый сидел — кто за разбой, кто за убийство, не сидел у них только младшенький, дурачок который. И то Хили мне рассказывал, что он тут на днях набил морду мистеру Дайалу.
— Неправда! Кертис его и пальцем не тронул, — возмутилась Гарриет.
— Ну и очень жаль, — хохотнул Пембертон. — Уж кто-кто, а Дайал так и напрашивается, чтоб ему морду набили.
— Ты мне так и не сказал, где найти этого Дэнни.
Пембертон вздохнул:
— Слушай, Гарриет, — сказал он. — Дэнни Рэтлифф — мой ровесник, ясно? А вся эта история с Робином случилась, когда мы были в четвертом классе.
— А может, его убил ребенок? Может, поэтому убийцу так и не поймали.
— Ага, и только ты такая гениальная и обо всем сразу догадалась.
— Значит, говоришь, он в бильярдную ходит?
— Да, и еще в кабак "Черная дверь". Но вот что я тебе скажу, Гарриет, он тут ни при чем, а если и при чем, то ты все равно к нему не лезь. Их там целая орава, братьев этих, и все чокнутые.
— Чокнутые?
— Ну, я не в этом смысле. В общем… один брат — проповедник, ты и сама его, наверное, видала — он вечно торчит рядом с шоссе, голосит про искупление и прочую фигню. А вот самый старший, Фариш, одно время даже лежал в уитфилдской психлечебнице.
— Почему?
— Потому что лопатой по голове получил, что-то в этом роде. Не помню точно. Их постоянно арестовывают. За угон машин, — добавил он, увидев, как уставилась на него Гарриет. — За кражи со взломом. Не за то, о чем ты думаешь. Если б это они Робина — копы бы давным-давно из них признание вытрясли.
Он взял чек Гарриет, который так и лежал на прилавке.
— Ну ладно, кроха. Это, значит, за тебя и за Эллисон тоже?

— Да.
— А она где?
— Дома.
— И чего делает? — Пем оперся локтями о прилавок.
— Смотрит “Мрачные тени”.
— Как думаешь, будет она летом в бассейн ходить?
— Захочет — будет.
— А дружок у нее есть?
— Парни ей звонят.
— Вот как? — спросил Пембертон. — Это кто еще?
— Она не любит с ними разговаривать.
— Почему?
— Не знаю.
— Как думаешь, а если я ей позвоню, со мной она поговорит?

Вдруг Гарриет сказала:

— Знаешь, что я сделаю этим летом?
— Чего?
— Проплыву под водой от одного конца бассейна до другого.

Пембертон закатил глаза — Гарриет ему уже поднадоела.

— А еще что? — спросил он. — Снимешься для обложки “Роллинг стоун”?
— Я смогу! Я вчера почти на две минуты дыхание задержала.
— Даже не мечтай, пупсик, — сказал Пембертон, который ни секунду в это не поверил. — Ты утонешь. Придется еще тебя из бассейна вылавливать.

Весь оставшийся день Гарриет читала, сидя на веранде. Был понедельник, поэтому Ида как обычно стирала белье, мать с сестрой спали. Она уже почти дочитала “Копи царя Соломона”, когда из дома, позевывая, вышла Эллисон — босиком, в платье в цветочек, которое, похоже, взяла у матери. Вздохнув, она улеглась на стоявшее на крыльце кресло-качели и, чиркнув по полу большим пальцем ноги, принялась раскачиваться.

Гарриет тотчас же отложила книгу и уселась рядом с сестрой.

— Тебе что-нибудь снилось? — спросила она.
— Не помню.
— Если не помнишь, значит, что-то все-таки снилось?

Эллисон ничего не ответила. Гарриет досчитала до пятнадцати, и снова — в этот раз гораздо медленнее — повторила последнюю фразу.

— Ничего мне не снилось.

— Ты вроде сказала, что не помнишь, что тебе снилось.

— Не помню.

— Эй! — храбро прогундосил кто-то с тротуара.

Эллисон оперлась на локти, привстала. Гарриет, здорово разозлившись, что их прервали, обернулась и увидела Лашарон Одум, чумазую девчонку, которую ей в библиотеке показала миссис Фосетт. За руку она цепко держала блондинистое существо неопределенного пола в замызганной футболке, которая ему даже пупок не прикрывала, а с другой стороны к бедру у нее был примотан младенец в подгузниках. Они стояли в отдалении и, словно дикие зверьки, боясь подойти поближе, таращились на них невыразительными глазками, которые на их загорелых лицах казались до странного блестящими и серебристыми.

— Эй, привет-привет, — Эллисон встала, медленно спустилась по ступеням, осторожно пошла к ним.

Эллисон хоть и была застенчивой, но детей любила — и черных, и белых, и чем меньше ребенок, тем лучше. Она часто заговаривала с грязными оборванцами, которые жили в прибрежных хибарах и забредали сюда с реки, хотя Ида строго-настрого ей это запрещала. “Вшей или лишаев подхватишь, сразу они тебе миленькими быть перестанут”, — говорила она.

Дети с опаской глядели на Эллисон, но убегать не убегали. Эллисон погладила младенца по голове.

— Как его зовут? — спросила она.

Лашарон Одум молчала. Она глядела не на Эллисон, а на Гарриет. Она была еще маленькая, но личико у нее уже было какое-то старческое, осунувшееся, а взгляд — пронзительный, первобытный, серо-ледяной, как у волчонка.

— Я тебя в библиотеке видала, — сказала она.

Гарриет смотрела ей в глаза с каменным лицом и молчала. Дети и младенцы ее не интересовали, и с Идой она была полностью согласна — незваным гостям у них во дворе делать нечего.

— Меня зовут Эллисон, — сказала Эллисон. — А тебя как?

Лашарон переступила с ноги на ногу.

— Это твои братья? А их как зовут? А? — она присела на корточки и заглянула в лицо ребенку помладше, который держал за обложку библиотечную книгу, так что страницы волочились по земле. — Ну что, скажешь, как тебя зовут?
— Давай, Рэнди, — сказала девчонка, ткнув брата.
— Рэнди? Тебя зовут Рэнди?
— Скажи, Рэнди, — она потормошила младенца, — и ты скажи: "Эттам Рэнди, а я — Расти", — сказала она, говоря за младенца противным фальцетом.
— Рэнди и Расти?
"Уж скорее — Тридцать три несчастья", — подумала Гарриет.
Она с плохо скрываемым нетерпением постукивала ногой по полу, пока Эллисон терпеливо вытягивала из Лашарон, сколько им всем лет, и говорила, какая она молодец, что приглядывает за братьями.
— Покажешь мне свою книжку? — упрашивала Эллисон маленького Рэнди. — А?
Она потянулась к книжке, но тот наигранно отвернулся и раздражающе захихикал.
— Эт не его, — сказала Лашарон. Говорила она отрывисто, отчетливо гнусавя, однако же голосок у нее был звонкий, приятный. — Эт моя.
— Про что она?
— Про бычка Фердинанда.
— Я помню Фердинанда! Это ведь он вместо того, чтоб драться, нюхал цветы, верно?
— Леди, вы красотка, — вдруг вырвалось у доселе молчавшего Рэнди. Он возбужденно замахал руками, так что книга опять заскребла по земле.
— Разве так можно обращаться с библиотечными книжками? — спросила Эллисон.
Рэнди растерялся и вовсе уронил книгу.
— Ну-ка подыми, — замахнулась на него сестра.
Рэнди легко увернулся от удара и, заметив, что Эллисон на него смотрит, сделал шаг назад и завилял бедрами, задвигался в каком-то неожиданно развратном и недетском танце.
— А чо она молчит? — спросила Лашарон, вглядываясь поверх плеча Эллисон в Гарриет, которая злобно глядела на них с крыльца.

Эллисон вздрогнула, обернулась к Гарриет.

— Ты ей мать?

Отбросы, подумала Гарриет — щеки у нее полыхали.

Было даже приятно наблюдать за Эллисон, которая, заикаясь, говорила: "Н-нет, н-нет!", как вдруг Рэнди еще сильнее задергался в непотребном гавайском танце, чтобы снова привлечь к себе внимание.

— Дядька папину машину уворовал, — сказал он. — Дядька из баптистской церкви.

Он захихикал, увернулся от затрещины, которую ему хотела влепить сестра, и, похоже, собирался рассказать что-то еще, как тут из дома, хлопнув дверью-сеткой, неожиданно выскочила Ида Рью и кинулась к детям, хлопая в ладоши так, будто они птицы и таскают зерно у нее с поля.

— А ну пошли вон отсюда! — крикнула она. — Кыш!

Детей как ветром сдуло: никого не осталось. Ида Рью грозила им вслед кулаком.

— И не вздумайте еще раз сюда прийти! — орала она им вслед. — Полицию на вас вызову!

— Ида! — провыла Эллисон.

— Вот я тебе покажу Иду!

— Но они же маленькие! Они никому не мешали!

— Не мешали и больше не помешают, — Ида Рью с минуту пристально глядела им вслед, потом отряхнула руки и пошла обратно в дом.

"История про бычка Фердинанда" так и валялась на дорожке, где ее обронили. Ида нагнулась и подняла книгу, деланно ухватив ее за краешек кончиками пальцев, как будто книжка была заразная. Держа книгу на вытянутой руке, она распрямилась, резко выдохнула и понесла ее к мусорному баку.

— Ида, не надо! — воскликнула Эллисон. — Это библиотечная книжка!

— Мне все равно, какая это книжка, — сказала Ида, даже не обернувшись. — Она вся изгажена. Не хочу, чтоб вы ее трогали.

Из дверей высунулась Шарлотта, лицо у нее было заспанное, перепуганное.

— Что случилось? — спросила она.

— Тут просто дети были, мама. Они никому не мешали.

— Ой, господи, — сказала Шарлотта, потуже затягивая поясок халата. — Как нехорошо вышло. А я все хотела собрать у вас в спальне старые игрушки да отдать им, когда они в следующий раз появятся.

— Мама! — взвизгнула Гарриет.

— Ну-ну, ты же больше не играешь в свои старые игрушки, — безмятежно ответила ей мать.

— Но это мои игрушки! Они мне нужны!

Ее игрушечная ферма… куклы Крисси и Балеринка, которые ей даже не были нужны, но она все равно попросила, чтоб ей их купили, потому что у всех девочек в ее классе были такие куклы… мышиное семейство в париках и пышных французских костюмах, которых Гарриет увидела в витрине очень-очень дорогого нью-орлеанского магазина: она ныла, рыдала, отказывалась от ужина и упорно ни с кем ни разговаривала, пока наконец Либби, Аделаида и Тэт, сбежав украдкой из отеля "Поншартрен", не купили ей их вскладчину. Рождество с Мышами: самый счастливый праздник в ее жизни. Она аж дар речи потеряла от радости, когда открыла красивую красную коробку, продралась сквозь слои хрустящей папиросной бумаги. Да как могла ее мать, которая тряслась над каждой газетенкой, которая ругала Иду, если та хоть обрывочек выбрасывала, как могла она додуматься до того, что мышек Гарриет нужно отдать каким-то чужим грязным детям?

А ведь именно так и вышло. В октябре прошлого года мышиное семейство вдруг исчезло с комода Гарриет. В истерике Гарриет перевернула весь дом вверх дном и наконец нашла мышек на чердаке — они были свалены в коробку вместе с другими игрушками. Она приперла мать к стенке, и та созналась, что взяла из комнаты кое-какие игрушки — она думала, что Гарриет в них больше не играет, и хотела раздать их детям из бедных семей, только вот, похоже, совсем не понимала, как сильно Гарриет любит этих мышей и что хорошо бы не брать ничего без спросу. ("Я помню, что тебе их тетушки подарили, но ведь Балеринку тебе тоже Аделаида подарила. А она тебе совсем не нужна".) Гарриет сомневалась, что мать вообще помнит про этот случай, и теперь, видя ее недоумевающий взгляд, только утвердилась в своих подозрениях.

— Ну как ты не поймешь?! — с отчаянием воскликнула Гарриет. — Это мои игрушки, они мне нужны!

— Детка, не будь такой эгоисткой.
— Но они мои!
— Даже не верится — тебе что, жалко отдать бедным деткам пару игрушек, которые ты уже переросла? — растерянно заморгала Шарлотта. — Видела бы ты, как они обрадовались игрушкам Робина…
— Робин умер!
— Этим детям только дай что, — мрачно заметила Ида — она вышла из-за дома, утирая рот рукой, — все изгадят, все поломают, даже до дому не донесут.

Когда Ида ушла домой, Эллисон вытащила "Историю про бычка Фердинанда" из мусорного бака и принесла ее обратно на веранду. Изучила под слабым сумеречным светом. Книжка упала на горку кофейной гущи и края страниц побурели и разбухли. Эллисон, как сумела, оттерла книжку салфеткой, потом вытащила из своей шкатулки с украшениями десять долларов и засунула купюру под обложку. Она подумала, что десяти долларов за глаза хватит, чтобы покрыть ущерб. Когда миссис Фосетт увидит, в каком состоянии книга, она или отберет библиотечный билет, или заставит заплатить штраф, а на штраф эти детишки денег уж точно не наскребут.

Она уселась на ступеньках, уперла подбородок в ладони. Был бы Вини жив, он сейчас мурлыкал бы рядом и прижимал уши к голове, согнул бы хвост крючком и обвил им ее лодыжку, вглядываясь сощуренными глазами в темный двор, в неугомонный гулкий мир ночных существ, увидеть которых ей не под силу: паутину и улиточьи следы, мух с прозрачными крылышками, жуков и мышей-полевок и прочих безмолвных созданий, которые проживают жизнь, чирикая, попискивая, а то и вовсе молча. Эллисон казалось, что их крошечный мирок — потайная тьма немоты и бешеного стука сердца — и есть ее настоящий дом.

Мимо полной луны неслись рваные облака. Шуршало на ветру черное тупело, белела в темноте изнанка ребристых листьев.

Эллисон не помнила почти ничего, что случилось после смерти Робина, за исключением одной странности: она помнила, как залезала на дерево — куда получалось дотянуться, а потом спрыгивала вниз, снова и снова. Она падала, у нее перехватывало дыхание. Но стоило гулу в ушах затихнуть, она вставала, отряхивалась и прыгала снова. *Шлеп*. И еще раз, и еще. Однажды ей приснилось, что она вот так прыгает с дерева, только во сне она так никуда и не приземлилась. Вместо этого ее у земли подхватил теплый ветер, подбросил в воздух, и она взмыла вверх, задевая босыми ногами верхушки деревьев. Потом она ласточкой ринулась вниз, проскользила футов двадцать над лужайкой и снова взлетела, кружась, паря в воздухе на головокружительной высоте. Но тогда она была еще маленькая и не понимала разницы между снами и явью, а потому — все прыгала и прыгала с дерева. Она все ждала, что если спрыгнет еще раз, то, может быть, теплый ветер из ее снов прошуршит под ней, подкинет ее высоко в небо. Конечно, этого так и не случилось. Стоя на высокой ветке, она услышала, как с крыльца заголосила Ида, увидела, как та в панике мчится к ней. И Эллисон, улыбнувшись, все равно шагнула вниз с ветки, и, пока она падала, отчаянный вопль Иды восхитительной дрожью отдавался у нее в животе. Она так много раз прыгала, что переломала в подъеме несколько косточек — удивительно, как шею не сломала.

В парном ночном воздухе от белесых цветов гардении исходил тяжелый, теплый, пьянящий запах. Эллисон зевнула. Как можно точно знать, когда спишь, а когда — нет? Во сне ведь кажется, что не спишь, а на самом деле это не так. И хотя Эллисон думала, что она сейчас точно не спит, а сидит у себя на веранде, босая, с заляпанной кофе библиотечной книжкой на коленях, это еще совершенно не значит, что на самом деле она не спит наверху, у себя в спальне и все это — веранда, гардении, да все вокруг — ей только снится.

Днем — бродила ли она по дому, шла ли с учебниками в руках по холодным, пахнущим хлоркой школьным коридорам — она то и дело спрашивала себя: это сон или нет? Как я здесь очутилась?

Частенько, бывало, она приходила в себя, допустим, на уроке биологии (пришпиленные к доске насекомые, рыжий мистер Пил нудит про интерфазу клеточного деления) и принималась разматывать клубок воспоминаний, чтобы понять — спит она или нет. Как я здесь очутилась, растерянно думала она. Что ела на завтрак? Ее Эди отвезла в школу? Какая цепочка событий завела ее в эти стены, обшитые темными панелями, на этот утренний урок? Или еще секунду назад она была где-то совсем в другом месте — на пустынной грунтовой дороге, дома во дворе, под желтым небом, на фоне которого полощется что-то белое, похожее на простыню?

Она старательно все это обдумывала и решала наконец, что не спит. Потому что настенные часы показывали девять пятнадцать утра, а в это время у нее обычно начиналась биология, и сидели они все, как и положено, по алфавиту — перед ней Мэгги Далтон, позади нее — Ричард Эколс, и пенопластовая доска с насекомыми (в самом центре — пыльцеватая павлиноглазка) так и висела на дальней стене между плакатами с изображением центральной нервной системы и волчьего скелета.

Но иногда — чаще всего это случалось, когда Эллисон была дома — она с тревогой замечала крохотные пятнышки и зацепки в полотне реальности, которым не находилось никаких логических объяснений. Розы меняли цвет и становились красными, а не белыми. Бельевая веревка была натянута не там, где обычно, а там, где колья были вбиты пять лет назад, до того как их повалило бурей. Вдруг менялся выключатель у лампы, или выключатель и вовсе оказывался в другом месте. На заднем плане семейных фотографий или знакомых картин вдруг проступали загадочные фигуры, которых она раньше не замечала. Милая семейная сценка, а в зеркале позади них — вдруг жутковатые тени. Кто-то машет рукой из открытого окна.

Да ну что ты, говорила ей мать или Ида, когда она им это показывала. *Не глупи. Так всегда и было.*

Как — так? Она не знала. Во сне или наяву мир был коварным местом: непрочные декорации, крен, эхо, игра света. И все это сыплется солью сквозь ее немеющие пальцы.

Пембертон Халл возвращался домой из "Загородного клуба" в своем нежно-голубом "кадиллаке" 62-й серии с открытым верхом (раму давно пора было отрихтовать, радиатор подтекал, а запчастей днем с огнем не сыщешь: пришлось заказывать на каком-то складе в Техасе, да еще ждать две недели, пока их пришлют, но все равно — это его сладкая девочка, его единственная любовь, и каждый заработанный им в "Загородном клубе" цент уходил или на бензин для “кадиллака”, или на его починку), и когда он свернул на Джордж-стрит, свет фар выхватил из темноты крошку Эллисон Дюфрен, которая сидела на крыльце своего дома одна-одинешенька.

Он притормозил возле ее дома. Сколько ей лет-то? Пятнадцать? Семнадцать? Малолетка, небось, так и сесть можно, но Пем питал нежную страсть к таким вот вялым, заторможенным девицам с тонкими ручками и спадающей на глаза челкой.

— Эй, — позвал он ее.

Она даже не удивилась, только вскинула голову — так сонно и томно, что у него приятный холодок пробежал по затылку.

— Ждешь кого?

— Нет. Просто жду.

Карамба, подумал Пем.

— Я кино думаю посмотреть, — сказал он, — из машины. Хочешь со мной?

Он думал, что она скажет — Нет, или Не Могу, или Надо Маму Спросить, но она только убрала с глаз рыжеватую челку, звякнув подвесками на браслете, и спросила (чуть запоздало, но этот медлительный дремотный ее разлад с миром его и притягивал):

— Почему?

— Что — почему?

Она только плечами пожала. Пем был заинтригован. Была в Эллисон какая-то… нездешность, он и не знал, как еще это назвать, и ходила она, приволакивая ноги, и волосы у нее были не такие, как у других девчонок, и даже одежда какая-то странная (вот сейчас, например, на ней было старушечье платье в цветочек), но за ее угловатостью крылась какая-то неуловимая легкость, которая и сводила его с ума. Перед его глазами запрыгали романтические кадры (машина, радио, берег реки).

— Поехали, — сказал он, — к десяти вернемся.

Гарриет лежала на кровати, ела фунтовый кекс и делала записи в блокноте, когда под окнами у нее пижонисто взревела машина. Она высунулась на улицу и успела увидеть, как ее сестра с развевающимися на ветру волосами уезжает на всех парах вместе с Пембертоном в его авто с открытым верхом.

Гарриет вскарабкалась на подоконник, просунула голову между кисейных занавесок и, сглатывая сухие крошки кекса, растерянно уставилась им вслед. Она была сражена наповал. Эллисон из дома никуда не выходила — только к тетушкам, которые жили чуть дальше по улице, и ну разве что в магазин за продуктами.

Прошло десять минут, потом пятнадцать. Гарриет кольнула ревность. Да разве им есть о чем разговаривать? Что Пембертон в ней нашел?

Она посмотрела на освещенное крыльцо (пустые качели, на верхней ступеньке лежит “История про бычка Фердинанда”) и вдруг услышала какой-то шорох в кустах азалий, которые росли вокруг двора. Потом с изумлением увидела, как из кустов кто-то вылез: через их двор тихонько кралась Лашарон Одум.

Гарриет даже в голову не пришло, что она пробралась к ним, чтобы забрать книжку. Увидев сгорбленные плечики Лашарон, она вдруг так и вспыхнула от ярости. Не успев даже ничего подумать, она запустила в нее остатками кекса.

Лашарон взвизгнула. В кустах позади нее что-то резко зашуршало. Пару секунд спустя Лашарон тенью метнулась через двор и понеслась по ярко освещенной улице, а за ней на довольно приличном расстоянии, спотыкаясь, семенила фигурка поменьше, у которой не получалось бежать так быстро.

Гарриет так и стояла коленками на подоконнике, просунув голову между занавесок, и глядела на полоску пустого блестящего тротуара, по которому только что умчались юные Одумы. Стояла звенящая тишина. Ни листик не шелохнется, ни кошка не мяукнет, в луже сверкает луна. Не слышно было даже колокольчиков, которые висели над крыльцом миссис Фонтейн.

Наконец она заскучала и с досадой слезла со своего наблюдательного поста. Гарриет снова принялась строчить в блокноте, почти позабыла, что хотела караулить Эллисон, и даже рассердилась, услышав, как к дому подкатила машина.

Она прошмыгнула обратно к окну, тихонько отодвинула занавеску. Эллисон стояла возле голубого “кадиллака”, рядом с водительской дверью, вяло поигрывала подвесками на браслете и что-то еле слышно говорила.

Пембертон захохотал. При свете фонарей волосы у него казались ярко-желтыми, как у Золушки, и были такими длинными, что из-под них наружу торчал только острый кончик носа, делая его похожим на девчонку.

— Да ну, брось, дорогая, — сказал он.

Дорогая? Это еще как понимать? Эллисон обошла машину и пошла к дому — задние фары "кадиллака" обдали красным ее голые коленки, — Гарриет выпустила занавеску и засунула блокнот под кровать.

Хлопнула входная дверь. Машина Пема с ревом умчалась прочь. Эллисон зашлепала по ступеням — она как была босиком, так необутой и уехала кататься — и вплыла в спальню. Не обращая никакого внимания на Гарриет, она прямиком направилась к зеркалу над комодом и стала сосредоточенно, почти уткнувшись в зеркало носом, разглядывать свое лицо. Потом она уселась на кровать и аккуратно стряхнула гравий, прилипший к желтоватым подошвам.

— Ты где была? — спросила Гарриет.

Стаскивая платье через голову, Эллисон что-то неразборчиво промычала.

— Я видела, как ты уезжала. Куда ты ездила? — спросила Гарриет, так и не дождавшись ответа.

— Не знаю.

— Не знаешь, куда ездила? — Гарриет буравила сестру взглядом, пока та натягивала белые пижамные штаны, то и дело рассеянно поглядывая на себя в зеркало. — Хорошо время провела?

Старательно не глядя Гарриет в глаза, Эллисон застегнула пижаму, забралась в кровать и принялась обкладывать себя плюшевыми игрушками. Перед тем как заснуть, она всегда рассаживала их в строго определенном порядке. Потом она с головой укрылась одеялом.

— Эллисон?

— Да? — наконец раздался невнятный голос из-под одеяла.

— Ты помнишь, о чем мы с тобой говорили?

— Нет.

— Нет, ты помнишь. О том, что ты сны будешь записывать.

Эллисон ничего не ответила, тогда Гарриет повысила голос:

— Я тебе возле кровати положила листок бумаги. И карандаш. Ты их видела?

— Нет.

— Я хочу, чтоб ты на них поглядела. Эллисон, гляди!

Эллисон чуть-чуть приподняла одеяло, посмотрела в щелочку на выдранный из блокнота на пружинке листок, который лежал рядом с ее прикроватной лампой. Сверху на листке почерком Гарриет было написано: *Сны. Эллисон Дюфрен. 12 июня.*

— Спасибо, Гарриет, — пробормотала она и, не успела Гарриет и слова вставить, как она снова натянула одеяло на голову и отвернулась к стене.

Несколько минут Гарриет внимательно глядела сестре в спину и только потом снова вытащила из-под кровати блокнот. Днем она выписала из местных газет кое-какие подробности, которых раньше не знала: как обнаружили труп, как Робина пытались откачать (Эди, судя по всему, перерезала веревку садовыми ножницами и до самого приезда скорой делала безжизненному телу искусственное дыхание), как мать в глубоком обмороке увезли в больницу, как через несколько недель после убийства шериф давал одни и те же комментарии ("никаких зацепок", "случай серьезный"). Еще она записала все, что запомнила из разговора с Пемом, даже всякие мелочи. И чем больше она писала, тем больше припоминала: все кусочки и обрывки разговоров, которые слышала раньше. Например, что Робин погиб за каких-нибудь пару недель до летних каникул. Что в тот день шел дождь. Что примерно в то же время в округе участились мелкие кражи, кто-то подворовывал инструменты из сараев и мастерских: есть ли связь? Что когда Робина нашли, прихожане баптистской церкви как раз расходились после вечерней службы, и поэтому одним из первых на месте оказался восьмидесятилетний доктор Адэйр, бывший детский врач, который как раз в это время проезжал с семьей мимо их дома. Что отец был у себя в охотничьем домике и что за ним туда поехал священник, который и сообщил ему печальные новости.

Даже если я не узнаю, кто его убил, думала она, *то хотя бы пойму, как все случилось.*

И первый подозреваемый у нее тоже имелся. Записывая его имя, она вдруг поняла, как легко все позабыть и как важно с этой самой минуты фиксировать все-все на бумаге.

Вдруг она подскочила. А где он живет? Она вылезла из кровати, спустилась вниз, подошла к телефону. Когда она увидела его имя в справочнике — Дэнни Рэтлифф — по спине у нее поползли мурашки.

Адреса там как такового не было, только направление: *Шоссе 260*. Гарриет нерешительно покусала губу, набрала номер и ахнула от удивления, когда трубку сняли после первого звонка (на заднем фоне надрывался телевизор). Раздался грубый мужской голос:

— Алё!

С грохотом, обеими руками, как будто захлопывая дверь перед самым носом у черта, Гарриет швырнула трубку на рычаг.

— Я вчера вечером видел, как мой брат к твоей сестре лез целоваться, — сообщил Хили Гарриет — они с ним сидели у Эди на заднем крыльце.

Хили зашел за Гарриет после завтрака.

— Где?

— На реке. Когда я рыбачил.

Хили вечно таскался на реку с тростниковой удочкой и жалкой горсткой червей в ведерке. Никто с ним туда не ходил. Никому не сдался его улов — краппи да лещата, поэтому он почти всегда выпускал их обратно в реку. Больше всего Хили любил рыбачить вечерами: вокруг стрекотали лягушки, по воде бежала широкая белая полоса лунного света, а он предавался излюбленным грезам о том, как они с Гарриет живут в хижине у реки совсем одни, как взрослые. Об этом он мог мечтать часами. У них чумазые лица и листва в волосах. Они сидят у костра. Ловят лягушек и иловых черепах. И глаза Гарриет вдруг свирепо вспыхивают в темноте, словно у дикой кошки.

Он поежился.

— Жаль, что ты вчера со мной не пошла, — сказал он. — Я сову видел.

— Эллисон-то что там делала? — недоверчиво спросила Гарриет. — Только не говори, что рыбу ловила.

— Не... Короче, — зашептал он, придвинувшись поближе, — я услышал, как машина Пема подъехала. Ну, знаешь, она так шумит, — он умело изобразил звук губами — дррынь, дррынь, дрррынь, — что ее за милю слышно, поэтому я сразу понял, что он едет, и думаю, наверное, мама его за мной послала, собрал, значит, вещички и полез наверх. Но, не-ет, до меня ему и дела не было.

Хили резко хохотнул — смешок вышел по-взрослому циничным, и тогда через пару секунд Хили рассмеялся еще разок — даже лучше прежнего.

— Что смешного?

— Ну-у, — Хили не удержался и в третий раз опробовал свой новый циничный смешок, — там Эллисон была, на пассажирском сиденье, и она сидела нормально, но вот Пем, он вот так, руку на сиденье закинул и к ней тянулся… — Хили потянулся через плечо Гарриет, чтоб показать — как именно — …вот так.

Он громко, слюняво причмокнул губами, и Гарриет сердито от него отодвинулась.

— И что, она его тоже поцеловала?

— Да по ней и не скажешь, что она хоть что-то заметила. Я за ними подглядывал, — бодро уточнил он. — Хотел им червяка в машину кинуть, но за такое Пем бы меня убил.

Он вытащил из кармана вареный арахис, предложил Гарриет — она отказалась.

— Чего ты? Он же не отравлен.

— Не люблю арахис.

— Ну и ладно, мне больше достанется, — сказал он и съел орешек сам. — Пошли со мной сегодня рыбачить, ну пойдем!

— Нет, спасибо.

— Я там в тростниках отмель знаю. Дорожка прямо к ней спускается. Тебе понравится! Там белый песочек, прямо как во Флориде.

— Нет.

Отец часто разговаривал с ней таким же раздражающим тоном, безапелляционно заявляя, что ей, мол, "понравится" то-то или сё-то (футбол, народные танцы, церковные пикники), когда сама она прекрасно знала, что терпеть этого не может.

— Гарриет, ну чего ты так?

Хили очень расстраивался из-за того, что Гарриет не соглашалась ни на одно его предложение. А ему хотелось пройти вместе с ней по узенькой тропке в высокой траве, держась за руки, по-взрослому дымя сигаретой, увязнуть в грязи, исцарапать босые ноги. И чтоб накрапывал мелкий дождик и мелкая пена вскипала вокруг тростника.

Двоюродная бабка Аделаида без устали все мыла и чистила. Тесные домишки ее сестер были доверху заставлены книгами, витринами с разного рода диковинками, жестянками с настурцией, которую они вечно пытались у себя вырастить, и горшками с лохмотьями папоротника, страдавшего от кошачьих когтей, но у Аделаиды не было ни сада, ни домашних животных, она терпеть не могла готовить, и любой, как она выражалась, "кавардак" ее до смерти пугал. Она жаловалась, что не может позволить себе домработницу, доводя Эди с Тэт до белого каления, потому что на три ежемесячные пенсии Аделаиде жилось куда лучше, чем им (спасибо мужьям, которые три раза оставили ее вдовой), однако на самом-то деле Аделаида просто обожала наводить порядок (после детства в обветшалой "Напасти" любой беспорядок приводил ее в ужас), и счастливее всего она была, когда стирала занавески, гладила белье или сновала по своему полупустому, пахнущему хлоркой дому с тряпкой и бутылочкой лимонной полироли.

Обычно Гарриет заставала Аделаиду за мытьем кухонных шкафчиков или чисткой ковров, но сегодня Аделаида сидела в гостиной на диване: в ушах — жемчужные клипсы, на изящно скрещенных ногах — нейлоновые чулки, волосы выкрашены в неброский светлый оттенок, укладка свежая. Из всех сестер она была самая хорошенькая и даже теперь, в шестьдесят пять, самая молодая. Проскакивала в Аделаиде какая-то игривость, чего не было у тихони Либби, валькирии Эди или пугливой растяпы Тэт, — этакое плутоватое кокетство Веселой Вдовы, и появись сейчас в Александрии подходящий мужчина (какой-нибудь франтоватый лысеющий дедок в твидовом пиджаке, нефтяник, например, а то и конезаводчик) и воспылай он к ней чувствами, Аделаида бы и от четвертого мужа не отказалась.

Аделаида изучала свежий, июньский номер "Таун энд кантри". Как раз добралась до раздела "Свадьбы".

— Как думаешь, кто из них при деньгах? — спросила она Гарриет, указывая на снимок темноволосого юноши с вытаращенными, перепуганными глазами — рядом с ним стояла лоснящаяся блондинка в пухлом кринолине, который делал ее похожей на мини-динозавра.

— У него такой вид, как будто его сейчас стошнит.

— Не понимаю, чего все так носятся с этими блондинками. Мол, блондинки знают, как поразвлечься и все в таком духе. А по мне, кто так думает — просто телевизора насмотрелся. Возьми любую натуральную блондинку, так они вечно какие-то блеклые, тусклые, и им нужно долго рисовать себе лица, чтоб не походить на кроликов. Взгляни-ка на эту бедняжку. А на эту! Вылитая овца.

— Я хотела поговорить с тобой о Робине, — сказала Гарриет, не видя смысла ходить вокруг да около.

— О чем, милая? — Аделаида разглядывала репортаж с благотворительного бала. Стройный юноша в смокинге — лицо свеженькое, уверенное, без единого прыща — откинул голову назад, зашелся в хохоте, придерживая за талию тоненькую брюнетку в розовом, как сахарная вата, платье и длинных перчатках в тон.

— О Робине, Адди.

— Ах, моя дорогая, — мечтательно вздохнула Аделаида, оторвав взгляд от симпатичного юноши на снимке. — Будь Робин сейчас с нами, у него бы от девушек отбою не было. Он еще совсем крохой был, а уже… столько в нем было задору, бывало, хлопнется на спину и ну хохотать. Любил ко мне сзади подкрадываться — как обнимет за шею, и давай кусать за ухо. До того мило. Ну прямо как Билли Бой — попугай, который у Эди был в детстве…

Аделаида умолкла, заметив в журнале еще одного торжествующего, улыбающегося юнца-янки. "Студент-второкурсник" — гласила подпись под фотографией. Останься Робин жив, он был бы с ним примерно одного возраста. В ней всколыхнулось негодование. Вот этот Дадли Ф. Виллард, кем бы он там ни был, как смеет он жить, кто дал ему право смеяться в отеле "Плаза" под звуки играющего в зимнем саду оркестра вместе с этой его лощеной девицей в шелковом платье?

Мужья Аделаиды пали жертвами Второй мировой, несчастного случая на охоте и обширного инфаркта, от первого мужа она родила двух мертвых близнецов, от второго — дочь, которая в полтора года умерла, наглотавшись дыма, когда в их старой квартире на Западной Третьей улице посреди ночи загорелась труба, — судьба била ее беспощадно, жестоко, под дых. И все-таки (одна тяжкая секунда за другой, один тяжкий вдох за другим) со всем можно справиться. Теперь, если она и думала о мертворожденных близнецах, ей вспоминались только их точеные, полностью сформировавшиеся личики с закрытыми глазами — совсем как у мирно спящих детей. Но ни одна трагедия, которую пришлось пережить Аделаиде (а на ее долю их выпало с лихвой), не терзала ее так долго, не отзывалась в ней такой болью, как убийство Робина — эта рана никак не желала затягиваться, и с течением времени нарывала все сильнее, все сильнее саднила.

Заметив, как затуманился у Аделаиды взгляд, Гарриет кашлянула.

— Вот как раз об этом я и хотела с тобой поговорить, — сказала она.

— Я все думаю, потемнели бы у него с возрастом волосы или нет, — сказала Аделаида, держа журнал в вытянутой руке и разглядывая страницу поверх спущенных на кончик носа очков. — Когда мы были маленькие, у Эдит были ярко-рыжие волосы, но все равно не такие рыжие, как у него. У него они были по-настоящему рыжие. Без желтизны.

Как это все-таки трагично, думала она. Какие-то избалованные юные янки знай себе скачут в отеле "Плаза", а ее славный маленький племянник, которому они и в подметки не годятся, лежит в могиле. Даже дотронуться до девушки Робину не дали. Аделаида с признательностью вспомнила все три своих пылких брака, все поцелуи в темных уголках, которые были в ее прожитой на всю катушку юности.

— Я хотела спросить, вдруг ты знаешь, кто мог…

— Он бы, дорогая, сердца разбивал только так. Да в Ол Мисс[1] все малютки из "Хи Омеги" и "Три Дельты"[2] передрались бы между собой за право пойти с ним на гринвудский бал дебютанток. Хотя, как по мне, эти балы — такая глупость, сплошные бойкоты, все дружат друг против друга, и мелочные…

Тук, тук, тук: чья-то тень за дверью-сеткой.

— Адди?

— Кто там? — вскинулась Аделаида. — Эдит?

— Дорогая! — В гостиную, выпучив глаза, ворвалась Тэттикорум и, даже не взглянув в сторону Гарриет, швырнула в кресло сумку из лакированной кожи. — Дорогая, подумать только, этот проходимец Рой Дайал, ну который из "Шевроле", за эту поездку в Чарль-

1 Неофициальное название университета Миссисипи.
2 Названия студенческих сообществ.

стон заломил по шестьдесят долларов с каждой дамы из нашего кружка! За поездку на этой школьной развалюхе!

— Шестьдесят долларов? — взвизгнула Аделаида. — Но он же говорил, что одолжит нам автобус. Говорил — бесплатно.

— Так он и говорит, автобус — бесплатный. А шестьдесят долларов — это за бензин!

— Да тут бензина хватит доехать до Китая и обратно!

— В общем, Юджиния Монмаут собирается позвонить священнику и пожаловаться, — Аделаида закатила глаза. — Но мне кажется, звонить должна Эдит.

— Уж, думаю, она сразу позвонит, как только узнает. Знаешь, что Эмма Карадайн сказала? “Он так и ищет, где бы поживиться”.

— Это уж точно. И как ему только не стыдно?! Ведь и у Юджинии, и у Лайзы, и у Сьюзи Ли — да у многих — кроме пенсии ничего и нет...

— Ну или сказал бы он, десять долларов. Десять долларов — это еще можно понять.

— А Рой Дайал у нас ведь такой весь из себя праведник. Шестьдесят долларов?! — воскликнула Аделаида. Она взяла с телефонного столика карандаш и записную книжку, принялась считать. — Боже правый, тут без атласа не обойтись, — сказала она. — Сколько дам в автобусе?

— Двадцать пять, по-моему, если учесть, что миссис Тейлор ехать отказалась, а бедная старенькая миссис Ньюман упала и шейку бедра сломала... Привет, Гарриет, моя сладкая! — Тэт нагнулась и чмокнула Гарриет в щеку. — Бабушка тебе уже сказала? Наш церковный дамский кружок едет на экскурсию. “Исторические поместья Южной и Северной Каролины”. Жду не дождусь!

— Уж не знаю, хочу ли я теперь ехать, если придется платить такие деньжищи Рою Дайалу.

— Постыдился бы. Ну правда ведь. Выстроил себе на Дубовой Лужайке огромный новый дом, а машин у него сколько — новехоньких — и еще дома на колесах, и катера, и столько всего...

— Я хочу спросить у вас кое-что! — в отчаянии крикнула Гарриет. — Что-то очень важное. Про смерть Робина.

Адди и Тэт разом замолчали. Аделаида подняла голову от дорожного атласа. Их внезапное спокойствие так и охолонуло Гарриет, и ей вдруг стало страшно.

— Вы же были в доме, когда все случилось, — тишина сделалась неуютной, и Гарриет зачастила, — неужели вы ничего не слышали?

Старые дамы переглянулись — обменялись мимолетным понимающим взглядом, как будто без единого слова о чем-то условились. Затем Тэтти глубоко вздохнула и сказала:

— Нет. Никто ничего не слышал. И знаешь, что мне кажется? — перебила она Гарриет, которая пыталась спросить еще что-то. — Мне кажется, что не стоит приставать к людям с этими разговорами.

— Но я…

— Ты ведь матери с бабушкой этим не докучала, правда?

Аделаида холодно заметила:

— Вот и я думаю, что это не лучшая тема для разговоров. Да и сказать по правде, — сказала она, не слушая возражений Гарриет, — думаю, тебе, Гарриет, уже давно пора домой.

Хили сидел на кустистом берегу реки — по лицу у него катился пот, солнце било прямо в глаза — и глядел, как подрагивает в мутной воде красно-белый поплавок его тростниковой удочки. Он выпустил всех червяков, думал, ему станет повеселее, если он разом вытряхнет их на землю, большим мерзким узлом, а потом посмотрит, как они станут расползаться во все стороны, ввинчиваться в землю, все такое. Но черви так и не поняли, что их выпустили из ведра и, распутавшись, стали тихонько извиваться у его ног. Вот тоска-то. Хили снял червяка с кеда, оглядел его рубчатое, как у мумии, брюшко и зашвырнул в воду.

В школе была куча девчонок покрасивее Гарриет, да и подобрее. Но таких умных, таких храбрых не было ни одной. Сколько же она всего умеет, с грустью думал он. Она могла подделать любой почерк — даже почерк учителя, записки от родителей в школу сочиняла так, будто их и впрямь писали взрослые, умела делать бомбы из уксуса и соды, умела говорить разными голосами по телефону. Она обожала пускать фейерверки, не то что другие девчонки, которые к петарде и близко не подойдут. Во втором классе ее выгнали с уроков за то, что она обманом уговорила одного мальчишку съесть ложку кайенского перца, а два года назад она всю школу довела до истерики, сказав, что мрачная старая столовка в подвале — это врата в ад. Если выключить свет, на стене проступит лик Сатаны. Туда, хихикая, отправилась группка девчонок, они выключили свет — и как прыснут оттуда с дикими воплями. Школьники стали притворяться больными, стали отпрашиваться и ходить обедать домой, в общем, делали все, лишь бы не ходить в столовку. Напряжение все нарастало, и наконец миссис Майли собрала учеников, вместе с закаленной старухой миссис Кеннеди, учительницей шестых классов, отвела всех в пустую столовку (девочки впереди, мальчишки толпятся сзади) и выключила свет.

— Видите? — презрительно спросила она. — Понимаете теперь, до чего глупо вы себя вели?

Из задних рядов послышался тихий унылый голосок Гарриет, который отчего-то прозвучал внушительнее учительского бахвальства:

— Он там. Я его вижу.

— Смотрите! — крикнул какой-то маленький мальчик. — Видите?

Вскрики, за ними — истерический вой. Потому что и впрямь, как только глаза привыкали к темноте, в верхнем левом углу комнаты проступало жутковатое зеленое сияние, которое, если присмотреться, было очень похоже на злобное лицо с раскосыми глазами и шейным платком, скрывающим нижнюю часть лица.

Заваруха, которая началась из-за Черта в Столовке (родители названивали в школу и требовали встречи с директором, от проповедников тоже было не продохнуть — баптисты, евангелисты, череда путаных и воинственных проповедей под названиями “Изыди, Сатана” и “Дьявол в наших школах?”), вся эта заваруха была делом рук Гарриет, плодом ее холодного, расчетливого, безжалостного ума. Гарриет! Она была маленькая, но с другими детьми играла очень свирепо, а если дело доходило до драки, то дралась нечестно. Однажды Фэй Гарднер на нее наябедничала, Гарриет и глазом не моргнула, только отстегнула потихоньку огромную булавку, которая у нее юбку на талии поддерживала. Она целый день поджидала удобного случая, и он подвернулся, когда Фэй протягивала кому-то какие-то бумажки: Гарриет молнией подскочила и вонзила булавку Фэй в руку. Хили еще ни разу не видел, чтоб директор бил девчонку. Три удара тростью. А она ни слезинки не проронила. Ну и что, равнодушно пожала она плечами, когда на пути домой он расточал ей похвалы.

Что же такого сделать, чтоб она в него влюбилась? Вот бы он мог рассказать ей что-то новое, что-то интересное, какой-нибудь важный секрет или интересный факт, чтобы она разом впечатлилась. Или пусть бы она оказалась в горящем доме, или пусть бы за ней гнались грабители, а он бы тогда вмешался и геройски ее спас.

На эту богом забытую речушку, такую мелкую, что у нее и названия-то никакого не было, Хили приехал на велосипеде. Ниже по течению рыбачили какие-то чернокожие ребята, по виду — его ровесники, а чуть выше сидели старики-негры в закатанных до икр штанах цвета хаки. Один такой старик — с пенопластовым ведерком, в огромном соломенном сомбреро с вышитой зеленым надписью "Привет из Мексики!" — осторожно приближался к нему.

— Доброго вам дня, — сказал он.

— Здрасте, — настороженно сказал Хили.

— А вы зачем столько хороших червяков на землю высыпали?

Хили не знал, что ответить.

— Я на них бензин пролил, — наконец сказал он.

— А им не повредит. Рыба все равно сожрет. Смыть бензин и вся недолга.

— Да ладно, пусть.

— Я вам помогу. Можем вон там их пополоскать, на отмели.

— Если хотите, можете их все себе забрать.

Старик фыркнул, нагнулся и ссыпал червей в ведерко. Хили стало стыдно. Он разглядывал свой крючок, торчавший в воде безо всякой наживки, таскал из целлофанового пакета в кармане вареный арахис, уныло жевал его и притворялся, что ничего не видит.

Что же такого сделать, чтоб она в него влюбилась, чтобы думала о нем, даже когда его нет рядом? Может, купить ей что-то, да только он не знал, чего ей хочется, и денег у него тоже не было. Вот бы знать, как построить ракету или робота, или уметь швырять ножи, так чтоб в цель попадать, как в цирке, или вот бы у него был мотоцикл и он на нем мог откалывать трюки, как Ивел Нивел.

Он сонно поморгал, глянул за реку — там, на противоположном берегу рыбачила старая негритянка. Однажды днем они с Пембертоном поехали за город, и он показал Хили, как на "кадиллаке" переключать скорости. Он вообразил, как они с Гарриет мчатся по 51-й трассе, в машине с откидным верхом. Конечно, ему всего одиннадцать, но в Миссисипи водительские права выдавали с пятнадцати, а в Луизиане — с тринадцати. Ну а если надо будет, за тринадцатилетнего он уж точно сойдет.

Они соберут еды в дорогу. Маринованные огурцы, сэндвичи с джемом. Быть может, удастся стащить у матери из бара немного виски, а если не выйдет, так хотя бы бутылку "Доктора Тиченора" — это, конечно, антисептик, и вкус у него дрянной, зато в нем семьдесят градусов. Можно поехать в Мемфис, в тамошний музей, чтобы Гарриет поглядела на динозавров и сушеные головы. Она такое любит — познавательное. А потом они поехали бы в центр города, в отель "Пибоди", и глядели бы, как утки гуляют там по вестибюлю. Они бы прыгали на кровати в огромной спальне, и заказывали бы в номер креветок и стейки, и всю ночь смотрели бы телевизор. А то и в ванну залезли бы, никто бы им не помешал. Совсем голые бы залезли. У Хили заполыхали щеки. А с какого возраста можно жениться? Если он сумеет убедить дорожный патруль в том, что ему пятнадцать, то уж священника он убедит точно. Он представил, как они с Гарриет стоят на каком-нибудь хлипком крылечке в округе Де-Сото: на Гарриет эти ее шорты в красную клетку, а на нем старая футболка Пема с эмблемой "Харли Дэвидсон", такая застиранная, что надпись "Жми на газ, умри свободным" читается с трудом. Он сжимает горячую ручку Гарриет. "Теперь можете поцеловать невесту". Потом жена священника угостит их лимонадом. И они ни за что не разведутся, и будут повсюду разъезжать на машине, веселиться и есть рыбу, которую он поймает. Мама, папа и все дома с ума сойдут от беспокойства. Вот будет здорово!

Грезы Хили прервал громкий хлопок — и сразу за ним раздался всплеск и визгливый, безумный хохот. На противоположном берегу — сумятица, старая негритянка бросила удочку, закрыла лицо руками, из коричневой воды рванул фонтан брызг.

Еще хлопок. И еще. И смех — такой жуткий — раскатился с деревянных мостков над речушкой. Хили, не понимая в чем дело, заслонил ладонью глаза от солнца и кое-как разглядел на мосту двух белых мужчин. Тот, что был покрупнее (гораздо крупнее, надо сказать), отсюда казался просто огромной тенью, сложившейся от хохота пополам, и Хили мельком увидел разве что его руки, которые свешивались с перилец: огромные, грязные лапы, с массивными серебряными кольцами. Второй, тот, что поменьше (ковбойская шляпа, длинные патлы), обеими руками держал блестящий серебряный револьвер и целился в воду. Он снова выстрелил, и старик, рыбачивший выше по реке, отпрыгнул, когда пуля вспенила фонтан белых брызг рядом с его удочкой.

Огромный мужик на мосту запрокинул голову, тряхнул львиной гривой волос и хрипло захохотал — Хили разглядел клочковатую бороду.

Чернокожие ребятишки побросали удочки, полезли наверх, рыдающая старуха-негритянка с противоположного берега проворно поковыляла за ними, одной рукой придерживая юбки, другую вытянув вперед.

— Давай, вали, бабуля.

Револьвер пропел снова, по утесам заметалось эхо, в воду посыпались комья грязи и камни. Теперь мужик просто палил куда попало. Хили так и застыл на месте. Мимо него просвистела пуля, взметнулось облачко пыли возле бревна, за которым укрылся чернокожий старик. Хили бросил удочку, развернулся — ноги у него разъезжались, он едва не упал — и со всех ног кинулся в кусты.

Он нырнул в заросли ежевики, вскрикнул от боли, расцарапав колючками ногу. Заслышав очередной выстрел, он подумал, видно ли этим реднекам[1] отсюда, что он белый, а если видно, то кто знает, не наплевать ли им.

Гарриет задумчиво листала блокнот, со двора сначала донесся дикий вой, а потом и вопль Эллисон:

— Гарриет! Гарриет! Скорее сюда!

Гарриет подскочила, ногой зашвырнула блокнот под кровать, скатилась вниз по лестнице и выбежала из дому. Эллисон стояла на тротуаре и рыдала, закрыв лицо руками. Гарриет выскочила на дорожку, ведущую к их дому, и, уже добежав до середины, поняла, что по раскаленному бетону босиком далеко не убежишь, поэтому развернулась и неуклюже, теряя равновесие, запрыгала на одной ноге обратно к крыльцу.

1 Пренебрежительное название белой бедноты, преимущественно жителей глухих, сельских местностей на юге США и в районе Аппалачей.

— Ну же! Быстрее!

— Дай я туфли надену!

— Что там такое? — проорала Ида, высунувшись из окна кухни. — Куда вас всех понесло?

Гарриет с топотом взлетела на крыльцо, натянула сандалии, прошлепала обратно. Она и спросить не успела, что стряслось, как к ней подбежала зареванная Эллисон, ухватила за руку и потащила за собой на улицу.

— Идем! Скорее, скорее!

Бежать в сандалиях было неудобно, и Гарриет, спотыкаясь, шаркая ногами, изо всех сил пыталась угнаться за Эллисон; наконец та остановилась и, всхлипывая, показала на что-то попискивавшее и трепыхавшееся посреди улицы.

Гарриет даже не сразу сообразила, что это, оказалось, дрозд, увязший крылом в лужице битума. Вторым крылом он неистово молотил по воздуху и так заходился в крике, что Гарриет с ужасом углядела в его распахнутом клюве сизые корни заостренного язычка.

— Ну сделай же что-нибудь! — плакала Эллисон.

Что делать, Гарриет не знала. Она шагнула было к птице, но тут же отпрянула назад, потому что, заметив ее, дрозд только сильнее забил перекошенным крылом и закричал еще пронзительнее.

Миссис Фонтейн прошаркала на крыльцо.

— Руками не трогайте! — крикнула она тоненьким сварливым голоском, ее силуэт едва виднелся за москитной сеткой. — Экая гадость!

Гарриет дрожащей рукой, так, будто примерялась к горячим углям, потянулась к птице — сердце чуть не выпрыгивало у нее из груди, трогать дрозда было боязно, и когда тот мазнул ее крылом по запястью, Гарриет непроизвольно отдернула руку.

Эллисон взвизгнула:

— Можешь ее вытащить?

— Не знаю, — Гарриет старалась говорить спокойно.

Она подошла к птице сзади, надеясь, что если дрозд не будет ее видеть, то немного поутихнет, но он стал трепыхаться и кричать еще сильнее. Зашуршали в битуме переломанные перья, и Гарриет замутило, когда она заметила блестящие красные петельки, похожие на красную зубную пасту.

Дрожа от волнения, Гарриет уперлась коленями в горячий асфальт.

— Тише, — прошептала она, протянув к птице обе руки, — тише-тише, не бойся…

Но до смерти перепуганный дрозд, глядя на нее черными злыми глазками, в которых так и горел страх, по-прежнему бился и барахтался в битуме. Гарриет подсунула руки под птицу, стараясь как можно крепче ухватить застрявшее крыло и, уворачиваясь от второго крыла, которое шумно хлопало у нее прямо возле лица, дернула. Раздался ужасающий крик, и, открыв глаза, Гарриет увидела, что начисто оторвала птице крыло. Крыло так и осталось лежать в лужице битума — до абсурдного длинное, с торчащей наружу влажно поблескивающей сизой косточкой.

— Брось ее, брось! — слышно было, как кричит миссис Фонтейн. — Не то укусит еще!

Все, крыла уже не вернуть, поняла ошеломленная Гарриет, пока птица вертелась и трепыхалась в ее перепачканных битумом руках. На месте крыла осталась только пульсирующая, кровоточащая дыра.

— Брось ее! — кричала миссис Фонтейн. — Бешенство подхватишь. Будут тебе уколы в живот колоть!

— Скорее, Гарриет! — Эллисон теребила ее за рукав. — Скорее, отнесем ее Эди. — Но птица дернулась и обмякла в скользких от крови руках Гарриет, поникнув глянцевой головкой. Перья дрозда по-прежнему отливали яркой прозеленью, но черная зеркальная пелена боли и ужаса в его глазах уже потускнела, подернулась немым удивлением, ужасом неосознанной смерти.

— Да скорее же, Гарриет, — кричала Эллисон, — он умирает, умирает!

— Уже умер, — услышала Гарриет собственный голос.

— Эй, это что такое? — крикнула Ида Рью Хили, который, хлопнув дверью, влетел в дом с черного хода, пронесся мимо плиты, где взмокшая Ида мешала заварной крем для бананового пирога, промчался по кухне и с грохотом взбежал вверх по лестнице в комнату Гарриет.

Он ворвался в комнату без стука. Гарриет лежала на кровати, и пульс Хили, и без того учащенный, и вовсе разогнался, когда он увидел белую впадину ее подмышки, ее грязные загорелые ноги. Была всего-то половина четвертого, но Гарриет уже переоделась в пижаму, а ее шорты с майкой, скомканные и вымазанные чем-то черным и липким, валялись на коврике у кровати.

Хили отшвырнул их ногой, пыхтя, шлепнулся на кровать, в ногах у Гарриет.

— Гарриет! — От волнения он едва мог говорить. — В меня стреляли! Кто-то стрелял в меня!

— Стреляли? — Дремотно скрипнули пружины, Гарриет перекатилась на другой бок, поглядела на него. — Из чего?

— Из ружья. Ну, то есть стреляли почти в меня. Понимаешь, я там сидел, на берегу, и вдруг — пиу! — вода во все стороны. — Он что было сил замахал руками.

— Как это — стреляли почти в тебя?

— Ну, правда, Гарриет, я не вру. Пуля просвистела прямо у меня над головой. Я в таких колючих кустах спрятался! Ты только посмотри на мои ноги! Я...

Он испуганно смолк. Гарриет глядела на него, опершись на локти, глядела внимательно, но спокойно и уж точно безо всякого сочувствия. Поздновато он осознал свою ошибку: восхищения от Гарриет не дождешься, конечно, но давить на жалость не стоило вовсе.

Он спрыгнул с кровати, прошагал к двери.

— Я швырнул в них камнем, — храбро сказал он. — И стал на них кричать. Тогда они убежали.

— Из чего они стреляли? — спросила Гарриет. — Из воздушки, что ли?

— Да нет же, — Хили расстроенно помолчал: ну как же так объяснить, чтоб она поняла — это не шутки, ему угрожала опасность. — Ружье было настоящее, Гарриет. И пули были настоящие. Негры как кинутся врассыпную... — Он вскинул руку, не находя подходящих слов, чтобы все описать — палящее солнце, мечущееся между берегами эхо, хохот, панику.

— Ну почему ты со мной не пошла? — прохныкал он. — Я так тебя просил...

— Если они стреляли из настоящего ружья, то очень глупо было с твоей стороны кидаться в них камнями.

— Нет! Я этого не...

— Именно это ты и сказал.

Хили глубоко вздохнул и вдруг почувствовал, что выдохся — навалились усталость и безнадега. Он снова присел на кровать, взвизгнули пружины.

— Разве тебе не интересно, кто стрелял? — спросил он. — Это было так дико, Гарриет. Просто… дико.

— Ну, конечно, мне интересно, — сказала Гарриет, хотя по ней так и не скажешь, что это ее волнует. — Кто стрелял? Подростки баловались?

— Нет, — обиженно ответил Хили. — Взрослые. Здоровые мужики. По поплавкам палили.

— А почему они в тебя стреляли?

— Да они во всех подряд стреляли. Не только в меня. Они…

Гарриет встала, и он умолк. Только сейчас до Хили дошло, что она в пижаме, что руки у нее вымазаны чем-то черным и что ее перепачканная одежда валяется на коврике.

— Эй, подруга. Это что за дрянь такая черная? — сочувственно осведомился он. — Случилось чего?

— Я нечаянно оторвала птице крыло.

— Фу-у… Как так вышло? — спросил Хили, на миг позабыв о своих неприятностях.

— Он увяз в битуме. Он все равно бы умер или его бы кошка съела.

— То есть дрозд был живой?

— Я пыталась его спасти.

— А с одеждой как быть?

Она рассеянно, удивленно глянула на него.

— Ты его не ототрешь. Битум не оттирается. Ида тебя отлупит.

— Ну и плевать.

— Посмотри, и вот тут. И тут. Да весь ковер в пятнах.

Несколько минут в комнате стояла полнейшая тишина, которую нарушало только гудение оконного вентилятора.

— У мамы дома есть книжка про то, как выводить разные пятна, — тихонько сказал Хили. — Я там искал, как вывести пятна от шоколада, когда забыл батончик в кресле и он растекся.

— Вывел?

— Не целиком, но если б мама увидела, каким пятно было до этого, то вообще бы меня убила. Давай сюда одежду. Отнесу ее домой.

— Вряд ли в книжке будет про пятна от битума.

— Ну тогда я ее просто выброшу, — сказал Хили, радуясь, что хоть теперь Гарриет обратила на него внимание. — Глупо же будет совать ее в ваш мусорный бак. Давай, — он подбежал к кровати с другой стороны, — помоги мне ее передвинуть, тогда Ида пятен на ковре не заметит.

Одеан, горничная Либби, приходила и уходила, когда ей вздумается, вот и теперь она ушла, бросив на столе в кухне раскатанное тесто для пирога. Когда пришла Гарриет, стол был припорошен мукой, завален яблочной кожурой и комками теста. Либби — хрупкая, миниатюрная — сидела за дальним концом стола и пила слабенький чай из чашки, которая в ее испещренных пигментными пятнами ручках казалась просто огромной. Либби трудилась над газетным кроссвордом.

— Моя дорогая, я так рада, что ты зашла.

Ни слова о том, что Гарриет заявилась без предупреждения, ни единого упрека: это тебе не Эди, та моментально бы отчитала Гарриет за то, что она вышла из дому в джинсах и пижамной куртке, да еще и с грязными руками. Либби рассеянно похлопала ладонью по сиденью стоявшего рядом стула.

— В "Коммершиал аппил", новый составитель кроссвордов, и они теперь такие сложные. Всякие старинные французские словечки, научные термины и тому подобное, — она ткнула притупившимся карандашом в смазанные квадратики. — "Металлический элемент". Начинается он с "Т", потому что еврейское пятикнижие — это точно "Тора", но ведь нет металла на букву "Т". Или есть?

Гарриет задумалась.

— Нужно узнать еще одну букву. Это либо "тантал", либо "таллий" — но и там, и там по шесть букв.

— Милая моя, какая ты умница. Я про такое даже не слыхала.

— Вот, пожалуйста, — сказала Гарриет. — Шесть по вертикали. "Судья или арбитр". Это "рефери", оканчивается на "и", значит, металл "таллий".

— Ну и ну! Сколько всего теперь дети в школе учат! Мы вот в твоем возрасте никаких гадких старых металлов не проходили, ничего такого. Одну арифметику учили да историю Европы.

Они вместе принялись решать кроссворд и застряли на "женщине сомнительного поведения", девять букв, начинается на "л", но тут наконец вернулась Одеан и принялась так энергично греметь кастрюлями, что им пришлось ретироваться к Либби в спальню.

Из четырех сестер Клив замужем ни разу не была только Либби — самая старшая, хотя, впрочем, все они (кроме трижды замужней Аделаиды) в душе были старыми девами. Эди развелась. О таинственном союзе, в результате которого на свет появилась мать Гарриет, никто и никогда не упоминал, хотя Гарриет страшно хотелось разузнать побольше и она постоянно приставала к бабкам с расспросами. Но ей удалось отыскать всего-то пару старых фотоснимков (безвольный подбородок, светлые волосы, натянутая улыбка) да подслушать несколько фраз, которые только сильнее подогрели ее любопытство ("...любил пропустить стаканчик...", "...сам себе и навредил..."), а так — о деде со стороны матери Гарриет наверняка знала только то, что он какое-то время лежал в больнице в Алабаме, где и умер несколько лет назад. Маленькая Гарриет одно время носилась с идеей, которую вычитала в книжке "Хайди, или Волшебная долина": мол, именно ей под силу воссоединить семью, если только ее отвезут к деду в больницу. Ведь Хайди сумела очаровать нелюдимого швейцарского дедушку в Альпах, сумела "вернуть его к жизни".

— Ха! Даже не надейся, — сказала Эди, с силой продернув запутавшуюся в шитье нитку.

Тэт в браке повезло больше — она прожила девятнадцать вполне счастливых, хоть и несколько однообразных лет с мистером Пинкертоном Лэмом, владельцем местной лесопилки, мистером Пинком, как все его звали, который умер от закупорки сосудов еще до рождения Эллисон и Гарриет, упал замертво прямо возле пилорамы. Дородный, обходительный мистер Пинк носил живописные брезентовые краги и теплые твидовые пиджаки с пояском, был гораздо старше Тэт и не мог иметь детей. Они поговаривали об усыновлении, но разговоры эти так ничем и не закончились, да и Тэт не слишком печалилась ни по поводу своей бездетности, ни из-за вдовства — более того, со временем она и позабыла, что когда-то была замужем, и всякий раз даже немного удивлялась, если ей об этом напоминали.

Оставшаяся старой девой Либби была на девять лет старше Эди, на одиннадцать — старше Тэт и на целых семнадцать — Аделаиды. Из всех сестер Либби была самая невзрачная — блеклая, плоскогрудая, близорукая с самого детства, но, впрочем, замуж она не вышла только потому, что себялюбивый старый судья Клив, несчастная жена которого не пережила четвертых родов, вынудил Либби остаться дома и заботиться о нем и трех младших сестрах. Ловко сыграв на жертвенной натуре бедняжки Либби и разогнав всех ее потенциальных ухажеров, судья обзавелся бесплатной нянькой, кухаркой и партнершей по криббиджу и умер, когда Либби было уже под семьдесят, не оставив ей ничего, кроме кучи долгов.

Ее сестер терзало чувство вины, как будто это не их отец, а они обрекли Либби на пожизненное рабство. "Какой стыд! — говорила Эди. — Ей было всего семнадцать, а папочка взвалил на нее двоих детей и младенца". Но Либби несла свой крест с улыбкой, ни о чем не жалея. Она боготворила своего мрачного, неблагодарного папашу и почитала за честь сидеть дома и заботиться об осиротевших сестрах, которых она обожала беззаветно и сверх всякой меры. Поэтому младшие сестры, в которых Либбиной мягкости и в помине не было, за эту ее щедрость, терпеливость, безропотность и неизменно доброе расположение духа при жизни возвели ее в ранг святых. В молодости Либби была бесцветной простушкой (хотя стоило ей улыбнуться, и она становилась ослепительно хороша собой), зато сейчас, в свои восемьдесят два года благодаря огромным голубым глазам и белоснежному облаку волос, благодаря шелковым туфелькам, атласным жакеткам и пушистым кардиганам с розовыми бантиками она вдруг стала по-детски очаровательна.

Оказаться в укромной спаленке Либби с деревянными ставнями и бирюзовыми обоями было все равно что нырнуть в радушное подводное царство. Под палящим солнцем за окном газоны и деревья казались ошпаренными и неприветливыми, прожаренные тротуары напоминали Гарриет о дрозде, о густом бессмысленном ужасе в его глазах. В спальне Либби от всего этого можно было укрыться: от жары, от пыли, от жестокости. Гарриет с детства помнила все цвета, все предметы — ничего тут не поменялось: темные матовые половицы, покрывало из стеганой шенили и занавеси из пыльной органзы, хрустальная конфетница, в которой Либби держала шпильки. На каминной полке примостилось громоздкое яйцеобразное и пузырчатое внутри пресс-папье аквамаринового стекла, солнце в нем преломлялось, как в морской воде, и оно, словно живое существо, менялось с течением дня. Ярче всего пресс-папье сияло по утрам, ослепительно вспыхивая где-то часов в десять и остывая к полудню до прохладной прозелени. В детстве Гарриет могла часами лежать на полу, умиротворенно пережевывая жвачку, пока над ней трепетал и раскачивался, подрагивал и оседал свет из пресс-папье, полосатые лучи которого загорались то там, то тут на сине-зеленых стенах. Ковер с рисунком из сплетенных цветов и лоз был ее шахматной доской, ее личным полем боя. Не сосчитать вечеров, которые она проползала тут на четвереньках, передвигая игрушечные армии по извилистым зеленым дорожкам. Над камином, возвышаясь над всей комнатой, висела старинная фотография "Напасти", мрачная и закопченная — меж черных елей виднеются призрачные белые колонны.

Либби уселась в обитое ситцем креслице, Гарриет взгромоздилась на ручку и вместе они продолжили решать кроссворд. На каминной доске мягко тикали часы — их ласковое, отрадное тиканье Гарриет слышала всю жизнь, и голубая спаленка была для нее все равно что раем, который так привычно пах кошками, кедром, пропыленной тканью, корнем ветивера, присыпкой с лимонным ароматом и еще какой-то фиолетовой солью для ванны, которой Либби пользовалась всегда, сколько Гарриет себя помнила. Корень ветивера был в чести у всех старых дам — они зашивали его в сашетки, перекладывали ими одежду от моли, но хотя его чудноватый чуть плесневелый аромат Гарриет был знаком с детства, все равно держалась в нем какая-то нотка тайны, что-то печальное и чужестранное, похожее на трухлявую древесину или дым осенних костров — старый, темный запах гардеробных в поместьях плантаторов, запах "Напасти", запах далекого прошлого.

— И последнее! — сказала Либби. — "Перемещение, переход в другое место". Пятая "о", оканчивается на "–ция".

Тук-тук-тук, отсчитала она квадратики карандашом.

— Депортация?

— Да. Ах, нет… погоди. "О" не в том месте.

Они наморщили лбы.

— Ага! — воскликнула Либби. — "Дислокация!"

Синим карандашом она аккуратно вписала слово в квадратики.

— Готово, — довольно сказала она, снимая очки. — Спасибо, Гарриет.

— Пожалуйста, — сухо отозвалась Гарриет, слегка досадуя на то, что это Либби, а не она отгадала последнее слово.

— Не знаю, и чего уж я столько сил трачу на эти глупые кроссворды, но, по-моему, для мозга это хорошее упражнение. Правда, обычно я от силы две трети угадываю.

— Либби...

— Мне кажется, я знаю, что у тебя на уме. Пойдем-ка, проверим, готов ли у Одеан пирог.

— Либби, почему мне никто ничего не рассказывает про то, как умер Робин?

Либби отложила газету.

— Что-нибудь странное случалось перед тем, как он умер?

— Странное, милая? Что значит — странное?

— Ну, что угодно... — Гарриет никак не могла подобрать верное слово. — Хоть какая-нибудь зацепка.

— Не знаю я ни про какие зацепки, — сказала Либби, помолчав — на удивление спокойно, — но раз уж мы заговорили о странностях, то самая странная вещь в моей жизни приключилась со мной как раз за три дня до смерти Робина. Знаешь историю о том, как я у себя в спальне нашла мужскую шляпу?

— А-а... — разочарованно протянула Гарриет.

Историю про шляпу у Либби на кровати Гарриет знала наизусть.

— Все думали, что я с ума сошла. Черная мужская шляпа! Восьмого размера! Стетсоновская! И как новенькая, без пятен от пота внутри на подкладке. Раз — и она висит у меня на спинке кровати — прямо посреди бела дня!

— Ну, то есть ты не видела, кто ее туда повесил.

Гарриет заскучала. Историю про шляпу она слышала раз сто. Одной Либби казалось, что тут есть какая-то великая тайна.

— Моя дорогая, это было в среду, в два часа дня...

— Да просто кто-то вошел и положил ее туда.

— Никто не входил, никто и не мог войти. Мы бы точно услышали. Мы с Одеан все время были дома: папочка умер, и я как раз недавно переехала, а всего за две минуты до этого Одеан заходила в спальню, убирала в шкаф чистое белье.

— Так, может, Одеан шляпу и повесила.

— Не вешала Одеан туда эту шляпу! Хочешь, сама у нее спроси.

— Ну, значит, кто-то все-таки пробрался в дом, — нетерпеливо сказала Гарриет, — просто вы с Одеан ничего не заметили.

Обычно из Одеан было слова не вытянуть, но Таинственную Историю про Черную Шляпу она не меньше Либби обожала пересказывать и повторяла то же самое, что и Либби (хотя в совершенно другой манере — Одеан любила говорить загадками, то и дело покачивая головой и надолго умолкая).

— Знаешь что, милая, — Либби даже распрямилась в креслице, — Одеан ходила туда-сюда по всему дому и раскладывала чистое белье, я была в коридоре, говорила по телефону с твоей бабушкой, а дверь в спальню была открыта, и мне все было видно. Нет, окна я не видела, — перебила она Гарриет, — но окна были закрыты, и все ставни — заперты. Никто не мог пробраться в спальню, или я, или Одеан обязательно бы что-нибудь заметили.

— Кто-то тебя разыграл, — сказала Гарриет.

К такому выводу пришли Эди с сестрами — Эди не раз уже доводила Либби до слез (да и Одеан всякий раз страшно надувалась), шутливо намекая на то, что на самом деле Либби с Одеан на кухне потягивали херес, который использовали для готовки.

— Ну и что это за розыгрыш такой? — Либби разволновалась. — Зачем вешать мне на кровать черную мужскую шляпу? И притом дорогую шляпу. Я отнесла ее в галантерею, и там мне сказали, что в Александрии такими шляпами никто не торгует, и вообще такую шляпу разве что в Мемфисе сыскать можно. И подумать только — нахожу я эту шляпу, а через три дня умирает малыш Робин.

Гарриет задумалась, помолчала.

— А как это связано с Робином?

— Моя дорогая, нам многого в этом мире не дано понять.

— Но почему именно шляпа? — озадаченно спросила Гарриет. — И зачем оставлять шляпу у тебя дома? Не вижу тут никакой связи.

— Я тебе вот еще что расскажу. Когда я еще жила в “Напасти”, — начала Либби, сложив ручки, — в детском садике воспитательницей работала очень милая женщина, звали ее Виола Гиббс. По-моему, ей было что-то около тридцати. Ну и вот. Приходит миссис

Гиббс однажды домой и, как потом рассказывали ее муж и дети, как подпрыгнет, как давай размахивать руками, будто отгоняя кого-то, и — они и опомниться не успели — а она как рухнет на пол в кухне. Замертво.

— Наверное, ее паук укусил.

— От укуса паука вот так не умирают.

— Ну или у нее случился сердечный приступ.

— Нет, нет, она же была еще совсем молодая. Она в жизни ничем не болела, и на пчелиный яд у нее аллергии не было, и никакая это была не аневризма, ничего такого. Она просто вдруг ни с того ни с сего упала и умерла, прямо на глазах у мужа и детей.

— Похоже на отравление. Наверняка это муж.

— Да не травил ее муж. Но, моя дорогая, это не самое странное, — Либби вежливо поморгала, сделала паузу, чтобы убедиться, что Гарриет ее слушает. — Видишь ли, у Виолы Гиббс была сестра-близнец. И самое-то странное то, что за год до этого, день в день… — Либби постучала пальцем по столу, — эта сестра-близнец вылезала из бассейна в Майами, и люди потом рассказывали, что у нее лицо исказилось от ужаса, так и говорили: исказилось от ужаса. Это многие видели. Она стала кричать и размахивать руками, как будто отгоняя кого-то. А потом никто и опомниться не успел, как она упала замертво.

— Почему? — растерянно спросила Гарриет.

— Никто не знает.

— Не понимаю.

— Никто не понимает.

— Не бывает так, чтоб на людей нападало что-то невидимое.

— А вот на этих сестер напало. На сестер-близнецов. С разницей ровно в год.

— У Шерлока Холмса было очень похожее дело. “Пестрая лента”.

— Я помню этот рассказ, Гарриет, но тут другое.

— Почему? Ты думаешь, дьявол за ними гнался?

— Я хочу сказать, моя сладкая, что мы очень многого еще не знаем и не понимаем, нам может казаться, что две вещи между собой никак не связаны, а связь есть — просто мы ее не видим.

— Думаешь, дьявол убил Робина? Или призрак?

— Господи боже, — встрепенулась Либби, нашаривая очки, — это что там такое творится?

И впрямь, внизу что-то случилось: послышались взволнованные голоса, Одеан испуганно вскрикнула. Гарриет с Либби бросились в кухню и увидели, что у них за столом, закрыв лицо руками, рыдает грузная старая негритянка с веснушчатыми щеками и рядком седых косичек. У нее за спиной заметно расстроенная Одеан наливала пахту в бокал с кубиками льда.

— Это моя тетенька, — сказала она, не глядя Либби в глаза. — Она напугалась. Сейчас успокоится.

— Да что стряслось? Может, позвать врача?

— Не. Она не поранилась. Просто напугалась. Какие-то белые мужчины по ней на реке из ружья палили.

— Из ружья? Да как же это...

— На-ка вот, покушай пахты, — сказала Одеан тетке, у которой грудь так и тряслась.

— Ей сейчас стаканчик мадеры куда полезнее будет. — Либби заковыляла к задней двери. — Я ее дома не держу. Сбегаю сейчас к Аделаиде.

— Нееее, — провыла старуха, — я непьющая.

— Но...

— Пожалста, мэм. Не надо. Не надо мне виски.

— Но мадера — это не виски. Это просто... ох, господи, — Либби беспомощно поглядела на Одеан.

— Она сейчас успокоится.

— А что случилось? — Либби прижала ладонь к горлу, тревожно глядя то на Одеан, то на ее тетку.

— Я никому не мешала.

— Но почему...

— Она говорит, — сообщила Одеан, — два, мол, белых мужчины залезли на мост и давай оттуда по людям из ружья палить.

— Кого-нибудь ранили? Позвонить в полицию? — выдохнула Либби.

Тут тетка Одеан взвыла так, что даже Гарриет вздрогнула.

— Да что такое-то, господи? — Либби раскраснелась и уже сама была на грани истерики.

— Ох, пожалста, мэм. Не надо. Не зовите полицию.

— Да отчего же их не позвать?

— Да боюсь я их, господи ты боже.

— Она говорит, там был этот, Рэтлифф, — сказала Одеан. — Который из тюрьмы вышел.

— Рэтлифф? — переспросила Гарриет, и, позабыв про суматоху в кухне, все трое разом обернулись к ней — до того громко и странно прозвучал ее голос.

— Ида, что ты знаешь о таких людях — Рэтлиффах? — на следующий день спросила Гарриет.

— Что они убогие, — ответила Ида, мрачно выжимая кухонную тряпку.

Она шлепнула выцветшую тряпку на плиту. Окно в кухне было раскрыто настежь, Гарриет сидела на широком подоконнике и смотрела, как Ида лениво соскребает со сковородки чешуйки жира, оставшиеся от утренней яичницы с беконом — напевая что-то себе под нос, безмятежно покачивая головой, будто впав в транс. Гарриет с детства привыкла к тому, что когда Ида занималась монотонной работой — лущила горох, выбивала ковры или помешивала глазурь для торта, то двигалась как в полусне, и смотреть на нее было отрадно, как на деревце, которое покачивается себе туда-сюда на ветру, хотя, впрочем, еще это был знак: Ида не хочет, чтоб ее трогали. Если к ней в это время пристать с расспросами, она и рассвирепеть могла. Гарриет сама видела, как от Иды попадало Шарлотте и даже Эди, если они вдруг не вовремя принимались лезть к ней с какими-нибудь зряшными вопросами. Но случалось и так (особенно если Гарриет нужно было узнать что-то сокровенное или неприятное, выпытать какой-нибудь секрет), что она отвечала с невозмутимой прямотой оракула, будто под гипнозом.

Гарриет поерзала, подтянула коленку к груди, уперлась в нее подбородком.

— А еще что ты знаешь? — спросила она, сосредоточенно теребя пряжку на сандалии. — Про Рэтлиффов?

— Нечего тут знать. Ты их сама видала. Шныряли тут по двору на днях.

— Здесь? — переспросила Гарриет, растерянно помолчав.

— А то ж. Здесь-здесь… Да видела ты их, видела, — тихонько пропела Ида себе под нос, будто сама с собой разговаривала. — А ну как если козлятки маленькие заберутся к вашей маме в сад, то уж, бьюсь об заклад, вам и их, небось, жалко будет… “Смотрите-ка, смотрите. Смотрите, какие миленькие". Глазом моргнуть не успеешь, а вы их уже всех приголубите, да пойдете с ними играться. "Иди-ка сюда, мистер Козлик, откушай сахарку у меня с ручек". "Ах, мистер Козлик, ну ты и грязнуля. Дай-ка я тебя умою". "Бедняжечка мистер Козлик". А как поймете, — безмятежно продолжила она, не слушая удивленных возгласов Гарриет, — как поймете, что они только гадят да пакостничают, их уже и хворостиной не выгонишь. Одежду с веревок посрывают, клумбы все потопчут да будут тут всю ночь блеять, мекать да бекать. А что не сожрут, то раскрошат да в грязи изваляют. "Еще! Подавай нам еще!" Думаешь, они хоть когда-нибудь насытятся? Нетушки, нет. Но вот что я тебе скажу, — Ида скосила воспаленные глаза на Гарриет, — как по мне, так лучше пусть тут стадо козлов носится, чем Рэтлиффовы отродья будут возле дома околачиваться да без конца попрошайничать.

— Но Ида…

— Гадкие! Гнусные! — Ида скорчила гримаску, отжала посудное полотенце. — И глазом моргнуть не успеешь, как только и слышно будет: "Дай, дай, дай!" И того им подавай, и сего купи.

— Но это были не Рэтлиффы, Ида. Те дети, которые недавно приходили.

— Попомните мое слово, — смиренно вздохнула Ида Рью, продолжая мыть посуду, — маменька ваша одежки ваши и игрушки направо-налево им раздает, кто ни попросит, всем дает. А потом они и просить не будут. Зайдут и возьмут все, что хочется.

— Ида, это были Одумы. Дети, которые тогда во двор зашли.

— Всё одно. Можно подумать, эти плохое от хорошего отличат. А ну как если б ты росла у Одумов, — Ида помолчала, развернула кухонное полотенце и заново его сложила, — и твои бы мать с отцом в жизни пальцем о палец не ударили и с детства бы тебе, знай, говорили: грабь, воруй, невзлюби ближнего своего, так, мол, оно и надо? Хмммм? Понимала б ты чего в жизни, кроме грабежей и разбоев? Не понимала бы. Ты бы думала, что это самое милое дело.

— Но…

— Оно и среди цветных плохие люди попадаются, ничего не скажу. Но есть цветные, которые плохие, а есть, которые плохие, и белые… Но вот что я тебе скажу, некогда мне тут про всяких Одумов рассусоливать, равно как и про тех, кто только и думает, где его обделили и как бы ему у соседа чего украсть. Нет, сэр. Коли я чего не заработала, — Ида торжественно воздела к потолку мокрую руку, — и коли чего не имею, так того мне и не надо. Нет, мэм. Совсем не надо. Обойдусь.

— Ида, мне дела нет до Одумов.

— И не должно тебе до них быть никакого дела.

— Мне и нет, ни капельки.

— Вот и славно.

— Я про Рэтлиффов хочу узнать. Что ты…

— А про них я тебе вот что скажу: когда внучка моей сестры ходила в первый класс, они в нее кирпичами швырялись, — сухо сказала Ида. — А? Каково? И ведь взрослые парни. Кирпичами швырялись да вслед бедной девочке улюлюкали, мол, ниггерша да убирайся в свои джунгли.

От ужаса Гарриет и слова вымолвить не смогла. Не в силах поднять глаза на Иду, она все теребила ремешок сандалии. А услышав слово "ниггерша" — да еще из уст Иды — она густо покраснела.

— Кирпичами! — покачала головой Ида. — Это когда к школе новое крыло пристраивали. И уж, наверное, обгордились собой от этого, да только где это сказано, что в детей-то дозволено кирпичами бросаться? Покажи-ка мне, где это в Библии сказано — брось кирпичом в ближнего своего? А? Хоть весь день ищи-обыщись, не сыщешь, потому как ничего там про это не написано.

Гарриет почувствовала себя не в своей тарелке и зевнула, пытаясь скрыть смущение и неловкость. Они с Хили — как, впрочем, и почти все белые дети в округе — учились в Александрийской академии. Даже Одумы, Рэтлиффы и Скёрли готовы были морить себя голодом, только б не отдавать детей в государственную школу. И уж, конечно, семья Гарриет (как и семья Хили) ни за что бы не потерпела, если б кто-то стал кидаться в детей кирпичами — неважно, в белых или черных (или "серо-буро-малиновых", как любила выражаться Эди, едва речь заходила о расовых различиях). И все-таки — и все-таки вместе с Гарриет в школе учились только белые.

— А еще проповедниками себя называют. А сами засели там и плевали в этого бедного ребенка, и уж как только ее не обзывали —

и черномазой, и папуаской. Но невозможно, невозможно человеку взрослому обижать младенца, — мрачно сказала Ида Рью. — Ибо так сказано в Библии. “А кто воспрепятствует малым сим…”

— Их арестовали?

Ида Рью фыркнула.

— Арестовали или нет?

— Иногда полиция преступников больше жалеет, чем тех, кто от них пострадал.

Гарриет задумалась. Насколько она знала, Рэтлиффам за стрельбу на реке ничего не было. Похоже, они могут делать все что им вздумается и оставаться при этом безнаказанными.

— Кидать кирпичи в людей — незаконно, — сказала она.

— И что с того? Ты когда маленькая была, Рэтлиффы вон миссионерскую баптистскую церковь подпалили — можно подумать, полиция им что сделала. Это когда доктор Кинг к нам сюда заезжал. Промчались, значит, на машине, да и кинули в окно бутылку из-под виски с горящей тряпкой внутри.

Рассказы про пожар в церкви Гарриет слышала с малых лет — и про этот, и про пожары в других городах Миссисипи, и в голове у нее они все перемешались, но ей еще никто не рассказывал, что это дело рук Рэтлиффов. Казалось бы, говорила Эди, негры с белой беднотой не должны так друг друга ненавидеть, у них же много общего, например, и те, и другие — беднота. Но белой швали вроде Рэтлиффов надо было непременно считать себя хотя бы получше негров. Они и помыслить не могли, что негры им, в общем-то, ровня, а то еще и побогаче, и пореспектабельнее них будут. “Если у негра нет денег, то он по крайней мере может сказать — это потому, что он негром родился, — говорила Эди. — Но если у белого денег нет, то винить ему в этом надо только себя самого. Но этого от них не дождешься. Это же значит — расписаться в собственной лености и бестолковости. Нет, он лучше будет шататься без дела, жечь кресты да валить все свои беды на негров, вместо того, чтоб пойти поучиться или заняться делом”.

Ида Рью, задумавшись, продолжала тереть плиту, хотя та уже сверкала.

— Да, вот так оно и было, — сказала она. — Эта шваль мисс Этту Коффи и порешила, все равно что ножом в сердце пырнула. — Она поджала губы, продолжила резко, по кругу, натирать хромированные конфорки. — Старая мисс Этта такая была праведница, всю ночь напролет молиться могла. Моя мать, бывало, как завидит, что у мисс Этты свет еще горит, так отца из постели подымет и велит ему идти к мисс Этте, стукнуть ей в окошко да спросить, не упала ли она там, не надо ли ее с полу-то поднять. А она ему в ответ, нет, спасибочки, мол, у нее к Иисусу еще вопросы имеются.

— Мне однажды Эди рассказывала…

— Да-да. Мисс Этта восседает по правую руку от Боженьки. Вместе с моей мамочкой, вместе с моим папочкой и братиком моим дорогим Каффом, который помер от рака. И малыш наш Робин тоже там, промеж них сидит. У Господа для каждого Его дитяти место сыщется. Истинная правда.

— Но Эди сказала, что та старая дама не от пожара погибла. Эди сказала, что с ней случился сердечный приступ.

— Эди, значит, сказала?

Не стоило спорить с Идой, когда она говорила таким тоном. Гарриет принялась разглядывать свои ногти.

— Не от пожара погибла. Ха! — Ида скомкала мокрую тряпку, шлепнула ее на стол. — А то она не от дыму померла, разве нет? Не от того разве, что там кругом ор стоял и все друг дружку распихивали и наружу лезли? Мисс Коффи, она была старая. И уж такая деликатная — и оленины-то она не ела, и рыбу с крючка снять боялась. А тут подъезжают, значит, эти ублюдки распоследние, да давай огнем в окна швыряться…

— А церковь прямо дотла сгорела?

— Сгорела что надо, уж поверь мне.

— А Эди сказала…

— А Эди там была, что ли?

Голос у Иды стал жуткий. Гарриет боялась даже рот раскрыть. Несколько секунд Ида злобно глядела на нее, а затем задрала юбку и приспустила чулок — чулки на Иде были плотные, телесно-коричневого цвета, гораздо светлее темной, матовой Идиной кожи. Над плотным нейлоновым валиком показалось пятно обожженной плоти шириной в ладонь: кожа была розовая, как свежая сарделька, блестящая, кое-где — омерзительно гладкая, кое-где — морщинистая и вспученная, и на фоне здоровой, коричневой, как бразильский орех, коленки Иды и цвет этот, и эта рябь смотрелись просто ужасно.

— Эди, наверное, и ожог этот за ожог не считает?

Гарриет потеряла дар речи.

— Но уж меня-то прижгло, будь здоров.

— Тебе больно?

— Еще как было больно.

— А сейчас?

— Нет. Чешется иногда, правда. Ну, давай-ка, — прикрикнула она на чулок, натягивая его обратно, — покрутись мне. С этими чулками иногда просто сладу нет.

— Это ожог третьей степени?

— Третьей, четвертой и пятой, — Ида опять рассмеялась, довольно неприятно на этот раз. — Я тебе только вот что скажу, болел он так, что я полтора месяца глаз не сомкнула. Но Эди, может, там себе думает, что если у тебя на пожаре обе ноги не обуглились, так, считай, и не обжегся вовсе? Оно, наверное, законники тоже так думали, потому что тех, кто это сделал, так и не наказали.

— Но их должны наказать.

— Это кто сказал?

— Закон. Он для этого и существует.

— Для слабых — один закон, для сильных — другой.

С напускной уверенностью Гарриет заявила:

— Нет, неправда. Закон один для всех.

— Тогда чего ж они по сю пору на свободе?

— Я думаю, тебе надо рассказать об этом Эди, — Гарриет осеклась, потом прибавила; — А если ты не скажешь, я ей сама расскажу.

— Эди?

У Иды странно скривился рот, будто что-то ее позабавило — она хотела было что-то сказать, но передумала.

"Как?! — Гарриет похолодела от ужаса. — Неужели Эди все знает?"

По Гарриет видно было, как страшно и дурно ей сделалось от одной этой мысли — у нее как будто шоры с глаз свалились. Лицо у Иды смягчилось — так это правда, поразилась Гарриет, она уже рассказывала про это Эди, Эди все знает.

Ида Рью снова принялась начищать плиту.

— И с чего бы это мне морочить этим голову мисс Эди, Гарриет? — Она стояла к Гарриет спиной и говорила шутливым, но уж чересчур бодрым тоном. — Она пожилая леди. Что она им сделает? Пойдет и ноги им отдавит? — Она прыснула со смеху, но хоть рассмеялась она тепло и уж точно от души, Гарриет спокойнее не стало. — Настучит им по головам своей этой черной книжечкой?

— Она может позвонить в полицию. — Неужели Эди могла знать об этом и не вызвать полицию — уму непостижимо. — Того, кто это с тобой сделал, надо посадить в тюрьму.

— В тюрьму? — к удивлению Гарриет Ида громко расхохоталась. — Ах святая твоя душа. Да они хотят в тюрьму! Везде жара, а там кондиционеры, да еще дармовой горох с кукурузными лепешками. Прохлаждайся сколько влезет, и компания там им под стать.

— Это Рэтлиффы сделали? Ты уверена?

Ида закатила глаза.

— Уж они похвалялись на весь город.

Гарриет чуть не плакала. И как только такие люди могут быть на свободе?

— И кирпичами они же кидались?

— Да, мэм. Взрослые парни. Да и малые тоже. Но вот тот, который проповедник — он сам не бросал, а только других подбивал, все вопил и тряс Библией.

— Один из братьев Рэтлифф — ровесник Робина, — сказала Гарриет, не сводя глаз с Иды. — Мне Пембертон про него рассказывал.

Ида молчала. Она выжала тряпку и подошла к сушилке — разобрать чистую посуду.

— Ему сейчас лет двадцать.

И он вполне мог стрелять с моста, думала Гарриет, по возрасту подходит.

Ида со вздохом выволокла из сушилки тяжелую чугунную сковороду, нагнулась, убрала ее в ящик. Кухня была самым чистым местом во всем доме, Ида здесь огородила себе маленький островок порядка, куда не проникали наваленные по всему дому стопки пыльных газет. Мать Гарриет газеты выбрасывать не разрешала — это было такое древнее и нерушимое правило, что преступать его не осмеливалась даже Гарриет, однако по негласному уговору с Идой, в кухню мать газеты не приносила: на кухне главной была Ида.

— Его зовут Дэнни, — сказала Гарриет. — Дэнни Рэтлифф. Этого брата, который ровесник Робина.

Ида глянула на нее через плечо.

— Чего тебе вдруг так дались эти Рэтлиффы?

— Ты его помнишь? Дэнни Рэтлиффа?

— Ох, помню, — Ида, поморщившись, привстала на цыпочки, чтобы задвинуть на верхнюю полку миску для хлопьев. — Как сейчас помню.

Гарриет изо всех сил старалась сохранять спокойствие.

— Он сюда приходил? Когда Робин был жив?

— Да-да. Мерзкий горлопан. Поганой метлой не отгонишь. Колотил по крыльцу бейсбольной битой, шнырял по двору, как стемнеет, а однажды взял без спросу Робинов велосипед. Я вашей маме, бедняжке, говорила-говорила, а все без толку. Она мне — он, мол, малообеспеченный. Малообеспеченный, как же.

Она шумно, с грохотом выдвинула ящик, принялась раскладывать чистые ложки.

— Никто меня не послушал. А я вашей матери говорила, сколько раз я ей говорила, дрянь этот малец. К Робину лез с кулаками. Сквернословил, пускал петарды да вечно что-то крушил да ломал. Ну, думаю, точно кого-нибудь покалечит. Никто этого не понимал, а мне было ясно как божий день. А ведь кто за Робином каждый день приглядывал? Вот из этого самого окна кто за ним глядел, — Ида ткнула пальцем в окно над мойкой, в сумеречное небо и полнотелую зелень летнего двора, — когда он игрался во дворе с солдатиками со своими, с кисой? — Она печально покачала головой, задвинула ящик со столовыми приборами. — Брат твой славный был мальчонка. Под ногами путался, конечно, что твой майский жучок, а то и надерзить мог, но потом всегда прощенья просил. Не то что ты — губы надуешь и сделаешь вид, мол, так оно и надо. А он, бывало, как подскочит, как на мне повиснет, вот так. "Скушно мне, Ида!" Я ему говорила — не водись с этим отребьем, говорила ему, говорила, но ему, видите ли, скушно, и мама ваша разрешала — мол, нету в этом ничего такого, так что он все равно с ним водился.

— Дэнни Рэтлифф дрался с Робином? У нас во дворе?

— Да-да. А еще он воровал да сквернословил. — Ида сняла передник, повесила его на крючок. — А минут этак за десять до того, как мама ваша увидала, что Робин, бедняжка, на дереве висит, я его сама со двора прогнала.

— Говорю тебе, таким, как он, полиция ничего не сделает, — сказала Гарриет и снова принялась рассказывать про церковь, Идину ногу, про сгоревшую заживо старушку, но Хили этим был уже сыт по горло.

Другое дело — опасный преступник на свободе, которого можно геройски поймать, вот это приключение. Он, конечно, радовался, что его не отправили в лагерь, но пока что лето получалось скучноватое. Поимка опасного преступника была куда интереснее других его планов на лето — библейских игрищ или побега из дому вместе с Гарриет.

Они сидели в сарае за домом у Гарриет, куда они с детсадовских времен прятались, чтобы переговорить с глазу на глаз. Воздух в сарае был спертый, пропахший пылью и бензином. С крюков на стенах свисали огромные скрутки черного резинового шланга, за газонокосилкой высился колючий лес помидорных шпалер, которые из-за паутины и теней казались расползшимися, нереальными; в полумраке солнечные лучи скрещенными мечами торчали из дыр в проржавевшей жестяной крыше, и в них так густо вертелись пылинки, что свет казался плотным, задень рукой, и он осядет желтой пыльцой на пальцах. Духота и полутьма добавляли сараю таинственности, интересности. В сарае у Честера было несколько тайников, где он держал сигареты "Кул" и виски "Кентукки таверн", изредка их перепрятывая. Маленькие Хили с Гарриет обожали заливать сигареты водой (а Хили однажды разошелся до безобразия и вовсе на них пописал) и подменять виски чаем. Честер на них ни разу не пожаловался, потому что ему и не полагалось держать виски с сигаретами в сарае.

Гарриет уже рассказала Хили все, что узнала, но от разговора с Идой она так разволновалась, что не могла усидеть на месте, металась из угла в угол и твердила одно и то же.

— Она знала, что это Дэнни Рэтлифф. Она знала. Она так и сказала — это он, а ведь я даже не говорила ей того, что мне твой брат рассказывал. Пем сказал, он и про другие дела хвастался, про всякое плохое…

— Давай ему в бензобак насыплем сахару? Мотору сразу конец придет.

Она поглядела на него с отвращением, и Хили даже слегка оскорбился, ему казалось — идея отличная.

— Или напишем письмо в полицию и не подпишемся.

— И толку?

— Если мы скажем папе, он точно в полицию позвонит.

Гарриет фыркнула. Об отце Хили, директоре средней школы, она была не такого уж высокого мнения.

— Что ж, послушаем твои блестящие идеи, — насмешливо сказал Хили.

Гарриет закусила нижнюю губу.

— Я хочу его убить, — сказала она.

Она произнесла это с таким суровым и отрешенным лицом, что у Хили сердце так и подпрыгнуло.

— А можно я тебе помогу?

— Нет.

— Сама ты его не убьешь!

— Это еще почему?

Под ее взглядом Хили смешался. Не смог даже сразу придумать хоть один стоящий довод.

— Потому что он больше тебя, — наконец сказал он. — Он тебя отлупит.

— Больше, да, зато я умнее.

— Ну дай я тебе помогу. И вообще, как ты собралась его убивать? — спросил он, легонько потыкав ее носком кеда. — У тебя есть ружье?

— У папы есть.

— Эти, что ли, старинные, огромные? Да ты такое ружье даже не поднимешь!

— А вот и подниму!

— Ну, может быть, но… Слушай, ты только не злись, — сказал он, видя, что она нахмурилась. — Но даже я из такого огромного ружья выстрелить не сумею, а я вешу девяносто фунтов! Да меня выстрелом с ног собьет, а может и вовсе глаз выбить. Если ты правым глазом будешь глядеть в прицел, тебе правый глаз прямо и выбьет.

— Это ты откуда узнал? — спросила Гарриет, внимательно его выслушав.

— У бойскаутов.

На самом деле он узнал это совсем не у бойскаутов, он даже сам толком не помнил, откуда он это знает, но в том, что все так и есть, он был почти уверен.

— Если б нам в “Брауни”[1] про такое рассказывали, я б ни за что туда ходить не бросила.

— Ну, в бойскаутах тоже много чуши учат. Правила дорожного движения, все такое.

— А если мы возьмем пистолет?

— Пистолет — это уже лучше, — Хили с деланным равнодушием отвернулся, чтоб Гарриет не заметила, как он обрадовался.

— Ты умеешь стрелять из пистолета?

— Ну да.

Хили в жизни не держал в руках оружия — его отец и сам не любил охотиться, и сыновьям запрещал — зато у него была воздушка. Он хотел было сообщить, что его мать держит в прикроватной тумбочке черный пистолетик, но тут Гарриет спросила:

— Это сложно?

— Стрелять? Нет, как по мне — легкотня, — сказал Хили. — Не волнуйся, я его тебе пристрелю.

— Нет, я хочу сама.

— Ладно, тогда я тебя научу, — сказал Хили. — Натренирую! Сегодня же и начнем.

— Где?

— То есть — где?

— Не можем же мы прямо во дворе из пистолетов палить.

— Верно, котики, никак не можете, — раздался веселый голос, и вход в сарай заслонила чья-то тень.

Страшно перепугавшись, Хили и Гарриет вскинули головы, и в глаза им с хлопком ударила белая полароидная вспышка.

— Мама! — Хили взвизгнул, закрылся руками и, попятившись, споткнулся о канистру с бензином.

Жужжа и пощелкивая, камера сплюнула фото.

— Ну-ну, не обижайтесь, я не удержалась, — лениво протянула мать Хили, так что стало ясно — ее ни капельки не волнует, обиделись они или нет. — Ида Рью мне сказала, что вы тут прячетесь. Кроха... — “Крохой” мать всегда звала Хили — это слово он терпеть не мог — ...ты не забыл, что у папы сегодня день рождения? Оба моих мальчика вечером должны быть дома, когда папа вернется с гольфа, мы устроим ему сюрприз!

1 “Брауни” — организация для младших девочек-герлскаутов, 7–9 лет.

— Никогда так не подкрадывайся!

— Ой, ну будет тебе. Я как раз купила кассету с пленкой, а тут вы — такие миленькие. Надеюсь, получилось… — она глянула на снимок, вытянула подмазанные розовым губки, подула.

Мать Хили и мать Гарриет были одного возраста, но мать Хили всегда вела себя так, будто она гораздо моложе — и одевалась соответственно. Она мазалась голубыми тенями, стриглась по моде нынешних школьниц и вечно расхаживала по двору в бикини ("Что твой подросток!" — говорила Эди), от чего кожа у нее была покрыта веснушчатым темным загаром.

— Ну хватит, — проныл Хили.

Он стыдился матери. Из-за нее его вечно дразнили в школе — мол, юбки у нее коротковаты.

Мать Хили рассмеялась.

— Я знаю, Хили, ты торт-суфле не любишь, но это же папин день рождения. Но знаешь что? — Мать Хили вечно разговаривала с ним унизительно-бодрым детским голоском, как будто он еще ходил в детский садик. — В кондитерской отыскались шоколадные кексы, правда здорово? Ну, идем. Тебе надо искупаться и переодеться в чистое… Гарриет, ты уж прости, мой котик, но Ида Рью велела тебе сказать, чтоб ты шла ужинать.

— А можно Гарриет с нами поужинает?

— Не сегодня, кроха, — бросила мать Хили, подмигнув Гарриет. — Гарриет ведь нас поймет, правда, лапочка?

Но Гарриет, обидевшись на такой развязный тон, в ответ только окинула ее угрюмым взглядом. Если Хили с матерью особо не церемонится, ей тем более не обязательно быть вежливой.

— Ну, конечно же, Гарриет все поймет, правда ведь? А мы пригласим ее в следующий раз, когда будем во дворе гамбургеры жарить. Да и кекса на долю Гарриет у нас нет.

— Он один? — завопил Хили. — Ты купила мне всего один кекс?

— Кроха, не жадничай.

— Один — это мало!

— Для такого хулигана, как ты — достаточно… Ой, глядите-ка. Умора да и только!

Она нагнулась и показала им полароидный снимок — еще бледный, но уже вполне четкий.

— Интересно, поярче проявится или уже нет? — сказала она. — Вы прямо парочка юных марсиан.

И в самом деле — марсиане. На снимке глаза у Хили с Гарриет были красными, круглыми, словно у каких-то ночных зверюшек, которых свет фар внезапно выхватил из темноты, а вспышка окрасила их перепуганные лица в нездоровый зеленоватый цвет.

Глава 3

Бильярдная

Иногда перед тем, как уйти домой, Ида оставляла им на ужин что-нибудь вкусненькое: мясное рагу, жареную курицу, а то и целый кекс, например, или фруктовый пирог. Но сегодня она выложила на стол то, что надо было срочно доесть: ломтики давнишней ветчины, которые так долго пролежали в целлофане, что стали бледными и скользкими, и миску холодного картофельного пюре.

Гарриет негодовала. Она открыла кладовку и долго разглядывала идеально ровные ряды жестянок с мукой, сахаром, горохом, кукурузной крупой, макаронами и рисом. Мать Гарриет обычно к ужину еле притрагивалась, а чаще всего и вовсе обходилась мороженым да горстью крекеров. Еще Эллисон иногда делала омлет, но от омлетов Гарриет уже начинало подташнивать.

Апатия опутывала ее, как паутина. Она отломила кусок длинной макаронины, сунула в рот. Мучнистый вкус был на что-то похож — на клейстер, — и в голове у нее вдруг замельтешили ясельные воспоминания… зеленая плитка на полу, деревянные кубики, раскрашенные, как кирпичики, и высокие окна, до которых она не дотягивалась…

Задумчиво перекатывая во рту щепку от макаронины и грозно хмуря лоб, от чего ее сходство с Эди и судьей Кливом только усилилось, Гарриет подтащила к холодильнику стул, осторожно двигая его так, чтобы не обрушить на пол лавину газет. Она вскарабкалась на стул и принялась уныло копаться в шуршащих свертках, которыми был забит морозильник. Но и в морозильнике не было ничего стоящего: под грудой комковатых, обернутых в фольгу свертков отыскалась только коробка противного мороженого с кусочками мятных леденцов, которое обожала ее мать (летом она вообще могла одним им и питаться). За продуктами у них обычно ходила Ида Рью, которая никак не могла взять в толк, зачем нужны полуфабрикаты, и называла их блажью. "Телеужины"[1] она считала вредными (хотя всегда покупала, если на них была скидка), а уж перекусы и вовсе не жаловала, полагая, что это все дурное влияние телевизора. ("Чипсы? Ты только что пообедала, каких тебе еще чипсов?")

— Нажалуйся на нее, — прошептал Хили, когда расстроенная Гарриет снова вышла к нему на крыльцо. — Она твою маму должна слушаться!

— Да знаю я.

Мать Хили уволила Роберту, когда Хили пожаловался, что она отшлепала его щеткой для волос, а Руби она уволила, потому что та запрещала Хили смотреть "Колдунью".

— Давай, давай, — Хили легонько пнул ее ногу носком кеда.

— Потом.

Но Гарриет сказала это, только чтобы перед ним не опозориться. Гарриет с Эллисон никогда не жаловались на Иду, более того — даже когда Гарриет злилась и обижалась на Иду, она часто врала матери и брала вину на себя, лишь бы Иде не попало. Дома у Гарриет все было устроено не так, как у Хили. Хили, равно как и Пембертон до него, гордился тем, что их матери приходится каждый год-другой искать новую домработницу, потому что с ним трудно сладить, и домработниц вместе с Пемом они выжили, наверное, с десяток. Какая Хили разница, кто там у них дома смотрит телевизор, когда он приходит домой из школы — Роберта, Рамона, Ширли, Руби или Эсси Ли? Но Ида была незыблемым центром, вокруг которого вертелся мир Гарриет: обожаемая незаменимая ворчунья с мягкими ручищами, громадными влажными глазами навыкате и такой улыбкой, что Гарриет казалось: до Иды в мире никто не улыбался. Гарриет было до боли обидно видеть, как пренебрежительно мать иногда обращается с Идой, как будто в их жизни

1 Телеужины (*TV-dinners*) — готовые замороженные блюда, которые нужно было только разогреть, пользовались большой популярностью в Америке в 1950–1960-х годах.

она случайный человек, а не важнейшая ее часть. Мать Гарриет, случалось, истерила, рыдала, металась по кухне и в запале могла наговорить лишнего (в чем, правда, всякий раз раскаивалась). Сильнее всего Гарриет боялась, что Иду рассчитают (или — куда вероятнее — она сама разозлится и уйдет, потому как Ида вечно бурчала, что мать Гарриет ей мало платит), но об этом она даже думать себе запрещала.

В куче скользких комков фольги Гарриет углядела виноградный фруктовый лед. Кое-как она вытащила его наружу, с завистью вспоминая морозилку у Хили дома, которая была под завязку набита эскимо, замороженными пиццами, пирогами с курицей и всеми видами "телеужинов", какие только есть на свете.

Держа фруктовый лед за палочку, Гарриет вышла на крыльцо — вернуть стул на место она даже не удосужилась — и завалилась на качели с "Книгой джунглей". День догорал. Сочная зелень в саду сначала стала лиловой, а затем и вовсе потускнела до сизой черноты, заверещали цикады, и в темных разросшихся кустах возле забора миссис Фонтейн пару раз осторожно мигнули светлячки.

Гарриет рассеянно уронила на пол палочку от фруктового льда. Она с полчаса пролежала не двигаясь. Затылком она упиралась в деревянный подлокотник качелей, чертовски неудобно выгнув шею, однако позы все равно не меняла и только все ближе и ближе подносила книгу к глазам.

Наконец стало совсем темно. В затылке у Гарриет закололо, а на глаза как будто кто-то давил изнутри, но она по-прежнему не двигалась с места, хотя у нее давно затекла и шея, и все тело. Отдельные куски "Книги джунглей" она знала почти наизусть: когда Багира и Балу учат маленького Маугли и когда они вместе с Каа нападают на бандерлогов. Дальше этого, когда Маугли начинал тяготиться жизнью в джунглях и приключений становилось меньше, она, бывало, даже не дочитывала.

Ей не нравились детские книжки, в которых дети взрослели, потому что это самое "взросление" (что в книжках, что в реальной жизни) всегда означало, что герои самым непонятным образом скучнели прямо на глазах; ни с того ни с сего мальчики и девочки ради какой-то глупой любви забрасывали все приключения, женились, обзаводились семьями и начинали себя вести как тупые коровы.

Кто-то жарил стейки на гриле. Пахло вкусно. Шея у Гарриет ныла все сильнее, но хоть она и напрягала изо всех сил глаза, чтобы хоть что-то разобрать в темноте, ей почему-то все равно не хотелось вставать и включать свет. Она то и дело отвлекалась от книги, бездумно скользила взглядом по верхушкам соседних кустов, будто ее мысли кто-то разматывал, как клубок кусачей черной шерсти, а потом дергал за нитки и снова привязывал к книжке.

Где-то в самом сердце джунглей спал вечным сном заброшенный город: руины храмов, заросшие лианами фонтаны и террасы, обветшалые комнаты с горами золота и бриллиантов, до которых никому, в том числе и Маугли, не было дела. В развалинах жили змеи, которых питон Каа несколько презрительно звал Ядовитым Народцем. Она читала, и джунгли из книжки про Маугли украдкой просачивались во влажную, полутропическую тьму двора, наполняя его дикой, сумрачной опасностью: надрываются лягушки, заходятся криком птицы в увитых плющом кронах. Маугли был мальчик, и еще — Маугли был волк. А она, Гарриет, была самой собой — и в то же время кем-то еще.

Над ней скользнули черные крылья. Пустота. Мысли Гарриет приземлились, потихоньку улеглись. Вдруг она поняла, что не помнит, сколько уже пролежала тут, на качелях. Почему она не в кровати? Уже очень поздно? Ее мысли заволокло темнотой… черный ветер… холод…

Она вздрогнула, да так сильно, что накренились качели — что-то прошелестело прямо у нее перед лицом, что-то скользкое, дрожащее, у нее перехватило дух…

Она бешено замахала руками, забарахталась, так что качели заскрипели, а сама она перестала понимать, где пол, где потолок, пока наконец до нее, как будто издалека, не дошло: раздавшийся шлепок — это ее упавшая библиотечная книга.

Гарриет успокоилась, утихла. Тряска унялась, потолочные доски над головой проносились все медленнее, и наконец качели замерли. Гарриет лежала в звонкой тишине и размышляла. Если б она тогда не пришла, птица все равно погибла бы, но это никак не отменяло того, что убила дрозда именно она.

Раскрытая книга валялась на полу. Гарриет перекатилась на живот, подняла ее. Из-за угла вырулила машина, свернула на Джордж-стрит и обдала веранду лучом фар, осветив картинку с Белой Коброй, которая выскочила на Гарриет, будто дорожный знак посреди ночи. Под картинкой было написано:

Много лет назад они пришли, чтоб забрать мое сокровище. Я поговорила с ними во тьме, и с тех пор они не шевелились.

Гарриет перевернулась обратно на спину и долгое время не шевелилась сама, потом, скрипнув качелями, встала, потянулась. Прихрамывая, она вошла в залитую светом столовую, где в полном одиночестве сидела Эллисон и доедала из белой миски холодное картофельное пюре.

Замри, о дитя, ибо я есмь Смерть. Это сказала еще одна кобра из какой-то другой книжки Киплинга. Кобры в его повестях всегда были безжалостны, но как же прекрасно они говорили, словно злые цари из Ветхого Завета.

Гарриет прошла на кухню, к висевшему на стене телефону и набрала номер Хили. Четыре звонка. Пять. Наконец кто-то снял трубку. На заднем плане какой-то гам.

— Нет, лучше сними, — сказала кому-то мать Хили. — Алло?

— Это Гарриет. Могу ли я поговорить с Хили?

— Гарриет! Ну, конечно, котик…

Трубку шлепнули на стол. Глаза у Гарриет все никак не могли привыкнуть к свету, и она моргала, глядя на стоявший возле холодильника стул. Ласковые прозвища, которыми ее награждала мать Хили, вечно выбивали ее из колеи: обычно никому и в голову не приходило звать Гарриет “котиком”.

Какой-то шум, по полу чиркнули ножки стула, издевательски хохотнул Пембертон. Все эти звуки тотчас же перекрыл обиженный, пронзительный вопль Хили.

Хлопнула дверь.

— Алё! — тон у него был грубоватый, но радостный. — Гарриет?

Она прижала трубку плечом, развернулась, уставилась в стену.

— Хили, как думаешь, мы с тобой сумеем поймать ядовитую змею?

Ответом ей было восхищенное молчание, и Гарриет с удовольствием поняла, что Хили сразу догадался, что у нее на уме.

— Медноголовку? Или медноголового щитомордника? Кто ядовитее?

Несколько часов спустя они в полной темноте сидели на заднем крыльце у Гарриет. Хили чуть с ума не сошел, дожидаясь, когда разойдутся гости и можно будет сбежать сюда. Мать Хили, заметив, что у младшего сына вдруг самым подозрительным образом пропал аппетит, вбила себе в голову, что у него запор — унизительно долго расспрашивала, как именно он ходит в туалет, и предлагала слабительные. Наконец она поцеловала его, пожелала спокойной ночи и с неохотой отпустила; они с отцом поднялись в спальню, а взбудораженный Хили еще с полчаса пролежал в кровати, не шевелясь, не смыкая глаз — чувство было такое, будто он махом выпил галлон кока-колы, или только что посмотрел новый фильм про Джеймса Бонда, или как будто сегодня сочельник.

Чувство это только усилилось, когда ему пришлось тайком выбираться из дома — прокрасться на цыпочках по коридору, потихоньку, маленькими рывками, открыть скрипучую дверь на задний двор. После жужжащей кондиционированной прохлады ночной воздух навалился на него горячей массой, волосы прилипли к шее, стало тяжело дышать. Гарриет сидела на нижней ступеньке, уткнувшись подбородком в колени, и жевала куриную ножку, которую Хили вынес ей из дома.

— А чем медноголовка отличается от щитомордника? — спросила она. В лунном свете было видно, что рот у нее немного блестит от жира.

— Я вообще сначала думал, что ничем, — ответил Хили. Он был как в дурмане.

— Медноголовки совсем другие. Это медноголовый щитомордник с мокасиновым — одна и та же змея.

— Водяной мокасин может и на человека наброситься, — радостно сказал Хили, слово в слово повторив то, что ему пару часов назад рассказал Пембертон, когда Хили пристал к нему с расспросами. Хили до смерти боялся змей, не мог даже смотреть на их изображения в энциклопедии. — Они прямо злобные.

— А они все время в воде сидят?

— Медноголовка длиной где-то фута два, очень тонкая и прямо очень красная, — Хили не знал, как ответить на ее вопрос и поэтому снова начал пересказывать то, что ему сообщил Пембертон. — Она воду не любит.

— Тогда, может, ее легче будет поймать?

— Ну да, — сказал Хили, хотя ничего он, конечно, не знал.

Стоило Хили увидеть змею, неважно какого цвета или длины, он сразу безошибочно определял — по одной точке или бугорку на голове — ядовитая змея или нет, но на этом его знания заканчивались. Он любую ядовитую змею звал *водяным мокасином*, а если видел ядовитую змею на суше, то считал, что это тоже водяной мокасин, просто он сейчас не в воде.

Гарриет выбросила куриную косточку во двор, обтерла пальцы о голые ноги, развернула другую салфетку и принялась за кусок праздничного торта, который ей тоже принес Хили. Несколько минут оба молчали. Даже днем над задним двором Гарриет нависало неуютное, душное запустение, и казалось, что здесь как-то и мрачнее, и холоднее, чем в других дворах на Джордж-стрит. А по ночам, когда зеленые дебри, джунгли и заросли во дворе чернели и сливались воедино, весь двор буквально оживал. Штат Миссисипи кишел змеями. Гарриет и Хили с самого детства слышали рассказы о том, как мокасиновые змеи жалят рыбаков — то вокруг весла обовьются, то свалятся в лодку с низко нависших ветвей, как затаившиеся в подвалах змеи кусают сантехников, газовщиков и дезинсекторов, слышали они и о людях, которые катались на водных лыжах, да и въехали прямиком в подводное гнездо мокасинов, а потом всплыли только их разбухшие трупы с остекленевшими глазами, такие раздутые, что они волоклись за моторкой, подпрыгивая на воде, будто резиновые игрушки в ванной. Они оба знали, что летом нельзя гулять по лесу в шортах и без ботинок, нельзя переворачивать большие камни или перешагивать через упавшие деревья, предварительно за них не заглянув, знали, что надо держаться подальше от высокой травы, куч хвороста, заболоченной воды, водопроводных труб, подвалов и подозрительных ям. Хили поежился, вспомнив, что мать не раз напоминала ему, что не надо подходить к разросшимся кустам, давно пересохшему илистому пруду и трухлявым поленницам у Гарриет во дворе. "Гарриет не виновата, — говорила она, — что мать у нее за домом совсем не следит, но смотри мне, увижу, что ты там босиком бегаешь..."

— Под изгородью есть змеиное гнездо — маленькие, красные, как ты и рассказывал. Честер говорит, ядовитые. Прошлой зимой, когда земля замерзла, я там нашла их целый клубок, вот такой... —

она очертила в воздухе круг размером с мяч для софтбола. — Они все смерзлись.

— Кто ж испугается дохлых змей?

— Они были не дохлые. Честер сказал, они бы ожили, когда оттают.

— Фу-у.

— Он весь клубок спалил.

Это Гарриет помнила даже слишком живо. У нее перед глазами до сих пор стоял Честер — на нем высокие сапоги, он стоит посреди зимнего двора и поливает змей бензином, держа канистру в вытянутой руке. Когда он швырнул спичку, пламя взметнулось химическим оранжевым шаром, который совсем не опалил и даже не осветил блеклую почерневшую зелень живой изгороди. Даже издали было видно, как извивались змеи от вспыхнувшей в них жизни, одна особенно — ей удалось высвободить голову из общего клубка, и она слепо дергалась из стороны в сторону, будто "дворник" на лобовом стекле. Горели они, отвратительно потрескивая, и звука хуже Гарриет в жизни не слыхала. А потом на этом месте всю зиму, да и почти всю весну лежала кучка маслянистого пепла и почерневших позвонков.

Она рассеянно взяла кусок торта и положила его обратно.

— От этих змей, — сказала она, — невозможно избавиться, мне Честер говорил. Они могут уползти ненадолго, если за них как следует взяться, но если они где-то обосновались и им там было хорошо, они потом все равно вернутся.

Хили вспомнил, сколько раз он, чтобы срезать путь, перелезал через эту изгородь. Босиком. А вслух сказал:

— Ты была когда-нибудь в "Мире рептилий" на старой трассе? Это там, где "Окаменелый лес". Там заправка еще. Хозяин — жуткий старикан с заячьей губой.

Гарриет уставилась на него во все глаза:

— Ты там был?

— Ага.

— И твоя мать туда поехала?

— Нет, конечно, — слегка смутился Хили. — Только мы с Пемом. Мы с ним с бейсбола возвращались.

Даже Пембертон — даже Пем! — не горел желанием заезжать в "Мир рептилий". Но у них заканчивался бензин.

— Первый раз вижу человека, который там был.

— Старикан просто страшный. У него все руки в татуировках со змеями. И еще в шрамах, — заметил Хили, пока наполнял бак, — как будто его много раз жалили.

У него не было ни зубов, ни вставных челюстей и он мягко, по-змеиному растягивал губы в жуткой улыбке. И самое ужасное — на шее у него висел удав: "Что, сынок, хочешь погладить?" — спросил он, наклонившись к окну машины, впившись в Хили своими невыразительными выцветшими глазками.

— И как там? В "Мире рептилий"?

— Воняет. Как будто рыбой. Я трогал удава, — прибавил он. Он побоялся отказаться, испугался, что, если не погладит, старикан швырнет удава в него. — Он был холодный. Как зимой сиденья в машине.

— Сколько у него там змей?

— До фига. У него там вся стена заставлена аквариумами со змеями. И еще больше змей просто ползают на воле. Там есть такой отгороженный участок, Гремучее Ранчо называется. И чуть вдалеке стоит еще одно здание, у него все стены разрисованы и исписаны какой-то чушью.

— А почему они не выползают наружу?

— Не знаю. Они вообще не очень-то и ползали. Они как будто больные.

— Больная змея мне не нужна.

Тут Хили вдруг пришла в голову очень странная мысль. А если бы брат Гарриет не умер, когда она была маленькой? Если бы он остался жив, то сейчас был бы, наверное, как Пембертон: дразнил бы ее, рылся в ее вещах. Она, может быть, его особо и не любила бы.

Он стянул свои желтые волосы в хвост, принялся обмахивать вспотевшую шею.

— А по мне, лучше уж медленная змея, чем такая, которая мигом тебе в задницу вцепится, — весело заметил он. — Я однажды по телику смотрел передачу про черную мамбу. Они в длину футов по десять. И знаешь, что они делают? Они вытягиваются, значит, вверх, футов на восемь, и гонятся за тобой, разинув пасть, на скорости двадцать миль в час, а когда поймают, — он заговорил громче, чтобы не дать Гарриет вставить слово, — а когда поймают, то со всего размаху впиваются тебе прямо в лицо.

— У него есть такая?

— У него там все змеи в мире есть. Да, и еще вот что забыл сказать: они такие ядовитые, что умираешь через десять секунд. Какое там противоядие, забудь вообще. Тебе сразу конец.

Молчание Гарриет его угнетало. Она сейчас была похожа на маленького пирата-китайца: черные волосы, руки сложены на коленях.

— Знаешь, что нам нужно? — наконец сказала она. — Машина.

— Ага! — бодро отозвался Хили, запнувшись буквально на секунду.

Он проклинал себя за то, что хвастался, будто умеет водить.

Он искоса глянул на нее, затем уперся ладонями в доски крыльца, задрал голову и стал смотреть на звезды. "Нет" и "не могу" Гарриет лучше не говорить. Он видел, как она прыгала с крыш, дралась с детьми в два раза крупнее нее, кусала и пинала медсестер, когда им в детском саду делали прививку "пять-в-одном".

Не зная, что сказать, он потер глаза. На него вдруг навалилась неприятная сонливость — стало жарко, по телу побежали мурашки, похоже, ночью будут сниться кошмары. Он вспомнил освежеванную змею, которая свисала с забора в "Мире рептилий": красные мышцы, перевитые голубыми венами.

— Гарриет, — спросил он, — а не проще ли позвонить копам?

— Конечно, проще, — тотчас же откликнулась она, и в Хили с новой силой всколыхнулась любовь к ней. Гарриет, дорогая его подруженция: можно этак вот щелкнуть пальцами, сменить тему, и она тут же ее поддержит.

— Тогда так и сделаем. Позвоним из автомата, который возле муниципалитета, и скажем, что знаем, кто убил твоего брата. Я умею разговаривать старушечьим голосом.

Гарриет глянула на него так, будто он рехнулся.

— И что, позволить, чтоб его кто-то другой наказал? — спросила она.

Хили увидел, какое у нее стало лицо, и ему сделалось не по себе. Он отвернулся. Увидел лежащую на ступеньках салфетку с жирными пятнами, недоеденный кусок торта. Дела обстояли так: он сделает все, что она ни попросит, все что угодно, и оба они это понимали.

Медноголовка была коротенькой, чуть больше фута, и пока что это была самая маленькая медноголовка из пяти, которых Хили с Гарриет успели увидеть утром всего за час. Она обмякшей буквой *S* тихонько лежала себе в жиденьких сорняках, которые пробивались сквозь кучу строительного песка в тупике на Дубовой Лужайке — квартале с новыми домами, который начинался сразу за “Загородным клубом”.

Тут не было ни одного дома старше семи лет: псевдотюдоровские особняки, приземистые ранчо, современные дома и даже парочка довоенных поместий из новехонького кричаще-красного кирпича с пришпиленными к фасаду декоративными колоннами. Дома были большие и недешевые, но из-за новизны казались какими-то неприветливыми, недоделанными. На задах участка, где Гарриет с Хили бросили велосипеды, было еще много недостроенных домов — разгороженные пустые делянки были завалены лесом, рубероидом, трубами и гипсокартоном, расчерчены каркасами из свежей желтой сосны, сквозь которые струилось истошно-голубое небо.

В отличие от старинной тенистой Джордж-стрит, которую построили еще в прошлом веке, тут деревьев почти не было, да и тротуаров тоже. Бульдозеры и электропилы не пощадили ни единого листочка, все дубы — черные, звездчатые — вырубили, а ведь дубы эти, по словам университетского лесоведа, который безуспешно пытался их спасти, стояли еще в 1682 году, когда Ла Саль сплавлялся по Миссисипи. Верхний слой грунта, который дубы удерживали корнями, тотчас смыло в реку и унесло течением. Чтобы выровнять участок, промоины зацементировали, но на тощей, отдающей кисловатым душком земле теперь почти ничего не росло. Трава если и пробивалась, то редкими худосочными стебельками, а саженцы магнолии и кизилового дерева, которые сюда завозили грузовиками, быстро зачахли, и вскоре от них остались одни палочки, которые так и торчали из бодрых кучек перегноя, обложенных декоративным щебнем. Поля спекшейся глины — по-марсиански красной, пересыпанной песком и опилками — резко сшибались с полосой асфальта, который был таким черным и свежим, что, казалось, в нем все еще можно увязнуть. Чуть дальше, на юге, раскинулась полноводная топь, которая каждую весну разливалась и затапливала весь квартал.

Дома на Дубовой Лужайке скупали в основном нувориши: застройщики, политики, риелторы, честолюбивые молодожены, которые изо всех сил старались забыть, что еще недавно фермерствовали среди глинистых холмов и сосновых чащ. Они так методично асфальтировали каждый клочок земли, с таким усердием выкорчевывали каждое деревце, что казалось, будто ими движет ненависть к их собственным деревенским корням.

Но Дубовая Лужайка нашла чем отплатить за то, что ее так жестоко расплющили. Почва тут была болотистая, и воздух гудел от комарья. Стоило выкопать яму, и она тотчас наполнялась солоноватой водой. Стоило пойти дождю — забивалась канализация, и прославленная черная миссисипская грязь бурлила в новехоньких унитазах, сочилась из кранов и новомодных душевых леек с разбрызгивателями. Поскольку весь верхний слой грунта сошел начисто, сюда пришлось грузовиками завозить песок, чтоб дома не смыло по весне; кроме того, речным змеям и черепахам теперь здесь было раздолье — они могли ползти, куда им вздумается.

И участки просто кишели змеями — змеи были большие и маленькие, ядовитые и неядовитые, змеи тут зарывались в грязь, плавали в воде, грелись под солнышком на сухих камнях. В жару змеиная вонь подымалась от самой земли, словно мутная водица, которая моментально вскипала в следах, оставленных в утрамбованной почве. Ида Рью сравнивала змеиный дух с запахом рыбьих кишок — как у рыбы-буйвола или сомиков, кошачьих или канальных, в общем, рыб-мусорщиков, которые питались всякими отходами. Эди рассказывала, что, когда копала яму под азалии или розовые кусты — особенно возле автострады, где она вместе с "Садовым клубом" занималась городским благоустройством, — сразу понимала, что подобралась близко к змеиному гнезду, если из ямы начинало как будто гнилой картошкой попахивать. Гарриет и сама прекрасно знала, как пахнут змеи (особенно хорошо она это запомнила после того, как побывала в мемфисском зоопарке и зашла там в "Дом рептилий", ну и, когда им на уроках естествознания показывали перепуганных змей в стеклянных банках, оттуда тоже сильно пахло). Она легко узнавала резкую смрадную вонь, которая стелилась по туманным речным бережкам и доносилась с мелководья, из канализации, с дымящихся топких озерец в августе, а то и, бывало — в самый зной, после дождя — с ее собственного двора.

У Гарриет и джинсы, и футболка с длинными рукавами уже насквозь промокли от пота. Ни на участке, ни на болотах не было ни одного деревца, поэтому, чтобы уберечься от солнечного удара, Гарриет надела соломенную шляпу, но солнце все равно слепило ее — пламенное, безжалостное, как гнев Господень. От жары и дурных предчувствий Гарриет слегка пошатывало. Все утро она стоически сносила болтовню Хили (тот считал, что носить шляпу — ниже его достоинства, а потому уже начал краснеть от солнечного ожога), который скакал вокруг нее и без умолку твердил про какой-то там фильм о Джеймсе Бонде, где были наркоторговцы, гадалки и ядовитые тропические змеи. А пока они сюда ехали, он чуть до смерти не уморил ее рассказами о каскадере Ивеле Нивеле и мультике про "Тачку и Мотоцикликов", который показывали с утра по субботам.

— Это надо было видеть, — приговаривал он, то и дело всей пятерней взволнованно откидывая назад челку, которая лезла ему в глаза, — короче, Джеймс Бонд просто спалил эту змею. У него, в общем, в руках был баллончик дезодоранта, что-то типа того. И он, такой, видит змею в зеркале, вот так вот рррра-азворачивается, подносит к баллончику сигару и бабах! — пламя как шарахнет, прямо через всю комнату — вжжжжжж!..

Звонко присвистнув, он попятился назад, а Гарриет тем временем глядела на спящую медноголовку и раздумывала, что им делать дальше. Они вышли на охоту, вооружившись воздушкой Хили, двумя оструганными рогатинами, справочником "Рептилии и земноводные Юго-востока США", садовыми рукавицами Честера, жгутом, перочинным ножом, мелочью, чтоб было на что позвонить из автомата, если кого-то из них укусят, и старой жестяной коробкой с надписью "Королева школы", в которой Гарриет отверткой кое-как проковыряла несколько дырок для воздуха (коробка была разрисована чирлидершами с косичками и бойкими королевами красоты в диадемах, Эллисон раньше носила в ней ланч). План был такой: они подкрадываются к змее — лучше после броска, когда она еще не успела собраться для нового — и рогатиной прижимают ее голову к земле. Затем они ее хватают (хватают очень близко к голове, чтоб она не сумела вывернуться и их ужалить), бросают в коробку и захлопывают крышку.

Легко сказать. Сначала они наткнулись на трех ржаво-красных, переливчатых молодых медноголовок, которые грелись на солнышке, свернувшись на бетонной плите, но побоялись к ним подойти. Хили швырнул в них камнем. Две тотчас же шмыгнули в разные стороны, а третья, разъярившись, начала быстро, не поднимая головы, бросаться во все стороны — на плиту, в воздух, всюду, где чуяла опасность.

Дети страшно перепугались. Они осторожно, вытянув перед собой рогатины, обошли плиту, затем метнулись поближе и так же быстро отпрыгнули, когда змея развернулась и стала кидаться в разные стороны, пытаясь их ужалить. Гарриет думала, что упадет в обморок — так ей было страшно. Хили ткнул в змею палкой и промахнулся, змея отскочила и всем телом, словно кнутом, выстрелила в сторону Хили, и тут Гарриет, взвизгнув, прижала ее за голову своей рогатиной. Змея тотчас же принялась так яростно бить двухфутовым хвостом и вырываться, будто в нее вселился дьявол. Содрогаясь от отвращения, Гарриет отшатнулась, чтобы ей по ногам не попало хвостом; извернувшись, змея высвободилась, шмыгнула в сторону Хили, который стал отпрыгивать от нее, визжа так, будто его на кол сажают, и исчезла в выжженной траве.

Что показательно: если б ребенок — да или кто угодно — вот так долго визжал и надрывался на Джордж-стрит, то уже через секунду на улицу высыпали бы и миссис Фонтейн, и миссис Годфри, и Ида Рью, и еще с полдесятка домработниц ("Дети! А ну отойдите от змеи! Ну-ка брысь!"). И настроены они были бы самым решительным образом, и никаких отговорок не потерпели бы, а потом еще стояли бы в кухнях возле окон, чтоб убедиться — все ли, мол, в порядке. Но на Дубовой Лужайке все было по-другому. От одного вида домов тут делалось не по себе — казалось, что они стоят опечатанные, будто какие-то бункеры или мавзолеи. Здесь никто никого не знал. Тут можно было орать до посинения, какой-нибудь уголовник мог прямо на улице душить тебя колючей проволокой, и все равно никто не выйдет посмотреть, что происходит. По напряженной, дрожащей от зноя тишине разносились пугающие взрывы безумного хохота: в соседнем доме — наглухо зашторенной гасиенде, которая воинственно раскорячилась за сосновыми каркасами посреди пустого участка — кто-то смотрел телевикторину. В окнах темно. Под гаражным навесом, на песчаной дорожке припаркован блестящий новенький “бьюик”.

— Энн Кендалл! Спускайтесь-ка к нам!

Бурные зрительские аплодисменты.

Кто там живет, в этом доме, словно в полусне размышляла Гарриет, прикрывая ладонью глаза от солнца. Чей-то муж, который напился и не пошел на работу? Какая-нибудь нерасторопная мамаша из “Женской лиги”, вроде тех юных матерей-неумех, с чьими детьми Эллисон тут иногда сидела — лежит себе в полутемной комнате с работающим телевизором и грудой нестираного белья?

— “Цену удачи” я терпеть не могу, — пропыхтел Хили — он сделал шаг назад, запнулся и, дернувшись, поглядел на землю. — А вот в “Парочке вопросов” у них там и деньги, и машины.

— Мне нравится “Своя игра”.

Хили ее не слушал. Он энергично ворошил траву рогатиной.

— Из России с любо-о-вью, — промурлыкал он, не смог вспомнить слова и поэтому повторил: — Из России с любо-о-вью…

Четвертую змею им долго искать не пришлось — ей оказался грязновато-желтый, будто восковой, мокасин, длиной примерно с виденных ими медноголовок, зато толще, чем рука у Хили. Хили, хоть и трясся от страха, но настоял на том, чтобы идти первым, и поэтому на змею чуть не наступил. Змея вскинулась разжавшейся пружиной и едва не ужалила его в икру — Хили, которого до сих пор потряхивало от предыдущей схватки со змеями, среагировал моментально и одним ударом пригвоздил змею к земле.

— Ха! — крикнул он.

Гарриет расхохоталась и трясущимися пальцами задергала защелку на крышке “королевской” коробки для ланча. Эта змея оказалась не такой шустрой. Она настороженно поводила туда-сюда мощным омерзительно-желтушным хвостом. Но она же крупнее медноголовки, поместится ли в коробку? Хили, который от ужаса тоже зашелся пронзительным истеричным смехом, вытянул руку и нагнулся, чтобы схватить змею…

— Голова! — вскрикнула Гарриет, с грохотом выронив коробку.

Хили отпрыгнул. Рогатина выпала у него из рук. Змея замерла. Плавно вскинула голову и уставилась на них глазами-щелочками — долгий, леденящий душу миг, — а потом распахнула омерзительно белесую изнутри пасть и кинулась в их сторону.

Гарриет с Хили развернулись, врезались друг в друга и бросились бежать, они боялись споткнуться и свалиться в яму, но и глянуть вниз боялись тоже — ветки трещали у них под ногами, и едкий запах примятой полыни вихрился в раскаленном воздухе, будто запах самого страха.

Путь к полосе асфальта им преградила канава с мутной водой, в которой кишели головастики. Канава была широкая, просто так и не перепрыгнешь, а ее скользкие бетонные бортики заросли мхом. Они съехали прямо в канаву (всколыхнув со дна такую вонь нечистот и гниющей рыбы, что обоих тотчас же скрутило в приступе кашля), шлепнулись на руки, вскарабкались наверх. Слезы градом катились у них по щекам, они обернулись, но позади осталась только дорожка, которую они протоптали в зарослях жухлой полыни, да еще чуть дальше уныло поблескивала коробка для ланча.

Гарриет с Хили тяжело дышали, их, будто пьяных, шатало из стороны в сторону, лица у них побагровели. Они оба чувствовали, что вот-вот могут свалиться в обморок, но кругом было грязно, небезопасно, да и присесть было особо некуда. Из канавы выполз крупный, уже отрастивший себе лапки головастик, который теперь не мог сдвинуться с места — он, подергиваясь, лежал на дороге, и от влажных шлепков его склизкого тельца по асфальту Гарриет снова замутило.

Начисто позабыв весь школьный кодекс приличий, который запрещал мальчику приближаться к девочке ближе, чем на два фута, если только он не хотел ее пнуть или толкнуть, Гарриет с Хили жались друг к другу, пытаясь устоять на ногах: Гарриет и думать забыла о том, что надо казаться храброй, а Хили и думать не думал о том, как бы ее поцеловать или напугать. Джинсы у них были облеплены репьями и утыканы колючками, штанины — насквозь мокрые и тяжелые — воняли жижей из канавы. Хили согнулся и издавал такие звуки, будто его сейчас вырвет.

— Ты нормально? — спросила Гарриет, но тут она заметила желто-зеленую слизь у него на рукаве — кишки головастика, — и ее саму чуть не вырвало.

Хили, откашливаясь, будто кошка, которая пытается срыгнуть комок шерсти, пожал плечами и собрался было идти обратно, за рогатиной и коробкой.

Гарриет ухватила его мокрую от пота майку.

— Подожди, — кое-как выговорила она.

Чтобы передохнуть, они взгромоздились на велосипеды — у Хили был "стинг-рэй" с "рогатым" рулем и удлиненным сиденьем, у Гарриет бывший Робинов "вестерн флайер" — и так и сидели, молча переводя дух. Когда сердца у них перестали бешено колотиться, они угрюмо похлебали теплой, отдающей пластмассой воды из фляжки Хили и снова отправились на пустошь, на этот раз вооружившись воздушкой.

Хили, потерявший поначалу дар речи, теперь разошелся вовсю. Бурно жестикулируя, он громко хвастался, как поймает водяного мокасина, а когда поймает, то выстрелит ему прямо в морду, схватит за хвост и раскрутит над головой, переломает его как палку, разрубит его пополам, а куски потом переедет на велосипеде. Лицо у него было пунцовое, дышал он тяжело, шумно; он то и дело разряжал ружье в траву, останавливался и с остервенением дергал за насос — вшшш, вшшш, вшшш, — чтобы снова нагнать воздух в камеру.

Канаву они решили обойти стороной и пошли теперь в сторону недостроенных домов — в случае опасности оттуда было проще выбежать на дорогу. У Гарриет разболелась голова, а ладони стали липкими от холодного пота. Вскинув воздушку на плечо, Хили метался из стороны в сторону, возбужденно тараторя, размахивая кулаками и совершенно не замечая того, что в реденькой траве на неприметном участке земли всего-то футах в трех от его ноги разлеглась (ненавязчиво вытянувшись почти что в струнку) "юная особь" — как выразился бы справочник "Рептилии и земноводные Юго-востока США" — медноголовки.

— Ну и вот, короче, открываешь этот чемодан, а оттуда выстреливает слезоточивым газом. И там у него еще пули, и нож сбоку выскакивает…

У Гарриет все плыло перед глазами. Вот было бы здорово, если бы ей давали по доллару всякий раз, когда она слышала от Хили про этот чемодан, который в фильме "Из России с любовью" стрелял пулями и слезоточивым газом.

Она закрыла глаза и сказала:

— Слушай, ты тогда змею схватил низковато. Она бы тебя укусила.

— Да заткнись ты! — на миг Хили сердито умолк, потом закричал: — Это все из-за тебя! Я ее поймал! Если бы ты не…

— Осторожно. Сзади!

— Мокасин? — он пригнулся, вскинул ружье. — Где? Где этот сукин сын?

— Вон там, — сказала Гарриет и, шагнув вперед, снова с досадой ткнула пальцем, — да вон же.

Из травы слепо вскинулась заостренная головка — мелькнула бледная кожица под мускулистой нижней челюстью, — и змея, слегка вильнув телом, снова улеглась.

— Ууу, ну это маленькая, — разочарованно сказал Хили, нагнувшись, чтоб получше ее разглядеть.

— Неважно, какого она… Хили! — вскрикнула она, неуклюже отпрыгнув в сторону — медноголовка красным сполохом метнулась к ее лодыжке.

Ее осыпало градом вареного арахиса, затем просвистел и шлепнулся на землю целлофановый пакетик с орехами. Гарриет потеряла равновесие, покачнулась, запрыгала на одной ноге, и тут медноголовка, которую она буквально на секунду потеряла из виду, снова набросилась на нее.

Пискнула воздушка — Гарриет небольно щелкнуло по кеду, обожгло икру, — она взвизгнула и отпрыгнула от пуль, затрещавших в пыли у нее под ногами. Но змея уже рассвирепела и даже под пулями не ослабляла напора: она все метила в ногу Гарриет, ни на секунду не отклоняясь от цели.

Гарриет попятилась обратно, к асфальту — ее мутило, перед глазами все плыло. Она вскинула руку, заслонила лицо (после слепящего солнца перед глазами у нее бодро мельтешили прозрачные сгустки-кляксы, которые, будто амебы в капле озерной воды под микроскопом, то и дело сталкивались и слипались), а когда в глазах все прояснилось, Гарриет увидела, что маленькая медноголовка лежит неподалеку и, вскинув голову, спокойно и без особого интереса наблюдает за ней.

Хили так исступленно палил из воздушки, что ее заклинило. Он что-то бессвязно выкрикнул, отшвырнул ружье и помчался за рогатиной.

— Подожди!

Ей пришлось напрячь все силы, чтобы отвести взгляд от холодных, ясных, как колокольный звон, глаз змеи. Да что со мной такое, вяло подумала она, пятясь поближе к центру плавящейся от жары дороги, — тепловой удар?

— Эй-эй! — откуда-то донесся голос Хили, но она не понимала, где он. — Гарриет!

— Подожди.

Плохо соображая, что происходит, Гарриет сделала еще шаг назад (ноги у нее вдруг зашатались, одеревенели, будто у марионетки, которой она совсем не знала, как управлять) и с размаху шлепнулась прямо на раскаленный асфальт.

— Эй, подруга, ты в порядке?

— Отстань, — услышала Гарриет собственный голос.

Сквозь зажмуренные веки жарило красное солнце. Перед глазами у нее злобной вывороткой искрил выжженный светом змеиный взгляд: черные радужки, кислотно-желтые полоски зрачков. Она дышала ртом, вонь от вымокших в канаве штанов на жаре так обострилась, что Гарриет ощущала ее на языке; вдруг до нее дошло, что лежать на дороге — опасно, она попыталась было встать, но земля ушла у нее из-под ног...

— Гарриет! — голос Хили раздавался где-то вдалеке. — Что с тобой? Не пугай меня!

Она моргнула, белый свет жег глаза, будто в них прыснули лимонным соком — и до чего же пугала ее эта жара, и эта ее незрячесть, и эти непослушные руки и ноги...

Теперь она лежала на спине. Небо пылало немилосердной безоблачной синевой. Время словно на минутку притормозило, будто бы она задремала и тут же, резко дернувшись, проснулась. Внезапно над ней сгустилась чернота. В панике Гарриет закрыла лицо обеими руками, но черная тень только сдвинулась, переметнулась на другую сторону, стала еще темнее.

— Гарриет, ну хватит. Это просто вода.

Где-то в глубине сознания она расслышала эти слова, расслышала, но не услышала. И тут внезапно что-то холодное коснулось уголка ее рта, и Гарриет принялась отбиваться, вопя что было сил.

— Ну вы и придурки, — сказал Пембертон. — Такая жара, а вы поперлись в эту дырищу на великах. Да температура вон под сотню[1].

Гарриет лежала на заднем сиденье "кадиллака" и глядела, как над головой у нее в прохладном кружеве ветвей мелькает небо. Де-

1 100 градусов по Фаренгейту — около 38 градусов по Цельсию.

ревья — это значит, что они наконец-то выехали с лысой Дубовой Лужайки на старую добрую городскую дорогу.

Она закрыла глаза. В динамиках ревела рок-музыка; под сомкнутыми веками свет казался красным и по нему, дрожа, проносились тени-пятнышки — редкие, неровные.

— На кортах ни души, — проорал Пем, перекрикивая ветер и музыку. — Даже в бассейне никого. Все сидят в зале, смотрят "Одну жизнь, чтобы жить"[1].

Десятицентовик для звонка им все-таки пригодился. Героический Хили, который перегрелся и перепугался не меньше Гарриет, вскочил на велосипед и, несмотря на жару и на то, что ноги у него сводило судорогой, жал на педали почти полмили, пока не добрался до парковки возле магазинчика "Джиффи КвикМарт", где стояла телефонная будка. Однако Гарриет, которая сорок адских минут прождала его, поджариваясь на асфальте в кишевшем змеями тупике, было так жарко и тошно, что особой благодарности она не испытывала.

Она слегка привстала, и теперь ей были видны волосы Пембертона, которые рваным желтым знаменем развевались на ветру — из-за хлорки в бассейне концы волос были посекшиеся, скрученные. Даже с заднего сиденья можно было учуять его острый, отчетливо взрослый запах: под слоем кокосового лосьона для загара едкий мужской пот мешался с сигаретным душком и чем-то похожим на ладан.

— Зачем вы вообще потащились в такую даль? У вас там друзья живут?

— Не, — Хили всегда разговаривал с братом вялым безучастным тоном.

— Ну и чего вы там тогда делали?

— Ловили змею, чтобы... Отстань! — вскрикнул Хили, вскинув руку к голове, потому что Гарриет дернула его за волосы.

— Ну, если задумали змею поймать, там самое для этого место, — лениво протянул Пембертон. — Уэйн, который у нас в клубе механиком, мне рассказывал, что как-то они одной тамошней бабульке бассейн рыли, так ребята там змей убили — штук пятьдесят. В одном дворе.

1 "Одна жизнь, чтобы жить" (*One Life to Live*) — популярный американский сериал.

— Ядовитых?
— Да какая разница. Я бы в этой чертовой дыре и за миллион долларов жить бы не стал, — Пембертон снисходительно, высокомерно покачал головой. — Тот же Уэйн рассказывал, что под одним таким вонючим домом дезинсектор нашел триста штук змей. Под одним домом. Случись вдруг наводнение, с которым не справятся инженерные войска и эти их мешочки с песком, да там каждую мамашку-домохозяйку закусают до смерти.
— Я поймал мокасина, — важно сказал Хили.
— Ну да, ага. И что ты с ним сделал?
— Подержал и отпустил.
— Ну это конечно, — Пембертон глянул на него искоса. — Он погнался за тобой?
— Не, — Хили чуточку сполз вниз.
— Знаешь, мне наплевать, что там говорят — будто эта змея, мол, тебя боится больше, чем ты ее. Водяные мокасины — злобные твари. Будут гнаться, пока не укусят. Однажды мы с Тинком Питтманом были на озере Октобеа, и там на нас набросился здоровенный мокасин, а мы ведь и близко к нему не подходили, нет, он нас увидел и как рванет к нам через все озеро, — Пем резко, дергано завилял рукой. — Из воды только белая пасть и торчала. А потом он так — бам! бам! — стал долбить башкой в алюминиевый бок нашего каноэ. Народ сбежался на пирс — поглазеть.
— И что вы сделали? — Гарриет уселась, придвинулась поближе к передним сиденьям.
— Ну привет, Тигра. А я думал, придется тебя к врачу везти.
Гарриет вздрогнула, увидев лицо Пема в зеркале заднего вида: губы у него были белые как мел, нос измазан кремом от загара, а лицо такое красное, будто его обморозило в полярной экспедиции доктора Скотта.
— Значит, любишь змей ловить? — спросил он у отражения Гарриет.
— Нет, — ответила Гарриет, насмешливый тон Пема ее и смутил, и обидел. Она снова отодвинулась подальше.
— Тут нечего стесняться.
— А кто сказал, что я стесняюсь?
Пем расхохотался.
— Ты крутышка, Гарриет, — сказал он. — Ты классная. Но вот что я вам скажу, ребята, вы чокнутые, что стали рогатиной ее ловить.

Надо всего-то достать кусок алюминиевой трубы и протянуть через нее бельевую веревку с петлей на конце. Тогда вам только и останется, что накинуть петлю змее на голову и хорошенько затянуть. Все, поймали. И тогда уж кладите ее в банку и тащите на Научную ярмарку, чтоб перед всеми покрасоваться. — Он вскинул руку, щелкнул Хили по уху. — Дело я говорю?

— Заткнись! — завопил Хили, сердито потирая ухо.

Уж Пем ни за что не даст ему забыть эту историю с куколкой бабочки, которую Хили принес в школу на Научную ярмарку. Он полтора месяца выхаживал эту куколку, читал книжки, делал записи, следил за температурой, в общем, делал все, что полагалось, но когда он принес кокон с так и не проклюнувшейся из него бабочкой в школу на Научную ярмарку — принес в шкатулке для драгоценностей, на хлопковой подушечке, — то оказалось, что это никакая не куколка, а окаменевшая кошачья какашка.

— Может, тебе показалось, что ты поймал водяного мокасина, — хохотал Пем, перекрикивая запальчивые оскорбления, которыми его осыпал Хили. — Может, это и не змея была никакая. Если так посмотреть, то огромная свеженькая собачья какашка, когда лежит так горкой в траве, здорово похожа…

— …на тебя! — кричал Хили и молотил кулаками по плечу брата.

— Я же сказал, закроем тему, ясно? — Хили ей это уже раз десять сказал.

Они с Гарриет держались за бортики, покачиваясь на воде у глубокого края бассейна. Близился вечер, сгущались тени. Штук пять или шесть малышей вопили и плескались в лягушатнике, не обращая никакого внимания на взволнованную толстуху-мамашу, которая металась рядом и умоляла их вылезти. Поближе к бару на шезлонгах растянулась стайка старшеклассниц — они кутались в полотенца, болтали, хихикали. Пембертон сегодня не работал. Хили почти никогда не плавал, если Пем дежурил на спасательной вышке, потому что Пем вечно к нему цеплялся, выкрикивая сверху обидные словечки и приказы (типа “Не бегать возле бассейна!”, хотя Хили вовсе и не бегал, просто быстро шел), и поэтому Хили, перед тем как пойти в бассейн, всегда старательно сверялся с висевшим на холодильнике расписанием смен Пема.

А это было вообще не круто, потому что летом ему каждый день хотелось плавать.

— Дурак, — бормотал он, вспоминая Пема. Он до сих пор злился, что Пем вспомнил эту историю с кошачьей какашкой на Научной ярмарке.

Гарриет глядела на него пустым, тусклым взглядом. Волосы у нее намокли и прилипли к голове, по лицу крест-накрест бежали волнистые дорожки света, от чего глаза у нее казались маленькими, а сама она — страхолюдиной. Хили она весь день бесила, он и сам не заметил, как его стыд и смущение переросли в обиду, а теперь он и вовсе пришел в ярость. Гарриет смеялась над какашкой вместе со всеми учителями, судьями и посетителями Научной ярмарки, и стоило ему это вспомнить, он так и вскипал от злости.

Она все глядела на него. В ответ он выпучил глаза.

— Чего смотришь? — спросил он.

Гарриет оттолкнулась ногами от бортика и — довольно выпендрежно — сделала кувырок назад. Тоже мне номер, подумал Хили. Опомниться не успеешь, как она опять решит проверить, кто из них дольше может не дышать под водой, а эту игру Хили терпеть не мог, потому что Гарриет всегда выигрывала, а он — еще ни разу.

Когда она вынырнула, Хили притворился, будто и не замечает, что она сердится. Как будто бы ненароком он брызнул в нее водой — метко пущенная струя угодила ей прямо в глаз.

— Ровер, Ровер, Ровер, милый пес, — пропел он сладеньким голоском, который Гарриет терпеть не могла,

Жаль, не увернулся ты из-под колес,
Твоя левая нога
Была мне дорога…

— Ну и не ходи со мной завтра. Мне одной даже лучше будет.

— … но ее уже кто-то унес, — громко пел Хили, перекрикивая Гарриет, глядя в небо с невиннейшим выражением лица.

— Мне все равно, пойдешь ты со мной или нет.

— Я хоть в обморок не хлопнулся и не ревел, как малышня какая-нибудь, — он захлопал ресницами. — “Ой, Хили! Спаси меня, спаси меня!” — прокричал он фальцетом, так что на противоположной стороне бассейна захихикали старшеклассницы.

В лицо ему ударил фонтан воды.

Он умело пустил кулаком струю в ее сторону и увернулся от встречных брызг.

— Гарриет, эй, Гарриет, — позвал он ее детским голоском. Ему стало необъяснимо приятно от того, что удалось ее задеть. — Давай поиграем в лошадку? Я буду передней частью, а ты веди себя как обычно!

Он торжествующе оттолкнулся от бортика и, спасаясь от возмездия, поплыл на середину бассейна — шумно молотя по воде руками. Он здорово обгорел на солнце, а хлорка жгла ему лицо не хуже кислоты, но после обеда он уже успел выпить пять кока-кол (три, когда он усталый и с пересохшим горлом ввалился домой, и еще две купил в киоске возле бассейна — в бокалах с колотым льдом и полосатыми соломинками), и теперь в ушах у него стоял звон, а пульс так и заходился от прилива сахара. Внутри у него все пело. Раньше ему часто делалось за себя стыдно, когда он видел, какая Гарриет храбрая. Охота на змей, конечно, его чуть заикой не оставила, и от страха он едва не чокнулся, но отчего-то он очень радовался ее обмороку.

Он вынырнул, радостно отплевываясь и разбрызгивая вокруг воду. Однако, сморгнув с ресниц жгучие капли, он вдруг заметил, что Гарриет в бассейне уже нет. Потом он увидел ее вдалеке — она быстрыми шагами, опустив голову, шла к женской раздевалке, оставляя за собой на бетонном полу зигзаг мокрых следов.

— Гарриет! — крикнул он не подумав, за что и поплатился, тотчас же набрав полный рот воды — он и забыл, что так и не вынырнул полностью.

.

Небо было сизо-серое, вечерний воздух — тяжелый, мягкий. Гарриет уже вышла на улицу, но даже отсюда еще было слышно, как вопят дети в лягушатнике. Подул легкий ветерок — руки и ноги у Гарриет покрылись гусиной кожей. Она поплотнее завернулась в полотенце и очень быстро зашагала домой.

Взвизгнув тормозами, из-за угла вырулила машина, набитая старшеклассницами. Все — одноклассницы Эллисон. Они заправляли всеми школьными клубами и выигрывали все школьные конкурсы: крошка Лиза Ливитт, брюнетка с забранными в хвост волосами Пэм Маккормик, победительница конкурса красоты

Джинджер Херберт и Сисси Арнольд, которая хоть красоткой и не была, но тоже считалась крутой.

Их, словно голливудских старлеток, боготворили все младшеклассницы поголовно, их улыбающиеся лица глядели с каждой страницы школьных альбомов. Вот они с гордым видом стоят под прожекторами на пожелтевшем от яркого света футбольном поле, вот они в чирлидерских костюмчиках, в расшитой блестками военной форме, в перчатках и вечерних платьях на балу в честь встречи выпускников, вот они надрываются от хохота в парке аттракционов (“Лучшие ученицы!”), а вот — весело кувыркаются в копне сена на сентябрьском празднике урожая (“Лучшие подружки!”), но несмотря на то, что одежда у них всякий раз была разная — спортивная, повседневная, нарядная, — сами они были похожи на кукол с вечно одинаковыми улыбками и прическами.

На Гарриет никто из них даже не взглянул. Они пролетели мимо, за ними хвостом ракеты просвистела поп-музыка, но Гарриет упорно глядела себе под ноги, и щеки у нее пылали от необъяснимого, гневного стыда. Если бы с ней шел Хили, они бы точно притормозили и что-нибудь им крикнули, потому что и Пэм, и Лиза сохли по Пембертону. Но они, наверное, даже не знали, кто такая Гарриет, хотя все они вместе с Эллисон еще в детский сад ходили. У Эллисон над кроватью висел коллаж из веселых детсадовских снимков: вот Эллисон играет в “ручеек” вместе с Пэм Маккормик и Лизой Ливитт, вот Эллисон и Джинджер Херберт держатся за руки, стоя зимой посреди чьего-то двора — носы у них красные, обе весело хохочут, лучшие подружки да и только. Валентинки, которыми они обменивались в первом классе — старательно разрисованные, с выведенными карандашом печатными буквами: “Ты люби и будь любима в День святого Валентина! С любовью от Джинджер!” Этакие нежности теперь никак не вязались с нынешней Эллисон, да и с нынешней Джинджер (шифоновое платье, перчатки, накрашенные губы — стоит под аркой из искусственных цветов). Лицом Эллисон вышла не хуже, чем они (и она была уж точно симпатичнее Сисси Арнольд, у которой было тощенькое кунье тельце и огромные зубы, торчащие вперед, как у ведьмы), но каким-то образом Эллисон из подруги детства этих принцесс превратилась в невидимку, которой подружки звонили только узнать, что задано на дом. С их матерью была та же история.

В колледже у нее была куча подруг, она состояла в сестринстве и считалась самой модной студенткой, но теперь большинство ее друзей просто перестали к ней заходить. Торнтоны и Бомонты, например, раньше каждую неделю играли в карты с родителями Гарриет — они все вместе снимали дом, когда ехали отдыхать на побережье, — а теперь не заходили в гости, даже когда приезжал отец Гарриет. Теперь, если они вдруг сталкивались с матерью Гарриет в церкви, то держались с натужным дружелюбием — мужья вон из кожи лезли, чтобы проявить радушие, в голосах жен прорезалась визгливая жизнерадостность, и при этом никто из них не глядел ее матери в глаза. Точно так же в школьном автобусе вели себя с Эллисон Джинджер и прочие девчонки: весело болтали, но глаза отводили, как будто боялись подхватить от Эллисон какую-то заразу.

От этих мыслей Гарриет — которая так и шла, мрачно глядя себе под ноги, — отвлекло какое-то бульканье. Слабоумный бедняга Кертис Рэтлифф, который каждое лето без устали слонялся по Александрии, поливая кошек и машины из водяного пистолета, шлепал по дороге прямо ей навстречу. Увидев, что она его заметила, Кертис разулыбался всем своим плоским лицом.

— Гарт! — он замахал ей обеими руками, от усилий виляя всем телом, а потом принялся усердно прыгать, плотно сжав ноги, как будто пытался затоптать костер. — Как деа? Как деа?

— Привет, аллигатор! — сказала Гарриет, чтобы сделать ему приятное. Довольно долгое время для Кертиса вокруг все и вся было аллигатором: учителя, ботинки, школьный автобус.

— Как деа? Как деа, Гарт? — пока ему не ответишь, так и будет спрашивать.

— Спасибо, Кертис. Дела мои идут хорошо.

Глухим Кертис не был, но со слухом у него были проблемы, поэтому говорить нужно было погромче.

Кертис заулыбался еще шире. Своей толстенькой фигуркой и милой, глуповатой, детской манерой общаться он напоминал мистера Крота из "Ветра в ивах".

— Люблю пирог, — сказал он.

— Кертис, ты бы не стоял посреди дороги.

Кертис застыл на месте, зажав рот рукой.

— Уй, ой! — вскрикнул он, и потом повторил: — Уй, ой!

Он зайчиком пропрыгал через дорогу и, снова сжав ноги, будто прыгая через канаву, перемахнул бордюр и приземлился прямо перед ней.

— Уй, ой! — снова сказал он и заколыхался от смеха, закрыв лицо руками.

— Извини, но ты мешаешь мне пройти, — сказала Гарриет.

Кертис растопырил пальцы, глянул сквозь них на Гарриет. Он улыбался так широко, что его крохотные темные глазки превратились в щелочки.

— Змеи жалят, — вдруг сказал он.

Гарриет растерялась. Из-за проблем со слухом Кертис и говорил нечетко. Конечно же, она его плохо расслышала, конечно же, он сказал что-то другое: мне жаль? Я сбежал? Мне дай?

Но она не успела его ни о чем спросить: Кертис шумно, деловито вздохнул и засунул водяной пистолет за ремень своих новеньких, еще не разношенных джинсов. Ухватил Гарриет за руку, поболтал ее ладонь в своей огромной, рыхлой и потной ручище.

— Жалят! — бодро сказал он.

Он ткнул пальцем в себя, потом — в дом напротив, развернулся и вприпрыжку помчался дальше, а Гарриет, моргая и кутаясь в полотенце, с тревогой глядела ему вслед.

Гарриет, конечно, было невдомек, но всего в каких-нибудь тридцати футах от нее, в съемной квартире на втором этаже деревянного дома, который, как и несколько других таких же домов под съем, принадлежал Рою Дайалу, разговор тоже шел о ядовитых змеях.

Ничего особенного дом из себя не представлял: белый, в два этажа, сбоку пристроена реечная лестница, чтобы на второй этаж тоже можно было попасть с улицы. Лестницу построил мистер Дайал, он же перегородил лестницу внутри дома, разделив его на две отдельные съемные квартиры. До того как мистер Дайал купил дом и раскроил его на квартиры, здесь жила старушка-баптистка по имени Энни Мэри Элфорд, которая до выхода на пенсию работала бухгалтером на лесопилке. Как-то раз, дождливым воскресным днем, она упала на парковке перед церковью и сломала бедро, и тогда любезнейший мистер Дайал расстарался на славу (он, будучи бизнесменом во Христе, проявлял большой интерес к пожилым и немощным людям, особенно если у них водились деньги и отсутствовали заботливые родственники): мистер Дайал каждый день навещал мисс Энни Мэри, приносил ей баночки с супом, духоподъемную литературу и свежие фрукты, вывозил на загородные прогулки и предлагал — как абсолютно незаинтересованное лицо — стать ее душеприказчиком и поверенным во всех делах.

Всю добычу мистер Дайал прилежно размещал на переполненных счетах Первой баптистской церкви и поэтому методы свои считал вполне оправданными. В конце концов, разве не привносил он в их пресные жизни толику христианского сострадания, облегчения? И случалось, что "дамочек", как звал их мистер Дайал, дружеское его участие до того облегчало, что они сразу отписывали ему все имущество. Но вот мисс Энни Мэри, которая все-таки сорок пять лет проработала бухгалтером, была недоверчива и по характеру, и по долгу службы, и поэтому, когда она умерла, мистер Дайал с ужасом узнал, что мисс Энни Мэри поступила, с его точки зрения, весьма вероломно: у него за спиной вызвонила юриста из Мемфиса и составила завещание, которое полностью отменяло подписанный ими неформальный контрактик — подписать контрактик ее надоумил мистер Дайал, пока мисс Энни Мэри лежала в больнице, а он сидел подле ее кровати и похлопывал ее по руке.

Может быть, мистер Дайал и не стал бы покупать этот дом после смерти мисс Энни Мэри (его, кстати, и продавали недешево), да только пока она умирала, он уже привык считать его своим. Он сделал из дома две квартиры, вырубил во дворе все розовые кусты и пекановые деревья (чтоб не тратить деньги на уход и подрезку) и почти сразу сдал первый этаж двум миссионерам-мормонам. С тех пор уже лет десять прошло, а мормоны так и жили там, несмотря на то что их миссия с треском провалилась и ни один житель Александрии так и не поверил в их ютского Иисуса-многоженца.

Они верили в то, что все не-мормоны попадут к чертям в ад ("То-то вам там наверху будет одиноко!" — хихикал мистер Дайал, когда первого числа каждого месяца приходил за арендной платой, любил он вот так над ними подшучивать). Но мормоны были ребята приличные, вежливые, и если их не раззадоривать, то они и слово "черт" сказать стеснялись. Еще они не употребляли алкоголя, не курили и не жевали табака, вовремя платили по счетам. А вот с квартирой на втором этаже дела обстояли не так хорошо. Мистер Дайал пожадничал и вторую кухню устанавливать не стал, поэтому сбыть эту квартиру с рук было невозможно — ну, не сдавать же ее неграм. За десять лет верхний этаж был и фотостудией, и штаб-квартирой герлскаутов, и детским садом, и лавкой, торговавшей наградной атрибутикой, и пристанищем для огромного восточноевропейского семейства — мистер Дайал и оглянуться не успел, как они перевезли туда всех родственников и друзей и своей электроплиткой чуть дом не спалили.

В этой-то квартире и стоял теперь Юджин Рэтлифф — после случая с электроплиткой обои и линолеум в гостиной были в жутких подпалинах. Он то и дело нервно проводил рукой по волосам (их он густо мазал бриолином и зачесывал назад, в духе давно ушедшей гангстерской моды его юности) и наблюдал за своим слабоумным младшим братцем — тот только что отсюда вышел и теперь под окнами приставал к какой-то темноволосой девчонке. Позади него стояли штук десять ящиков из-под динамита, набитых ядовитыми змеями: там были и всевозможные гремучие змеи — полосатые, ковровые, тростниковые, и щитомордники с медноголовками, и даже — в отдельном ящике — королевская кобра, прямиком из Индии.

На стене, закрывая выжженный кусок обоев, висела намалеванная от руки табличка, которую сам Юджин и написал — раньше она висела во дворе, но мистер Дайал потребовал ее оттуда убрать:

> С Божьей помощью насадим и укрепим Протестантское Вероисповедание и постоим за наши гражданские права. Господа Бутлегер, Нарходилер, Игрок, Коммунист и Прелюбодей и все прочие мистеры Преступники: Иисус следит за вами, тысячей глаз Он следит за вами. Отрекитесь от своих занятий, пока не предстали пред великим Его судом. (*К римлянам, 7:4*). Сей Пастырь ратует за праведное житье и неприкосновенность наших домов.

Под этой надписью была наклеена картинка с американским флагом, и ниже было приписано:

Евреи и их присные, которые суть Антихрист, украли всю нашу нефть и все наше имущество. (*Откровения, 18:3. Откровения, 18:11–15.*) Иисус наведет порядок. (*Откровения, 19:17*).

К окну подошел и гость Юджина — жилистый лопоухий молодчик лет двадцати трех — двадцати четырех, с выпученными глазами и вертлявой провинциальной походкой. Он старательно набриолинил свои короткие непослушные вихры, но они все равно торчали во все стороны.

— Ради таких невинных душ Христос и проливал кровь, — сказал он.

Он скалился в блаженной улыбке фанатика, излучая не то надежду, не то придурь — смотря как поглядеть, конечно.

— Слава Господу, — механически отозвался Юджин.

Ядовитые, неядовитые — Юджину все змеи не нравились, но отчего-то он был уверен, что у этих, в ящиках у него за спиной, или яд выдоен, или они еще как-то обезврежены, иначе как тогда все эти проповедники с Аппалачей — такие вот, как его гость — целуют гремучих змей прямо в морды, засовывают их себе под рубашки, швыряют их туда-сюда в этих жестяных сарайках, которые служат им церквями — а ведь, говорят, именно это они и делают. Сам Юджин ни разу не видел церковной службы со змеями (даже для гористого шахтерского Кентукки, откуда прибыл его гость, это было в диковинку). Однако он частенько видел, как люди в церкви начинали нести что-то невообразимое, хлопались навзничь, заходились в конвульсиях. Он видел, как бесов изгоняли одним шлепком по лбу одержимого и нечистый дух исходил сгустками кровавой слюны. Он был свидетелем тому, как после наложения рук слепой прозрел и паралитик встал на ноги; как-то раз на службе у пятидесятников близ Пикенса, штат Миссисипи, он видел, как чернокожий проповедник по имени Сесил Дейл Макаллистер заставил толстуху в зеленом спортивном костюме восстать из мертвых.

Такие явления Юджин считал совершенно законными, впрочем, они с братьями считали законными и показную роскошь, и дрязги Мировой федерации реслинга, и даже если кое-какие матчи были договорными, их это мало заботило. Ну да, много мошенников проворачивало чудеса во славу Его; легионы обманщиков и проныр вечно выискивали новые способы одурачить ближнего своего, и против них восставал и сам Иисус, но если даже хотя бы пять процентов чудес, явленных Юджину, были подлинными, разве этих пяти процентов недостаточно? Юджин был предан Создателю истово, неколебимо, потому что до ужаса Его боялся. Он не сомневался в том, что Христу под силу облегчить бремя и тех, кто находится в заточении, и притесненных, и их притеснителей, и пьяниц, и сирых, и убогих. Но взамен Он требовал полного повиновения, потому как возмездие Он вершил стремительнее милосердия.

Юджин проповедовал слово Божие, но ни к одной из церквей себя не причислял. Он проповедовал всякому имеющему уши, так же, как это делали пророки и Иоанн Креститель. Сильна была вера Юджина, но Господь отчего-то не сподобился наделить его обаянием или даром красноречия, и иногда он даже в лоне собственной семьи сталкивался с такими трудностями, что они казались ему непреодолимыми. Проповедовать слово Божие на заброшенных складах или стоя у обочины означало трудиться в поте лица среди нечестивцев.

Про этого проповедника с гор не Юджин придумал. Это его братья, Фариш с Дэнни, организовали его приезд ("чтоб помочь твоему служению") — и они так перешептывались, и перемигивались, и что-то вполголоса обсуждали на кухне, что Юджин заподозрил неладное. Их гостя он раньше и в глаза не видел. Его звали Лойал Риз, он был младшим братом Дольфуса Риза, гаденького связиста из Кентукки, с которым Юджину довелось работать в прачечной парчманской тюрьмы, где Юджин с Фаришем в конце шестидесятых мотали срок по двум статьям за многочисленные автоугоны. Дольфусу освобождение не светило. У него был пожизненный срок плюс девяносто девять лет за разбойное вымогательство и два убийства при отягчающих, правда, Дольфус уверял, что он невиновен и его подставили.

Дольфус с Фаришем — два сапога пара — в тюрьме сдружились и с тех пор друг друга из виду не теряли, Юджин подозревал, что Фариш с воли помогал Дольфусу проворачивать в тюрьме кое-какие делишки. В Дольфусе было шесть футов шесть дюймов, за рулем он был что твой Джуниор Джонсон[1] и (по его словам) знал

1 Известный автогонщик 1950-х годов.

с полдесятка способов убить человека голыми руками. Однако в отличие от угрюмого и неразговорчивого Фариша Дольфус любил поговорить.

Он вырос в семье протестантов-проповедников, приверженцев движения Святости[1], у них в семье все были проповедники в третьем колене, один он — заблудшая овца. Юджин любил, когда Дольфус под гул гигантских стиральных машин в тюремной прачечной травил байки о своем детстве в Кентукки: как он в рождественскую метель пел гимны на улицах горных шахтерских поселков, как их отец разъезжал с проповедями на раздолбанном школьном автобусе, в котором им иногда приходилось жить месяцами — есть мясные консервы прямо из жестянок и засыпать на куче кукурузных листьев под шелест гремучих змей в клетках у них в ногах; как они переезжали из города в город, стараясь укрыться от властей, про службы под лозами[2] и полуночные собрания при свете бензиновых горелок, когда все шестеро детей хлопали в ладоши и танцевали под перезвон бубнов и дешевой сильвертоновской гитары, на которой играла мать, пока отец глотал из банки заваренную чилибуху и накручивал гремучих змей себе на шею, на руки, обвивал ими талию, словно живым ремнем, их чешуйчатые тела тянулись вверх, извивались под музыку, будто карабкаясь по воздуху, а отец бился в экстазе, притопывал, трясся всем телом и безостановочно голосил о могуществе Живого Бога, о Его чудесах и знамениях и о том, какой ужас и какую радость дарит Его грозная, грозная любовь.

Их гость, Лойал Риз, в семье был самым младшеньким, и Юджин наслушался в прачечной рассказов о том, как его новорожденным младенцем уложили спать среди змей. Проповедовать со змеями он начал с двенадцати лет, а так на вид — невинный теленок: огромные лопоухие уши, прилизанные волосы, из остекленелых карих глаз так и льется благость. Насколько знал сам Юджин, у Дольфусовой родни особых проблем с законом не было (один Дольфус — исключение из правил), кроме этих их своео-

1 Течение в протестантизме, основная мысль которого — можно достигнуть святости при жизни, если осознать свою греховность и как следует покаяться.

2 *Brush Arbor Revivals* — религиозные собрания, которые проводились с XVIII века, на открытом воздухе, под специально для этого возведенной беседкой из лоз. Как правило, в них проходили религиозные службы странствующих проповедников, у которых не было своей церкви.

бразных религиозных практик. Но Юджин был убежден, что его пересмеивающиеся злобные братцы (они еще и наркотиками торговали, оба) привезли сюда младшего Дольфусова родственничка, имея на то свои скрытые умыслы — то есть не только затем, чтобы доставить неудобства и неприятности Юджину. Братья его были лентяями, и как бы им ни хотелось позлить Юджина, они не стали бы тратить столько сил и тащить сюда юного Риза со всеми его рептилиями ради простого розыгрыша. Сам юный Риз, лопоухий и прыщавый, похоже, ни о чем не догадывался: он аж светился надеждой и призванием, и сдержанный прием, который ему оказал Юджин, его лишь слегка озадачил.

Юджин глядел, как его младший брат Кертис вприпрыжку мчится по улице. Гостей он не ждал и теперь не знал, что ему тут делать с этими шипящими гадами в ящиках. Он думал, их запрут где-нибудь в кузове грузовика или в амбаре, а не разместят у него же под носом. Он дар речи потерял, когда увидел, как к нему по лестнице аккуратно затаскивают один покрытый брезентом ящик за другим.

— Ты почему мне не сказал, что у этих гадов яд не выкачан? — резко спросил он.

Младший братишка Дольфуса, похоже, опешил.

— Но это ка-ардинально противоречит Писанию, — сказал он. Как и у Дольфуса, у него был резкий, гнусавый выговор горца, только без Дольфусовой ухмылки в голосе, без его смешливого дружелюбия. — Мы свидетельствуем знамения, и змей берем такими, какими их сотворил Господь.

— Меня могли ужалить, — сухо сказал Юджин.

— Ни за что, брат мой, если ты помазан Господом!

Он отвернулся от окна, глянул Юджину прямо в лицо, и тот даже слегка вздрогнул, до того яро горели у Лойала глаза.

— Прочти Деяния апостолов, брат мой! Прочти Евангелие от Марка! Грядет победа над Диаволом, здесь во дни апокалипсиса, как оно и было предсказано в библейские времена... "Уверовавших же будут сопровождать сии знамения: будут брать змей и если что смертоносное выпьют..."[1]

— Эти твари опасны.

1 Евангелие от Марка, 16:18.

— И змей, и агнец — всё Его творения, брат.

Юджин промолчал. Он позвал сюда легковерного Кертиса, чтоб тот с ним вместе дождался приезда младшего Риза. Кертис был зверек отважный, если ему казалось, что кто-то из родных в опасности, он сразу — взволнованно, неуклюже — кидался их защищать, и Юджин хотел его попугать, притворившись, будто его ужалила змея.

Но в результате в дураках оказался сам Юджин. Теперь ему было стыдно, что он хотел разыграть Кертиса, особенно после того, как Кертис кинулся его жалеть, когда Юджин завопил от ужаса: гремучая змея свилась кольцами, бросилась на сетку, забрызгала ему ядом всю ладонь, а Кертис гладил Юджина по руке и участливо спрашивал: "Жалят? Жалят?"

— У тебя метина на лице, брат.

— И что с того?

Юджин и сам знал, что у него на лице уродливый красный шрам от ожога, ему лишние напоминания были не нужны.

— Не свидетельство ли это знамения?

— Несчастный случай, — отрезал Юджин.

Обожгли его смесью щелока и "Криско", на тюремном жаргоне — мазь "Холодок". Мерзкий маленький ловчила по имени Вимс — из Касциллы, штат Миссисипи, нападение при отягчающих — прыснул ему этой смесью в лицо, когда они с ним не поделили пачку сигарет. И как раз когда он оправлялся от ожога, ему во тьме ночной явился Господь, который сообщил Юджину, какое ему в мире уготовано предназначение; из лазарета Юджин вышел прозревшим, намереваясь простить обидчика, но Вимса уже не было в живых. Еще один недовольный заключенный перерезал Вимсу глотку лезвием, впаянным в зубную щетку, и этот случай только укрепил веру новообращенного Юджина в грозные жернова Провидения.

— Всякий, кто любит Его, — сказал Лойал, — мечен Им.

Он вытянул испещренные шрамами и укусами руки. Один палец был весь в черных метинах, кончик — уродливо раздут, от другого остался только коротенький обрубок.

— В этом весь смысл, — сказал Лойал. — Надобно хотеть умереть за Него, так же как Он хотел умереть за нас. И когда мы берем ядовитую змею и служим ею во имя Его, мы тем самым доказываем нашу к Нему любовь, так же как и Он доказал, что любит нас с тобой.

Юджин смягчился. Видно же, что малый говорит искренне — не трюкачествует, а поступает по вере своей, жертвует жизнью во имя Христа, как древние мученики. Вдруг кто-то постучался в дверь — торопливый, развязный перестук — *тюк, тюк, тюк*.

Юджин дернул головой, глянул на гостя, отвел взгляд. Пару секунд стояла полная тишина, в которой слышались только их дыхание и сухой, потрескивающий шорох в ящиках — отвратительный звук и такой тихий, что Юджин расслышал его только сейчас.

Тюк, тюк, тюк, тюк, тюк. И снова стук — жеманный, самодовольный — небось, Рой Дайал, кто ж еще. За жилье Юджин платил в срок, но Дайала, домовладельца от Бога, так и тянуло сунуть куда-нибудь нос — и потому он частенько, под тем или иным предлогом, заявлялся сюда пошпионить.

Младший Риз коснулся руки Юджина.

— Шериф округа Франклин выписал ордер на мой арест, — прошептал он Юджину на ухо. Изо рта у него пахло сеном. — Отца и еще пятерых человек там прошлой ночью арестовали за нарушение общественного порядка.

Юджин вскинул руку — успокойся, мол, но тут мистер Дайал яростно задергал ручку.

— Эй? Дома есть кто?

Тюк, тюк, тюк, тюк, тюк. Снова тишина, и тут Юджин с ужасом услышал, как в замке тихонько заскрежетал ключ.

Он метнулся в прихожую и увидел, что цепочка на замке перегородила открывшуюся дверь.

— Юджин, — ручка снова задергалась. — Дома есть кто?

— Эээ, простите, мистер Дайал, я сейчас немножко занят, — вежливым, бодрым голосом крикнул Юджин: так он разговаривал с приставами и полицейскими.

— Юджин! Здорово, приятель! Слушай, я все прекрасно понимаю, но все-таки можно тебя на пару слов? — В щель между косяком и дверью просунулся носок черного ботинка в дырочку. — Оки-доки? На секундочку?

Юджин подкрался к двери, прислушался.

— Эээ, чем могу помочь?

— Юджин, — он снова затеребил ручку, — всего одна секундочка, и я больше не буду тебя беспокоить.

Вот уж кому надо по домам с проповедями ходить, уныло подумал Юджин. Он утер рот тыльной стороной ладони и, изо всех сил стараясь говорить бойко и приветливо, сказал:

— Ммм, простите, что я так с вами, мистер Дайал, но сейчас я и впрямь занят! У меня как раз урок, мы изучаем Библию.

Пауза, и снова голос мистера Дайала:

— Ну ладно. Но, Юджин, до пяти вечера мусор к обочине выставлять нельзя. Если меня оштрафуют, ты будешь отвечать.

— Мистер Дайал, — Юджин уставился на морозильник "Мини-иглу", стоявший на полу в кухне. — Не хотел вам говорить, но уж знайте любезно, что этот мусор — мормонский.

— Чей он, меня не волнует. Санитарное управление запрещает выставлять мусор до пяти.

Юджин поглядел на часы. Без пяти пять, баптист ты чертов.

— Хорошо. Я уж разберусь тогда.

— Спасибо! Буду тебе очень признателен, Юджин, если мы с тобой это уладим. Кстати, Джимми Дейл Рэтлифф — твой брат?

Юджин помолчал, затем настороженно откликнулся:

— Троюродный.

— Я что-то никак не могу раздобыть их номер телефона. Не подскажешь?

— У Джимми Дейла, у них дома нет телефона.

— Тогда, Юджин, если увидишь его, передай, пожалуйста, чтоб он заглянул ко мне в контору. Мне бы ему надо сказать пару слов, по поводу выплат за его автомобиль.

Наступило молчание, и Юджин припомнил, как Иисус опрокинул столы менял и выгнал из храма всех торговцев. Они торговали скотом, волами — тогдашними грузовиками и машинами.

— Договорились?

— Непременно передам, мистер Дайал.

Юджин слушал, как мистер Дайал спускается вниз по лестнице — шагал он поначалу медленно, на полпути даже приостановился, но потом затопал побыстрее. Юджин прокрался к окну. Мистер Дайал не сразу сел в машину ("шевроле-импала" с дилерскими номерами), а еще какое-то время торчал во дворе, но Юджину было не видно, что он там делает — наверное, оглядывал пикап Лойала, тоже “шевроле”, а может быть, стукнулся к бедным мормонам, которых он вечно подначивал — то процитирует какую-нибудь обидную цитату из Писания, то примется допрашивать, что они, мол, думают о жизни после смерти, и тому подобное.

Только когда “импала” завелась (довольно лениво и неохотно — для такой новенькой-то машины), Юджин вернулся к своему гостю и увидел, что тот опустился и напряженно, дрожа всем телом, молится, уткнув кулаки в глаза, будто набожный спортсмен перед футбольным матчем.

Юджину стало неловко, тревожить гостя ему не хотелось, но и молиться с ним вместе — тоже. Он тихонько вернулся в переднюю комнату и вытащил из “Мини-иглу” тепловатый, запотевший круг сухого желтого сыра, о котором он только и думал с самого утра, когда он его купил, и складным ножом жадно отхватил от него большой кусок. Он сжевал его без крекеров, сгорбившись, повернувшись спиной к гостиной, где его гость по-прежнему молился, стоя на коленях среди ящиков динамита, — Юджин ел и размышлял о том, почему ему раньше в голову не приходило, что неплохо бы сюда занавески повесить. Раньше вроде бы в этом нужды не было, этаж-то второй, да и хоть двор у них лысый, зато соседские деревья загораживали соседские же окна. Но все равно, сейчас, пока у него тут змеи, немножко уединения не помешает.

Ида Рью заглянула в спальню Гарриет, держа в руках охапку свежевыглаженных полотенец.

— Ты там в книжке ничего не режешь, нет? — спросила она, заметив ножницы на коврике.

— Нет, мэм, — ответила Гарриет.

Сквозь открытое окно в комнату доносилось еле слышное жужжание электропил: деревья валили одно за другим. В баптистской церкви только и думали о том, как бы расширить территорию: новые комнаты для отдыха, новая парковка, новый молодежный центр. Скоро в этом квартале ни одного дерева не останется.

— Смотри мне, чтоб я этого не видела.

— Слушаюсь, мэм.

— А чего тогда ножницы вытащила? — Ида воинственно кивнула в сторону ножниц. — Ну-ка убери, — сказала она. — Сию же минуту.

Гарриет послушно встала, сунула ножницы в ящик письменного стола, задвинула ящик. Ида фыркнула и потопала дальше. Гарриет уселась на кровать, подождала и, как только шаги Иды стихли, снова открыла ящик и вытащила ножницы.

У Гарриет было семь школьных альбомов Александрийской академии, с первого по седьмой класс. Пембертон закончил школу два года назад. Она перелистывала страницы с фотографиями старшеклассников и внимательно изучала каждую. Пембертон был повсюду: на групповых снимках школьных сборных по гольфу и теннису; в читальном зале — на нем клетчатые штаны — он сидит, развалившись за столом; а вот он в смокинге стоит в толпе выпускников на фоне серебристого задника, увешанного белыми флажками. Лоб у него блестит, лицо пылает счастливым, жарким румянцем — похоже, он пьян. Диана Ливитт — старшая сестра Лизы Ливитт — держит его под руку затянутой в перчатку ручкой и улыбается, правда, несколько оторопело, потому что Энжи Стенхоуп, а не ее только что провозгласили королевой школы.

А вот портретные фото всех выпускников. Смокинги, прыщи, жемчуга. Деревенские девчонки с лошадиными челюстями кажутся еще нелепее в студийных накидках. Звездочку Энжи Стенхоуп, которая в тот год победила во всех на свете конкурсах и сразу после школы выскочила замуж, Гарриет недавно видела в продуктовом — она одрябла, поблекла и раздалась в талии. Но Дэнни Рэтлиффа нигде не было видно. Он провалил экзамены? Бросил школу? Она перевернула страницу — теперь пошли детские фотографии выпускников (Диана Ливитт прижала к уху пластмассовую трубку игрушечного телефона, насупленный Пем в мокром подгузнике шлепает по надувному бассейну) — и вздрогнула, наткнувшись на фото своего умершего брата.

Да, Робин, это его страница, вот он, глядит на нее — тощенький, веснушчатый весельчак в огромной соломенной шляпе, которую он, похоже, позаимствовал у Честера. Он смеялся — не так, будто увидел что-то смешное, а просто, славно так, как если бы он очень любил фотографа. РОБИН, МЫ СКУЧАЕМ!!! — было написано под снимком. Все его бывшие одноклассники поставили подписи внизу страницы.

Она долго разглядывала снимок. Она уже никогда не узнает, какой у Робина был голос, но лицо его она любила всю жизнь и с нежностью следила за тем, как оно менялось в выцветающей череде снимков: случайные мгновения, магия обычного солнечного луча. Каким был бы взрослый Робин? Теперь уже не узнаешь. Пембертон вот в детстве был очень уродливым ребенком — плечи широкие, ноги кривые, шеи вообще нет, никаких признаков, что вырастет в красавчика.

В альбоме за предыдущий год фотографий Дэнни Рэтлиффа тоже не было (а вот Пем был, "Юный бодрячок!"), но когда она изучала алфавитный список учеников из класса, шедшего за Пемовым, ее палец вдруг уперся в имя: Дэнни Рэтлифф.

Она глянула на колонку с портретами учеников. Фотографии Дэнни не было, вместо нее — ехидная карикатура: мальчишка облокотился на стол, впился взглядом в листок с надписью "Шпаргалка". Под карикатурой разномастными разбитными буквами было написано: "КОЕ-КТО СЛИШКОМ ЗАНЯТ — ФОТО НЕТ".

Значит, по крайней мере один раз экзамены он завалил. Может, он бросил школу после десятого класса?

Наконец она нашла его — еще годом раньше: мальчишка с густой челкой ниже бровей — смазливый, но глядит недобро, похож на поп-звезду с бандитских окраин. Выглядит взросло, и не скажешь, что девятиклассник. Челка падала ему на глаза, и казалось, что он злобно щурится; губы нахально выпятил, словно хотел сплюнуть жвачку или издать неприличный звук.

Она долго разглядывала фотографию. Потом осторожно ее вырезала и засунула в свой оранжевый блокнот.

— Гарриет, ну-ка поди сюда, — прокричала Ида снизу, с лестницы.

— Да-а-а-а-а, мэм? — Гарриет торопливо захлопнула альбом.

— Ну и кто понаделал дырок в коробке для ланча?

Хили не появился ни днем, ни вечером. И утром, которое, кстати, выдалось дождливым, не пришел тоже, поэтому Гарриет решила зайти к Эди — проверить, не удастся ли у нее позавтракать.

— Он же священник! — говорила Эди. — А хочет нажиться на церковной экскурсии, куда поедут вдовы и пенсионерки.

Эди приоделась — на ней была бежевая рубашка и джинсовый комбинезон, потому что сегодня "Садовый клуб" полол сорняки на конфедератском кладбище.

— “Ой, говорит он мне, — Эди поджала губы, передразнивая Дайала, — но ведь “Грейхаунд” с вас за это восемьдесят долларов возьмет!” “Ну надо же, — говорю я, — почему же меня это не удивляет? Может, потому, что “Грейхаунд” в принципе на этом деньги зарабатывает?”

Приспустив очки на нос, она читала газету и говорила царственным, не терпящим возражений тоном. На молчание внучки она даже внимания не обратила, и поэтому Гарриет тихонько хрустела тостом и дулась все сильнее. После разговора с Идой Гарриет здорово разобиделась на Эди, еще и потому, что Эди вечно строчила письма конгрессменам и сенаторам, подписывала какие-то петиции, боролась за спасение то каких-нибудь исторических зданий, то вымирающих животных. Разве какая-нибудь миссисипская утка, за которую Эди билась с таким пылом, была важнее благополучия Иды?

— Я не стала, конечно, ему напоминать, — Эди с надменным фырканьем расправила газету, будто говоря: и пусть мне за это спасибо скажет, — но никогда я не прощу Рою Дайалу того, как он тогда обжулил папочку с машиной. Папочка под конец уже все на свете путал. Дайал все равно что огрел его по затылку и обворовал посреди бела дня.

Гарриет поймала себя на том, что, не отрываясь, следит за дверью во двор, и снова опустила глаза в тарелку. Если Хили за ней заходил, а ее не было дома, он бежал к Эди, и Гарриет иногда приходилось несладко, потому что Эди обожала поддразнивать ее насчет Хили — отпускала невзначай шуточки про жениха с невестой и любовь до гроба, мурлыкала возмутительные любовные песенки.

— Мне кажется, — сказала Эди, и Гарриет вздрогнула, очнулась, — мне кажется, обед им в школе положен, но вот родителям и цента давать нельзя.

Это она про какую-то статью в газете говорила. А до этого Эди обсуждала историю с Панамским каналом: мол, до чего глупо — вот так вот просто все взять да отдать.

— Почитаю-ка лучше некрологи, — сказала она. — Папочка так всегда говорил. “Начну-ка с некрологов, вдруг кто знакомый умер”.

Она перевернула газету.

— Хоть бы дождь перестал, — Эди выглянула в окно, как будто Гарриет тут и вовсе не было. — Конечно, нам и в помещении есть чем заняться — надо бы разобраться в сарае, где у нас горшки для пересадки лежат, да и сами горшки обеззаразить, но, помяни мое слово, люди сегодня с утра только глянут на то, что за окном творится, и решат никуда не идти…

Тут, словно по сигналу, зазвонил телефон.

— Ну, что я говорила, — Эди всплеснула руками, встала из-за стола. — Вот и первая ласточка.

Гарриет возвращалась домой, низко опустив голову, прячась от дождика под огромным зонтом Эди, с которым она в детстве играла в Мэри Поппинс. В канавах бурлила вода, дождь гнул к земле долгий строй оранжевых цветов лилейника, которые так и лезли ей под ноги, будто хотели что-то ей крикнуть. Она смутно надеялась на то, что к ней вот-вот, шлепая по лужам, подбежит Хили в этом своем желтом дождевике, и если б он подбежал, она бы его, конечно, решительно проигнорировала, но вокруг только пар валил от пустых тротуаров: ни людей, ни машин.

Гарриет демонстративно запрыгала по лужам — все равно некому было запретить ей играть под дождем. И что, они теперь с Хили не разговаривают? Когда они в прошлый раз вот так надолго перестали общаться, оба были в четвертом классе. Они поссорились в школе, когда в феврале вдруг резко похолодало — по подоконникам стучал снег с дождем, и дети места себе не находили, потому что их уже третий день не выпускали погулять. В классе было не продохнуть, и к тому же воняло — воняло плесенью, раскрошенным мелом, кислым молоком и сильнее всего — мочой. Весь ковролин пропах ей насквозь, в дождливую погоду от этого запаха все на стенку лезли — дети зажимали носы, нарочито громко кашляли, будто их вот-вот стошнит, и сама учительница, миссис Майли, кружила у дальней стены с баллончиком освежителя воздуха, глейдовским "Цветочным букетом" — и распыляла его без устали, размашистыми движениями, попутно объясняя деление в столбик или что-нибудь диктуя, так что ученики вечно сидели в дымке дезодорирующего тумана и потом от них весь день пахло, как от стульчаков в женском туалете.

Миссис Майли было запрещено оставлять детей без присмотра, но она не меньше самих учеников устала от запаха мочи и потому часто бегала в соседний кабинет — посплетничать с миссис Райдаут, учительницей пятых классов. Она всегда поручала кому-нибудь из учеников следить за порядком в ее отсутствие, и в тот раз выбрала Гарриет.

Радости в том, чтоб "следить за порядком", не было никакой. Пока Гарриет торчала возле двери и ждала возвращения миссис Майли, остальным детям всего-то надо было успеть вовремя вернуться на место, и потому они носились по душной вонючей комнате — хохотали, визжали, играли в салочки, швырялись шашками и метали друг другу в лицо "мячи" из скомканной бумаги. Хили и еще один мальчишка по имени Грег Делоуч придумали себе развлечение — они кидались в Гарриет такими вот шарами из смятой бумаги, стараясь угодить ей в затылок. Их не пугало, что Гарриет на них пожалуется. Никто никогда не жаловался миссис Майли, все ее слишком боялись. Но Гарриет была страшно не в духе: ей хотелось в туалет, и она терпеть не могла Грега Делоуча, который, например, ковырялся в носу и потом ел козявки. Когда Хили играл с Грегом, то подхватывал его поведение, как заразу. Они плевались в Гарриет шариками жеваной бумаги, обзывались и визжали, стоило ей подойти поближе.

Поэтому, когда миссис Майли вернулась, Гарриет наябедничала на Грега и на Хили тоже, а для пущего счета прибавила, что Грег обозвал ее шлюхой. Однажды Грег действительно обозвал Гарриет шлюхой (а как-то раз и вовсе придумал ей какое-то загадочное прозвище, что-то вроде "шлюха-дрючка"), но в тот день он всего лишь крикнул Гарриет, что она "тошнотная". Хили в наказание пришлось зазубрить пятьдесят словарных слов, Грегу достались пятьдесят слов и девять ударов тростью (по одному за каждую букву в словах "черт" и "шлюха"), которых ему отсыпала крепкая желтозубая старуха миссис Кеннеди — она была ростом с огромного мужика, и все телесные наказания в школе были на ней.

Хили тогда так долго злился на Гарриет потому, что ему пришлось три недели учить эти слова, чтобы хорошо написать контрольную. Гарриет хладнокровно и даже без особых терзаний свыклась с мыслью, что дальше жить придется без Хили — та же жизнь, что и прежде, только в полном одиночестве, но уже через два дня после контрольной Хили был тут как тут — прибежал к ней во двор и позвал кататься на велосипедах. Обычно после ссор Хили всегда первым приходил мириться, даже если был ни в чем не виноват, потому что не мог долго обижаться и сразу начинал паниковать, если у него вдруг появлялось свободное время, а поиграть было не с кем.

Гарриет стряхнула воду с зонта, бросила его на крыльце и прошла домой через кухню. Но подняться к себе в комнату ей не удалось — из гостиной выскочила Ида Рью и перегородила ей путь.

— Ну-ка, ну-ка, — сказала она. — Я эти дела с коробкой так просто не оставлю. Это ведь ты взяла и дырок там понатыкала.

Гарриет помотала головой. Сознаваться она ни в чем не собиралась, но и бойко врать сил у нее уже не было.

— Будешь мне рассказывать, что к нам кто-то в дом залез, чтоб коробку испортить?

— Это коробка Эллисон.

— Сестра твоя и пальцем эту коробку не трогала, сама знаешь, — крикнула ей Ида вслед. — Сказки мне не рассказывай!

Давай скорей начнем…
Давай раскроем тайны…

Хили, скрестив по-турецки ноги, сидел на полу и уныло пялился в телевизор. На коленках он держал миску с недоеденными “Хи-хи-хлопьями”, рядом валялся “Роботобой” — у одного робота ослабла пружина, рука болталась. Тут же лежал ничком пластмассовый Солдат Джо, который исполнял роль рефери.

“Заряд чтения”, конечно, образовательная программа, но хоть не такая дурацкая, как “Мистер Роджерс”. Он вяло сунул в рот еще ложку хлопьев — они все разбухли, молоко от красителей позеленело, и только маленькие суфлешки оставались твердыми, как аквариумный гравий. Пару минут назад забегала мать, просунула голову в дверь гостиной, спросила, не хочет ли он ей помочь — она собралась делать печенье; Хили разозлился, вспомнив, что ее ни капельки не огорчил его презрительный отказ. Ну и ладно, бодренько ответила она, как хочешь.

Нетушки, не будет он идти у нее на поводу, не станет делать вид, что ему это интересно. Готовка — для девчонок. Если мать его вправду любит, свозила бы его лучше в боулинг.

Он съел еще ложку хлопьев. Сахарная глазурь растворилась в молоке, и теперь они были совсем невкусные.

Дома у Гарриет время как будто застыло. Никто даже и не заметил, что Хили не пришел, кроме — вот ведь странно — матери Гарриет, которая вряд ли заметила бы, если б налетел ураган и сорвал с дома крышу.

— А где младший Прайс? — крикнула она Гарриет с веранды.

Она называла Хили младшим Прайсом, потому что девичья фамилия его матери была Прайс.

— Не знаю, — сухо отозвалась Гарриет и поднялась к себе в комнату.

Но и тут ей все быстро наскучило — она беспокойно пометалась от кровати к подоконнику, поглядела, как хлещут по карнизам струи дождя, и снова поплелась вниз.

Сначала она бесцельно слонялась по дому, потом Ида выставила ее из кухни, и тогда Гарриет уселась в коридоре — было там укромное местечко, где половицы стерлись до гладкости — и решила поиграть в "десяточки". Она подбрасывала мяч и монотонно, нараспев считала ходы, ее голос сливался со стуком мяча и убаюкивающим пением Иды из кухни:

От горы оторвался камень, то узрел пророк Даниил…
От горы оторвался камень, то узрел пророк Даниил…
От горы оторвался камень, то узрел пророк Даниил…

Мячик был из твердой пластмассы и отскакивал от пола куда лучше резинового. Когда мячик задевал торчащую из половицы шляпку гвоздя, то со свистом отлетал в сторону. Даже этот гвоздь с черной скошенной набок шляпкой, напоминавшей остроконечную китайскую шапочку, и тот годился на роль невинного, благожелательного предметика, за который Гарриет могла зацепиться мыслями, за столь желанную осязаемую точку посреди временного хаоса. Сколько раз уже Гарриет наступала босой ногой на эту торчащую шляпку? Когда гвоздь вколачивали в половицу, шляпку приплющили и порезаться об нее было нельзя, но однажды, когда Гарриет было года четыре и она ползла на попе по коридору, она за эту шляпку зацепилась трусиками и порвала их: трусики были голубые, из набора "неделька", их ей купили в “Товарах для малышей”, и названия дней на них были вышиты розовым.

Раз — хлопок, два раза об пол, троечки в подбросе. Стойкая железная шляпка, она не менялась с самого ее детства. Нет, она так и осталась на месте, пряталась тихонько в темной заводи за дверью, пока остальной мир разваливался на глазах. Даже магазин “Товары для малышей”, где еще не так давно Гарриет покупали всю одежду, и тот закрылся. Миниатюрная миссис Райс — с напудренным розовым личиком, огромными очками в черной оправе и увесистым золотым браслетом с кучей подвесок — была неотъемлемой частью детства Гарриет, но потом продала “Товары для малышей”, а сама перебралась в дом престарелых. Вид опустевшего магазина Гарриет не нравился, но всякий раз, проходя мимо, она все равно прижимала нос к стеклу, делала ладони окошечком и заглядывала внутрь. Все занавески посрывали с колец, витрины стояли пустые. На полу валялись обрывки газет, а жутковатые детские манекены — голые, побуревшие, в заплесневелых паричках “под пажа” — бессмысленно таращились в нежилой полумрак.

Иисус был тем камнем, что рухнул с горы…
Иисус был тем камнем, что рухнул с горы…
Иисус был тем камнем, что рухнул с горы…
И Он царства все сокрушит…

Четверочки. Пятерочки. Она чемпион страны по игре в “десяточки”. Нет, чемпион мира. Почти не притворяясь, она с энтузиазмом выкрикивала счет, подбадривала себя, с восторгом прыгала с ноги на ногу, поражаясь своему мастерству. Она так разыгралась, что на минуту даже поверила, будто ей весело. Но, как ни старайся, все равно не забудешь, что никому нет дела до того, весело ей или нет.

Дэнни Рэтлифф, вздрогнув, проснулся. В последнее время спал он урывками, потому что его старший братец Фариш переоборудовал сарай для набивки чучел, стоявший за бабкиным трейлером, под метамфетаминовую лабораторию. Химиком Фариш не был, но амфетамин у него выходил неплохой, и от его затеи была сплошная выгода. Если так посчитать, то вместе с продажей наркотиков, пособием по инвалидности и деньгами за чучела оленьих голов, которые он набивал для местных охотников, Фариш сейчас заколачивал раз в пять больше, чем раньше, когда он грабил дома и снимал с машин аккумуляторы. Сейчас он за такое в жизни не возьмется. С тех пор как Фариш вышел из психлечебницы, он на это свои изрядные таланты не растрачивал, разве что проконсультировать мог. Всему, что он знал, Фариш обучил и братьев, но в их делах больше не участвовал: отказывался обсуждать подробности любых операций, даже просто поехать за компанию и подождать в машине отказывался. Хотя он куда ловчее братьев умел вскрыть отмычкой замок, завести машину без ключа, оценить обстановку и грамотно смыться, да и вообще знал свое ремесло со всех сторон, в результате все равно оказалось, что всем будет выгоднее, если Фариш не станет марать рук — Фариш был мастером, а значит, дома от него было больше толку, чем за решеткой.

Гениальность затеи с метамфетаминовой лабораторией заключалась в том, что бизнес по набивке чучел (и вполне законный, Фариш был таксидермистом уже лет двадцать как, плюс-минус) позволял ему добывать разные химикаты, которые просто так нигде и не купишь, а кроме того, вонища от чучел была такая, что напрочь забивала узнаваемый, похожий на душок кошачьей мочи, запах от производства мета. Рэтлиффы жили в лесу, на приличном расстоянии от дороги, но все равно, попасться по запаху было раз плюнуть; Фариш говорил, что кучу лабораторий накрыли только потому, что у соседей оказались длинные носы, или из-за того, что ветер изменился и подул прямиком в окно проезжавшей мимо полицейской машины.

Дождь перестал, сквозь занавески пробивалось солнце. Дэнни зажмурился и резко, так что взвизгнули пружины в матраце, перекатился на другой бок, уткнулся лицом в подушку. Его трейлер вместе с еще одним трейлером стоял за большим домом на колесах, где жила бабка, и был ярдах в пятидесяти от метамфетаминовой лаборатории, но сейчас одно наложилось на другое — мет, жара, чучела, — и вонь разнеслась по всему участку; Дэнни от этого запаха мутило так, что он думал, не выдержит и сблюет. Воняло кошачьей мочой, а еще — в равных долях — формальдегидом, гнильем и смертью, и запах этот просачивался всюду: он оседал на одежде и мебели, был в воздухе и в воде, на пластмассовых кружках и тарелках в доме бабки. От брата несло так, что к нему и на шесть футов нельзя было подойти, а пару раз Дэнни с ужасом учуял схожий душок и в запахе собственного пота.

Он лежал, не двигаясь, сердце так и выпрыгивало из груди. Последние несколько недель он торчал практически без перерыва и не спал вовсе, так — прикорнет иногда, забудется беспокойным сном. Голубое небо, бодрая музыка из радиоприемника, стремительные, бесконечные ночи, которые одна за другой летели к какой-то воображаемой точке на горизонте, пока он давил на газ и проносился сквозь них, сквозь тьму, сквозь свет, сквозь тьму и опять сквозь свет, словно скользил под летним ливнем по ровной длинной трассе. Неважно, куда ехать, важно — ехать быстро. Некоторые (и Дэнни был не из их числа) старчивались так скоро, улетали так далеко, встречали столько черных рассветов, скрипя зубами и слушая утреннее пение птичек, что не выдерживали и — хоп! — до свидания. Они были вечно под кайфом — глаза безумные, сами дерганые, на нервяке, им все казалось, что черви выедают им костный мозг, что подружки наставляют им рога, что правительство следит за ними через телевизор и что собаки гавкают азбукой Морзе. Дэнни видал одного такого отощавшего чудика (Кей Си Рокингэм, ныне покойный), который тыкал в себя швейной иглой — руки у него потом выглядели так, будто он их по локоть сунул в кипящее масло. Он говорил, крошечные глисты вгрызаются ему в кожу. Целых две недели он, практически празднуя победу, сутками напролет сидел перед теликом и ковырял иглой кожу на руках, то и дело восклицая: “Попался!” и “Ха!”, когда убивал воображаемого паразита. Фариш пару раз визжал почти на сходной частоте (однажды дела были совсем плохи, он тогда размахивал кочергой и орал что-то про Джона Ф. Кеннеди), но Дэнни до такого состояния не докатится, ни за что.

Нет, у него все отлично, все пучком, он только вспотел как свинья, жарковато тут, ну и он чуток на взводе. Задергалось веко. Любой звук, даже самый тихий, действовал ему на нервы, но больше всего его выматывал кошмарный сон, который снился ему уже целую неделю. Казалось, что этот кошмар так и витает над ним, только и ждет, когда он вырубится, и едва Дэнни укладывался в кровать и забывался беспокойным сном, кошмар наскакивал на него, хватал за ноги и с головокружительной скоростью утягивал за собой.

Он перекатился на спину, уставился на прилепленный к потолку плакат с девицей в купальнике. Ядовитые, дурные остатки сна до сих пор тяжелым похмельем теснились у него в голове. Сон был жуткий, но, проснувшись, Дэнни ни разу так и не смог припомнить никаких подробностей — кто там был, что происходило (хотя в этом его сне точно был по крайней мере еще один человек), помнил он только шок от того, что его засасывает в слепую, безвоздушную пустоту: барахтанье, хлопанье черных крыльев, ужас. Вроде, когда рассказываешь, не так страшно, но хуже сна, чем этот, он вряд ли видел.

Черные мухи облепили недоеденный пончик — остатки обеда, — который лежал на столике возле кровати. Когда Дэнни поднялся, мухи с жужжанием взвились в воздух, пару секунд безумно пометались по комнате и снова приземлились на пончик.

Пока его братья, Майк и Рики Ли, сидели в тюрьме, Дэнни жил в трейлере один, как король. Но трейлер был старый, с низким потолком и, хоть Дэнни и поддерживал тут идеальный порядок — мыл окна, не оставлял грязную посуду, все равно тут было тесно и убого. С жужжанием крутился туда-сюда электрический вентилятор, от чего тоненькие занавески на окне периодически взмывали в воздух. Из нагрудного кармана джинсовой рубашки, висевшей на спинке стула, Дэнни вытащил табакерку, только вместо табака там была унция порошка метамфетамина.

Он насыпал горочку на тыльную сторону ладони, закинулся. Нос сладко обожгло, перехватило горло — прямо как надо, глаза заволокло туманом. И вся дрянь его отпустила сразу же: цвета стали ярче, нервы — крепче, жизнь снова сделалась сносной. Он торопливо, трясущимися руками вытряс из табакерки еще понюшку, пока его от первой не успело до конца пронять.

О да, как за город смотаться. Радуги и звездочки. Внезапно он почувствовал себя бодрым, отдохнувшим, способным на все. Дэнни застелил кровать, туго заправив одеяло, вытряхнул окурки из пепельницы и ополоснул ее, выбросил банку из-под колы и недоеденный пончик. На карточном столике лежал наполовину собранный пазл (блеклый пейзажик — деревья в снегу, водопад), он несколько ночей под спидами развлекался тем, что собирал его.

Может, пособирать его немножко? Да, точно, пазл! Но тут его внимание переключилось на сложную ситуацию с электрошнурами. Шнуры обвились вокруг вентилятора, вскарабкались на стену, расползлись по комнате. Шнуры от радио, от телевизора, от тостера, все-все. Он прогнал муху со лба. Может, стоит заняться шнурами, распутать их чуток.

Где-то, похоже, в бабкином трейлере, работал телевизор, сквозь туман отчетливо прорывался голос ведущего из “Мировой федерации реслинга”: “И-и-и-и… Доктор Смерть слетел с катушек…”

— Да отвали ты! — вдруг услышал Дэнни свой рев.

Он еще толком ничего и не понял, а уже прихлопнул двух мух и теперь разглядывал два пятна от них на полях ковбойской шляпы. Он не помнил, что брал ее с собой, не помнил даже, что она тут лежала.

— Откуда ты взялась? — спросил он шляпу.

Туфта какая-то. Мухи запаниковали и теперь наматывали круги у него над головой, но сейчас Дэнни занимала только шляпа. Почему она здесь? Он ведь оставил шляпу в машине, точно оставил. Вдруг он отшвырнул шляпу на кровать — даже дотрагиваться до нее не хотелось, — и от того, как залихватски она приземлилась на аккуратно заправленное одеяло и там разлеглась, Дэнни сделалось не по себе.

Ну и в жопу ее, подумал Дэнни. Он подвигал шеей, натянул джинсы и вышел на улицу. Его брат Фариш развалился в алюминиевом шезлонге возле бабкиного трейлера и вычищал грязь из-под ногтей складным ножом. Вокруг валялись надоевшие ему игрушки: точильный круг, отвертка и разобранный транзисторный приемник, книжка с нарисованной на обложке свастикой. Рядом, в грязи, растопырив толстые, короткие ножки, сидел их младший брат Кертис, который прижимал к щеке грязного и мокрого котенка и что-то гудел себе под нос. Мать Дэнни, пропитая алкоголичка, родила Кертиса в сорок шесть, и хотя их папаша (тоже, кстати, алкоголик, и тоже ныне покойный) громко по этому поводу сокрушался, Кертис получился очень славным — он обожал пирожные, пиликанье губной гармошки и Рождество, и за ним не водилось никаких недостатков, ну разве что он был немного неповоротлив и глуповат да слышал не очень хорошо и поэтому, бывало, слишком громко включал телевизор.

У Фариша на скулах играли желваки, он кивнул Дэнни, даже не взглянув в его сторону. Фариш и сам был заряжен будь здоров. Свой коричневый комбинезон (форма работника почтовой службы с дырой на груди — потому что он срезал логотип) Фариш расстегнул почти до пупка, и из выреза торчал клок черных волос. И летом, и зимой Фариш не вылезал из таких вот комбинезонов, а переодевался только если ему надо было пойти в суд или на похороны. Поношенные комбинезоны он десятками покупал у почтовиков. Давным-давно и сам Фариш работал в почтовой службе, только доставлял не посылки, а письма. По его словам, не было лучше способа вычислить богатенький квартал, понять, кто когда уезжает, кто не запирает окна на защелки, у кого корреспонденция копится под дверью все выходные и чья собака может все испортить.

На этом-то Фариш и погорел, лишился почтальонского места, а мог бы и вовсе отправиться в ливенвортскую тюрьму, если бы окружной прокурор сумел доказать, что все кражи совершил Фариш во время работы.

Когда кто-нибудь в кабаке "Черная дверь" начинал дразнить Фариша насчет его формы или спрашивать, почему тот ее носит, Фариш всегда сухо отвечал, что он-де работал в почтовой службе. Но дело было вовсе не в этом: Фариш всеми фибрами души ненавидел федеральную власть, а почтовую службу — и того сильнее. Дэнни подозревал, что Фаришу так нравились эти комбинезоны, потому что к такой одежде он привык в психбольнице (это уже другая история), но на эту тему ни Дэнни, ни кто-либо еще с Фаришем заговорить не решался.

Он уже хотел было пойти в большой трейлер, но тут Фариш поднял спинку шезлонга и защелкнул складной нож. Колено у него так и ходило ходуном. Одним глазом Фариш ничего не видел — на нем было молочно-белое бельмо, но Дэнни до сих пор делалось не по себе, когда Фариш внезапно, как вот теперь, наставлял на него этот свой глаз.

— Гам и Юджин щас слегка грызанулись из-за телевизора, — сказал он. Гам была их бабкой, матерью отца. — Юджин считает, Гам нельзя смотреть про ее людей.

Друг на друга братья не глядели, оба уставились в безмолвную чащу — Фариш ссутулился в шезлонге, Дэнни стоял рядом с ним, они были похожи на пассажиров в переполненном вагоне. “Мои люди”, так их бабка называла свою любимую мыльную оперу. Проржавевшая машина заросла высоченной травой, в сорняках валялась перевернутая разломанная тачка.

— Юджин говорит, это не по-христиански. Ха! — Фариш так звучно шлепнул себя по колену, что Дэнни аж подпрыгнул. — А вот насчет борьбы он ничего против не имеет. И против футбола тоже. Что ж такого христианского в борьбе-то?

У всех братьев Рэтлиффов, за исключением Кертиса, который любил все на свете, даже ос, пчел и палую листву, с Юджином отношения были натянутые. Он был вторым по старшинству братом, и после смерти отца Фариш именно его назначил своей правой рукой в семейном бизнесе (воровство и грабеж). Обязанности свои он прилежно, хоть и без особого запала, исполнял, но потом, в конце шестидесятых, когда Юджин в парчманской тюрьме мотал срок за угон, ему было видение, в котором Господь повелел ему бросить все и начать возносить хвалу Иисусу. С тех пор нельзя сказать, чтоб родные относились к Юджину с теплотой. Он отказался марать руки, как он выражался, сатанинским промыслом, хотя, как ехидно замечала Гам, не возражал против того, что крышу у него над головой и еду на столе обеспечивал как раз Сатана и его присные.

Но Юджину было на это наплевать. Он то и дело цитировал Писание, вечно препирался с бабкой и вообще действовал всем на нервы. Он и так всегда был унылый, весь в отца (но хоть, слава богу, не был таким же буйным); даже в старые добрые времена, когда Юджин еще угонял автомобили или уходил на всю ночь в запой, с ним и то было невесело, парень он был так-то нормальный — не злобный, не злопамятный, но теперь от его проповедей все со скуки на стенку лезли.

— А что, кстати, Юджин тут делает? — спросил Дэнни. — Я думал, он в миссии, вместе с Крошкой-Змеем.

Фариш рассмеялся — резкое, пронзительное хихиканье.

— Что-то мне кажется, что Юджин уступит миссию Лойалу, пока там эти его змеи.

Юджин не ошибся, заподозрив, что Лойал Риз приехал не только чтобы выказать ему христианское сочувствие и помочь организовать службу со змеями: визит этот прямо из своей камеры организовал брат Лойала, Дольфус. Поставки амфетамина из Фаришевой лаборатории прекратились еще в феврале, когда прежнего курьера Дольфуса, на которого был выписан ордер, все-таки замели. Дэнни сказал, что может отвезти наркотики в Кентукки, но Дольфус не желал, чтоб кто-то лез на его территорию со своими наркотиками (будешь тут волноваться, если сидишь за решеткой), да и вообще, зачем нанимать курьера, когда у Дольфуса есть младший братишка Лойал, который их привезет бесплатно? Сам Лойал, конечно, ни о чем не догадывался — Лойал был человек богобоязненный и, знай он обо всем, ни за что не стал бы помогать Дольфусу в его планах. Он вообще ехал в Восточный Теннесси, у него там с прихожанами его церкви было что-то вроде "встречи выпускников"; в Александрию Лойал завернул по просьбе Дольфуса, тут жил его старый друг Фариш, а брат Фариша (Юджин) думал, не начать ли ему проповедовать со змеями, так надо было ему помочь. Вот и все, что знал Лойал. Но когда ни о чем не подозревающий Лойал поедет обратно в Кентукки, то вместе с ним и его змеями втихаря поедут и плотно увязанные сверточки, которые Фариш спрячет в двигателе его грузовика.

— Мне вот что непонятно, — сказал Дэнни, не отводя глаз от сосен, которые плотной тьмой обступали их пыльную маленькую полянку, — как они вообще с этими тварями справляются? Они их что, не кусают?

— Еще как кусают, черти! — Фариш воинственно вскинул голову. — Вон хоть Юджина спроси. Он тебя завалит подробностями. — Фариш дергал ногой, мелко тряся байкерский сапог. — Если ты разозлил змею, а она тебя не укусила — это чудо. Разозлил змею, и она тебя укусила — тоже чудо.

— Если тебя змея кусает, какое ж это чудо?

— А вот такое, если ты потом не идешь к доктору, а просто катаешься по полу и призываешь Иисуса. И остаешься в живых.

— А если помрешь?

— Тоже чудо. Это тебе такое знамение было, и ты сразу вознесся на небеса.

Дэнни фыркнул.

— Ишь ты, поди ж ты, — он скрестил руки на груди, — чудеса, значит, повсюду, и какой в них тогда толк?

Небо над соснами было ярко-синим, синева отражалась в лужах, и Дэнни почувствовал себя кайфово — ему двадцать один, жизнь прекрасна. Может, прыгнуть в машину да прокатиться до "Черной двери"? Или смотаться на водохранилище?

— Да пусть залезут вон в те кусты да перевернут пару камней, сразу на целое гнездо чудес наткнутся, — злобно сказал Фариш.

Дэнни рассмеялся:

— Знаешь, чудо будет, если Юджин вообще змею в руки возьмет.

Проповедник из Юджина был так себе, религиозного запала у него было много, но говорил он все равно невыразительно и вяло. Насколько было известно Дэнни, Юджину пока никого не удалось обратить в свою веру — разве что Кертиса, который всякий раз мчался в первые ряды за спасением души.

— Как по мне, так Юджин ни в жизни змею в руки не возьмет. Юджин даже червяка на крючок не насадит. Скажи-ка, братан, — не отводя взгляда от виргинских сосен на другом краю просеки, Фариш бодро закивал, будто хотел сменить тему, — а как тебе та большая белая гремучая змея, которая вчера сюда приползла?

Он говорил про партию мета, которую закончил стряпать вчера. Ну или, по крайней мере, Дэнни так показалось. Иногда было сложно понять, о чем говорит Фариш, особенно если он был пьян или под кайфом.

— Что скажешь? — Фариш вдруг резко вскинул голову, глянул на Дэнни и подмигнул — легонько, почти незаметно, дернул веком.

— Неплохо, — осторожно сказал Дэнни и с непринужденным видом отвернулся, стараясь не делать резких движений. Фариш часто слетал с катушек, если его не так поймешь, хотя мало кто в принципе понимал, о чем он говорит.

— Неплохо! — По виду Фариша было непонятно, взорвется он или нет, но в конце концов он просто покачал головой. — Порошок чистейший. Нюхнешь — и из окна выскочишь. Я на прошлой неделе чуть мозг себе не вывихнул, все думал, как бы доработать товар, чтоб он йодом не вонял. Я его чем только не очищал — и растворителем, и микстурой от лишая, а он как шел комками, так и идет. В нос хрен засунешь. Но я тебе вот что скажу, — фыркнул Фариш и снова откинулся на спинку шезлонга, вцепившись в ручки, будто собрался взлетать, — такую партию хоть ты с чем угодно намешай… — Вдруг он подскочил и заорал: — Я кому сказал, убери его от меня!

Удар, сдавленный вопль. Дэнни аж подпрыгнул и уголком глаза успел увидеть, как мимо пролетел котенок. Рыхлое личико Кертиса сморщилось, исказилось от горя и страха, и он, спотыкаясь, кинулся вслед за котенком, потирая глаза кулаками. Котенок был последний в помете, Фаришевы немецкие овчарки сожрали остальных.

— Я ему говорил, — Фариш с угрожающим видом встал с шезлонга. — Я ему сто раз говорил, чтоб он с этой кошкой ко мне и близко не подходил!

— Ага, — ответил Дэнни и отвернулся.

По ночам у Гарриет дома всегда наступала мертвая тишина. Слишком громко тикали часы, за низенькими зубчиками света от настольных ламп комнаты превращались в мрачные пещеры, а потолки исчезали в бездонной тьме. Зимой и осенью, когда солнце садилось в пять, было и того хуже, но не спать и сидеть вечером дома с Эллисон было отчего-то даже хуже, чем торчать тут в полном одиночестве. Эллисон вытянулась на диване, положив босые ноги на колени Гарриет.

Гарриет лениво разглядывала ступни Эллисон — они были влажные, розовые, как куски ветчины, и на удивление чистые, если вспомнить, что Эллисон везде ходила босиком. Понятно, почему Эллисон и Вини так хорошо ладили. В Вини было больше человеческого, чем кошачьего, а в Эллисон наоборот — больше кошачьего: она гуляла сама по себе, мало на кого обращала внимание, но, если ей хотелось, легко могла свернуться клубочком рядом с Гарриет и без спросу сунуть ей ноги под нос.

Ноги у Эллисон были очень тяжелые. Вдруг они резко дернулись. Гарриет посмотрела на Эллисон — глаза закрыты, веки подрагивают. Ей снится сон. Гарриет быстро ухватила ее за мизинец, дернула. Эллисон вскрикнула и поджала ногу, будто аист.

— Что тебе снилось? — требовательно спросила Гарриет.

У Эллисон на щеке красными квадратиками пропечаталась ткань с подлокотника, она глянула на Гарриет мутными ото сна глазами, как будто видела ее в первый раз… Нет, не так, подумала Гарриет, глядя на растерявшуюся сестру с холодным, почти врачебным безразличием. Она смотрит на меня и как будто видит что-то еще.

Эллисон прикрыла глаза ладонями. На миг она застыла в такой позе, потом встала. Щеки у нее припухли, веки отяжелели, глаз было не видно.

— Тебе что-то снилось, — сказала Гарриет, не сводя с нее глаз.

Эллисон зевнула. Потерла глаза и, сонно пошатываясь, побрела к лестнице.

— Подожди! — крикнула Гарриет. — Что тебе снилось? Расскажи!

— Не могу.

— Что значит — не можешь? То есть не хочешь?

Эллисон обернулась и поглядела на нее — довольно странным, как показалось Гарриет, взглядом.

— Не хочу, чтобы сбылось.

— Что сбылось?

— То, что мне приснилось.

— А что тебе приснилось? Сон был про Робина?

Эллисон остановилась на нижней ступеньке, оглянулась.

— Нет, — ответила она, — про тебя.

— Всего пятьдесят девять секунд, — холодно сообщила Гарриет, пока Пембертон откашливался и отплевывался.

Пем ухватился за бортик бассейна, вытер глаза запястьем.

— Чушь собачья, — выдохнул он, хватая ртом воздух. Лицо у него было пунцовое, практически одного цвета с мокасинами Гарриет. — Ты просто слишком медленно считала.

Гарриет гневно, шумно выдохнула. Потом раз десять изо всех сил глубоко вздохнула, пока голова у нее не пошла кругом — тогда, набрав воздуху в легкие, она оттолкнулась от края бассейна и ушла под воду.

Проплыть в одну сторону было легче легкого. А вот когда она плыла обратно, через прохладные, голубые тигриные полоски света, все вокруг нее будто загустело, замедлилось — мелькнула рядом детская рука, размытая, белесая, как у трупа; детская нога — к торчащим дыбом волоскам прилипли крошечные белые пузырьки, которые скатывались с них неторопливой пенистой струйкой, в висках у нее пульсировала кровь — схлынет и застучит, схлынет и застучит, и потом снова схлынет, словно накатывающие на берег океанские волны. Наверху — даже в голове не укладывается — бурлила яркими красками жизнь, при высоких скоростях и температурах. Орут дети, шлепают босыми ногами по раскаленным плиткам, кутаются в сырые полотенца и, причмокивая, облизывают цилиндрики синего фруктового льда, цвета воды в бассейне. "Ледяной взрыв", вот как назывался этот фруктовый лед. Ледяной взрыв. В тот год это был самый смак, лучшее лакомство. На холодильнике возле киоска были нарисованы дрожащие от холода пингвины. Синие губы… синие языки… мурашки по коже, заходятся зубы, холодно…

С оглушительным треском она взмыла на поверхность, словно пробила головой окно; тут было неглубоко, но стоять Гарриет все равно не могла и поэтому отталкивалась от дна кончиками пальцев, хватая ртом воздух; Пембертон, который до этого с интересом за ней наблюдал, бесшумно прыгнул в воду и плавно заскользил к ней.

Гарриет и опомниться не успела, как он ловко подхватил ее на руки, и вот уже ее ухо притиснуто к его груди, и, если задрать голову, можно увидеть, что зубы у Пембертона все желтые от никотина. Хмельной запах его тела — взрослый, чужой и, по мнению Гарриет, не самый приятный — из-за хлорки казался еще резче.

Гарриет выскользнула у него из рук, и они повалились в разные стороны — Пембертон звучно шлепнулся на спину, всколыхнув фонтаны воды, а Гарриет, молотя кулаками по воде, доплыла до края бассейна и, задрав нос, выбралась наружу — купальник на ней был черный в желтую полоску (Либби шила), и она была похожа на маленького шмеля.

— Чего ты? Не любишь, когда тебя на руках носят?

Говорил он вальяжно, беззлобно, словно обращался к котенку, который его поцарапал. Гарриет надулась и брызнула ему водой в лицо.

Пем увернулся:

— Эй, ты чего это? — насмешливо спросил он.

Он хорошо — даже чересчур хорошо — знал, какой он симпатичный, и покровительственно ей улыбался, а его желтые, как одуванчики, локоны струились по голубой воде, точь-в-точь как у смеющегося водяного из книжки Эди — иллюстрированного издания стихотворений Теннисона:

Кого назову я

Лихим водяным

Что поет один,

Что живет один,

Покрыв златом главу,

Средь морских глубин?

— Хммм? — Пембертон отпустил лодыжку Гарриет и легонько брызнул в нее водой, потом потряс головой, так что капли разлетелись во все стороны. — Ну и где мои денежки?

— Какие денежки? — удивилась Гарриет.

— Я научил тебя насыщать легкие кислородом, ведь так? Этому аквалангистов учат на очень дорогих курсах.

— Да, но ты мне только это и рассказал. Я каждый день тренируюсь, учусь задерживать дыхание.

Пем отшатнулся, изобразил на лице обиду.

— Ну вот, Гарриет, а я-то думал, у нас с тобой уговор.

— А вот и нет! — сказала Гарриет, которая терпеть не могла, когда ее дразнят.

Пем рассмеялся.

— Ну ладно. Это мне тебе за уроки приплачивать надо. Слушай, — он окунулся, снова вынырнул, — а твоя сестра все еще переживает из-за того кота?

— Ну вроде да. А что? — настороженно спросила Гарриет. Она никак не могла взять в толк, с чего это Пембертон так интересуется Эллисон.

— Ей надо собаку завести. Собаку можно обучить всяким трюкам, а кота ты ничему не научишь. Им на все насрать.

— И Эллисон тоже.

Пембертон засмеялся:

— Ну тогда ей точно нужен щенок, — сказал он. — Я видел объявление в клубе, кто-то продает щенков чау-чау.

— Кошку ей хочется больше.

— А собака у нее была когда-нибудь?

— Нет.

— Ну вот. Она даже не знает, сколько всего упускает. Это у кошек просто вид такой, всезнающий, а на самом деле они тупо сидят и пялятся по сторонам.

— Вини был не таким. Вини был умным.

— Ну конечно.

— Нет, ну правда. Он понимал каждое слово. И пытался нам отвечать. Эллисон с ним все время занималась. Он изо всех сил старался, просто у него рот совсем по-другому устроен, и звуки не очень получались.

— Это уж точно, — сказал Пембертон и, перекатившись на спину, закачался на воде. Глаза у него были такие же ярко-синие, как вода в бассейне.

— Он даже выучил несколько слов.

— Правда? Например?

— Например, "нос".

— "Нос"? Странное он решил выучить слово, — лениво протянул Пембертон, уставившись в небо, его золотые волосы веером стелились по воде.

— Эллисон хотела начать со всяких названий, с названий вещей, на которые можно указать пальцем. Ну, как мисс Салливан с Хелен Келлер. Она дотрагивалась до носа Вини и говорила: "Нос! Это твой нос! У тебя есть нос!" А потом она касалась своего носа. А потом — снова его. Туда-сюда.

— Наверное, делать ей было особо нечего.

— Ну, это правда. Они так до вечера могли просидеть. Потом, стоило Эллисон прикоснуться к своему носу, Вини вот так подымал лапку и трогал свой нос, и — я не шучу! — воскликнула она, потому что Пем хохотал во все горло, — нет, правда, он так странно мяукал, как будто пытался сказать: "нос"

Пем перевернулся на живот, шумно вынырнул.

— Да ладно.

— Я не вру. Спроси Эллисон.

Было видно, что Пем заскучал.

— Ну, мяукнул он там что-то…

— Да, но это было не простое мяуканье, — Гарриет прокашлялась и попыталась изобразить этот звук.

— Ты правда думаешь, что я в это поверю?

— Эллисон все записала! У Эллисон целая куча кассет! В основном обычное мяуканье, но иногда, если как следует вслушаться, слышно, как он пытается произнести кое-какие слова.

— Гарриет, ты меня уморишь.

— Это все правда! Спроси Иду Рью. И еще он умел определять время. Каждый день, в два сорок пять, секунда в секунду, он царапался в дверь на кухне, просил Иду его выпустить, чтобы он успел встретить Эллисон с автобуса.

Пембертон сунул голову под воду, вынырнул, зачесал пятернями волосы назад, зажал ноздри и шумно задышал, чтобы продуть уши.

— А почему Ида Рью меня не любит? — бодро спросил он.

— Не знаю.

— Она меня никогда не любила. Когда я приходил поиграть с Робином, она ко мне вечно цеплялась, даже когда я еще в детском саду был. Бывало, отломит хворостину с какого-нибудь куста, которые у вас за домом растут, и давай гонять меня ей по двору.

— Она и Хили не любит.

Пембертон чихнул, вытер нос тыльной стороной ладони.

— Кстати, что у вас там с Хили приключилось? Он больше не твой жених?

— Никакой он мне не жених! — ужаснулась Гарриет.

— А вот он совсем другое говорит.

Гарриет промолчала. Хили обычно попадался на провокации Пембертона, заводился и начинал кричать всякие глупости, но Гарриет на эту уловку не купится.

Мать Хили — Марта Прайс Халл, бывшая одноклассница матери Гарриет — прославилась тем, что безбожно баловала своих сыновей. Она их обожала до потери пульса и все им позволяла, а что там отец скажет — дело десятое; про Хили говорить было еще рано, но многие считали, что из Пембертона ничего путного не вышло как раз потому, что мать его избаловала. О ее попустительстве ходили легенды. Бабушки и свекрови сразу припоминали Марту Прайс, если нужно было привести поучительный пример того, как не надо трястись над детьми, или того, как плачевно все заканчивается, если, например, разрешить ребенку три года питаться одними шоколадными тортами, как это было с Пембертоном. С четырех до семи лет Пембертон не ел ничего, кроме шоколадных тортов, более того (и на этот факт все страшно напирали), торт был не простой, а какой-то особенный, для которого нужно было сгущенное молоко и еще куча дорогих ингредиентов, и любящая Марта Прайс каждый день поднималась в шесть утра, только чтоб этот торт испечь. Тетушки до сих пор вспоминали случай, когда Пем пришел в гости к Робину и отказался обедать у Либби — он молотил кулаками по столу ("ну прямо маленький Генрих Восьмой") и требовал шоколадного торта. ("Ты только подумай! «Мамочка меня всегда кормит шоколадным то-ортом!» Отшлепать бы его как следует!") Чудо вообще, что у Пембертона все зубы остались на месте, но вот то, что он вырос разгильдяем и никак не может найти себе приличную работу, люди с уверенностью объясняли как раз подобными провалами в его воспитании.

Частенько поговаривали и о том, каким же сплошным разочарованием, наверное, был для отца Пема его старший сын, ведь отец Пема был директором Александрийской академии, у него работа такая — детей воспитывать. Но мистер Халл не был краснолицым крикуном из бывших спортсменов, которые часто водились в таких частных школах, он даже тренером никогда не был — мистер Халл преподавал естествознание в средних классах, а если выдавалась свободная минутка, запирался у себя в кабинете и читал книжки по самолетостроению. Но хоть мистер Халл и держал всю школу в ежовых рукавицах, а ученики впадали в ужас, стоило ему замолчать, жена полностью подрывала его авторитет, и со своими детьми дома он управиться не мог — особенно трудно было с Пембертоном, который вечно кривлялся и хихикал и на групповых снимках пристраивал отцу рожки. Другие родители сочувствовали мистеру Халлу, понятно же, что парня не образумишь — разве что выпороть его до полусмерти, но хотя мистер Халл на публике, бывало, рявкал на Пема так, что все кругом вздрагивали, на самого Пема это не оказывало никакого воздействия, и он продолжал отпускать шуточки и хохмить.

Но хоть Марту Халл нисколечко не волновало, что сыновья у нее носятся без присмотра по всему городу, отрастили себе волосы до плеч, пьют за обедом вино и завтракают сладостями, кое-какие правила в доме Халлов нарушать категорически воспрещалось.

Пембертону шел двадцать первый год, но ему все равно нельзя было курить в присутствии матери, а Хили, конечно, курить нельзя было вовсе. Нельзя было громко слушать рок-н-ролл на магнитофоне (но когда родителей не было дома, Пембертон с друзьями врубали на всю округу *The Who* и *The Rolling Stones* — Шарлотта недоумевала, миссис Фонтейн бежала жаловаться, а Эди кипела от злости). Родители уже, конечно, не могли запретить Пембертону гулять где ему вздумается, зато Хили строго-настрого запрещалось соваться в Пайн-Хилл (дурной район, где были одни ломбарды да дешевые дансинги) и в бильярдную.

Как раз в бильярдной и стоял теперь Хили, по-прежнему дуясь на Гарриет. Велосипед он оставил на другом конце улицы, в переулке возле мэрии, чтоб мать с отцом его не засекли, если вдруг проедут мимо. Хили уныло жевал чипсы со вкусом копченостей, которые продавали тут же, с пыльного прилавка, вместе со жвачкой и сигаретами, и разглядывал комиксы на стойке возле двери.

Бильярдная была всего-то в паре кварталов от городской площади, да и алкоголем тут не торговали, и все равно, злачнее места во всей Александрии не сыщешь, тут было даже хуже, чем в "Черной двери" или "Эсквайр-баре", который в Пайн-Хилле. Говорили, что в бильярдной торгуют наркотой. Тут процветали азартные игры, а перестрелки и поножовщина были обычным делом. Тусклый свет, бетонные стены выкрашены в тюремный зеленый цвет, на потолке, отделанном пенопластовыми плитами, потрескивают флуоресцентные лампы — дело уже шло к вечеру, но в бильярдной было немноголюдно. Из шести столов занято два, да в углу парочка деревенских парней с зализанными волосами, в джинсовых рубашках с заклепками, тихонько играют в пинбол.

Хотя затхлое, мрачное нутро бильярдной как нельзя лучше сочеталось с тоскливым настроением Хили, в бильярд он играть не умел, а подойти к столам и понаблюдать за игрой страшно боялся. Но ему вполне хватало того, что он мог стоять в укромном уголке возле двери, жевать чипсы и вдыхать опасную атмосферу порока.

В бильярдную Хили манили комиксы. Богаче выбора нигде не было. В магазине при аптеке продавали "Богатенького Ричи" и "Бетти и Веронику", в гастрономе "Биг Стар" — то же самое плюс "Супермена" (стойка с комиксами там стояла не в самом удобном месте — возле вертушки с курицей гриль, поэтому долго разглядывать их было нельзя, не то задницу поджаришь); зато в бильярдной были и комиксы про “Сержанта Скалу”, и “Военные байки из склепа”, и “Атака рядового Джо” (где настоящие солдаты взаправду мочили узкоглазых), и “Рима, дитя джунглей”, там у главной героини был купальник из шкуры пантеры, и — самое-то главное — в бильярдной было завались ужастиков (про оборотней, похороненных заживо людей, голодных, полусгнивших, лезущих из могил зомби), к которым Хили проявлял живейший интерес: “Странные сказки”, и “Дом секретов”, и “Час волка”, и “Список Спектра”, и “Запретные сказки Черного дома”... Он и не знал, что бывает такое захватывающее чтение и что он, Хили, может преспокойно купить его в родном городе, но однажды его оставили в школе после занятий, и он наткнулся на оставленный кем-то в парте выпуск “Тайны Зловещего особняка”. На обложке были жуткий старый дом и девушка-калека, которая с воплями пыталась сбежать на кресле-каталке от гигантской кобры. Он перевернул страницу: девушке-калеке спастись не удалось, она билась в конвульсиях и изо рта у нее шла пена. И там была еще куча других историй, в которых фигурировали вампиры, выколотые глаза и кровавая резня. Хили был в восторге. Он раз пять или шесть прочел весь выпуск от корки до корки, унес его домой и там прочел еще несколько раз, пока не выучил наизусть все рассказы оттуда: “Сосед Сатаны”, “Один гроб на двоих” и “Трансильванское турагентство”. Вне всяких сомнений, то были самые крутые комиксы в мире, Хили был уверен, что других таких комиксов просто нет, что это ему вот так единожды повезло, а больше их нигде не достать, и потому чуть не лопнул от зависти, когда через пару недель увидел, как в школе один мальчишка по имени Бенни Ландрет читает похожий комикс — только назывался он “Черная магия”, и на обложке у него мумия душила археолога. Хили умолял Бенни, который учился классом старше и был врединой, продать ему этот комикс, а когда тот не согласился, предложил ему целых два доллара — три доллара! — за то, чтоб Бенни разрешил ему минуточку, всего одну минуточку, его полистать.

— Иди в бильярдную и купи себе такой, — сказал Бенни и шлепнул Хили по уху скатанным в трубку комиксом.

Это было два года назад. Теперь одни только комиксы-ужастики и помогали Хили справляться с жизненными трудностями вроде ветрянки, скучных поездок в авто или лагеря на озере Селби. В средствах Хили был ограничен, к бильярдной ему приближаться было строго-настрого запрещено, поэтому за комиксами он выбирался нечасто, от силы раз в месяц, и вылазок этих ждал с нетерпением. Толстяк за кассой обычно никогда не возмущался, что Хили так долго торчит у стойки, да и, похоже, вообще не обращал на Хили никакого внимания — оно и к лучшему, потому что Хили иногда мог часами листать комиксы, стараясь не прогадать с покупкой.

Он приехал сюда, чтоб отвлечься от мыслей о Гарриет, но после покупки чипсов у него осталось всего тридцать пять центов, а комиксы были по двадцать центов за выпуск. Он без особого интереса полистал один рассказик в "Черном доме", который назывался "Гость-демон" ("АААААА! — Я… Я ВЫПУСТИЛ НА ВОЛЮ — ГНУСНУЮ ТВАРЬ… ПО НОЧАМ ОНА НАВОДИТ СТРАХ НА ВСЮ ОКРУГУ!!!), но сам то и дело поглядывал на другую страницу, с рекламой бодибилдинга по системе Чарльза Атласа. "Погляди-ка на себя как следует. По плечу ли тебе динамическая растяжка, которая сводит женщин с ума? Или ты тощий и хилый слабак и в тебе жалких девяносто семь фунтов весу?"

Хили не знал, сколько он весит, но вес в девяносто семь фунтов казался ему немаленьким. Он печально поглядел на картинку "До" — пугало пугалом — и задумался, не стоит ли ему выписать их буклет или это такая же обдираловка, как "Очки-рентгены", которые он заказал по почте, увидев рекламу в "Странных сказках". Там было сказано, что очки-рентгены помогают видеть сквозь стены, кожу и женскую одежду. Они обошлись ему в доллар девяносто восемь центов, плюс тридцать пять центов за пересылку, да еще шли они сто лет, а когда их наконец прислали, оказалось, что это просто-напросто пластмассовая оправа с двумя вставными картонками: на одной была нарисована рука, сквозь которую были видны кости, а на другой — сексапильная секретарша в прозрачном платье, через которое просвечивало черное бикини.

Тень упала на Хили. Он поднял голову и увидел чьи-то спины: двое мужчин отошли от бильярдных столов и встали возле стойки с комиксами, чтобы переговорить наедине. Одного Хили узнал — Реверс де Бьенвиль, местная знаменитость, король трущоб; на голове у него было огромное рыжее "афро", а ездил он на "гран торино" с тонированными стеклами. Хили часто видел его в бильярдной и еще, особенно летними вечерами, — возле автомойки, где тот постоянно с кем-то разговаривал. Черты лица у Реверса были как у чернокожего, но кожа у него была белой, веснушчатой, как у Хили, а глаза — голубыми. Однако в городе его узнавали по одежке: он носил шелковые рубахи, широченные клеши и ремни с огромными — размером с тарелку — пряжками. Говорили, что одевается он в Мемфисе, у "Братьев Лански", там же, где, по слухам, покупает себе одежду сам Элвис. Вот и теперь, несмотря на жару, Реверс щеголял в красном вельветовом пиджаке, узких белых клешах и красных кожаных лоферах на платформе.

Говорил, правда, не Реверс, а тот, второй: жилистый, тощий паренек с обкусанными ногтями. На вид — не старше подростка, невысокий, да и не слишком опрятный, скулы острые, волосы по-хипповски расчесаны на прямой пробор и висят сосульками, но был в нем какой-то небрежный, лихой шик, будто у рок-звезды, и стоял он, расправив плечи, будто что-то из себя представлял, хотя, конечно — ничего.

— А откуда у него деньги на игру? — шептал ему Реверс.

— Небось, пособие по инвалидности, — ответил хиппи и вскинул голову. Глаза у него были пронзительного серебристо-голубого цвета, а взгляд — напряженный и как будто застывший.

Они, похоже, обсуждали бедолагу Карла Одума, который катал шары в другом углу зала и предлагал сразиться с каждым, кто пожелает, с любыми ставками, кому сколько не жалко проиграть. Карлу — вдовцу, у которого на руках осталось штук десять замызганных детишек — было всего лет тридцать, но выглядел он в два раза старше: дубленая от загара кожа, блеклые воспаленные глазки. На руке у него не хватало пальцев — их ему вскоре после смерти жены оторвало во время аварии на яйцеупаковочной фабрике. Карл был пьян и громко бахвалился, что любого по стенке размажет одним пальцем.

— Вот моя опора! — говорил он, потрясая изуродованной рукой. — А больше мне ничего не нужно.

Рука была грязная: с черными дорожками на ладони, с черной каймой под ногтями на двух уцелевших пальцах — большом и указательном.

Одум обращался к стоявшему рядом парню — огромному, как медведь, бородачу в коричневом рабочем комбинезоне, у которого на груди вместо бирки с именем была просто неровная дырка. На Одума он даже не глядел — так и впился глазами в стол. В его длинных — до плеч — темных космах проглядывала седина. Сам здоровяк, а плечи какие-то несуразные, как будто бы руки плохо к телу прикручены — они безвольно висели у него по бокам, локти слегка согнуты, кисти болтаются — если медведь во весь рост вытянется, у него передние лапы, наверное, так же будут болтаться. Хили не мог глаз от него отвести. Из-за густой черной бороды и коричневой формы он здорово смахивал на какого-то безумного южноамериканского диктатора.

— Все, что касается бильярда, все, что касается игры, — говорил Одум. — Как по мне, это вторая натура, по-другому и не скажешь.

— Да, бывают такие одаренные, — дядька в коричневом комбинезоне говорил басом, но не грубо.

Он повернулся, и Хили вздрогнул, увидев, какой жуткий у него один глаз — как будто закатившийся, с белесым бельмом.

Всего-то в паре футов от Хили парень-крутыш откинул челку с глаз, бросил Реверсу:

— По двадцатке за кон. За каждый его проигрыш.

Он ловким щелчком вышиб сигарету из пачки, подбросив ее, будто игральную кость, и Хили с интересом подметил, что хоть жест был и выверенный, а руки у парня тряслись, как у старика. Потом тот наклонился, шепнул что-то Реверсу на ухо.

Реверс расхохотался:

— Если проиграет, то у меня жопа черная! — сказал он.

Он легко, изящно крутнулся на каблуках и вразвалочку отправился к машинам для пинбола.

Крутыш закурил и принялся оглядывать комнату. Кожа у него была такая смуглая, что серебристо-светлые глаза так и горели на лице, и Хили поежился, когда тот скользнул по нему невидящим взглядом — взгляд был диковатый, полный света, и Хили он напомнил старинные снимки юных солдат-конфедератов.

У бородача в коричневом комбинезоне, стоявшего у стола в другом конце зала, был по сути всего один глаз, но и он горел схожим серебристым светом. Хили долго рассматривал обоих, прячась за раскрытым комиксом, и приметил наконец искорку семейного сходства. На первый взгляд казалось, что между ними нет ничего общего (бородач был гораздо старше и гораздо крупнее второго паренька), но у обоих были длинные темные волосы, почерневшие от загара лица и одинаковый немигающий взгляд, оба они с трудом ворочали шеей и говорили, практически не размыкая рта, как будто боялись показать дурные зубы.

— Ты его на сколько развести хочешь? — спросил Реверс, который снова прошмыгнул обратно.

В ответ крутыш насмешливо гоготнул, и, услышав этот смешок, Хили чуть комикс не выронил. Уж он сумел как следует запомнить этот визгливый презрительный хохот: он еще долго несся ему в спину с моста, пока Хили продирался сквозь кусты, а меж берегов металось эхо выстрелов.

Это был он! Только без ковбойской шляпы, поэтому-то Хили его не узнал. Его так и обдало жаром, и он с негодованием уставился на картинку с перепуганной девушкой, которая вцепилась Джонни Сорвиголове в руку (“Джонни! Вон та восковая фигура! Она шевельнулась!”).

— Одум — игрок неплохой, Дэнни, — тихонько говорил ему Реверс. — Пальцы — дело десятое.

— Ну, трезвого Фариша он, может, еще и обыграет. Но пьяного — точно нет.

У Хили в голове словно две лампочки вспыхнули. Дэнни? Фариш? Попасться под пули какой-то шпаны — уже, конечно, целое приключение, но попасться под пули Рэтлиффов — совершенно другое дело. Ему не терпелось вернуться домой и рассказать обо всем Гарриет. Неужели этот бородатый сасквоч и есть знаменитый Фариш Рэтлифф? Хили слышал только про одного Фариша — хоть в Александрии, хоть где.

Хили стоило больших усилий снова уткнуться в комикс. Он ни разу не видел Фариша Рэтлиффа вблизи — только нечеткий снимок в местной газете, да как-то раз ему показали Фариша, когда тот проезжал мимо в машине, — зато рассказы о нем слышал с самого детства. В свое время Фариш Рэтлифф был самым отъявленным преступником во всей Александрии, главарем целой семейной банды, на счету которой были бесчисленные грабежи и разбои. Еще он довольно долгое время сочинял и распространял пропагандистские листовки с названиями вроде “Кошелек или жизнь?”

(протест против федерального подоходного налога), "Несломленный дух: боремся с критиканами" и "Руки прочь от МОЕЙ дочери!". Всему этому положила конец история с бульдозером, которая приключилась пару лет назад.

Хили не знал, зачем Фариш захотел украсть бульдозер. В газете было сказано, что сначала на местной стройке, которая начиналась сразу за зданием, где размещалась контора по торговле пищевым льдом, прораб хватился бульдозера. Потом никто и опомниться не успел, а Фариш уже газовал на бульдозере по шоссе. Полиция велела ему остановиться, но он вместо этого развернулся и угрожающе задрал ковш. Тогда копы стали по нему стрелять, и Фариш рванул на бульдозере через пастбище — он разнес забор из колючей проволоки, распугал всех коров и, наконец, загнал бульдозер в канаву. Полицейские кинулись к канаве, крича, чтоб Фариш выходил с поднятыми руками, но замерли как вкопанные, когда увидели, что Фариш приставил к виску револьвер и выстрелил. В газете была фотография — коп по имени Джеки Спаркс стоит над телом и с потрясенным видом кричит что-то сотрудникам скорой.

Конечно, было непонятно, зачем Фариш вообще угнал бульдозер, но вот чего совсем никто не понимал, так это того, зачем он пустил себе пулю в висок. Кто-то говорил, что Фариш, мол, не хотел опять садиться в тюрьму, но на это многие возражали, что таким, как Фариш, тюрьма не страшна, преступление пустяковое и он бы через год-другой опять вышел на свободу. Ранение было серьезным, Фариш чуть не умер. Поэтому он снова попал во все газеты, когда вдруг очнулся и попросил картофельного пюре, хотя врачи уже записали его в "овощи". Когда полностью ослепшего на правый глаз Фариша выписали из больницы, его по вполне понятным причинам признали невменяемым и отправили в государственную лечебницу для душевнобольных в Уитфилде.

Из психушки Фариш вышел совершенно другим человеком. И дело тут было не только в том, что он на один глаз ослеп. Говорили, что он и пить бросил, и, похоже, перестал грабить заправки, угонять машины и подрезать электропилы из чужих гаражей (хотя теперь его на этом посту неплохо подменял младший брат). Отъявленным расистом он тоже вроде больше не был. Он больше не торчал перед школой, раздавая прохожим листовки собственного сочинения, в которых он протестовал против того, чтоб белые учились вместе с черными. Он получал пособие по инвалидности да еще зарабатывал тем, что по заказу местных охотников делал чучела из оленьих голов и огромных окуней, в общем, стал практически законопослушным гражданином, так, по крайней мере, говорили.

А теперь Хили повстречал Фариша собственной персоной — да еще второй раз за неделю, если считать случай на мосту. В ту часть города, где жил Хили, Рэтлиффы почти не заглядывали, здесь он видел разве что Кертиса, который разгуливал по всей Александрии, обрызгивая проезжающие машины из водяного пистолета, да брата Юджина, типа проповедника. Юджин этот иногда проповедовал на городской площади, а чаще всего, обливаясь потом, метался по жаре на обочине автотрассы, крича что-то про Пятидесятницу и замахиваясь кулаками на каждую едущую мимо машину. Говорили, что Фариш повредился умом после попытки самоубийства, но вот Юджин (и Хили сам слышал это от отца) был по-настоящему чокнутый. Он собирал по дворам красную глину, ел ее, а потом валился наземь и бился в припадке, потому что в раскатах грома ему чудился глас Господень.

Реверс тихонько переговаривался о чем-то с мужчинами, которые стояли за соседним с Одумовым столом. Один из них — толстяк в желтой спортивной рубашке, с поросячьими глазками, которые напоминали вдавленные в булку изюминки, — глянул на Фариша, на Одума и затем царственной походкой прошел к другому краю стола и закатил в лузу одноцветный шар. Даже не глянув на Реверса, он неприметным жестом сунул руку в задний карман, и спустя секунду то же самое сделал один из трех зрителей, стоявших у него за спиной.

— Эй, — крикнул Дэнни Одуму, — ну-ка притормози. Если пошла игра на деньги, Фариш тебя живо обыграет.

Фариш смачно, громко харкнул и переступил с ноги на ногу.

— У старины Фариша глаз нынче всего один, — сказал Реверс, подскочив к Фаришу и хлопнув его по спине.

— Ты полегче, — недобро бросил Фариш, сердито вскинув голову — он, похоже, взаправду разозлился.

Реверс вкрадчиво перегнулся через стол, протянул руку Одуму:

— Меня Реверс де Бьенвиль звать, — сказал он.

Одум раздраженно замахал руками:

— Да знаю я, кто ты такой.

Фариш сунул пару четвертаков в прорезь металлической стойки для шаров и резко ее встряхнул. Шары с грохотом посыпались на стол.

— Этого слепого я пару раз делал. Готов сыграть тут с кем угодно, у кого все глаза на месте, — сказал Одум, попятился, оступился и, чтоб не упасть, оперся на кий. — А ну-ка, отойди, не стой за спиной, — рявкнул он на Реверса, который снова юркнул к нему поближе, — тебе говорю…

Реверс нагнулся и прошептал что-то ему на ухо. Одум слушал, и его белесые бровки постепенно смыкались у него на переносице знаком вопроса.

— Не любишь играть на деньги, Одум? — презрительно вмешался Фариш. Он за это время уже успел вытащить треугольник из-под стола и теперь укладывал шары. — Что, заделался святошей, у баптистов служишь?

— Не-е, — отозвался Одум. Было видно, как алчная идейка, которую ему нашептал Реверс, постепенно захватывает его воображение — будто облако наползает на ясное небо.

— Па-ап, — с порога послышался чей-то тихий противный голосок.

Это была Лашарон Одум. Хили подумал, что стоит она совсем как взрослая — выпятив тощее бедро. К бедру был примотан младенец, такой же грязный, как и она сама, рты у обоих вымазаны оранжевым — то ли следы фруктового льда, то ли фанты.

— Вы только поглядите! — наигранно воскликнул Реверс.

— Пап, ты велел прийти за тобой, когда большая стрелка будет на трех.

— Сотня баксов, — нарушил наступившую тишину Фариш. — Играй или проваливай.

Одум натер кий мелом, засучил воображаемые рукава. Не глядя на дочь, резко бросил:

— У папы тут еще дела, сладкая. Нате-ка, вот вам десять центов. Поди вон книжки полистай.

— Пап, ты просил напомнить…

— Кому сказал, иди. Разбивай, — сказал он Фаришу.

— Я ж выставлял.

— Знаю, — махнул рукой Одум. — Давай, уступаю.

Фариш ссутулился, навалился на стол всем телом. Нацелил зрячий глаз на кончик кия — глядел он теперь прямо в сторону Хили, — и взгляд у него сделался такой холодный, как будто он смотрел в прицел ружья.

Щелк. Раскатились шары. Одум обошел стол, посмотрел внимательно. Потом дернул головой, хрустнул шеей и нагнулся для удара.

Реверс встал рядом со зрителями — парнями, которые отошли от пинбольных машин и соседних столов. Он, как будто невзначай, шепнул что-то на ухо мужику в желтой рубашке, как раз когда Одум, рисуясь, лихо забил в лузу не один, а целых два полосатых шара.

Аплодисменты, свист. Зрители озадаченно зашептались, а Реверс прошмыгнул обратно к Дэнни.

— Пока они играют в восьмерку, Одум тут ни одного хода не уступит, — прошептал он.

— Фариш тоже играет будь здоров, ему только разойтись надо.

Одум разыграл еще одну комбинацию — удар вышел очень изящный: биток стукнул одноцветный шар, а тот, в свою очередь, загнал в лузу третий. Опять аплодисменты.

— Кто в игре? — спросил Дэнни. — Те двое возле пинбола?

— Не интересуются, — ответил Реверс, бросил непринужденный взгляд через плечо, глянул в угол поверх головы Хили, залез в жилетный кармашек для часов и вытащил оттуда какой-то металлический предмет, размерами и формой напоминавший колышек, на который ставят мяч в гольфе. Он быстро зажал предмет в кулаке, но Хили успел увидеть, как между его унизанных кольцами пальцев мелькнула бронзовая фигурка — голая женщина на каблуках и с пышным “афро”.

— Вот как? И кто они такие?

— Просто порядочные христиане, — ответил Реверс, а Одум влегкую закатил еще один шар в боковую лузу. Реверс украдкой, не вынимая руки из кармана, открутил у фигурки голову и пальцем затолкал ее обратно в карман.

— А вон те ребята, — он глазами указал на дядьку в желтой рубашке и его дружков-толстяков, — тут проездом из Техаса. — Реверс снова словно бы невзначай огляделся по сторонам и, отвернувшись, сделал вид, будто чихает, но вместо этого поднес фигурку к носу и сделал быстрый, вороватый вдох. — На креветколове работают, — добавил он, вытер нос рукавом, скользнул невидящим взглядом по Хили и стойке с комиксами и сунул флакончик Дэнни.

Дэнни шмыгнул носом, зажал ноздри. Глаза у него заслезились.

— Господи боже, — вырвалось у него.

Одум закатил еще один шар. Мужики с креветколова заухали, а Фариш мрачно уставился на стол — кий он пристроил на плечах и перекинул через него руки.

Реверс скакнул вперед, смешно дрыгнув ногами, будто танцевать собрался. Он внезапно оживился.

— Миста-ррр Фариш, — весело крикнул он, подражая голосу известного чернокожего комика с телевидения, — уведомил себя о сложившейся ситуации.

У Хили аж голова пошла кругом, до того он был взволнован и взбудоражен. Что там была за возня с флакончиком, он так и не догадался, а вот на сквернословие и подозрительное поведение Реверса внимание обратил; и хоть сам он еще толком не понимал, что происходит, но одно знал точно — тут играют на деньги, и это запрещено законом. Стрелять с моста законом тоже запрещено, даже если никого и не убило.

Уши у него горели — стоило ему разволноваться, как у него сразу краснели уши, — Хили надеялся, что этого никто не заметил. Он небрежно засунул комикс обратно и вытащил новый — "Тайны Зловещего особняка". На свидетельском месте сидел скелет, указывая костлявой рукой на публику в зале суда, а прокурор-призрак ревел: "А теперь свидетель — он же ЖЕРТВА — покажет нам… СВОЕГО УБИЙЦУ!"

— Давай, пошел! — вдруг заорал Одум, и восьмой шар просвистел по зеленому сукну, рикошетом отлетел от края и со щелчком закатился в угловую лунку напротив.

Под общий галдеж Одум вытащил из кармана маленькую бутылку виски и жадно к ней приложился.

— Где там твоя сотня, Рэтлифф?

— Есть у меня сотня. И еще на один кон деньги найдутся, — огрызнулся Рэтлифф, выбил из стойки шары и принялся снова их укладывать. — Победитель разбивает.

Одум пожал плечами, нагнулся к кию, прищурился — наморщив нос и оскалившись, так что стали видны его торчащие вперед, как у кролика, зубы, — а затем ударил: биток, разбив треугольник, завертелся в центре стола, а восьмой шар залетел в угловую лузу.

Мужики с креветколова заухали, захлопали. По их лицам видно было, что они предвкушают неплохой куш. Реверс развязно подкатил к ним — приплясывая, задрав нос, чтобы обсудить финансовую ситуацию.

— Быстрее ты еще не проигрывал! — крикнул Дэнни.

Тут Хили заметил, что Лашарон Одум стоит рядом с ним — сама она молчала, но вот ребенок был здорово простужен и потому сопел, отвратительно прихлюпывая носом.

— Отстань, — пробормотал он и отодвинулся.

Она робко шагнула к нему, заслонив ему весь обзор.

— Займешь мне четвертак?

От того, с каким заискивающим отчаянием она это сказала, Хили замутило даже сильнее, чем от сопливого пыхтения младенца. Он демонстративно повернулся к ней спиной. Мужики с креветколова только глаза закатывали, но Фариш снова выкатил шары на стол.

Одум ухватил себя обеими руками за подбородок, резко подергал шеей — налево, направо: щелк-щелк.

— Что, не наигрался?

— Уууу, ну и пу-у-у-усть, — мурлыкал Реверс, подпевая музыкальному автомату, щелкая костяшками пальцев. — Детка, ты знаешь…

— Что это за дрянь играет? — рявкнул Фариш, сердито рассыпав по столу шары.

Чтоб подразнить его, Реверс завилял тощими бедрами:

— Расслабься, Фариш.

— Уйди, — сказал Хили Лашарон, которая снова придвинулась поближе, встав чуть ли не вплотную к нему, — от тебя соплями воняет.

Она стояла так близко, что Хили подташнивало, поэтому он сказал это куда громче, чем ему хотелось бы, и замер от ужаса, когда Одум рассеянно посмотрел в их сторону. Фариш тоже оторвал взгляд от стола и так глянул на Хили зрячим глазом — словно брошенным ножом к полу пригвоздил.

Одум глубоко, с пьяным всхлипом вздохнул и положил кий.

— Вон там стоит маленькая девочка, все видят? — мелодраматично обратился он к Фаришу и компании. — Не надо бы вам этого говорить, но эта девчушка вкалывает не хуже взрослой.

Реверс и Дэнни обменялись быстрыми встревоженными взглядами.

— Вот вы мне скажите. Где еще вы найдете такую славную девчушку, которая и за домом приглядывает, и за малышней, и готовит, и подает, и подносит, и уносит, и во всем себе отказывает ради своего бедного старого папки?

“Я б даже не притронулся к тому, что она там готовит”, — подумал Хили.

— Нынешним деткам только подавай то да это, — вяло отозвался Фариш. — Было б неплохо, если б они, как твои, хоть в чем себе отказывали.

— У нас в детстве даже ледника не было, — сказал Одум дрожащим голосом. Он уже здорово разошелся. — Я каждое лето землю под хлопок окучивал…

— Я тоже, знаешь, сколько той земли окучил.

— …а мама моя, вот клянусь тебе, пахала на тех полях, что твой негр. Я — я даже в школу не ходил! Потому что надо было дома быть, маме с папой помогать! Не-е-ет, у нас тогда ничего не было, но будь я при деньгах, то моим детишкам все на свете бы купил. Они ведь знают, что их папка все им готов отдать, себе ничего не оставит. Э-э-эй? Вы ведь знаете, да?

Он перевел мутный взгляд с Лашарон и младенца на Хили.

— Говорю, знаете ведь? — повторил он громче и куда более угрожающим тоном.

Он в упор глядел на Хили. Хили был поражен. “Ничего себе, — подумал он, — да этот старый хрен так напился, что меня со своими детьми путает?” Он уставился на него, раскрыв рот.

— Да, папочка, — еле слышно прошептала Лашарон.

Воспаленные глазки Одума подобрели, он, пошатываясь, шагнул к дочери, губы у него слюняво тряслись от жалости к себе, и от одного их вида Хили стало не по себе — никогда ему еще не было так тошно.

— Все слышали? Все слышали, что сказала эта девчушка? Ну-ка, поди сюда, обними папку, — сказал он, утирая слезу костяшками пальцев.

Лашарон поддернула младенца на костлявом бедре и медленно поплелась к отцу. Хили с отвращением и испугом заметил, как по-собственнически тот ее обнял и как безучастно она ему покорилась, будто жалкая старая собака, которую погладил хозяин.

— Эта девчушка папку любит, правда ведь? — со слезами на глазах он прижал ее к груди.

Хили с облегчением увидел, как Реверс и Дэнни Рэтлифф с презрением закатили глаза — видимо, тоже не находя ничего приятного в том, что Одум так рассопливился.

— Она знает, что папка у нее нис-чий! Не будет у нее ни игрушек, ни конфет, ни нарядных одежек.

— А что, должны быть? — резко спросил Фариш.

Одум, пьянея от звуков собственного волоса, с трудом обернулся, наморщил лоб.

— Да-да. Ты все правильно расслышал. С чего бы ей иметь все эти штучки-дрючки? С чего бы они им? У нас в детстве ничего такого не было, не было ведь?

Мало-помалу лицо Одума просияло от изумления.

— Нет, брат! — радостно заорал он.

— Мы что, нашей бедности стыдились, что ли? Что, боялись замарать ручки работой? А что нам хорошо, то и ей сгодится, верно?

— Еще как!

— А кто это придумал, что дети должны расти, думая, что они лучше собственных родителей? Федеральное правительство, вот кто! Как по-вашему, почему правительство сует свой нос в каждый дом — карточки раздает на питание, прививки делает, подает образование на блюдечке с голубой каемочкой? Я вам скажу почему. Они таким образом детишкам мозги промывают, учат их думать, что уж они-то достойны большего, чем их родители, учат их смотреть свысока на свой родной дом, нос задирать перед своей же плотью и кровью. Не знаю, как у вас там, а мой отец мне в жизни за просто так ничего не давал.

По всему залу послышались негромкие возгласы одобрения.

— Не-а, — сказал Одум, скорбно покачивая головой. — Мамка с папкой ничего мне не давали. Я все собственным трудом добыл. Все, что имею.

Фариш кивнул в сторону Лашарон с младенцем.

— Вот и скажи мне. С чего бы это ей положено то, чего у нас не было?

— Истинная правда! Отстань от папочки, моя сладкая, — сказал Одум дочери, которая тихонько дергала его за штанину.

— Пап, пойдем, пжалста.

— У папы тут еще дела, доченька.

— Но пап, ты велел ведь напомнить, что эти, в "Шевроле", в шесть закрываются.

Реверс с довольно-таки напряженным радушием на лице шмыгнул к мужикам с креветколова, один из которых как раз поглядел на часы, и принялся что-то им нашептывать. Но тут Одум сунул руку в карман своих замызганных джинсов, покопался там и вытащил толстенную пачку денег — Хили столько в жизни не видал.

Этим он сразу привлек к себе всеобщее внимание. Одум швырнул пачку банкнот на стол.

— Все, что осталось от выплат по страховке, — сказал он, с пьяным благоговением кивая в сторону денег. — За эту вот самую руку. Пойду потом в "Шевроле", заплачу этому ублюдку Рою Дайалу, у которого изо рта мятным освежителем воздуха воняет. Пришел, сволочь, забрал мою машину прямо на глазах у…

— Это их фирменный стиль, — грустно подтвердил Фариш. — Эти гады из налоговой, кредиторы, шерифовы люди. Вваливаются себе прямо в твой дом и берут, что хотят и когда захотят…

— И, — еще громче сказал Одум, — я прям щас туда пойду и ее выкуплю. Вот этими самыми деньгами.

— Хммм, это, конечно, не мое дело, но я бы на твоем месте на машину столько денег не выбрасывал.

— Чего? — агрессивно переспросил Одум, попятившись и с трудом устояв на ногах. Деньги так и остались лежать на зеленом сукне, в желтом кружке света.

Фариш взмахнул грязной лапой.

— Я о чем толкую — ты когда покупаешь машину, как говорится, не из-под прилавка, а у какого-нибудь скользкого ловчилы вроде Дайала, то не только сам Дайал тебя по кредиту обдирает как липку, так еще и государство с федеральным правительством за ним в очередь выстраиваются с протянутой рукой. Сколько раз, сколько раз я выступал против налога на продажу. Налог на продажу противоречит конституции. Я могу открыть нашу конституцию и прямо пальцем ткнуть в это самое противоречие.

— Пошли, пап, — еле слышно сказала Лашарон, продолжая храбро дергать Одума за штанину. — Пап, пжалста, пошли.

Одум сгреб деньги. Он, похоже, особо не вслушивался в то, что там говорил Фариш.

— Нет, сэр, — пыхтел он. — Он не заберет у меня то, что мое по праву! Я щас пойду прямиком в "Шевроле Дайала" и швырну ему их в лицо, — он снова шлепнул пачку денег на стол, — и я ему скажу, я скажу: "Отдавай мою машину, ты, мятная вонючка!" — Он старательно запихнул деньги обратно в правый карман джинсов, а из левого выудил четвертак. — Но сначала — вот тут у меня четыре сотни да твоих еще две, и я, пожалуй, еще разок надеру тебе жопу в "восьмерку".

Дэнни Рэтлифф, который нервно описывал круги возле автомата с кока-колой, шумно выдохнул.

— Ставка высокая, — бесстрастно заметил Фариш. — Я разбиваю?

— Давай, — Одум с пьяным великодушием махнул рукой.

Фариш, не меняясь в лице, вытащил из кармана большой черный бумажник, который цепочкой крепился к поясу его комбинезона. Проворными движениями, будто кассир в банке, он отсчитал шестьсот долларов двадцатками и положил их на стол.

— Это целая куча денег, мой друг, — сказал Одум.

— Друг? — грубо хохотнул Фариш. — У меня есть всего два друга. Два лучших друга, — он поднял бумажник, в котором еще оставалась толстая пачка денег, чтобы его было получше видно. — Видишь? Вот мой первый лучший друг, и он всегда со мной, в кармане. И другой мой лучший друг у меня всегда под рукой. И друг этот — револьвер двадцать второго калибра.

— Пап, — с отчаянием сказала Лашарон, еще раз потянув отца за штанину. — Ну, пжалста.

— Ты на что это тут уставился, засранец?

Хили аж подпрыгнул. Над ним навис Дэнни Рэтлифф, глаза у него горели жутким огнем.

— Ну? Отвечай, засранец, когда тебя спрашивают.

Теперь все глядели на него — Реверс, Одум, Фариш, дядьки с креветколова и даже толстяк за кассой.

Словно откуда-то издалека раздался звонкий, писклявый голосок Лашарон Одум:

— Он со мной, пап, мы с ним книжки пришли посмотреть.

— Это правда? Да?

Хили так окаменел от ужаса, что и слова не мог вымолвить — только кивнул.

— Как тебя звать? — хрипло спросил кто-то с другого конца зала.

Хили обернулся и увидел, что Фариш, как сверлом, буравит его своим зрячим глазом.

— Хили Халл, — не подумав, ответил Хили и тут же с ужасом зажал рот рукой.

Фариш сухо рассмеялся.

— Ты, малец, не из трусливых, как я погляжу, — сказал он, натирая кончик кия куском голубого мела, по-прежнему не сводя глаза с Хили. — Но если тебя что не заставляют говорить, то лучше и не говори.

— А-а, я знаю, кто этот мелкий говнюк, — сказал Дэнни брату, потом снова обернулся к Хили, дернул подбородком. — Говоришь, Халл твоя фамилия?

— Да, сэр, — жалко пискнул Хили.

Дэнни злобно, визгливо загоготал.

— Да-а, сэр. Вы только послушайте. Я тебе щас как дам, "сэр", ты, мелкий…

— Мальчонка воспитанный, что ж тут плохого, — довольно резко прервал его Фариш. — Говоришь, Халл твоя фамилия?

— Да, сэр.

— Он родня тому Халлу, что разъезжает в старом "кадиллаке" с откидным верхом, — сообщил Дэнни Фаришу.

— Пап, — громко прервала Лашарон Одум наступившую тишину. — Пап, можно мы с Расти пойдем поглядим книжки?

Одум хлопнул ее по попе.

— Беги, беги, дочурка. Слышь, ты, — заплетающимся языком сказал он Фаришу, для пущего эффекта постукивая кием по полу, — если мы играем, то давай играть. У меня время поджимает.

Но Фариш — к огромному облегчению Хили — уже и сам начал выставлять шары на столе, напоследок окинув его долгим пристальным взглядом.

Хили собрал всю волю в кулак и сделал вид, будто поглощен чтением. Буквы прыгали у него перед глазами — в такт сердцебиению. Не гляди в ту сторону, твердил он себе, даже краешком глаза не гляди. Руки у него тряслись, лицо пылало, и Хили боялся, что его горящие щеки, словно пожар, привлекут к себе всеобщее внимание.

Фариш разбил шары с таким грохотом, что Хили вздрогнул. Шар со щелчком закатился в лузу, потом, спустя четыре-пять раскатистых секунд, за ним последовал второй.

Мужики с креветколова притихли. Кто-то закурил сигару, и у Хили разболелась голова — и от сигарной вони, и от пестрого, кричащего шрифта, который мельтешил у него перед глазами.

Тишина. Щелк. Снова тишина. Хили начал тихо-тихо отползать к двери.

Щелк, щелк. Воздух словно бы подрагивал от напряжения.

— Господи! — завопил кто-то. — А ты говорил, что этот хрен — слепой!

Началась неразбериха. Хили проскочил мимо прилавка и уже был возле двери, когда чья-то рука ухватила его за футболку и Хили, моргая, уставился прямо в лицо лысому кассиру с бычьей рожей. Он с ужасом понял, что до сих пор сжимает в руках "Тайны Зловещего особняка", за которые он не заплатил. Хили принялся лихорадочно рыться в переднем кармане шорт. Но кассиру до него и дела не было, он даже и не глядел в его сторону, хотя в футболку, надо сказать, вцепился крепко. Его занимало то, что творилось у бильярдных столов.

Хили бросил на прилавок две монетки — десятицентовик и четвертак, и как только дядька отцепился, тут же выскочил за дверь. В бильярдной было темно, и солнце так и полоснуло его по глазам — ослепленный ярким светом он помчался куда-то, не видя перед собой дороги.

Близился вечер, и на площади уже никого не было — даже машин, и тех было немного. Велосипед, где велосипед? Он промчался мимо почты, масонского зала и уже одолел половину Главной улицы, когда вспомнил, что оставил велосипед в переулке возле мэрии и нужно возвращаться.

Он развернулся и, задыхаясь, побежал обратно. Переулок был темный, из-под плит пробивался скользкий мох. Однажды, когда Хили был помладше, он как-то забежал сюда, не подумав, и со всего размаху врезался в развалившегося там бродягу (кучу вонючих лохмотьев), который растянулся чуть ли не во весь переулок. Когда Хили шлепнулся прямо на него, тот, чертыхаясь, вскочил и ухватил Хили за лодыжку. Хили заорал, будто его облили кипящим бензином, и при попытке бегства потерял ботинок.

Но теперь Хили так перепугался, что ему было все равно, на кого он там может наступить. Он нырнул в переулок, чуть не поскользнувшись на поросших мхом плитах, и отцепил велосипед. Переулок был узкий, выехать отсюда было никак нельзя, даже развернуть велосипед тут и то было непросто. Он схватился за руль и вертел его и так, и эдак, пока ему наконец не удалось развернуть велосипед вперед и выкатить его на улицу, где, к ужасу Хили, его уже поджидали Лашарон Одум с младенцем.

Хили застыл как вкопанный. Лашарон неторопливо поддернула младенца на бедре и поглядела на него. Хили не мог взять в толк, чего ей-то от него нужно, но боялся раскрыть рот и поэтому просто стоял и таращился на нее, и сердце у него так и выпрыгивало из груди.

Так, казалось, они простояли целую вечность, но наконец Лашарон снова поправила младенца на бедре и сказала:

— Дай-ка мне ту книжку.

Хили молча вытащил журнал из заднего кармана и протянул ей. Не выказав ни малейшего признака благодарности, она невозмутимо подхватила ребенка одной рукой, а другую протянула за комиксом, но взять его не успела, потому что в него грязными ручками вцепился младенец. Он с самым серьезным видом подтянул комикс к лицу и затем осторожно сунул уголок в свой липкий, перемазанный чем-то оранжевым рот.

Хили аж затошнило — одно дело, если он сама хотела прочитать комикс, другое — если она решила отдать его младенцу пожевать. Лашарон даже не попыталась отнять у младенца комикс. Наоборот, она умильно поглядела на него — у-сю-сю — и принялась его нежно укачивать, как будто это был чистенький, симпатичный ребенок, а не обвешанный соплями недоносок.

— И чего это папочка плачет? — подсюсюкивая, бодро спросила она младенца, глядя прямо в его крошечное личико. — Чего это наш папочка там плачет? А-а?

— Оденься, — сказала Ида Рью Гарриет. — С тебя вон капает, весь пол залила.

— Не капает. Я пока шла домой, высохла.
— Все равно — оденься.

В спальне Гарриет содрала с себя купальник, отыскала какие-то бежевые шорты и единственную чистую футболку: белую, с желтой улыбающейся рожицей на груди. Эту футболку ей подарил отец на день рождения, и она ее терпеть не могла. Мало того, что футболка выглядела просто глупо, так ведь отец отчего-то решил, что она ей подойдет, и от этой мысли Гарриет делалось еще гаже, чем от вида самой футболки.

Откуда Гарриет было знать, что футболку с веселой рожицей (как и заколки с символом мира, как и все остальные яркие и бестолковые подарки, которые отец слал ей на день рождения) выбирал вовсе не отец, а его нэшвилльская любовница, и если б не эта самая любовница (которую звали Кэй), ни Гарриет, ни Эллисон вообще бы никаких подарков не получали. У Кэй, наследницы заводика по производству газировки, был приторный голосок и мягкая, безвольная улыбка, а еще — пара лишних килограммов и небольшие проблемы с головой. Пила она тоже чуть больше, чем следовало бы, и они с отцом Гарриет частенько заливались в барах пьяными слезами, жалея его несчастных дочурок, которые вынуждены жить в Миссисипи с их чокнутой мамашей.

В Александрии все знали про то, что у Дикса в Нэшвилле есть любовница — все, кроме его родных и родных его жены. Рассказывать об этом Эди опасались, рассказывать остальным — стеснялись. Коллеги Дикса об этом тоже знали — и были от этого не в восторге, потому что он иногда приводил любовницу на различные банковские мероприятия; а у Роя Дайала невестка жила в Нэшвилле, она-то и рассказала мистеру и миссис Дайал, что любовнички еще и живут вместе, и хотя мистер Дайал (надо отдать ему должное) этой информацией ни с кем делиться не стал, зато миссис Дайал разнесла ее по всей Александрии. Знал даже Хили. Когда ему было лет девять или десять, он подслушал, как об этом говорила его мать. Он пристал к ней с расспросами, и тогда мать взяла с него слово, что он никогда не расскажет об этом Гарриет, и слово свое Хили сдержал.

Ослушаться матери Хили и в голову не приходило. Но хоть он и хранил тайну — а кроме этой, у него от Гарриет тайн не было, — ему казалось, что Гарриет вряд ли очень уж расстроится, если узнает правду. И тут он был прав. Никто бы и глазом не моргнул, у одной Эди была бы гордость задета. Но даже когда Эди принималась ворчать, что ее внучки, мол, растут без отца, ни ей, ни другим родственникам даже в голову не приходило, что, если Дикс вернется, все сразу же встанет на свои места.

Настроение у Гарриет было отвратительное, настолько отвратительное, что она находила даже какое-то извращенное удовольствие в том, каким все-таки издевательством была эта футболка. Самодовольная рожица напоминала ей отца, хотя отцу радоваться было особо нечему и уж тем более думать, что Гарриет может вдруг чему-то обрадоваться. Неудивительно, что Эди его презирала. Это было понятно уже по тому, как Эди его называла: только Диксон, и ни разу — Дикс.

Гарриет уселась на подоконник и выглянула во двор, где все деревья уже покрылись летней ярко-зеленой листвой, — из носа у нее текло, а от хлорированной воды в бассейне заслезились глаза. Она так наплавалась, что руки и ноги казались ей свинцовыми, чужими, а вся комната будто покрылась темным налетом тоски, как оно всегда бывало, если долго сидеть не двигаясь. В детстве Гарриет, бывало, все повторяла себе под нос свой адрес, как если бы диктовала его инопланетянину. Гарриет Клив-Дюфрен, дом номер триста шестьдесят три по Джордж-стрит, город Александрия, штат Миссисипи, Америка, планета Земля, Млечный Путь… и от этого ощущения звенящей бескрайности, полета в разверстую черную пасть Вселенной — крохотной белой крупицы на уходящей в вечность сахарной дорожке — Гарриет иногда даже начинала задыхаться.

Она оглушительно чихнула. Брызги разлетелись во все стороны. В глазах защипало, и Гарриет, зажав нос, спрыгнула с подоконника и помчалась вниз за салфеткой. Звонил телефон, Гарриет толком и не разбирала, куда идет; у подножья лестницы, возле телефонного столика стояла Ида, и Гарриет опомниться не успела, как Ида со словами "А вот и она" сунула ей трубку.

— Слушай, Гарриет. Дэнни Рэтлифф прямо сейчас в бильярдной, и брат его там. Это они стреляли в меня с моста!

— Погоди, — Гарриет ничего не соображала. Кое-как ей удалось сдержаться и не чихнуть снова.

— Гарриет, я его видел! Он ужас какой страшный! И брат его тоже!

Хили взахлеб принялся что-то рассказывать про бандитов, ружья, грабежи и азартные игры, и постепенно до Гарриет дошло, о чем именно он говорит. Она слушала его с таким изумлением, что ей даже чихать расхотелось, но из носа у нее по-прежнему текло. и она неуклюже пыталась вытереть его о коротенький рукав футболки, изворачиваясь и вертя головой точь-в-точь как, бывало, терся о ковер кот Вини, когда ему что-то попадало в глаз.

— Гарриет? — сказал Хили, оборвав свой рассказ на полуслове.

Он так рвался поскорее рассказать ей обо всем, что и забыл, что они больше не разговаривают.

— Тут я.

Они помолчали, Гарриет слышала, как где-то в доме у Хили весело бормочет телевизор.

— Ты когда уехал из бильярдной? — спросила она.

— Минут пятнадцать назад.

— Как думаешь, они еще там?

— Наверное. Там все шло к драке. Эти дядьки, которые рыбаки, здорово разозлились.

Гарриет чихнула.

— Я хочу на него поглядеть. Сейчас сгоняю туда на велике.

— Ой. Не надо! — испуганно сказал Хили, но Гарриет уже бросила трубку.

Никакой драки не было — ну, то есть Дэнни бы и дракой-то это не назвал. Когда Одум не изъявил желания сразу отдать деньги, Фариш огрел его стулом, повалил на пол и принялся методично охаживать ногами, пока дети Одума в ужасе жались возле дверей, так что очень скоро тот уже выл в голос и умолял Фариша деньги забрать. Опасаться надо было не его, а рыбаков, захоти они — могли бы им задать жару. Но хоть толстяк в желтой рубашке и сообщил — весьма красноречиво — обо всем, что он о них думает, остальные только так, побурчали, а кое-кто, хоть и сердито, но даже и посмеялся. Они были в отпуске, прожигали денежки.

К жалобным просьбам Одума Фариш остался безучастен. Он рассуждал так: если ты не хищник, значит, ты жертва, а потому все, что ему удавалось отобрать у ближнего своего, он сразу считал своей законной собственностью. Пока Одум, прихрамывая, судорожно топтался перед Фаришем, умоляя его подумать о детишках, Фариш слушал его с приветливым участием на лице, и Дэнни подумалось, что у немецких овчарок Фариша на мордах появляется похожее выражение, когда они кошку загрызть собираются: внимательное, деловитое, проказливое. Без обид, киса. Будет и на твоей улице праздник.

Такая прагматичная жизненная философия Дэнни, конечно, восхищала, но у него самого духу не хватало поступать так же. Он закурил очередную сигарету, хотя за сегодня выкурил их уже столько, что во рту был дрянной привкус.

— Расслабься!

Реверс незаметно прошмыгнул к Одуму, хлопнул его по плечу. Казалось, его оптимизм неисчерпаем: что бы ни случилось, Реверс всегда был бодр и весел и не понимал, отчего это окружающие не спешат вслед за ним радоваться жизни.

Одум тоненько, почти безумно зарычал — рык вышел жалкий и совсем не грозный, неуклюже отшатнулся и крикнул:

— Не трожь меня, ниггер!

Реверс и глазом не моргнул:

— Братан, такому игроку, как ты, отыграться труда не составит. Будешь в настроении, заходи потом в "Эсквайр-бар", мы с тобой что-нибудь да придумаем.

Одум споткнулся, прислонился к бетонной стене.

— Моя машина, — сказал он.

Один глаз у него заплыл, из разбитой губы текла кровь.

Вдруг ни с того ни с сего у Дэнни перед глазами промелькнуло омерзительное детское воспоминание: как он в журнале для охотников и рыболовов, который отец оставил возле унитаза, наткнулся на снимки голых женщин. Возбуждение — нездоровое возбуждение из-за того, что пятна черного и розового промеж женских ног слились в одно целое с картинками на соседних страницах: на одной истекал кровью олень, у которого из глаза торчала стрела, на другой билась на крючке рыба. И все это — умирающий олень рухнул на колени, рыбина разевает рот — вдруг перемешалось с воспоминаниями о том, как бьется в его кошмаре захлебывающееся нечто.

— А ну хватит! — вырвалось у него.

— Чего — хватит? — рассеянно спросил Реверс, похлопывая себя по карманам — он искал флакончик.

— Да в ушах шумит. Никак не перестанет.

Реверс занюхал по-быстрому, сунул флакончик Дэнни.

— Ты только духом не падай. Эй, Одум, — крикнул он ему, — Господь любит неудачников поулыбчивее.

— Ох-хо, — выдохнул Дэнни, зажал нос.

Глаза заслезились, от ледяного дезинфецирующего вкуса в горле возникло ощущение чистоты, все так и засияло на сверкающей глади вод, ливнем смывших эту клоаку, от которой он уже до смерти устал — от нищеты, от этого засаленного, прелого, синюшного нутра, под завязку набитого дерьмом.

Он вернул флакончик Реверсу. Мозги как будто свежим, морозным ветерком продуло. На злачную, гадостную атмосферу бильярдной, на ее грязный истоптанный пол вдруг словно лоску навели, все вмиг стало ярким и чистеньким — вот потеха. В голове у него вдруг мелодично — дзынь! — звякнула преуморительная мысль о том, что разнюнившийся Одум как две капли воды похож на Элмера Фадда[1]: провинциальные одежки, огромная розовая голова-тыква. Долговязый и тощий Реверс, что твой Багз Банни, вдруг как из кроличьей норы выскочил, привалился к музыкальному автомату. Большущие ступни, большущие передние зубы, он даже сигарету держал, как Багз — морковку, этак франтовато.

Раздобрев, расчувствовавшись, размякнув, Дэнни вытащил из кармана скатку банкнот, выдернул двадцатку: да у него тут еще сотня таких.

— Подай ему на детишек, чувак, — он сунул деньги Реверсу. — А я на выход.

— И куда потом?

— Да просто — на выход, — услышал Дэнни собственный голос.

Он неспешно побрел к машине. Субботний вечер, на улицах никого, впереди ясная летняя ночь — звездная, с теплым ветром и ночным неоновым небом. И машина у него красотка — "Транс АМ", с люком в крыше, "жабрами" и кондиционером. Дэнни ее на днях помыл, отполировал, и теперь от нее исходило такое жаркое, такое ослепительное сияние, что она казалась Дэнни космическим кораблем, который вот-вот взлетит.

1 Охотник из мультфильмов про кролика Багза Банни, который гоняется за Багзом Банни, но чаще всего ранит самого себя.

Кто-то из Одумова выводка — на удивление чистенькая девчонка, кстати, для Одума-то, да еще и черноволосая, видать от другой матери — сидела прямо через дорогу от него, возле магазина с хозтоварами. Она читала книжку, ждала своего убогого папашу. Вдруг он почувствовал, что девчонка глядит на него; она даже не шевельнулась, только в книжку больше не смотрела, она уставилась на него, давно на него таращится, под метом такое часто бывает — увидишь дорожный знак и видишь его потом еще часа два, и что-то он опять распсиховался, как тогда, из-за шляпы на кровати. Окей, спиды могут похерить к чертям твое чувство времени (поэтому-то они спидами и называются, подумал Дэнни — и его аж радостным жаром обдало, вот ведь до чего он сообразительный: на винтаре[1] ускоряешься! время замедляется!). Да, они время растягивают, как резиновую ленту, кромсают его на куски — Дэнни иногда казалось, будто все в мире смотрит только на него, даже кошки, коровы и картинки в журналах; и вроде бы уже целая вечность миновала, и облака вон полетели по небу в ускоренной перемотке, как в какой-нибудь документалке о живой природе, а девчонка все глядит на него немигающим взглядом — и глаза у нее льдисто-зеленые, как у дьявольской кошки, как у самого дьявола.

Да нет, не смотрела она на него. В книжку она смотрела, как будто она уже сто лет ее тут читает. Магазины все закрыты, машин нет, тени вытянулись, и тротуар поблескивает, будто в дурном сне. Дэнни вдруг припомнил, как однажды утром на прошлой неделе он встретил рассвет на берегу водохранилища, а потом зашел в “Белую кухню”: едва он дверь толкнул, как официантка, коп, молочник и почтальон — все разом на него так и уставились, сами, конечно, резких движений не делали, притворялись, что, мол, всего-то обернулись на звяканье колокольчика, но видно же было — настроены они решительно, и это на него, да-да, на него они смотрели, везде их глаза, так и пышут фосфоресцентной зеленью, прямо сатана с подсветкой. Он тогда уже семьдесят два часа как не спал, был весь в испарине, еле на ногах держался, думал, что сердце у него сейчас лопнет, как воздушный шарик, прямо там и лопнет, в “Белой кухне”, под колючим зеленым взглядом странной малолетки-официантки…

1 Винтарь, винт — сленговое название метамфетамина.

Спокойно, спокойно, уговаривал он затрепыхавшееся сердце. Ну, посмотрел на него ребенок? Что с того? Что, блин, с того? Да сам Дэнни на этой лавке часами со скуки жарился, поджидая собственного папашу. Ждать — еще ладно, куда хуже был страх, что им с Кертисом потом достанется, если игра не удалась. Одум, небось, досаду из-за проигрышей точно так же на них вымещает, а как иначе: так оно все в мире устроено. "Ты в моем доме живешь..." — раскачивается висящая над кухонным столом лампочка, бабка помешивает что-то на плите, словно вопли, пощечины и ругательства доносятся из телевизора.

Дэнни дернулся, будто от судороги, и нашарил в кармане мелочь, чтоб швырнуть девчонке. Отец так, бывало, кидал деньги чужим детям, если выигрывал и был в хорошем настроении. Откуда-то из прошлого выплыло вдруг незваное воспоминание, как сам Одум — тогда еще тощий подросток в двухцветной футболке, вихор на башке пожелтел от бриолина — присаживается на корточки рядом с крохой Кертисом, сует ему пачку жвачки, говорит, чтоб не ревел...

Тут в голове у него как щелкнуло от удивления — звучный такой щелчок, Дэнни его прямо почувствовал, будто взорвалось внутри что-то — и он понял, что говорит это все вслух, а не думает тихонечко про себя. Или все-таки думает? Он так и сжимал четвертаки в руке, но только собрался их бросить, как его снова тряхнуло от ужаса: девчонка исчезла. Скамейка была пуста, девчонки нигде было видно — да и никого вообще рядом не было, даже какой-нибудь бродячей кошки — на всей улице ни души.

— Парам-пам-пам, — еле слышно выдохнул он.

— Ну так что было-то? — умирая от нетерпения, спрашивал Хили.

Они с Гарриет сидели неподалеку от железнодорожных путей — на проржавевших ступеньках заброшенного склада, где раньше хранили хлопок. Место было топкое, огороженное чахлыми сосенками, вонючая черная грязь так и притягивала мух. Двери склада были испещрены темными пятнами, Гарриет, Хили и Дик Пиллоу, которого этим летом отправили в лагерь на озере Селби, играли тут два года назад, швырялись грязными теннисными мячиками.

Гарриет молчала. Она была такая притихшая, что Хили сделалось не по себе. Разволновавшись, он вскочил, принялся расхаживать туда-сюда.

Время шло. Налетел легкий ветерок, зарябила вода в лужице, которую продавило в грязи колесо грузовика.

Хили очень хотел, чтоб она заговорила, и очень не хотел, чтоб разозлилась — и он осторожно ткнул ее локтем.

— Ну рассказывай, — подбодрил он ее, — он тебе сделал что-то?

— Нет.

— И пусть не рыпается, не то я его отлуплю.

Ладанные сосны — так, одно слово, а не деревья, на лесоматериалы не сгодятся — душно теснились вокруг. Шершавая красноватая кора сходила со стволов огромными серебристо-красными струпьями, будто змеиная кожа. За складом, в зубчатой осоке трещали кузнечики.

— Ну ладно тебе! — Хили вскочил, как каратист рубанул ладонью воздух, потом мастерски врезал воображаемому противнику ногой. — Мне-то можешь сказать.

Где-то рядом застрекотала саранча. Хили замер с поднятым кулаком, задрал голову, прищурился: если саранча стрекочет — это к грозе, значит, дождь собирается, но небо в черном узле ветвей горело нестерпимо ясной синевой.

Он показал еще пару приемчиков карате — каждый сопровождался хриплым двойным: "Кий-я, кий-я!", но Гарриет даже не глянула в его сторону.

— Да о чем ты все думаешь? — раздраженно спросил Хили, откинув со лба челку.

Он отчего-то запаниковал, видя, как глубоко она ушла в свои размышления, он заподозрил даже, что она обдумывает какой-то тайный план, который не предполагает его участия.

Гарриет вскинула голову, так быстро, что ему даже на какую-то долю секунды почудилось, будто она сейчас вскочит и ему врежет. Но она сказала только:

— Я вспоминала ту осень, когда я была во втором классе. Как я выкопала могилу во дворе за домом.

— Могилу? — скептично переспросил Хили. Он и сам кучу ям вырыл у себя во дворе (подземные бункеры, туннели до Китая), но ничего глубже двух футов ему прорыть не удавалось. — Ну и как же ты залезала и вылезала?

— Она была неглубокая. Такая, — она развела руки в стороны, где-то на фут, — вот такой глубины. А по длине — как раз чтобы мне поместиться.

— И зачем тебе это сдалось? Ого, Гарриет! — воскликнул он, заметив на земле огромного жука с лапками и усиками дюйма по два. — Ты только глянь! Вообще! В жизни такого огромного жука не видал!

Гарриет нагнулась, без особого интереса поглядела на жука.

— Да, большой, — сказала она. — Короче. Помнишь, как я попала в больницу с бронхитом? Когда пропустила школьный Хэллоуин?

— Ну да, — сказал Хили, отвернувшись от жука, борясь с желанием поднять его и с ним поиграться.

— Поэтому-то я и заболела. Земля была очень холодная. Я накрывалась палой листвой и лежала там до самой темноты, пока Ида не позовет домой.

— Знаешь что? — спросил Хили (не вытерпев, он вытянул ногу и потыкал жука большим пальцем) — В "Шоу Рипли"[1] была история про тетку, которая себе в могилу установила телефон. Набираешь номер, и телефон звонит под землей. Вот бред, правда? — Он уселся рядом с Гарриет. — Слушай, а прикинь вот что? Не, ну круто же. Представляешь, если б у миссис Бохэннон в гробу был телефон, и она такая звонит тебе посреди ночи и говорит: где мой желтый парик? Отда-а-а-а-ай мой желтый парик!

— Только попробуй! — оборвала его Гарриет, глядя, как он, изображая привидение, тянет к ней руки. Миссис Бохэннон играла на органе в церкви, она долго болела и умерла в январе. — И миссис Бохэннон в парике похоронили.

— А ты откуда знаешь?

— Мне Ида сказала. У нее все волосы выпали из-за рака.

Несколько минут они сидели молча. Хили поискал взглядом гигантского жука, но — увы — тот уже уполз; Хили покачался из стороны в сторону, принялся ритмично постукивать кедом по металлической приступке — бум, бум, бум, бум…

Что это за история с могилой, о чем она вообще говорит? А он ведь ей все рассказал. Хили уже было настроился на то, как они

1 Популярное американское развлекательное телешоу, посвященное необъяснимым, паранормальным историям.

будут мрачно перешептываться в сарае, строя заговоры и планы, обдумывая месть — да пусть бы Гарриет даже подраться с ним решила, все лучше, чем ничего.

Наконец он нарочито шумно вздохнул, потянулся, встал.

— Ну ладно, — солидно сказал он. — План такой. До ужина тренируемся с рогаткой. На нашей тренировочной площадке. — Тренировочной площадкой Хили называл отгороженный участок у себя на заднем дворе, между огородом и сараем, куда отец ставил газонокосилку. — Через день-два перейдем на лук и стрелы…

— Мне не хочется играть.

— И мне тоже, — обиженно ответил Хили.

Ну да, лук и стрелы были детские, с голубыми присосками — играть с такими было уже ниже его достоинства, но все равно — лучше такой лук, чем никакого.

Но эти его планы Гарриет нисколечко не интересовали. Хили сделал вид, что глубоко задумался и через пару минут, вскричав: "О!", как будто бы его только что осенило, предложил рвануть к нему и "проинспектировать", как он выразился, имеющееся у них оружие (хотя и сам прекрасно знал, что всего оружия у них — духовое ружье, ржавый перочинный ножик и бумеранг, который они даже кидать не умели). Но когда и в ответ на это Гарриет лишь плечами пожала, Хили (отчаявшись, не в силах вынести ее безразличия) наобум предложил взять у матери какой-нибудь журнал вроде "Хорошей домохозяйки" и подписать Дэнни Рэтлиффа на рассылки книжного клуба.

Услышав это, Гарриет наконец на него взглянула, но обнадеживающим ее взгляд ну никак не был.

— Говорю тебе, — Хили слегка смутился, но решил продолжать, потому что верил в действенность книжного клуба, — если кому-то нужно сделать гадость, хуже этого ничего нет. Один ученик так папу подписал. Если мы подпишем этих уродов на рассылку, да еще по нескольку раз… Ну, или как хочешь, — под немигающим взглядом Гарриет Хили окончательно стушевался. — Мне все равно.

Свежи еще были воспоминания о том, как он целый день торчал дома, умирая со скуки, и поэтому теперь, попроси его Гарриет раздеться догола и лечь посреди дороги, он бы и то согласился.

— Знаешь что, я устала, — раздраженно бросила она. — Я лучше к Либби пойду.

— Ну ладно, — Хили снес и это, растерянно помолчал. — Доедем туда вместе?

Они молча вывезли велосипеды с грязной тропинки на улицу. С тем, что Либби для Гарриет — главный родственник, Хили соглашался безоговорочно, даже особо не раздумывая. Она была добрее Эди и всех тетушек, в ней было больше материнской нежности. Когда они были в детском саду, Гарриет сказала Хили и другим детям, что Либби — ее мать, и, что самое удивительное, никому — даже Хили — и в голову не пришло, что это не так. Либби была старая, и жили они с Гарриет в разных домах, но все-таки, когда Гарриет пошла в первый класс, в школу ее за руку привела именно Либби; это она приносила пирожные, когда у Гарриет был день рождения, это она шила им костюмы для "Золушки" (Хили тогда играл услужливого мышонка, а Гарриет была самой младшей — и самой подлой — сводной сестрой). Эди, конечно, тоже приходила в школу — когда Гарриет попадало за драку или за то, что она огрызалась учителям, но все равно ее за мать Гарриет никто не принимал, слишком уж она была строгая, как злобная училка алгебры в старших классах.

Как назло, Либби дома не оказалось.

— Мисс Клив на кладбище, — ответила заспанная Одеан (она очень долго не подходила к двери). — Сорняки с могил дергает.

— Туда поедешь? — спросил Хили Гарриет, когда они снова выехали на улицу. — Я с тобой могу съездить.

Добраться на велосипедах до конфедератского кладбища было непросто — ехать придется по самой жаре, по неровной дороге, которая сначала пересекала шоссе, а потом петляла по сомнительным кварталам — мимо киосков, где продавали острые тамале[1], мимо маленьких греков, итальянцев и негритят, которые вместе гоняли на улице мяч, мимо захудалой, живописной бакалейки, где старик с золотым зубом торговал черствым итальянским печеньем, разноцветным итальянским мороженым и сигаретами — по пять центов за штуку.

— Да, но Эди тоже на кладбище. Она ведь председатель "Садового клуба".

Это объяснение Хили показалось вполне логичным. Он сам старался не попадаться Эди на глаза, и его ни капельки не удивляло, что и Гарриет не хочет с ней встречаться.

1 Латиноамериканское блюдо — пряное тесто из кукурузной муки с мясом и овощами, подается завернутым в кукурузные листья.

— Можем тогда ко мне поехать, — сказал он, отбросив челку с глаз. — Поехали!

— Тогда лучше к тете Тэтти.

— А может, просто на веранде поиграем, у тебя или у меня? — Хили с досадой пульнул арахисовой скорлупкой по лобовому стеклу припаркованной рядом машины. Либби была нормальная, но вот остальные две тетки — не лучше Эди.

Тэт поехала было на кладбище вместе с остальными членами "Садового клуба", но скоро уехала домой из-за приступа сенной лихорадки; она расклеилась, глаза у нее зудели, от вьюнка на ладонях повыскакивали огромные красные волдыри, и поэтому она не больше Хили понимала, с чего бы это играть нужно непременно у нее дома. Она даже переодеться после кладбища не успела и вышла к ним как была — в перепачканных землей бермудах и длинной африканской дашики. У Эди была такая же рубаха, знакомый миссионер-баптист привез их из Нигерии. Они были сшиты из цветастой, прохладной на ощупь ткани, и обе старушки частенько надевали экзотические презенты, когда возились в саду или ходили за покупками — абсолютно не подозревая, что в этих кафтанах выглядят как пропаганда "Черной силы". Чернокожие парни высовывались из машин и, вскидывая кулаки, салютовали Эди с Тэтти. "Седые пантеры! — орали они, — Элдридж и Бобби, вперед!"[1]

Возиться в земле Тэттикорум не любила, это Эди силком затащила ее в "Садовый клуб", и теперь Тэтти только и мечтала о том, чтоб скинуть шорты и кафтан и забросить их в стиральную машинку. Она хотела принять бенадрил, она хотела залезть в ванну, она хотела дочитать библиотечную книжку, потому что завтра ее уже надо было вернуть. И она совсем не обрадовалась, когда увидела у себя на пороге детей, но виду не подала и любезно — ну разве что капельку иронично — их поприветствовала.

— Как видишь, Хили, у меня тут все по-простому, — раза два подряд сказала она, пока они гуськом шли по узенькому коридору, заставленному древними массивными шкафами из адвокатской

1 "Партия черных пантер" — радикальная организация, отстаивавшая права чернокожего населения в 1960–1970-х годах. Элдридж Кливер и Бобби Сил — известные сторонники этой партии.

конторы. Коридор вел в аккуратную гостиную, совмещенную со столовой, где почти все пространство занимали громоздкий сервант красного дерева с буфетом, который раньше стоял в "Напасти", и старинное пятнистое зеркало в золоченой раме — оно было такое высокое, что упиралось в потолок. Со стен на них таращились одюбоновские[1] хищные птицы. Персидский ковер гигантских размеров — он тоже раньше лежал в "Напасти", а теперь не помещался ни в одной комнате — его край лежал толстым валиком у входа в соседнюю комнату, словно ворсистое бревно, упрямо гниющее посреди дороги.

— Осторожно, не споткнитесь, — она протянула руку, помогла Хили с Гарриет переступить через ковер, словно они шли по лесу и она, как командир отряда скаутов, помогла им перелезть через упавшее дерево. — Спроси у Гарриет, она расскажет, что Аделаида у нас хозяюшка, Либби умеет обращаться с детьми, а Эдит следит, чтоб все шло по плану, вот только я ни в чем этаком не сильна. Нет, меня папочка всегда звал архивариусом. Знаете, кто это?

Она резко, весело оглянулась — глаза у нее были красные. На скуле — грязное пятно. Хили тихонько отвел глаза — он немного боялся старушек Гарриет, они были длинноносые, двигались порывисто, по-птичьему и были похожи на ведьм.

— Не знаете? — Тэт отвернулась, оглушительно чихнула. — Архивариус, — зашмыгала она носом, — это просто красивое название для барахольщика… Гарриет, милочка, ты уж прости свою старую тетку за то, что она уже все уши прожужжала твоему несчастному товарищу. Тетя не хотела никого утомить, она надеется только, что Хили не расскажет своей славной мамочке о том, какой у меня тут бардак. В следующий раз, — прошептала она Гарриет, — в следующий раз, лапушка, перед тем как зайти, позвони тете Тэтти по телефону. А если бы меня не было дома и вам бы никто дверь не открыл?

Она смачно чмокнула безучастную Гарриет в круглую щечку (ребенок грязнее грязи, а мальчишка, хоть и чистый, а одет в дурацкую белую футболку до колен, которая болтается на нем, как стариковская ночная рубашка). Она вывела их на заднее крыльцо и помчалась на кухню, где, звонко бряцая ложкой, намешала им лимонаду — из воды из-под крана и магазинного порошка с ли-

1 Джон Джеймс Одюбон (1785–1851) — известный американский орнитолог и художник-анималист.

монным вкусом. У Тэттикорум были и настоящие лимоны, и сахар был, но нынешние дети теперь от всего натурального нос воротят, докладывали подружки Тэтти, у которых имелись внуки.

Она крикнула детям, чтоб лимонад наливали себе сами ("Боюсь, Хили, у нас тут все по-простому, уж надеюсь, вы сумеете сами себя обслужить!"), и побежала к себе, чтобы наконец помыться.

У Тэт через всю веранду была протянута бельевая веревка, на которой висел плед в крупную черно-коричневую клетку. Возле пледа, как возле театрального занавеса, стоял ломберный столик, и квадратики стоявшей на нем шахматной доски казались зеркальным отражением клеток на пледе.

— Эй, знаешь, на что этот плед похож? — весело спросил Хили, постукивая ногой по перекладине между ножек стула. — "Из России с любовью", там шахматный турнир был. Помнишь? И там в самой первой сцене такая огромная была шахматная доска.

— Если тронешь этого слона, — сказала Гарриет, — тебе придется им пойти.

— Я уже пошел. Вот этой пешкой, — Хили не интересовали ни шахматы, ни шашки, от этих игр у него только голова болела.

Он взял со стола стакан с лимонадом, сделал вид, будто обнаружил на донышке секретное послание от русских, и многозначительно вскинул бровь, но Гарриет на это даже внимания не обратила.

Гарриет без промедления выставила черного коня на самую середину доски.

— Мои поздравления, сэр, — пропел Хили, стукнув стаканом о стол, хотя шах ему не объявляли, да и игра была самая обычная. — Блестящий ход.

В фильме так кто-то говорил во время шахматного турнира, и Хили гордился, что запомнил эту фразу.

Они поиграли еще. Хили слоном взял одну из пешек Гарриет и с размаху шлепнул себя по лбу, когда Гарриет тотчас же передвинула коня и взяла его слона.

— Так нельзя ходить, — сказал он, хотя сам точно не знал, можно так пойти или нельзя, он вечно забывал, как правильно ходить конем, что было очень некстати, потому что это была любимая фигура Гарриет и конями она ходила чаще всего.

Угрюмо подперев рукой подбородок, Гарриет разглядывала доску.

— Мне кажется, он понял, кто я такая, — вдруг сказала она.

— Но ты ведь ему ничего не говорила, да? — с тревогой спросил Хили.

Он хоть и восхищался смелостью Гарриет, но все-таки считал, что не стоило ей в одиночку ездить в бильярдную.

— Он вышел на улицу и уставился на меня. Просто стоял там и не двигался.

Хили рассеянно передвинул пешку, просто чтобы чем-нибудь занять руки. Внезапно он понял, что устал, да и настроение у него испортилось. Лимонад он не любил — кока-кола лучше — и от шахмат был не в восторге. У него дома были шахматы, отец ему подарил очень красивый набор, но играл он в них только когда Гарриет к нему заходила, а так — чаще фигуры служили надгробиями для Солдата Джо.

Жалюзи были приспущены, шумел вентилятор, но все равно дышать было нечем, Тэт душила аллергия, голова была тяжелая. От аспирина во рту был горький привкус. Тэт отложила недочитанную "Марию, королеву Шотландии" на шенильное покрывало, на минутку прикрыла глаза.

С веранды — ни звука: дети играли очень тихо, но все равно, пока они в доме, и не отдохнешь толком. Как же она переживала за этих беспризорников с Джордж-стрит, и как же мало могла для них сделать, подумала Тэт, потянувшись за стоявшим на прикроватной тумбочке стаканом воды. И за Эллисон, которую в глубине души Тэт все-таки любила сильнее, чем Гарриет, она переживала больше всего. Эллисон была копией матери, копией Шарлотты, такая же нежная на свою же голову. Тэт знала по опыту: именно таких кротких, хрупких девочек вроде Эллисон и ее матери жизнь калечит, не щадит. Гарриет была очень похожа на бабку — вылитая Эдит, поэтому и Тэт с ней общего языка найти не могла: она как есть — глазастый тигренок, пока еще маленькая — прелесть что такое, но чем дальше растет, тем меньше там есть, чему умиляться. Гарриет, конечно, еще мала и сама не может о себе позаботиться, но скоро она вырастет и тогда — точно как и Эдит — справится со всем, что выпадет на ее долю, будь то голод, экономический кризис или вторжение русских.

Дверь в спальню скрипнула. Тэт вздрогнула, схватилась за сердце:
— Гарриет?

Царапка — ее старый черный кот — изящно вспрыгнул на кровать, уставился на нее, помахивая хвостом.

— Ты чего тут делаешь, Бомбо? — спросил он, точнее, Тэтти спросила за него звонким, капризным голоском, каким они с сестрами с детства привыкли вести разговоры со своими домашними животными.

— Царапка, ты меня до смерти напугал, — ответила она своим нормальным голосом, на октаву пониже.

— Я научился открывать дверь, Бомбо.

— Тсссс… — Тэт встала, закрыла дверь.

Потом улеглась обратно, кот уютно свернулся возле ее колен, и вскоре они с ним уже крепко спали.

Бабка Дэнни — Гам — морщилась, изо всех сил пытаясь обеими руками снять с плиты чугунную сковородку с кукурузными лепешками.

— Давай, Гам, давай я помогу, — сказал Фариш и вскочил так резко, что повалил алюминиевую табуретку.

Гам увернулась, шаркая, отползла от плиты, улыбнулась любимому внуку.

— Ох, Фариш, да я уж сама как-нибудь, — прокряхтела она.

Дэнни сидел за столом, разглядывал клетчатую виниловую скатерть и изо всех сил желал очутиться где-нибудь в другом месте. Кухонька в трейлере была такая тесная, что тут и развернуться было особо негде, она насквозь провоняла едой и от плиты быстро перегревалась, поэтому здесь и зимой-то было неприятно находиться. Буквально пару минут назад Дэнни провалился в сон наяву, и там, во сне, была девушка — не какая-то знакомая девушка, а вроде как девушка-дух. Ее темные волосы свивались в кольца, будто водоросли на мелководье: черные волосы, а может, и зеленые. Она подобралась к нему восхитительно близко, словно хотела поцеловать, но вместо этого подула ему прямо в рот удивительным свежим воздухом, воздухом, который был похож на выдох из рая. Воспоминание было до того приятным, что Дэнни аж поежился от удовольствия. Ему хотелось уединиться, посмаковать этот сон, потому что он уже стирался из памяти, а Дэнни страстно желал снова в него провалиться.

А вместо этого он сидел тут.

— Фариш, — говорила бабка, — уж так я не хотела, чтоб ты вставал. — Она сжала руки, проводила тревожным взглядом солонку и банку патоки, которые Фариш с размаху шлепнул на стол. — Да будет тебе, не утруждайся.

— Садись, Гам, — мрачно сказал Фариш.

Это повторялось всякий раз, как они садились за стол — у них с Гам это был своего рода ритуал.

Бормоча что-то себе под нос, Гам проковыляла к стулу, всем своим видом выказывая неодобрение, бросая на Фариша полные сожаления взгляды; сам же Фариш, который так накачался товаром, что тот у него из ушей лез, накрывал на стол, громыхая тарелками и звякая приборами, топая по кухне — от плиты к столу, от стола — к холодильнику на крыльце. Когда он сунул бабке наполненную до краев тарелку, та только слабо отмахнулась.

— Вы давайте, мальчики, сначала вы поешьте, — сказала она. — Юджин, возьми-ка.

Фариш грозно зыркнул в сторону Юджина, который тихонечко сидел за столом, сложив руки на коленях, и шмякнул тарелку на стол перед бабкой.

— Держи-ка… Юджин, — она трясущимися руками протягивала тарелку Юджину, а тот уворачивался, не желая ее брать.

— Гам, в тебе есть всего-то кружка крови! — взревел Фариш. — Ты так обратно в больницу загремишь!

Дэнни молчал — он отбросил волосы с лица, взял кусок лепешки. Есть ему не хотелось: слишком жарко, слишком сильно он кайфанул, да и воняло из лаборатории просто безбожно, а уж в сочетании-то с запахом лука и прогорклого жира — да при таком раскладе ему, похоже, есть никогда больше и не захочется.

— Да, — сказала Гам, печально улыбаясь скатерти, — уж как я люблю на всех вас готовить.

Дэнни готов был об заклад побиться, что его бабка больше рассказывала, как она любит для них готовить, чем на самом деле любила это делать. Гам была низенькая, тощая старуха, смуглая и морщинистая, будто кусок старой кожи, почти горбатая, потому что привыкла то и дело съеживаться от страха, и очень дряхлая — на вид ей было лет сто, хотя на деле — около шестидесяти. Отец ее был наполовину француз, наполовину каджун, а мать — чистокровная чикасо, сама Гам родилась в лачуге издольщика, где пол был земляным и не было никаких удобств (об этих лишениях она не уставала напоминать внукам), и тринадцати годов от роду уже была замужем за траппером на двадцать пять лет ее старше. Сложно представить, как она тогда выглядела — в дни ее тяжкой молодости у нее не было денег на всякие глупости вроде фотоаппаратов или фотокарточек — но отец Дэнни (который обожал Гам с каким-то даже романтическим, а не сыновним пылом) помнил ее краснощекой девчонкой с блестящими черными волосами. Она его родила, когда ей и пятнадцати не исполнилось, и он все повторял, что "она была красотка кунских кровей". Кунами он звал каджунов, но маленькому Дэнни одно время смутно мерещилось, будто Гам — наполовину скунс, которого, впрочем, она — запавшими темными глазками, заостренным личиком, торчащими в разные стороны зубами и сухонькими смуглыми ручками — действительно напоминала.

И какой же Гам была маленькой. Казалось, будто она с каждым годом становится все меньше и меньше. Теперь она так усохла, что и вовсе превратилась в карлицу с запавшими щеками и тонким, как лезвие, ртом, из которого то и дело сыпались не менее острые слова. Она то и дело напоминала внукам, что всю жизнь трудилась в поте лица, и от этого-то тяжкого труда (которого она вовсе не стыдилась, уж кто-кто, но только не Гам) и состарилась раньше времени.

Один Кертис ел, радостно чавкая, а Фариш все скок-поскок возле бабки: то еду ей сунет, то спросит настырно, не нужно ли чего, но от всех его предложений бабка с трагическим видом только знай печально отмахивалась. Фариш был горячо привязан к бабке, его всегда до слез трогало то, какая она жалкая и больная, и она в свою очередь не упускала случая польстить Фаришу — так же мягко, кротко и угодливо, как она льстила их покойному отцу. Ее лесть пробуждала в отце Дэнни самые худшие качества (поощряла его нытье, распаляла его злобу, тешила его гордыню и, хуже всего, не препятствовала его приступам бешенства), поэтому, когда она лебезила перед Фаришем, он тоже превращался в животное.

— Фариш, ну я же столько не съем, — все причитала она (несмотря на то, что перед всеми внуками уже давно стояли тарелки с едой). — Отдай эту тарелку брату Юджину.

Дэнни закатил глаза, чуток отодвинулся от стола. Под метом терпение быстро лопается, а бабка нарочно вела себя так, чтоб страдальческим тоном и отказами от еды заставить Фариша вызвериться на Юджина — это ж ясно как дважды два.

Так оно и вышло.

— Ему? — Фариш злобно уставился на Юджина, который, сгорбившись, сидел за другим концом стола и быстро запихивал в рот еду. Аппетит Юджина был больной темой и источником бесконечных свар, потому что ел он больше всех, а в расходы почти не вкладывался.

Кертис, жуя, потянулся жирными пальцами за кусочком курицы, который бабка дрожащей рукой протягивала Юджину. Фариш в ту же секунду шлепнул Кертиса по руке, да так злобно, что Кертис аж рот раскрыл. Ошметки непрожеванной еды вывалились на скатерть.

— О-о-о-ой, да пусть ест, если хочет, — ласково сказала Гам. — Нака, Кертис. Хочешь еще покушать?

— Кертис, — бросил Дэнни, заерзав от раздражения: они эту поганую семейную драму разыгрывали всякий раз, как за стол садились, сил никаких уже нет смотреть это в тысячный раз, — на, возьми мою.

Но Кертис, который не понимал подлинного смысла этой игры, да и никогда не поймет, все так же улыбался и тянулся за мельтешившей у него перед носом куриной ножкой.

— Пусть только тронет, — прорычал Фариш, уставившись в потолок, — и обещаю, я ему так врежу, что…

— На, Кертис, — повторил Дэнни, — возьми мою.

— Или мою, — вдруг подал голос заезжий проповедник, который сидел рядом с Юджином за другим концом стола. — Еды много. Пусть ребенок ест, если голоден.

Они и позабыли, что он тут. Все сразу уставились на него, а Дэнни воспользовался удобным случаем, перегнулся через стол и вывалил Кертису в тарелку весь свой малоаппетитный ужин.

При виде такого свалившегося ему в тарелку изобилия, Кертис восторженно забулькал.

— Люблю! — воскликнул он и захлопал в ладоши.

— Просто пальчики оближешь, — вежливо сказал Лойал. Взгляд у него был напряженный, голубые глаза лихорадочно горели. — Премного вам за все благодарен.

Фариш замер с лепешкой в руке:

— Что-то ты на Дольфуса ни капли не похож.

— Знаешь, а вот мать наша думает, что мы похожи. Мы с Дольфусом оба блондины, в ее родню.

Фариш фыркнул и принялся засовывать в рот горох, помогая себе куском лепешки: видно было, что он под дичайшим кайфом — еще немного и взлетит, — но он всегда как-то исхитрялся все доесть, чтобы не обижать Гам.

— Вот что я тебе скажу: уж если в парчманской тюряге кто и умел поднять бучу, так это братан Дольфус, — с набитым ртом проговорил Фариш. — Скажет он тебе: прыгай, мол, и ты прыгаешь. А если щас не запрыгаешь, попрыгаешь у него потом. Кертис, черт бы тебя побрал, — заорал он, чиркнув по полу стулом, закатив глаза. — Ты что, хочешь, чтоб я наблевал тут? Гам, ну сделай ты что-нибудь, пусть перестанет руками в общую тарелку лезть.

— Да откуда ж ему знать, как надо, — Гам, покряхтывая, привстала, чтоб отодвинуть блюдо с едой подальше от Кертиса, а потом медленно-медленно, будто в ледяную ванну лезла, села на место. Угодливо покивала Лойалу. — Вы уж нас пардоньте, сами видите, на него Боженька много времени не тратил, — сказала она, заискивающе помаргивая, — но уж как мы любим наше чучелко, скажи, Кертис?

— Люблю, — проворковал Кертис.

Он протянул бабке кусок лепешки.

— Не-е, Кертис. Гам не хочется.

— Господь не совершает ошибок, — сказал Лойал. — Он на всех нас глядит любящим взглядом. Благословен Господь, который каждую тварь создает неповторимой.

— Ну, будем надеяться, что Господь не отвернется от вас ровнехонько в тот момент, как вы гадюками трясти начнете, — сказал Фариш, лукаво глянув на Юджина, который подливал себе чаю со льдом. — Лойал? Так тебя, значит, зовут?

— Да, сэр. Лойал Брайт. Брайт — это по маме.

— Ну так скажи мне, Лойал, чего ты притащил сюда столько этих гадов, если они так и сидят по ящикам? Сколько оно уже длится, это ваше бдение?

— День, — сказал Юджин с набитым ртом, не поднимая глаз.

— Я не могу предсказать, когда мне понадобятся змеи, — сказал Лойал. — На это нас благословляет Господь, а иногда — не благословляет. Только Он может даровать нам победу. А бывает и так, что Ему угодно испытать нашу веру на прочность.

— А не чувствуешь себя дураком, когда стоишь перед толпой народу — и без единой змеи?

— Нет, сэр. Змея — Его творение и повинуется Его воле. Если мы начнем служить со змеями без Его на то повеления, то сами и пострадаем.

— Ну ладно, Лойал, — Фариш откинулся на спинку стула, — а как, по-твоему, у Юджина с Господом все на мази? А то, может, это вам и мешает.

— Знаешь, что я тебе скажу, — вдруг вскинулся Юджин, — нам мешает, если в змей тыкают палками и папиросами обкуривают, когда их дразнят и когда к ним лезут…

— Нет, ты погоди…

— Фарш, я видел, как ты в кузове копался, ты к ним лез.

— Фарш! — глумливо пропел Фариш писклявым голосом.

Некоторые слова Юджин плохо выговаривал.

— Хватит надо мной насмехаться.

— Ну-ну, — вяло подала голос Гам. — Ну хватит вам.

— Гам, — сказал Дэнни и повторил уже потише: — Гам. — В первый раз он окликнул ее так громко и резко, что все аж подпрыгнули.

— Что, Дэнни?

— Гам, я знаешь, чего спросить хотел… — он так накачался, что позабыл, о чем только что говорили за столом, зачем он сам открыл рот и как это все между собой связано. — Тебя выбрали в присяжные?

Бабка свернула пополам кусок белого хлеба, обмакнула его в лужицу кукурузной патоки.

— Выбрали.

— Чего? — спросил Юджин. — А когда суд-то?

— В среду.

— А как ты туда доберешься, если грузовик поломался?

— Выбрали в присяжные? — Фариш резко распрямился. — А почему я об этом в первый раз слышу?

— Ох, твоя старая ба не хотела тебя лишний раз беспокоить, Фариш…

— Грузовик не то чтобы сломан, — сказал Юджин, — просто она его вести не сможет. Я сам руль с трудом повернуть могу.

— В присяжные?! — Фариш с грохотом отодвинул стул. — Зачем они больную женщину-то вызывают?! Неужто никого поздоровее не нашлось…

— Я с радостью выполню свой долг, — страдальческим тоном сказала Гам.

— Бабуль, да я знаю, просто говорю, что они могли бы и кого другого найти. Тебе придется там целый день просидеть, стулья там неудобные, а у тебя артрит…

Гам прошептала:

— Сказать по правде, меня куда больше беспокоит то, что меня после того лекарства тошнит.

— Надеюсь, ты им сказала, что при таком раскладе опять можешь в больницу попасть. Тащить куда-то старую больную женщину…

Лойал дипломатично вмешался:

— А над кем суд, мэм, позвольте узнать?

Гам возила куском хлеба в луже патоки:

— Ниггер трактор угнал.

Фариш сказал:

— И всего-то? И поэтому тебе надо туда тащиться?

— В мое время, — невозмутимо сказала Гам, — никаких таких судов не было, никого эта чушь не заботила.

Гарриет постучалась в спальню Тэт — никто не ответил, и тогда она тихонько отворила дверь. В комнате царил полумрак, и она увидела, что Тэт спит себе, растянувшись на белом летнем покрывале — без очков, с раскрытым ртом.

— Тэт… — нерешительно позвала она.

В комнате пахло лекарствами, травяным тоником, ветивером, ментоловой мазью и пылью. Слышался убаюкивающий стрекот вентилятора, который поворачивался то направо, то налево, колыхая кружевные занавески.

Тэт спала. В комнате было прохладно, тихо. На бюро стояли фотографии в серебряных рамочках: судья Клив с прабабкой Гарриет, сняты еще в конце прошлого века — у прабабки к воротнику под самым горлом приколота камея; мать Гарриет в 1950-х, ее первый выход в свет — перчатки до локтей, пышный начес на голове; раскрашенный вручную снимок восемь на десять — портрет молодого мистера Пинка, мужа Тэт, и глянцевый снимок для газеты, сделанный куда позже — мистеру Пинку вручают награду от Торговой палаты. На массивном туалетном столике были разложены вещи Тэт: кольдкрем "Пондс", шпильки в стеклянной баночке, подушечка для иголок, бакелитовый гребень с набором расчесок и одна-единственная помада — скромное, неприметное семейство выстроилось аккуратно, будто для группового снимка.

Гарриет вдруг почувствовала, что вот-вот расплачется. Она с размаху плюхнулась на кровать. Тэт вздрогнула всем телом, проснулась.

— Господи… Гарриет? — она заворочалась, сослепу долго не могла нашарить очки. — Что стряслось? А где твой юный друг?

— Домой ушел. Тэтти, ты меня любишь?

— Да что такое? А который уже час, милая? — щурясь, она безуспешно пыталась разглядеть время на стоявших возле кровати часах. — Ты что это, плачешь? — она пощупала лоб Гарриет, но он был влажный и прохладный. — Да что такое с тобой приключилось?

— Можно я у тебя переночую?

У Тэт сердце упало.

— Ой, моя ты дорогая. Бедная Тэтти от аллергии чуть жива… Ну скажи же, моя милая, что стряслось? Плохо себя чувствуешь?

— Я тебе не помешаю.

— Дорогая моя. Моя дорогая. Ты мне никогда не мешаешь, ни ты, ни Эллисон, но…

— Почему вы не хотите, чтоб я у вас ночевала — ни ты, ни Либби, ни Аделаида?

Тэт растерялась:

— Право же, Гарриет, — сказала она. Она включила стоявшую возле кровати лампу. — Ты же знаешь, что это не так.

— Ты ни разу мне не предлагала!

— Ну, хорошо, Гарриет. Давай-ка я возьму календарь. Мы с тобой выберем день на следующей неделе, тогда мне уже будет получше…

Она осеклась. Ребенок плакал.

— Послушай-ка, — бодро сказала Тэт. Она, конечно, изо всех сил делала вид, что ей очень интересно слушать, как ее подруги соловьями разливаются про своих внуков, но сама она никогда не жалела, что у нее их нет. Дети ее злили и утомляли, и этот факт она всеми силами скрывала от своих внучатых племянниц. — Дай-ка я возьму полотенце. Тебе сразу станет лучше… Нет-нет, пойдем. Гарриет, вставай.

Она ухватила Гарриет за грязную ладошку и провела ее через темный коридор в ванную. Выкрутила оба крана над раковиной и сунула Гарриет кусок розового туалетного мыла.

— Держи-ка, солнышко. Умой лицо и руки… сначала руки. Так, а теперь побрызгай холодной водичкой в лицо, сразу лучше станет.

Она намочила полотенце, суетливо промокнула им щеки Гарриет, сунула полотенце ей.

— Так, моя дорогая. Вот тебе прохладный полотенчик, давай-ка, ради тети Тэт, протри-ка им шею и под мышками.

Гарриет сделала, как она велела — механически провела разок полотенцем по горлу, сунула его под футболку, мазнула под мышками.

— Ну же. А посильнее? Ида что, не проверяет, хорошо ли ты умылась?

— Проверяет, мэм, — отозвалась Гарриет с заметным отчаянием в голосе.

— Отчего же ты тогда такая грязная? А чтоб ты каждый день в ванной мылась — следит?

— Да, мэм.

— А следит, чтоб ты голову хорошенько засовывала под струю воды, а чтоб ты с мылом мылась — проверяет? Никакой не будет от того пользы, Гарриет, если ты просто залезешь в горячую воду и в ней посидишь. Ида Рью прекрасно знает, что ей надо…

— Ида ни в чем не виновата! Почему всегда всё сваливают на Иду?

— Никто ничего на Иду не сваливает. Я знаю, солнышко, ты очень любишь Иду, но, думается мне, твоей бабушке нужно сказать ей пару слов. Ида ничего дурного не сделала, просто цветные по-другому относятся… Ох, Гарриет. Ну прошу тебя, — Тэтти заламывала руки. — Не надо. Только не начинай опять.

Юджину было здорово не по себе, когда после ужина они с Лойалом вышли на улицу. Поглядеть на Лойала, так он в полной гармонии с миром, будто собрался неспешно прогуляться после ужина, но вот Юджина (поужинав, тот еще и переоделся в тесный черный костюм, в котором обычно проповедовал) от волнения пробил холодный пот. Он погляделся в боковое зеркало на грузовике Лойала, прошелся гребнем по сальному седому вихру надо лбом. От вчерашнего ночного бдения (на какой-то ферме, на другом конце округа) толку было мало. В сплетенной из лоз беседке собрались одни зеваки, которые то и дело хихикали, швырялись щебенкой и бутылочными пробками, в блюдо для пожертвований ни цента не положили, да еще и конца службы дожидаться не стали и ушли, всех растолкав, — ну и кто их станет осуждать? В одном мизинчике юного Риза, у которого глаза горели синим огнем, как газовые горелки, а волосы развевались так, будто мимо него только что пролетал ангел, веры было больше, чем у всех этих ротозеев вместе взятых, да только все равно — ни одной змеи из ящика не вылезло, ни одной. Юджин, конечно, со стыда сгорал, но самому вытаскивать змей ему совсем не хотелось. Лойал уверял его, что нынче вечером в Бойлинг-Спринг им окажут более теплый прием, но Юджину дела не было до Бойлинг-Спринг. Да, там можно было отыскать паству, только у них и пастырь свой имелся. Послезавтра они попробуют собрать народ на площади, да только как их собирать, если змеи — основная их приманка — запрещены законом?

Но Лойала это, похоже, совершенно не волновало.

— Я приехал сюда, чтобы вершить дело Божье, — повторял он. — А дело Божье — одолеть смерть.

Вчера вечером смешки из толпы его нисколько не обеспокоили, но хоть Юджин и боялся змей, и знал, что сам он в жизни до них не дотронется, еще раз позориться перед публикой ему тоже не хотелось.

Они стояли под фонарями на заасфальтированном участке земли, который все звали "стоянкой": в одном его конце был газовый гриль, в другом — торчало баскетбольное кольцо. Юджин нервно поглядывал на грузовик Лойала — на брезент, который прикрывал горы ящиков со змеями, на табличку на бампере, где косыми фанатичными буквами было выведено: "Я НЕ ОТ МИРА СЕГО!" Кертис, слава богу, сидел дома, смотрел телевизор (если б он увидел, что они уезжают, стал бы реветь и проситься с ними), и Юджин хотел было сказать, что пора ехать, как тут скрипнула дверь с москитной сеткой и к ним прошаркала Гам.

— Привет-привет, мэм! — радушно воскликнул Лойал.

Юджин отвернулся. Теперь он постоянно боролся с ненавистью к бабке, то и дело напоминая себе, что Гам — старая женщина, да еще и больная, и болеет она уже долго. Он вспомнил, как однажды, давным-давно, когда они с Фаришем были еще совсем маленькие, отец приковылял домой посреди дня пьяный и вытащил их из трейлера во двор, как будто собирался задать им взбучку. Лицо у него было багрово-красное, слова он цедил сквозь зубы. Но не злился, а плакал. "Ох, Господи, Господи, мне с самого утра тошно, с самого утра, как только я узнал. Сжалься над нами, Господи. Бедной Гам осталось жить всего месяц-другой. Врачи сказали, что ее рак разъел до самых до костей".

Это было двадцать лет тому назад. С тех пор у них родились еще четыре брата — и все выросли, и кто из дома уехал, кто в тюрьму сел, кто инвалидом стал; отец, дядя, мать — и мертворожденная сестра, кстати — уж давно в земле. А Гам — живехонька. Пока Юджин рос, разные доктора и чиновники из отделов по здравоохранению регулярно, где-то раз в полгода, выносили ей смертные приговоры. Теперь, когда отец умер, дурные новости им с сожалением сообщала она сама. Селезенка у нее была увеличена, вот-вот лопнет, то печень откажет, то поджелудочная, то щитовидка, то такой-то рак ее сжирает, то сякой — столько у нее внутри разных раков, что все кости от них почернели, как уголья, что твои обугленные в печи куриные косточки. Оно и правда: Гам выглядела больной. Не сумев убить ее, рак прочно угнездился в ее теле и с комфортом там обжился — пустил корни в груди, высунул щупальца наружу черными родинками, и Юджину все казалось, что если Гам сейчас вскрыть, то из нее ни капли крови не вытечет, что там внутри — одна ядовитая губчатая масса.

— Вы уж простите, что спрашиваю, мэм, — вежливо начал гость Юджина, — но как так вышло, что ваши ребята вас Гам зовут?

— А мы и сами не знаем, просто имечко привязалось и все тут, — хохотнул Фариш, который выскочил из своего загончика с чучелами — за ним протянулся луч электрического света. Он порывисто обнял Гам и принялся ее щекотать, будто она была девчонкой, за которой он ухаживал. — Что, Гам, хочешь тебя вон в грузовик к змеюкам закину?

— Брысь, — вяло откликнулась Гам.

Ей казалось, что вроде как негоже показывать, до чего ей по душе такое вот грубоватое внимание, однако оно ей было очень по душе, и хоть в лице она не переменилась, но ее черные глазки-бусинки так и вспыхнули от удовольствия.

Гость Юджина с опаской заглянул в загончик для производства чучел/метамфетамина: окон там не было, горела белым светом лампочка под потолком, освещая пробирки, медные трубки и удивительно сложную, громоздкую конструкцию из шлангов, насосов, газовых горелок и старых водопроводных кранов. Неприглядные свидетельства работы таксидермиста — вроде зародыша кугуара в банке с формалином и пластмассовых коробок из-под рыболовных крючков, доверху набитых стеклянными глазами — превращали загончик в своего рода лабораторию Франкенштейна.

— Заходи, заходи, — воскликнул Фариш, обернувшись к нему.

Он отпустил Гам, ухватил Лойала за рубаху и втащил — или скорее даже втолкнул — его в лабораторию.

Насторожившись, Юджин шагнул вслед за ним. Братец Дольфус с Лойалом, видимо, тоже мало церемонился, поэтому его это никак не побеспокоило, но Юджин-то на Фариша порядком уже насмотрелся и знал, что если Фариш такой радушный, то беспокоиться еще как нужно.

— Фарш, — пискнул он. — Фарш.

На темных полках выстроились ряды банок с химикатами и бутылки из-под виски с ободранными этикетками, где Фариш держал какой-то черный раствор, который нужен был ему для набивки чучел. Дэнни в резиновых хозяйственных перчатках сидел на перевернутом пластмассовом ведре и ковырялся в чем-то крошечным инструментиком. За спиной у него в стеклянной фильтровальной колбе побулькивала какая-то жидкость; из тени под стропилами свисало чучело ястреба, который мрачно таращился на них, расправив крылья, будто вот-вот спикирует вниз и всех заклюет. Еще на полках стояли большеротые черные окуни, насаженные на грубые деревянные подставки, индюшачьи лапки, лисьи головы, кошки всех размеров — от взрослых котов до крошечных котят, дятлы, змеешейки и одна недошитая цапля, которая жутко воняла.

— Ты представляешь, Лойал, однажды мне принесли во-от такого мокасина, жаль, его у меня уже забрали, не то б я его тебе показал, потому что он здоровее всех твоих змей в грузовике…

Юджин бочком протиснулся в лабораторию и, покусывая заусенец, глянул Лойалу через плечо, словно бы впервые, его глазами, увидев чучела котят, цаплю с поникшей головой и ссохшимися, похожими на раковинки каури глазницами.

— Для таксидермии, — пояснил он, когда заметил, что Лойал разглядывает бутылки виски.

— Господь заповедал нам любить царство Его, и стеречь его, и быть пастырями тем, кто ниже нас, — сказал Лойал, глядя на жуткие стены, которые полутьма, вонь и трупики животных превращали в какой-то поперечный срез ада. — Вы уж простите, но я не знаю, можно ли в таком случае насаживать их на палки да набивать.

Юджин заметил в углу стопку журналов "Хастлер". Обложка у верхнего была просто омерзительная. Он тронул Лойала за руку:

— Ладно, пошли, — сказал он, потому что не знал, что скажет Лойал, если заметит журналы, а когда Фариш рядом, лучше бы обойтись без неожиданностей.

— Ну, — сказал Фариш, — мне-то откуда знать, а ты, наверное, прав, Лойал. — Юджин с ужасом увидел, как Фариш наклонился над алюминиевым рабочим столиком и, откинув волосы с лица, всосал ноздрей через долларовую купюру полоску белого порошка — наркотика, не иначе. — Ты, конечно, прости, но… Что, Лойал, я неправ буду, если предположу, что славный жирненький стейк на косточке ты съешь в один присест, вон как мой братец?

— Это что такое? — спросил Лойал.

— Порошок от головной боли.

— Фариш у нас инвалид, — услужливо вклинился Дэнни.

— Подумать только, — любезно сказал Лойал Гам, которая своим черепашьим ходом только-только доползла от стоянки до сарая, — недуг стал горьким опытом почти для всех ваших детей.

Фариш тряхнул головой и, громко шмыгнув носом, выпрямился. Неважно, что в семье он один получал пособие по инвалидности, ему все равно было не по нраву, что его болезнь ставят в один ряд с метиной на лице Юджина, не говоря уже о более серьезных проблемах Кертиса.

— Твоя правда, Лойал, — Гам скорбно покачала головой. — Господь и без того на меня наслал и рак, и атрит, и сахарный диабет, и это вот... — Она показала на шею, по которой трупным пятном расползлась багрово-черная короста размером с четвертак. — Вот где старой немощной Гам рассадили все вены, — занудила она, выгнув шею так, чтобы Лойалу было получше видно. — Вот куда они катетур мне воткнули, прямо насквозь проткнули всё...

— Вы бдеть-то когда собираетесь? — весело спросил Дэнни, зажав ноздрю пальцем — он тоже заправился порошком от головной боли.

— Нам пора, — сказал Юджин Лойалу. — Идем.

— А потом, — все бубнила Гам, — а потом они подвели ко мне, к шее, этот, как его, шар такой, и потом...

— Гам, ему уже пора идти.

Гам фыркнула и вцепилась пятнистой клешней в рукав белой сорочки Лойала. Она очень обрадовалась, что ей попался такой участливый слушатель, и просто так отпускать его не собиралась.

Гарриет возвращалась домой. Над широкими тротуарами нависали тенистые ветви магнолий и пекановых деревьев, под ногами ковром лежали растоптанные лепестки индийской сирени, в теплом воздухе дрожал чуть слышно печальный вечерний перезвон колоколов Первой баптистской церкви. Главная улица выглядела посолиднее Джордж-стрит, где царили георгианство и сельская готика: викторианские особнячки в греческом, итальянском духе или в стиле Второй империи — все, что осталось от лопнувшей хлопковой экономики. Кое-где еще даже жили потомки тех, кто и построил эти дома, — таких, правда, оставалось немного, да парочку купили богатеи из неместных. Но все чаще то тут, то там глаза мозолили натянутые промеж дорических колонн бельевые веревки и трехколесные мотоциклы во дворах.

Свет тускнел. На другом конце улицы замигал светлячок, и тут же прямо у Гарриет под носом промелькнули еще два — оп, оп! Ей не хотелось идти домой — пока не хотелось, и хоть в этой части Главной улицы было страшновато и безлюдно, она решила, что еще капельку погуляет, только до отеля "Александрия" дойдет и все. Все до сих пор звали это здание отелем "Александрия", хотя, когда родилась Гарриет, никакого отеля тут уже не было — да по правде сказать, его не было и когда родилась Эди. Когда в семьдесят девятом охваченный желтой лихорадкой городок наводнили больные и перепуганные жители Натчеза и Нового Орлеана, которые, спасаясь от эпидемии, бежали на север, умирающих размещали в и без того переполненном отеле, где они лежали вповалку на крыльце и балконах, словно селедки в бочке — кричали, бредили, умоляли дать им попить, а трупы сваливали горой прямо у входа. Наверное, каждые пять лет кто-нибудь да пытался возродить отель и открыть тут то галантерею, то конференц-зал, то еще что-нибудь, но все попытки были обречены на провал. Даже мимо отеля люди и то ходили с оглядкой. Несколько лет назад какие-то приезжие открыли было чайную в вестибюле, но теперь закрылась и она.

Гарриет остановилась. В самом конце пустынной улицы возвышался отель — еле различимая в сумерках белая развалина с вытаращенными глазами окон. Вдруг ей почудилось, будто в окне наверху что-то мелькнуло — затрепетало что-то, будто тряпка, — и она, развернувшись, с колотящимся сердцем помчалась домой по длинной сумрачной улице, словно бы за ней гналась целая флотилия призраков.

Она так и бежала, не останавливаясь, до самого дома и с топотом ввалилась в гостиную — в глазах у нее рябило, ноги подкашивались, воздуха не хватало. Эллисон сидела перед телевизором.

— Мама волнуется, — сказала она. — Поди к ней, скажи, что ты дома. А, и Хили звонил.

Гарриет не успела по лестнице подняться, как на нее налетела мать — шлеп, шлеп, шлепая тапками.

— Ты где была? А ну отвечай!

Она раскраснелась, лицо у нее блестело, поверх ночнушки она накинула старую мятую белую рубаху, которую когда-то носил отец Гарриет. Она схватила Гарриет за плечи и вдруг — уму непостижимо — так сильно ее толкнула, что Гарриет врезалась в стену и ударилась головой о рамку с гравюрой, где была изображена певица Дженни Линд.

Гарриет ничего не понимала.

— Что случилось? — заморгала она.

— Ты хоть знаешь, как я волновалась? — заговорила мать странным, высоким голосом. — Где тебя носило, я вся извелась! Чуть из ума… не… не … выжила…

— Мам? — Гарриет, смешавшись, провела рукой по лицу. Напилась она, что ли? Отец иногда так же себя вел, когда приезжал домой на День благодарения и выпивал лишку.

— Я уж думала, ты умерла! Да как ты могла…

— Да в чем дело? — свет от лампы над головой бил ей в глаза, и Гарриет только и хотелось поскорее добраться до спальни. — Я у Тэт была, только и всего.

— Врешь. Говори правду!

— Это правда, — нетерпеливо бросила Гарриет, пытаясь обогнуть мать. — Позвони ей, если мне не веришь.

— И позвоню, сразу с утра и позвоню. А сейчас говори, где тебя носило.

— Ну давай, — мать перегородила ей путь, и Гарриет окончательно рассердилась, — иди, звони ей!

Мать быстро, злобно метнулась к ней, и Гарриет так же проворно отскочила на две ступеньки вниз. Гарриет раздраженно отвернулась, наткнулась взглядом на пастельный портрет матери (веселая, глаза горят, на ней пальто из верблюжьей шерсти, блестящие волосы собраны в высокий хвост) — портрет нарисовал уличный художник в Париже, куда мать ездила на третьем курсе колледжа. Портрет глядел на Гарриет лучистым взглядом — художник слишком сильно высветлил белки, — казалось, будто мать вот-вот огорченно захлопает ресницами, глядя на замешательство Гарриет.

— За что же ты так надо мной измываешься?

Гарриет перевела взгляд с портрета на то же самое лицо, только гораздо старше. В нем проглядывала какая-то неестественность, будто его по кусочкам собрали заново после страшной аварии.

— За что? — завопила мать. — С ума меня свести хочешь?

У Гарриет по затылку пробежал тревожный холодок. Мать часто вела себя странно, то что-нибудь напутает, то расплачется, но такого с ней еще не случалось. Было всего-то семь часов вечера, летом Гарриет, бывало, и до десяти играла на улице, и мать на это даже внимания не обращала.

Эллисон подошла к лестнице, положила руку на тюльпанообразный набалдашник на нижней стойке перил.

— Эллисон, — грубовато окрикнула ее Гарриет, — да что с мамой такое?

Мать Гарриет отвесила ей пощечину. Больно не было, но шлепок вышел звонким. Гарриет прижала руку к щеке и уставилась на мать, которая тяжело запыхтела, то и дело резко, с присвистом выдыхая.

— Мама! Что я такого сделала? — Гарриет так опешила, что даже не расплакалась. — Если ты волновалась, почему Хили не позвонила?

— Звонить Халлам в такую рань?! Чтоб с утра пораньше весь дом на ноги поднять?

Эллисон глядела на них снизу и, судя по ее лицу, была ошарашена не меньше Гарриет. Но Гарриет отчего-то показалось, что это из-за нее мать что-то там себе напридумывала.

— Это все ты! — взревела она. — Что ты ей наговорила?

Но Эллисон уставилась на мать округлившимися, удивленными глазами.

— Мама! — сказала она. — То есть как — "с утра"?

Шарлотта ухватилась за перила, с тревогой глянула на нее.

— Сейчас вечер. Вечер вторника, — сказала Эллисон.

На мгновение Шарлотта застыла, глядя на них во все глаза, раскрыв рот. Потом, громко щелкая задниками тапок, сбежала вниз и бросилась к окну возле двери.

— Боже правый, — пробормотала она, подавшись вперед, обеими руками схватившись за подоконник.

Она подняла засов, шагнула на крыльцо — в сумерки. Очень медленно, как сомнамбула, подошла к креслу-качалке, села.

— Господи, — сказала она. — И верно. Я проснулась, на часах было шесть тридцать, и я грешным делом подумала, что уже шесть утра.

Стало так тихо, что слышны были только сверчки да голоса с улицы. У Годфри были гости: на дорожке возле их дома стояла чья-то белая машина, а возле обочины — микроавтобус. С их веранды падал желтоватый свет, в котором клубились струйки дыма от барбекю.

Шарлотта взглянула на Гарриет. Лицо у нее было неестественно белое, все в испарине, а черные, огромные зрачки так расползлись, что полностью поглотили радужку, которая теперь теплилась голубым кольцом за черными кругами лунного затмения.

— Гарриет, я думала, тебя всю ночь не было, — она вся взмокла и хватала ртом воздух, будто тонет. — Девочка моя. Я думала, тебя похитили, думала, ты умерла. Маме сон плохой приснился и — ой, господи. Я тебя ударила, — она закрыла лицо руками и разрыдалась.

— Мама, пойдем в дом, — тихонько сказала Эллисон. — Пожалуйста.

Не нужно, чтобы Годфри или миссис Фонтейн видели, как их мать сидит на крыльце в одной ночнушке и рыдает.

— Гарриет, поди ко мне. Ты меня теперь никогда не простишь, да? Мама у тебя чокнутая, — всхлипывала она, поливая слезами макушку Гарриет. — Прости, пожалуйста…

Мать так притиснула Гарриет к груди, что той пришлось неловко скрючиться, и теперь она изо всех сил старалась не вырываться. Воздуха не хватало. Где-то наверху мать плакала и захлебывалась в кашле, будто выброшенная на берег жертва кораблекрушения. Розовая ткань ночнушки была у нее прямо перед глазами и с этого ракурса даже и на ткань была не похожа — просто сетка из грубых, разлохмаченных ниток. Интересно. Гарриет прикрыла один глаз. Нет розового. Открыла оба глаза: есть розовый. Она стала то так, то этак прищуриваться, глядя, как оптическая иллюзия возникает снова и снова, но тут крупная слеза — просто непомерно огромная — шлепнулась на ткань и расползлась по ней пунцовой кляксой.

Вдруг мать ухватила ее за плечи. Лицо у нее лоснилось, от кожи пахло кольдкремом, а глаза стали чернильно-черные, чужие, как у акулы-няньки, которую Гарриет видела в океанариуме, когда они ездили на побережье.

— Ты не знаешь, каково это, — сказала она.

Гарриет снова придавило к ночнушке. Сосредоточься, велела она себе. Если как следует постараться, можно представить, будто она совсем даже не здесь.

На крыльцо упал косой прямоугольник света. Кто-то распахнул входную дверь.

— Мама, — послышался тихий голос Эллисон. — Ну, пожалуйста…

Наконец ей удалось уговорить мать вернуться в дом — Эллисон взяла ее за руку, осторожно усадила на диван, подложила ей подушку под голову и включила телевизор, который сразу разрядил атмосферу беспечной трескотней и тыц-тыц-музыкой. Эллисон все ходила туда-сюда: подносила матери то салфетки, то аспирин, то сигареты и пепельницу, принесла ей из кухни холодного чаю, вытащила из морозилки пакет со льдом — прозрачно-голубой, как вода в бассейне, в форме полумаски, какая бывает у арлекинов во время Марди Гра[1] — мать обычно клала ее на лицо, когда у нее закладывало нос или когда ее, как она выражалась, тошнило от мигрени.

Мать благодарила ее и за салфетки, и за чай, и за прочие мелочи, которыми Эллисон пыталась ее утешить, и, прижимая аквамариновую маску ко лбу, рассеянно бормотала:

— Что вы теперь обо мне думать будете?.. Мне так стыдно…

Гарриет примостилась в кресле напротив и внимательно глядела на мать, поэтому на маску сразу обратила внимание. Она в таком виде несколько раз заставала отца — если тот с вечера напивался, то утром оцепенело сидел за столом с такой вот примотанной ко лбу синей ледяной маской, звонил кому-нибудь или раздраженно шелестел газетами. Но от матери не пахло алкоголем. Когда мать на крыльце прижимала ее к груди, Гарриет совсем ничего не учуяла. Да и вообще мать не пила — не пила так, как пил отец. Иногда она мешала себе бурбон с колой, но потом так и слонялась весь вечер с полным стаканом — у нее уже и салфетка промокнет насквозь, и лед растает, а она все равно раньше заснет, чем все выпьет.

Эллисон снова вернулась из кухни. Она бросила взгляд на мать, убедилась, что та на нее не смотрит и беззвучно, одними губами произнесла: "У него сегодня день рождения".

Гарриет заморгала. Ну конечно, как же она забыла? Обычно мать срывалась в мае, в годовщину его смерти: она вдруг впадала в панику или принималась истерически рыдать. Несколько лет назад ее скрутило так сильно, что она даже из дома выйти не могла и поэтому пропустила выпускной Эллисон в восьмом классе. Однако нынешняя майская годовщина уже прошла, и в этот раз все было спокойно.

Эллисон кашлянула:

— Мама, я тебе ванну наливаю, — сказала она. Голос у нее сделался до странного деловитый, взрослый. — Но если ты не хочешь, можешь и не залезать.

1 Последний вторник перед началом пасхального поста, в этот день во многих странах проходят карнавалы, в США Марди Гра пышно празднуют на американском Юге, в Новом Орлеане.

Гарриет хотела было убежать к себе в комнату, но мать, испуганно, проворно вскинув руку, так, будто бы Гарриет собралась переходить дорогу на красный, преградила ей путь.

— Доченьки! Славные мои девочки! — она похлопала по дивану обеими руками — мол, садитесь-ка рядышком, и хоть лицо у нее опухло от слез, в ее голосе болотным огоньком — крохотным, но ярким — вдруг промелькнула та самая первая заводила колледжа, чей портрет висел в коридоре.

— Гарриет, ну что же ты мне сразу ничего не сказала? — спросила она. — Хорошо было у Тэтти? О чем вы с ней болтали?

Когда мать снова и весьма некстати нацелила на нее, как луч прожектора, свое внимание, Гарриет опять потеряла дар речи. Отчего-то в голову ей лез только тот случай в парке аттракционов, когда маленькая Гарриет каталась на "поезде ужасов" и в темноте рядом с ней по натянутой леске безмятежно елозило туда-сюда привидение, и как это привидение вдруг сорвалось с лески и влетело ей прямо в лицо. Гарриет до сих пор иногда в ужасе просыпалась, когда ей снилось, как из темноты на нее летит что-то белое.

— Что ты делала у Тэтти?

— Играла в шахматы.

Наступило молчание, и Гарриет попыталась придумать, что бы еще такого смешного и интересного добавить к этому ответу.

Мать приобняла Эллисон, чтобы и ее включить в их семейный кружок.

— А ты, солнышко, почему к Тэт не пошла? Ты уже поужинала?

— Телеканал "Эй-би-си" представляет рубрику "Фильм недели", — сообщил телевизор. — "Я, Натали". В ролях — Патти Дьюк, Джеймс Фарентино и Мартин Болсам.

Едва на экране замелькали вступительные титры, как Гарриет встала и пошла к себе, но мать потащилась за ней.

— Злишься на маму за то, что она такая чокнутая, да? — она потерянно топталась в дверях спальни Гарриет. — Пойдем с нами кино посмотрим? Сядем все втроем и посмотрим.

— Нет, спасибо, — вежливо отказалась Гарриет.

Мать разглядывала ковер, и Гарриет с ужасом поняла, что еще чуть-чуть и та заметит пятно от смолы. Возле ножки кровати виднелись черные разводы.

— Я… — казалось, будто у матери в горле вдруг лопнула какая-то жилка, она беспомощно завертела головой, посмотрела на плюшевых животных Эллисон, на стопки книг на подоконнике возле кровати Гарриет. — Ты меня, наверное, ненавидишь, — хрипло сказала она.

Гарриет уставилась себе под ноги. Она терпеть не могла, когда мать начинала устраивать из всего мелодраму.

— Нет, мама, — сказала она. — Мне просто этот фильм не нравится.

— Ох, Гарриет. Мне ужасный кошмар приснился. Я проснулась, тебя нет, и мне стало так страшно. Ты ведь знаешь, что мама тебя любит, правда, Гарриет?

На это у Гарриет не находилось ответа. Она вдруг слегка оцепенела, как будто с головой ушла под воду: вытянутые тени, нереальный зеленоватый свет лампы, подрагивающие от ветерка занавески.

— Ты же знаешь, что я тебя люблю?

— Да, — ответила Гарриет, но таким тоненьким голосом, что он показался ей чужим и очень-очень далеким.

Глава 4

Миссия

Странно, думала Гарриет, что она так и не возненавидела Кертиса после того, как узнала всю правду о его семейке. Она заметила Кертиса на другом конце улицы, там же, где они с ним в прошлый раз встретились — он очень сосредоточенно, вперевалку топал по бордюру. Зажав водяной пистолет обеими руками, Кертис колыхался из стороны в сторону, подрагивая рыхлыми боками.

В развалюхе, которую он стерег (какой-то дешевый домишко под съем), хлопнула дверь с москитной сеткой. На лестницу вышли двое мужчин, они тащили огромный, прикрытый брезентом ящик. Лицом к Гарриет спускался молоденький нескладный юноша с очень блестящим лбом, волосы у него торчали в разные стороны, а глаза были круглые и перепуганные, как будто у него за спиной только что рванул взрыв. Второй пятился задом, да так торопливо, что то и дело спотыкался, но несмотря на то, что ящик был тяжелым, ступеньки — узкими, а брезент висел так криво, что вот-вот грозился съехать и угодить им прямиком под ноги, они лихорадочно протопали по лестнице, не сбавляя ходу, не останавливаясь.

Кертис замычал что-то, закачался и наставил на них водяной пистолет, а мужчины тем временем наклонили ящик и протиснулись с ним к грузовику, припаркованному возле крыльца. Кузов грузовика был тоже затянут брезентом. Второй мужчина, который был поплотнее на вид (в белой рубашке, черных брюках и черном жилете нараспашку), откинул брезент локтем и перевалил свой конец ящика через бортик.

— Осторожнее! — вскрикнул патлатый паренек, когда ящик с грохотом свалился в кузов.

Второй мужчина, который так и стоял к Гарриет спиной, утер лоб носовым платком. Надо лбом у него торчал седой набриолиненный вихор. Они вместе поправили брезент и вернулись в дом.

За этими загадочными действиями Гарриет следила без особого любопытства. Хили мог часами пялиться на уличных рабочих, а если уж совсем умирал от любопытства, то мог и подойти к ним, начать забрасывать их вопросами, но стоило Гарриет услышать про грузы, рабочих и инструменты, как ей тут же делалось скучно. Интересовал ее Кертис. Если все, что о нем рассказывали, — правда, то братья Кертиса с ним очень дурно обращались. Иногда Кертис приходил в школу с жутковатыми синяками на руках и ногах, только у Кертиса бывали синяки такого странного цвета — как клюквенный соус. Говорили, что Кертис куда нежнее, чем кажется, чуть что заденет — сразу синяк, он и простужался чаще других своих сверстников, но все равно учителя иногда подсаживались к нему и расспрашивали про синяки. Какие вопросы они ему задавали и что отвечал Кертис, Гарриет не знала, однако среди детей распространилось смутное убеждение, что дома его бьют. Родителей у него не было, только братья да старая дряхлая бабка, которая вечно причитала, что у нее сил не хватает за ним приглядывать. Зимой он часто приходил в школу без куртки, без денег на обед да и без обеда (или с каким-нибудь очень неполезным обедом, вроде банки варенья, которую учителям приходилось у него отбирать). Бабка постоянно изобретала какие-то отговорки, но учителя только недоуменно переглядывались. В конце концов Александрийская академия — школа частная. Если семья Кертиса может себе позволить оплачивать его обучение — тысячу долларов в год, между прочим, — то почему бы им не наскрести денег ему на обед и на пальто?

Гарриет Кертиса жалела — правда, издалека. Он был, конечно, добряк, но двигался так резко и неуклюже, что вечно пугал людей. Малыши его боялись, девочки отказывались сидеть с ним рядом в школьном автобусе, потому что он трогал их лица, одежду и волосы. Кертис пока не заметил Гарриет, но ей даже представить было страшно, что будет, когда он ее все-таки заметит. Она почти машинально перебежала на другую сторону улицы, уставившись себе под ноги и сгорая со стыда.

Снова хлопнула дверь-сетка, снова по лестнице протопали двое мужчин с очередным ящиком, и тут как раз из-за угла вырулил длинный, отполированный до блеска, жемчужно-серый “линкольн-континентал”. Мимо нее пронесся величественный профиль мистера Дайала. Гарриет с удивлением увидела, что “линкольн” свернул к развалюхе.

Мужчины загрузили в кузов последний ящик, расправили брезент и теперь не торопясь, вразвалочку подымались по ступенькам. Дверь машины распахнулась — щелк.

— Юджин! — крикнул мистер Дайал, выскочив из машины и чуть не задев Кертиса, которого он, похоже, не заметил. — Юджин, на секундочку.

Дядька с седым вихром напрягся. Он обернулся, и Гарриет аж вздрогнула, будто кошмарный сон увидела — на лице у него была красная метина-клякса, похожая на намалеванный красной краской отпечаток руки.

— Как я рад, что застал тебя! Ох, и нелегко тебя поймать, Юджин, — сказал мистер Дайал, без приглашения топая вслед за ними по лестнице.

Он протянул руку худощавому пареньку, у которого так забегали глаза, что казалось, он вот-вот пустится наутек:

— Рой Дайал, “Шевроле Дайала”.

— Это… Это Лойал Риз, — сказал дядька постарше, поглаживая пальцем краешек пятна на щеке.

— Риз? — мистер Дайал любезно оглядел незнакомца. — А вы не из этих мест, верно?

Паренек, заикаясь, что-то пробормотал в ответ, слов Гарриет не разобрала, но говор расслышала: гнусавый бойкий фальцет уроженца гор.

— А! Добро пожаловать к нам, Лойал… Вы ведь тут проездом? Потому что, — мистер Дайал вскинул руку, чтобы упредить все возражения, — договор аренды есть договор аренды. Количество проживающих: один. Поэтому стоит лишний раз убедиться, что мы тут друг друга правильно поняли, да, Джин? — Мистер Дайал скрестил руки на груди, прямо как будто стоял перед классом Гарриет в воскресной школе. — Кстати, нравится ли тебе новая дверь с сеткой, которую я специально для тебя установил?

Юджин вымученно улыбнулся и сказал:

— Отличная дверь, мистер Дайал. Лучше прежней. — Красный шрам в сочетании с улыбкой превращал его в добродушного упыря из ужастиков.

— А водонагреватель? — потирал руки мистер Дайал. — Теперь-то воду для мытья побыстрее нагревать можно, верно ведь? Теперь горячей воды у тебя будет хоть залейся, ха-ха-ха!

— Да, сэр, мистер Дайал…

— Юджин, если ты не возражаешь, я уж дальше без обиняков, — сказал мистер Дайал, умильно склонив голову к плечу. — В наших с тобой интересах, чтобы коммуникация шла без сбоев, согласен?

Юджин, похоже, растерялся.

— Во время двух моих последних посещений мне было отказано в доступе в арендуемое тобой помещение. Скажи-ка мне, Юджин, — он вскинул руку, не дав Юджину и слова вымолвить, — что происходит? Как нам исправить сложившуюся ситуацию?

— Мистер Дайал, вы уж простите любезно, я не понимаю, о чем это вы.

— Я думаю, Юджин, мне не стоит тебе напоминать о том, что как твой арендодатель я имею право осматривать помещение, когда сочту нужным. Давай-ка пойдем друг другу навстречу, хорошо?

Он поднимался по лестнице. Юный Лойал Риз, казалось, перепугался еще сильнее и потихоньку, пятясь, отступал в квартиру.

— Мистер Дайал, хоть увольте, не пойму, в чем проблема! Если я чего не так сделал…

— Юджин, буду с тобой откровенен. Соседи жалуются на неприятный запах. Я тут на днях заходил и сам этот запах почуял.

— Так вы, может, хотите зайти, мистер Дайал, осмотреться?

— Я и впрямь, Юджин, очень хочу зайти и осмотреться, если ты не против. Сам понимаешь. У меня перед всеми моими жильцами имеются определенные обязательства.

— Гат!

Гарриет дернулась. Кертис, пошатываясь, закрыв глаза, махал ей рукой.

— Слепой! — крикнул он ей.

Мистер Дайал обернулся на полпути.

— А, привет-привет, Кертис. Поосторожнее там, — бодро сказал он и отошел подальше, скривившись от отвращения.

Кертис развернулся и, топая что было мочи, зашлепал по направлению к Гарриет, вытянув перед собой руки с болтающимися ладонями, будто чудище Франкенштейна.

— Чудоиссе, — пробулькал он. — Уууу, чудоиссе.

Гарриет чуть со стыда не сгорела. Но мистер Дайал ее не заметил. Он отвернулся и, продолжая что-то говорить ("Нет, Юджин, ты погоди, я правда хочу, чтоб ты понял, в каком я нахожусь положении…"), весьма решительно взбежал по лестнице, надвигаясь на испуганно пятившихся мужчин.

Кертис подошел к Гарриет. Не успела она ничего сказать, как он открыл глаза:

— Завяжи мне шнурки, — потребовал он.

— Они завязаны, Кертис.

Обычный разговор. Кертис не умел завязывать шнурки и вечно просил детей на игровой площадке их ему завязать. Теперь же он начинал с этого любой разговор, неважно — завязаны у него шнурки или нет.

Безо всякого предупреждения Кертис вдруг ухватил Гарриет за запястье.

— Паймаааал, — радостно пробубнил он.

Гарриет и опомниться не успела, а Кертис уже тащил ее через дорогу.

— А ну стой! — сердито крикнула она и попыталась высвободиться. — Отпусти!

Но Кертис ломил вперед. Он был очень сильный. Спотыкаясь, Гарриет волоклась за ним.

— Стой! — закричала она и что было сил стукнула его по лодыжке.

Кертис остановился. Разжал влажную мясистую лапу. Выражение лица у него было абсолютно бессмысленное и даже, пожалуй, недоброе, но тут он вытянул руку и погладил ее по голове — пошлепал со всего размаху растопыренной ладонью, словно младенец, который пытается погладить котенка.

— Ты сильная, Гат, — сказал он.

Гарриет отошла от него, потерла запястье.

— И больше так не делай, — пробурчала она. — Нельзя так людей хватать.

— Я хорошее чудоиссе, Гат, — хрипло проревел Кертис, изображая чудовище. — Я дружу! — Он похлопал себя по животу. — Ем только печенье!

Оказалось, что Кертис протащил ее через всю дорогу, прямо к съезду за грузовиком. Он мирно сложил огромные лапы под подбородком, поболтал ими, изображая Коржика, чудище-печеньку из “Улицы Сезам”, затем, пошатываясь, подошел к грузовику и приподнял брезент.

— Гляди, Гат!

— Не хочу, — надувшись, сказала Гарриет, но едва она отвернулась, как из кузова донесся сухой, яростный треск.

Змеи. Гарриет заморгала от изумления. Весь кузов был заставлен сетчатыми ящиками, а в ящиках были гремучие, мокасиновые, медноголовые — змеи, большие и маленькие, свившиеся в огромные крапчатые узлы, из которых то там, то сям, словно языки пламени, выскальзывали чешуйчатые белые рыльца, долбились в стены ящиков, потом заостренные головки втягивались обратно, скручивались в пружину и выстреливали в сетку, в доски, друг в друга, а потом снова сворачивались и — безучастно, зорко — скользили по дну ящиков, пряча белесые горлышки, сплетаясь в гибкую загогулину… тик, тик, тик… и вдруг снова напрыгивали на стенку и снова с шипением тонули в общем клубке.

— Не дружат, Гат, — раздался у нее за спиной бас Кертиса. — Нельзя трогать.

Каждый ящик закрывала посаженная на петли крышка с металлической сеткой, с боков были прикручены ручки. Большинство ящиков были выкрашены — в белый, черный цвет или кирпично-красный, как стены у деревенских амбаров, кое-где на стенках мелким шрифтом, вкривь и вкось были выбиты стихи из Библии, кое-где медные головки гвоздей складывались в рисунки: кресты, черепа, звезды Давида, солнце с луной, рыбы. Другие ящики были украшены пробками от пивных бутылок, пуговицами, осколками и даже фотографиями: выцветшими полароидными снимками гробов, неулыбчивых семейств, деревенских парней с выпученными глазами, которые воздевали к небу гремучих змей, а за спинами у них пылали огромные костры.

На одной поблекшей, призрачной фотографии была изображена красивая девушка: волосы у нее были зачесаны назад, она жмурилась, воздев живое хорошенькое личико к небесам. Кончиками пальцев она придерживала у висков толстенную, злющую полосатую гремучую гадюку, которая свернулась у нее на голове, а хвост обвила вокруг шеи. Над фотографией были прилеплены разномастные пожелтевшие буквы, вырезанные из газет:

УПокОй ИИсУС
РИзи фОрд
1935–52

За спиной у нее Кертис еле слышно прохрипел что-то вроде "Жуть!"

Разглядывая нагромождение коробок — разнообразных, ярких, усеянных буквами, — Гарриет вдруг наткнулась на нечто совершенно невероятное. Поначалу она даже не поверила своим глазам. В высоком ящике, как в одиночной камере, величественно покачивалась королевская кобра. Внизу, под петлями, там, где крепилась к ящику дверь, красными чертежными кнопками были выколоты слова: ГОСПОДЬ НАШ ИИСУС. Кобра была не такая, какую повстречал Маугли в Холодных Логовищах, не белая, а черная: черная, как Наг и его жена Нагайна, которых насмерть закусал Рикки-Тикки-Тави в саду большого бунгало в поселке Сигаули, защищая мальчика Тедди.

Молчание. Кобра раздула капюшон. Кобра вытянулась перед Гарриет и спокойно глядела на нее, беззвучно, плавно покачиваясь туда-сюда, туда-сюда — словно бы в такт ее дыханию. Смотри и страшись. Ее крохотные красные глазки были немигающими глазами бога: в них отражались джунгли, жестокость, бунты и церемонии, мудрость. Гарриет знала, что у кобры сзади на капюшоне метка в виде очков, и меткой этой великий бог Брахма одарил весь род кобры, когда самая первая кобра нависла над богом Брахмой и укрыла его своим капюшоном, когда тот спал.

Из дома послышался какой-то шум — хлопнула дверь. Гарриет подняла голову и только тут обратила внимание, что окна на втором этаже посверкивают матовым, металлическим отблеском, потому что залеплены фольгой. Пока Гарриет их разглядывала (а окна выглядели жутковато, нагоняли страху не хуже змей), Кертис сложил пальцы ковшиком и принялся трясти рукой у Гарриет под носом. Медленно, очень медленно он разводил полусогнутые пальцы в сторону, будто пасть.

— Чудоиссе, — прошептал он и схлопнул пальцы: ам, ам. — Жалют.

Наверху опять хлопнула дверь. Гарриет отошла от грузовика, внимательно прислушалась. Кто-то — еле слышным, но явно разобиженным тоном — прервал собеседника: мистер Дайал так и торчал там, за этими серебристыми окнами, и в кои-то веки Гарриет была рада услышать его голос.

И тут же Кертис вцепился ей в руку и потащил к лестнице. От неожиданности Гарриет поначалу даже не сопротивлялась, но потом увидела, куда он ее тащит, и стала вырываться: пнула его, уперлась в землю пятками.

— Нет, Кертис, — завопила она, — я туда не хочу, стой, ну пожалуйста…

Она уже хотела было цапнуть его за руку, но вовремя заметила его белый кед.

— Кертис, эй, Кертис, у тебя шнурок развязался, — сказала она.

Кертис остановился, прихлопнул рот рукой.

— Ой-ей, — разволновавшись, он быстро нагнулся к кедам, и Гарриет со всех ног бросилась бежать.

— Они из передвижного парка аттракционов, — сказал Хили: была у него раздражающая манера говорить так, будто он все на свете знает.

Они с Гарриет закрылись у Хили в комнате и сидели у него на кровати, на нижнем ярусе. Почти все в комнате у Хили было или черного, или золотого цвета, в честь "Новоорлеанских святых" — его любимой футбольной команды.

— Мне так не кажется, — сказала Гарриет, ковыряя ногтем ниточки бахромы, торчащие из покрывала.

Из комнаты Пембертона в другом конце коридора неслось глухое уханье басов.

— В Гремучем Ранчо на зданиях картинки нарисованы и всякие такие штуки.

— Ну да, — неохотно протянула Гарриет.

Она никак не могла подобрать верные слова, но ящики, которые она видела в кузове — со звездами, черепами и полумесяцами, с прыгающими, безграмотно переписанными цитатами из Писания, — ничем не напоминали крикливый рекламный щит в Гремучем Ранчо, где ядовито-зеленый змей, подмигивая, обвивался вокруг вульгарнейшей тетки в бикини.

— Ну а чьи они еще? — спросил Хили. Он разбирал пачку вкладышей от жвачки. — Тогда, наверное, мормонские. Только они там жилье снимают.

— Хммм.

На первом этаже дайаловского дома жили два очень скучных мормона. Они как будто от всех отгородились, так и жили — только вдвоем, у них даже работы настоящей не было.

Хили сказал:

— Мне дедушка говорил, мормоны верят, что после смерти они переселяются жить на личную планету. И еще, что у них по две-три жены бывает и им это нормально.

— У тех, которые в доме мистера Дайала живут, вообще никаких жен нет.

Однажды мормоны постучались к Эди, как раз когда к ней в гости зашла Гарриет. Эди их впустила, взяла их буклеты, даже предложила им лимонаду, потому что от кока-колы они отказались, и сообщила им, что они, конечно, весьма приятные молодые люди, только вот верят во всякую чушь.

— А давай позвоним мистеру Дайалу, — вдруг предложил Хили.

— Угу, конечно.

— В смысле, позвоним и кем-нибудь прикинемся, спросим, что там творится.

— Кем прикинемся?

— Ну, не знаю… Хочешь? — он кинул ей наклейку от "Ваки Пакс"[1]: на ней зеленый монстр с выскакивающими из глазниц, налитыми кровью глазами рулил пляжной багги. — У меня таких две штуки.

— Нет, спасибо.

Мало того, что у Хили в комнате занавески были золотые с черным, так он еще и залепил наклейками все окна — "Ваки Пакс", гоночные машинки, "харли-дэвидсон" — поэтому солнечный свет сюда почти не проникал и в комнате было мрачно, все равно что в подвале сидеть.

— Он же им дом сдает, — сказал Хили, — давай, звони ему.

1 Ваки Пакс — коллекционные карточки и наклейки с изображениями пародий на самые популярные американские товары и продукты.

— И что я ему скажу?

— Тогда позвони Эди. Если уж она столько про мормонов знает.

Тут до Гарриет дошло, чего это Хили так рвется куда-нибудь позвонить: у него на прикроватной тумбочке стоял новый телефон, где кнопки были прямо на трубке, а трубка была утоплена в футбольный шлем "Святых".

— Если уж они думают, что им после смерти выдадут по личной планете, — Хили кивнул в сторону телефона, — то как знать, во что они там еще верят? Может, змеи как-то связаны с их церковью.

Хили все глядел на телефон, а Гарриет все равно не знала, что еще делать, поэтому, пощелкав кнопками, набрала номер Эди.

— Алло! — резко отозвалась Эди после второго звонка.

— Эди, — спросила Гарриет у футбольного шлема, — а мормоны в каких-нибудь змей верят?

— Гарриет?

— Ну, может быть, змеи у них — это домашние животные… Или, ну я не знаю, может, у них дома всегда живет куча змей и других каких-нибудь… питомцев?

— Да где ты только такую чушь услышала, Гарриет?

Помявшись, Гарриет сказала:

— По телевизору.

— По телевизору? — недоверчиво переспросила Эди. — И в какой передаче?

— По "Нэшнл Джеографик".

— Вот уж не знала, Гарриет, что ты любишь змей. Помнится, ты все больше вопила как резаная: "Спасите!", "Помогите!", стоило тебе у нас во дворе крохотного ужика увидеть.

Гарриет промолчала, решив оставить без внимания этот удар ниже пояса.

— В молодости я слышала что-то о проповедниках, которые в лесах устраивают службы со змеями. Но это были не мормоны, а какая-то деревенщина из Теннесси. Кстати, Гарриет, ты читала "Этюд в багровых тонах" сэра Артура Конан Дойла? Вот там очень много интересного написано о мормонской вере.

— Знаю, — сказала Гарриет.

Эди припомнила этот рассказ, когда к ней заходили мормоны.

— По-моему, те старые книжки про Шерлока Холмса дома у твоей тети Тэт. У нее, кстати, может, и найдется экземпляр Книги Мормона, у папы был такой подарочный набор — там еще был Конфуций, Коран и религиозные сочинения каких-то…

— А про этих проповедников со змеями где можно почитать?

— Прости, не расслышала. Что это за эхо? Ты откуда звонишь?

— От Хили.

— А кажется, будто из туалета.

— Нет, тут просто у телефона странная форма… Слушай, Эди, — сказала она (Хили оживленно размахивал руками, пытаясь привлечь ее внимание), — так что насчет этих змеиных проповедников? Где они живут?

— В горах, лесных чащах и тому подобной глуши, насколько мне известно, — веско сказала Эди.

Едва Гарриет повесила трубку, как Хили выпалил:

— Слушай, там же была лавка, где торговали кубками и наградами, на втором этаже. Я только что вспомнил. По-моему, мормоны только первый этаж занимают.

— А на втором сейчас кто живет?

Хили с восторгом ткнул пальцем в телефон, но Гарриет помотала головой, нет, перезванивать Эди она не собиралась.

— А грузовик? Ты номера запомнила?

— Ох, — сказала Гарриет, — нет.

Она как-то совсем забыла, что у мормонов машины не было.

— Ну хоть помнишь, номера были местные или нет? Думай, Гарриет, думай, — театрально воскликнул он. — Нужно вспомнить!

— А может, скатаемся туда и проверим? Если поедем сейчас… да перестань ты! — Она раздраженно отвернулась, потому что Хили принялся помахивать у нее перед носом воображаемыми часами, как будто гипнотизер.

— Ви отшень, отшень хотите спать, — заговорил Хили с густым трансильванским акцентом. — Отшень… отшень…

Гарриет отпихнула его, он подбежал с другой стороны, помахал пальцем:

— Отшень… отшень…

Гарриет отвернулась. Но Хили все равно нависал над ней, и тогда она хорошенько его пнула.

— Черт! — завопил Хили.

Он схватился за руку и повалился обратно на кровать.

— Сказала же, перестань.

— Черт, Гарриет! — Он поморщился, потер руку. — Ты мне прямо по локтю попала.
— Не будешь лезть!
Внезапно кто-то с размаху замолотил кулаком по двери.
— Хили? Это кто там с тобой? А ну-ка, чтоб сию секунду открыл!
— Эсси! — взвизгнул Хили и с раздражением шлепнулся обратно на кровать. — Мы ничего такого не делаем.
— Отворяй дверь! Сичасже!
— Сама отворяй!
В комнату ворвалась Эсси Ли, новая домработница — такая новая, что она даже не знала, как зовут Гарриет, хотя Гарриет подозревала, что она только притворяется, будто не знает. Лет ей было сорок пять — гораздо меньше, чем Иде, у нее были пухлые щеки, а волосы — ломкие, с сечеными кончиками, потому что она все время вытягивала их в парикмахерской.
— И что это вы тут творите, поминаете имя нечистого? Да как вам только не стыдно! — завопила она. — Играетесь тут, двери позапирали. Чтоб дверь мне больше не запирали, ясно?
— Это Пем запирается.
— Так он девиц к себе не водит, — Эсси развернулась и уставилась на Гарриет с таким видом, как будто разглядывала лужицу кошачьей блевотины на ковре. — А вы вон бузите, сквернословите, и хоть бы хны.
— Не смей так разговаривать с моими друзьями, — провизжал Хили. — Даже не вздумай! Я маме пожалуюсь!
— Я маме пожалуюсь, — пискляво передразнила его Эсси Ли, скорчив рожицу. — Давай, беги, ябедничай. Ты и так на меня ябедничаешь без конца, даже за то, чего я в жизни не делала, как тогда, когда ты наплел мамочке, что это я, мол, съела все печенья с шоколадом, когда ты их сам и уговорил? Да-да, ты их и съел, сам знаешь.
— Пошла вон!
Гарриет смущенно разглядывала ковер на полу. Она так и не привыкла к жутким драмам, которые разыгрывались дома у Хили, стоило его родителям уйти на работу: Хили против Пема, Пем против Хили (взломанные замки, содранные со стен плакаты, похищенная и порванная на куски домашка) или — гораздо чаще, кстати — Хили с Пемом против череды домработниц: против Руби,

которая ела белый хлеб, складывая куски пополам, и запрещала им даже приближаться к телевизору, когда показывали “Главный госпиталь”; против сестры Белл, свидетельницы Иеговы; против Ширли с коричневой помадой, у которой все пальцы были унизаны кольцами и которая вечно висела на телефоне; против миссис Доун, мрачной старухи, которая так боялась грабителей, что все время сидела у окна с тесаком на коленях; против Рамоны, которая однажды так вызверилась, что гонялась за Хили по всему дому со щеткой для волос. Не то чтобы они были милыми и приветливыми, но оно и понятно — им ведь постоянно приходилось иметь дело с Хили и Пемом.

— Тоже мне, — презрительно сказала Эсси, — гадство какое, — она махнула рукой куда-то в сторону уродливых занавесок и покрытых наклейками окон. — Вот бы снять это гадство да сжечь…

— Она наш дом сжечь угрожает! — завизжал раскрасневшийся Хили. — Ты все слышала, Гарриет. У меня есть свидетель! Она только что пригрозила сжечь…

— Да я про дом твой ни словечка не сказала! И не вздумай…

— Сказала! Сказала! Она сказала, да, Гарриет? Я все маме расскажу, — завопил он, даже не дожидаясь, что скажет Гарриет, которая так опешила, что и слова не могла вымолвить, — и мама позвонит в бюро по найму и скажет им, что ты чокнутая, и тебя больше никуда работать не возьмут…

Из-за спины Эсси высунулась голова Пема. Решив подразнить Хили, он оттопырил нижнюю губу, словно разобиженный ребенок.

— Ой, кому-то сяс влети-ит, — пропищал он с деланой нежностью.

Реплика была совершенно неуместная, да и момент — тоже. Эсси Ли, выпучив глаза, молниеносно развернулась к нему.

— Да как у тебя только язык повернулся?! Сказать мне этакое?! — завопила она.

Пембертон нахмурил брови, непонимающе заморгал.

— Лодырь! Целый день в кровати валяешься, в жизни ни дня не работал! А я деньги зарабатываю! Мой ребенок…

— Да какая муха ее укусила? — спросил Пембертон у Хили.

— Эсси пригрозила, что наш дом сожжет, — самодовольно сказал Хили. — Гарриет свидетель.

— Ничего такого я не говорила! — Пухлые щеки Эсси задрожали от волнения. — Это все ложь!

Пембертон отошел от двери, прокашлялся. Вскоре его рука выскочила из-за вздымающихся плеч Эсси, помахала — мол, путь свободен. Большим пальцем он указал в сторону лестницы.

Безо всякого предупреждения Хили схватил Гарриет за руку, затащил ее в ванную, из которой можно было попасть в комнату Пема, и закрылся на щеколду.

— Скорее! — крикнул он Пему, который уже открывал дверь с другой стороны, и вскоре они уже ввалились в комнату Пембертона (в полумраке Гарриет споткнулась о теннисную ракетку) и помчались за ним вниз по лестнице и вон из дома.

— Ну, чума, — сказал Пембертон.

Он первым нарушил молчание. Пем, Хили и Гарриет сидели позади автокинотеатра "У Джамбо" — за одиноким столиком для пикника посреди забетонированной площадки, где кроме стола стояли только две позаброшенные детские качалки на пружинках: цирковой слон и облупившийся желтый утенок. Набившись втроем на переднее сиденье, они минут десять бесцельно кружили по городу — жарились с откинутой крышей и без кондиционера на солнышке, пока Пем наконец не заехал к "Джамбо".

— Может, съездим на теннисный корт, расскажем все маме? — предложил Хили.

Ссора с Эсси объединила братьев — они с Пемом теперь общались хоть и сдержанно, но чрезвычайно любезно.

Пембертон хлюпнул остатками молочного коктейля, швырнул стакан в мусорный бак.

— Да, чувак, ты был прав, — полуденное солнце отразилось от зеркальной витрины, накалило добела его посекшиеся от хлорки волосы. — У этой бабы крыша поехала. Я уж боялся, она с вами что-нибудь сделает.

— Ого! — вдруг подскочил Хили. — Сирена, слышите?

Они прислушались — действительно, где-то вдалеке выла сирена.

— Это, наверное, пожарные, — мрачно сказал Хили. — К нашему дому едут.

— Так что у вас там случилось-то, расскажите толком, — попросил Пем. — Она просто с катушек слетела?

— Ваще чокнулась. Слушай, угости сигаретой, — небрежно бросил Хили, увидев, что Пем вытащил из кармана обрезанных джинсовых шорт помятую пачку "Мальборо" и, швырнув ее на стол, зашарил в другом кармане в поисках зажигалки.

Пем закурил, отодвинул сигареты со спичками подальше от Хили. Здесь, на раскаленной бетонной площадке, в облаке выхлопных газов с шоссе, сигаретный дым казался особенно резким и ядовитым.

— Я, признаться, чего-то такого и ожидал, — сказал он, покачивая головой. — Я маме так и сказал. Тетка — психопатка просто. Небось, сбежала из уитфилдского дурдома.

— Да не так все было, — вдруг вырвалось у Гарриет, которая с тех самых пор, как они выскочили из дома, почти ни слова не проронила.

Пем с Хили вытаращились на нее так, будто она с ума сошла.

— Э, але? — спросил Пем.

— Ты на чьей стороне? — оскорбился Хили.

— Она не говорила, что хочет дом сжечь!

— А вот и говорила!

— Нет! Она только сказала — "сжечь". Но не говорила, что дом. Она говорила про вещи Хили, про эти его плакаты и наклейки.

— А, вот оно что, — уточнил Пембертон. — Вещи Хили, значит, сжечь? Тут, как я понимаю, у тебя нет никаких возражений.

— А я думал, Гарриет, что мы друзья, — обиженно сказал Хили.

— Но она не говорила, что хочет дом сжечь, — сказала Гарриет. — Она только сказала… Ну, то есть… — Пембертон переглянулся с Хили, закатил глаза. — …ничего страшного не случилось.

Хили демонстративно отодвинулся от нее подальше.

— Правда ведь, — Гарриет говорила уже совсем нерешительно, — она просто… разозлилась.

Пем закатил глаза, выдохнул облачко сигаретного дыма:

— В точку, Гарриет.

— А вы… а вы так говорите, будто она за вами с топором гонялась.

Хили фыркнул:

— Кто знает, может, в следующий раз и погонится! Я с ней больше один не останусь, — снова жалобно захныкал он, разглядывая бетон под ногами. — Надоело, что моя жизнь вечно под угрозой!

На машине Александрию можно было объехать за считаные минуты, и нового и увлекательного в этой поездке было ровно столько же, сколько в клятве верности флагу. Почти весь город окружала извилистая речка Хума, которая брала начало на востоке, а на юге загибалась крючком. На языке индейцев чокто "хума" означало "красный", но вода в реке была желтой: тягучей, маслянистой, лоснящейся, будто выдавленная из тюбика жирная охряная краска. Пересечь реку можно было с юга — по построенному еще при Рузвельте двухполосному железному мосту, который вел в историческую, по мнению туристов, часть города. Широкий и неприветливый проспект — вытянувшийся в струнку под палящим солнцем — оканчивался городской площадью, на которой мрачно ссутулился, опершись на ружье, памятник Воину-конфедерату. Раньше солдат стоял в тени дубов, но года два тому назад их спилили, чтобы расчистить место под безалаберное, но живенькое нагромождение построек в честь военной годовщины. Башня с часами, беседки, фонарные столбы и помост для оркестра громоздились теперь на крохотной, облысевшей площади, будто сваленные в неряшливую кучу игрушки.

Почти все дома на главной улице были большие и старые. На востоке, за Главной улицей и Маржин-стрит, начинались железнодорожные пути и склады, где играли Хили с Гарриет, там же стоял заброшенный завод по очистке хлопка. Еще дальше — ближе к реке, в сторону Ливи-стрит — были трущобы: свалки, стоянки разбитых машин, хижины с жестяными крышами и просевшими крылечками, рядом с которыми ковырялись в грязи куры.

После самой мрачной своей точки — отеля "Александрия" — Главная улица сворачивала на Пятую магистраль. Федеральная трасса была построена в обход Александрии, и теперь шоссе, как и магазинчики на площади, тоже потихоньку ветшало: жарились в ядовитом сером мареве закрывшиеся бакалеи и пустынные стоянки; универсам, где торговали комбикормом, и старая саутлендская заправка (на поблекшей вывеске игривый черный котенок — в белых носочках и с белой же грудкой — катает лапкой коробочку хлопка) были заколочены наглухо. Они свернули на север и по городской дороге пронеслись мимо Дубовой Лужайки, проехали под старой эстакадой и выехали к коровьим пастбищам и хлопковым полям, к крохотным пропыленным фермам издольщиков, которые были с превеликим трудом отвоеваны у сухой, бесплодной красной глины. Здесь же, в пятнадцати минутах езды от города, была и Александрийская академия, школа, где учились Хили и Гарриет: приземистое здание из шлакобетона и гофрированного железа, которое распласталось по пыльному полю, словно самолетный ангар. За школой, в десяти милях к северу поля полностью исчезали под строем сосен, который темной, глухой, высокой стеной вырастал по обе стороны дороги и беспрерывно тянулся почти до самой границы с Теннесси.

Однако дальше они не поехали, притормозили на красный напротив "Джамбо", где у входа стоял на задних лапах пластмассовый цирковой слон, удерживая выгоревшим хоботом неоновый мячик-рекламку:

БУРГЕРЫ

МОРОЖЕНОЕ

МОЛОЧНЫЕ КОКТЕЙЛИ

А потом, проехав мимо кладбища, которое торчало на холме театральным задником (кованая черная ограда, на севере, юге, востоке и западе возвышаются на мраморных воротных столбах каменные ангелы с точеными шеями), они снова закружили по городу.

Когда Гарриет была помладше, в восточной части Натчез-стрит жили одни белые. Теперь тут жили и белые, и черные, и в общем-то неплохо уживались. Чернокожие были молодыми, преуспевающими, с детьми, а почти все белые были одинокими вдовыми старушками, как, например, подруга Либби, миссис Ньюман Маклемор, которая давала Эллисон уроки фортепиано.

— Эй, Пем, притормози-ка возле мормонского дома, — сказал Хили.

Пем заморгал:

— А зачем? — спросил он, но все равно притормозил.

Кертиса видно не было, машины мистера Дайала — тоже. Возле дома был припаркован грузовик, но Гарриет сразу поняла, что это не тот грузовик, который она видела раньше. У этого был опущен задний борт, и было видно, что в кузове ничего нет, кроме железного ящика с инструментами.

— Они — там?! — спросил Хили, который даже про Эсси Ли ныть перестал.

— Ого, это что у них такое? — Пембертон резко затормозил посреди улицы. — Они что, фольгой окна залепили?

— Гарриет, расскажи ему, что ты видела. Она сказала, что видела…

— Даже знать не хочу, что у них тут творится. Порнушку они там, что ли, снимают? Ну ваще, — Пембертон поставил машину на ручник и, заслонившись ладонью от солнца, принялся разглядывать окна верхнего этажа, — это ж каким извращенцем надо быть, чтоб дома залепить фольгой все окна?

— Ой-ей, — Хили отвернулся от окна, вжался в сиденье.

— Ты чего?

— Пем, поехали, поехали!

— Да в чем дело-то?

— Смотрите, — воскликнула Гарриет, которая до этого завороженно молчала.

В центральном окне появился черный треугольник — кто-то изнутри ловко поддел фольгу ногтем.

Машина резко рванула с места, и Юджин трясущимися руками приладил фольгу обратно. У него начиналась мигрень. Из одного глаза градом катились слезы, Юджин отошел от окна и с грохотом споткнулся о ящик содовой, которого не заметил в темноте, — звон бутылок полоснул его по левой стороне лица слепящим разрядом боли.

У Рэтлиффов мигрени — это семейное. Еще про деда Юджина, давно преставившегося "Папашу" Рэтлиффа, рассказывали, что его однажды так допекла, как он сам выражался, "мутная башка", что он высадил дубиной глаз корове. От мигреней страдал и отец Юджина, который однажды во время приступа, давным-давно, аккурат под Рождество, так наподдал Дэнни, что тот влетел головой в холодильник и у него кусок зуба откололся.

Эта мигрень накинулась на Юджина почти без предупреждения. От одних змей кого хочешь стошнит, а тут Юджин еще и перенервничал из-за того, что Рой Дайал к ним заявился без приглашения, хотя вряд ли копы или Дайал станут за ним шпионить из такой приметной старой колымаги, которая только что стояла у них перед домом.

Он пошел в другую комнату, где было попрохладнее, и уселся за стол, обхватив голову руками. Во рту у него до сих пор стоял привкус сэндвича с ветчиной, который он съел на обед. Мало того, что сэндвич был невкусный, так из-за аспириновой горчинки на языке он теперь казался еще омерзительнее.

Из-за головной боли он остро реагировал на любой звук. Вот и сейчас, стоило ему услышать возле дома шум мотора, как он бросился к окну, будучи в полной уверенности, что к нему заявился сам шериф округа Клей, ну или, уж как минимум, полицейские. Но эта несуразная тачка с откидным верхом все равно никак не шла у него из головы. С неохотой он подтянул к себе телефон и набрал номер Фариша — разговаривать с Фаришем ему до смерти не хотелось, но на свой опыт он в таких делах не полагался. Машина была светлая, но голова у него так болела и солнце так било в глаза, что модель он не опознал: то ли “линкольн”, то ли “кадиллак”, а там, кто его знает, может, даже и большой “крайслер”. Он сумел разглядеть, что в машине сидели одни белые, и точно видел, как кто-то из пассажиров показывал пальцем на его окно. Зачем бы такому старинному драндулету останавливаться возле миссии? Фариш, конечно, в тюрьме перезнакомился с кучей разных пижонов — и кое-кто из этих пижонов был пострашнее полиции.

Пока Юджин, зажмурившись, держал трубку так, чтобы она ненароком не коснулась лица, и пытался объяснить Фаришу, что случилось, тот шумно и беспрерывно жевал — похоже, кукурузные хлопья ел, хрум-хлюп, хрум-хлюп. Юджин уже и договорил давно, а Фариш не произнес ни слова, и из трубки слышались только чавканье да прихлебыванье.

Наконец Юджин, зажимая в темноте левый глаз, не выдержал:
— Фарш?
— Ну, в одном ты прав. Коп или репортеришка ни за что в такую заметную тачку не сядет, — сказал Фариш. — Может, это кто из синдиката с побережья? Братец Дольфус там в свое время обтяпывал кое-какие делишки.

Миска стукнула об трубку, судя по звукам, Фариш ее наклонил и выхлебал остатки молока. Юджин терпеливо ждал, когда Фариш договорит, но тот только причмокнул и вздохнул. Еле слышно звякнула ложечка.

— А до меня-то синдикату какое дело? — наконец спросил он.

— Откуда ж мне знать. Может, ты чего темнишь?

— Темнит ночь, брат, — сухо отозвался Юджин. — А я просто руковожу миссией и следую Христовым заповедям.

— Ладно. Пусть так. Может, у них к малышу Ризу какое дело. Кто знает, во что он мог вляпаться?

— Фариш, говори правду. Ты меня во что-то втянул, и я знаю, знаю, — заговорил он, не слушая возражений Фариша, — что это как-то связано с вашими наркотиками. Поэтому-то и мальчишка сюда из Кентукки притащился. И не спрашивай, откуда я это знаю — знаю и все тут. Поэтому ты уж мне лучше скажи как на духу, зачем вы его сюда позвали?

Фариш рассмеялся:

— Да не звал я его. Дольфус мне сказал, что он едет на эту встречу прихожан…

— В Восточном Теннесси!

— Ну да, ну да, но он же тут никогда раньше не был. Я и подумал, может, вы с этим малым стакнетесь, потому что ты только начал проповедовать, а у него вон целая толпа прихожан, и больше я ничего не знаю, богом клянусь.

В трубке — молчание. По дыханию Фариша Юджин понял — тот усмехается, понял так отчетливо, как будто увидел эту усмешку собственными глазами.

— Но в одном ты прав, — миролюбиво сказал Фариш, — кто знает, с кем там Лойал мог связаться. Тут уж ты меня прости. Если где запахнет жареным, так будь уверен, к этому старина Дольфус руку приложил.

— Лойал тут ни при чем. Это вы с Дольфусом и Дэнни что-то состряпали.

— Голос у тебя жуткий, — сказал Фариш. — Голова, что ли, опять болит?

— Да уж, мне паршиво.

— Тогда советую тебе прилечь. Вечером поедете проповедовать?

— А что? — насторожился Юджин.

После того как их чуть не застукал Дайал — вот повезло, что они как раз перед его приездом всех змей в грузовик перетащили, — Лойал извинился за доставленные неудобства (“Я толком-то и не подумал, я к городской жизни непривычный”) и вызвался перевезти змей куда-то в укромное место.

— А то мы бы пришли вас послушать, — с воодушевлением сказал Фариш, — мы с Дэнни.

Юджин прикрыл рукой глаза:

— Я не хочу, чтобы вы приходили.

— Когда Лойал уезжает?

— Завтра. Слушай, Фарш, я знаю, вы что-то затеяли. Не хочу, чтоб из-за вас парень в переплет попал.

— А ты чего так за него распереживался?

— Не знаю, — ответил Юджин. Он и вправду не знал.

— Ну тогда до вечера, — сказал Фариш и, не дожидаясь ответа Юджина, бросил трубку.

— Уж не знаю я, что там творится, котятки, — говорил Пембертон, — но кто дом снимает — знаю. Старший брат Дэнни и Кертиса Рэтлиффов. Он проповедник.

Услышав это, Хили с изумлением обернулся к Гарриет.

— И он чокнутый, — продолжал Пем. — У него еще с лицом что-то. Он обычно стоит возле шоссе на обочине, а как машина проедет, начинает орать и Библией размахивать.

— Это он тогда нам в окно стучал, когда папа на перекрестке остановился? — спросил Хили. — Дядька с чудным лицом?

— Ну, может, он, конечно, не чокнутый, может, просто придуривается, — сказал Пем. — Эти деревенские проповедники, они всегда так — орут, падают в обморок, то на стул запрыгнут, то между рядов забегают, но это все только для виду. Эти святоши только головы людям морочат.

— Гарриет, Гарриет, знаешь что? — От возбуждения Хили не мог усидеть на месте. — Я знаю, кто он такой. Он по субботам проповедует на площади. У него есть такая черная коробочка, а к ней микрофон подключен. — Он снова повернулся к брату. — А со змеями он проповедует? Гарриет, скажи ему, что ты видела.

Гарриет его ущипнула.

— Хммм? Со змеями? Ну если он еще и со змеями проповедует, — сказал Пембертон, — то он вдвойне чокнутый.

— А может, они дрессированные, — сказал Хили.
— Тупица. Змеи дрессировке не поддаются.

Зря он рассказал Фаришу про машину. Как же Юджин жалел, что вообще об этом заикнулся. Фариш перезвонил ему через час — как раз когда Юджину удалось задремать, а потом позвонил еще раз, минут через десять.

— Ты не видал возле дома подозрительных людей в форменной одежде? В спортивных костюмах или там в спецовках, как у дворников?
— Нет.
— За тобой никто не следит?
— Слушай, Фариш, я тут поспать пытался.
— Вот как определить, есть ли за тобой хвост. Проезжай на красный свет или на улицу с односторонним движением, заезжай не с того конца и смотри, не поедет ли кто за тобой. Или… знаешь что? Я, наверное, лучше сам к тебе подъеду и осмотрюсь.

Юджину с превеликим трудом удалось уговорить Фариша не приезжать в миссию для, как он выразился, "инспекции". Он как следует устроился в кресле-мешке, намереваясь поспать. Но едва он забылся тревожным, беспокойным сном, как почувствовал, что над ним нависает Лойал.

— Лойл? — вздрогнул он.
— У меня плохие новости, — сказал Лойал.
— Ну, что там у тебя?
— Ключ в замке сломался. Я не смог войти.

Юджин замер, пытаясь понять, о чем он говорит. Он еще до конца не проснулся, и ему тоже снились какие-то пропавшие ключи, пропавшие машины. Он застрял где-то посреди проселочной дороги, ночью, в каком-то поганом баре, там надрывался музыкальный автомат, а он никак не мог добраться домой.

Лойал сказал:

— Мне сказали, что змей можно оставить в охотничьей сторожке, в округе Вебстер. Но там сломанный ключ в замке, и я не смог войти.
— А-а, — Юджин помотал головой, чтобы стряхнуть сон, огляделся, — то есть ты хочешь сказать, что…
— Змеи внизу, в грузовике.

Молчание.

— Лойл, скажу тебе честно, у меня голова от мигрени раскалывается.

— Я их занесу. Помогать не нужно. Я сам их занесу.

Юджин помассировал виски.

— Слушай, я в сложном положении. Нельзя же их на жаре оставить, это жестоко.

— Ясно, — холодно отозвался Юджин.

Самочувствие змей его не волновало, его волновало то, что змей кто-нибудь увидит, если их оставить во дворе без присмотра — или мистер Дайал, или таинственный шпион в машине с откидным верхом, как знать. Вдруг он вспомнил, что во сне еще видел змею, очень опасную змею, которая выбралась на свободу и ползала где-то в толпе.

— Ладно, — вздохнул он, — заноси.

— Обещаю, уже завтра утром их тут не будет. У тебя от этого одни неприятности, я понимаю, — сказал Лойал. Он с откровенным сочувствием глядел на Юджина пронзительными голубыми глазами. — Из-за того, что я приехал.

— Да ты тут ни при чем.

Лойал провел рукой по волосам:

— Я что хочу сказать, я был рад знакомству. Ну а коли Господь не позвал к тебе змей, ну что же, значит, у Него на то были свои причины. Он иногда и ко мне их не зовет.

— Понимаю, — Юджин чувствовал, что надо бы еще что-то прибавить, но никак не мог подобрать верные слова. Да и в подлинных чувствах признаваться было стыдно: в том, что он сник и пал духом, в том, что не ощущал в себе истинной доброты, ни сердцем, ни разумом. Что и кровь-то у него дурная, и род дурной, что Господь с презрением глядит на него и отвергает его жертву, как отверг жертву Каина.

— Когда-нибудь Он и меня призовет, — сказал он с деланой бодростью. — Господь просто пока не нашел для меня места.

— Он может и другой дар ниспослать, — сказал Лойал. — Дар молитвы, проповеди, пророчества, предвидения. Наложения рук. Труда, доброты и милосердия. Даже в твоей семье, — он слегка замешкался, — есть те, кто в этом нуждается.

Юджин устало глянул в добрые, честные глаза гостя.

— Дело не в том, чего хочешь ты, — сказал Лойал. — Дело в том, чего возжелает Господь.

Гарриет зашла на кухню с заднего двора: пол был мокрый, столешницы чистые, но Иды нигде видно не было. Дома было тихо — не слышно ни шагов, ни шума вентилятора, ни бормотания радио, только монотонно гудит холодильник. За спиной у нее что-то скрипнуло, она дернулась, обернулась и увидела, как по оконной сетке ползет маленькая серая ящерка.

От жары и запаха сосновой полироли, которой Ида натерла столы, у Гарриет разболелась голова. В столовой среди сваленных в кучу газет раскорячился массивный сервант из "Напасти". На верхней полке у него стояли два овальных блюда, похожих на вытаращенные глаза, а сам сервант, полуприсев на гнутых ножках — будто встав в стойку, — слегка, бочком, отклонился от стены, словно запыленный старый рубака, который готовится перемахнуть через стопки газет. Протискиваясь мимо него, Гарриет ласково провела по дверцам рукой, и старый шкаф как будто вытянулся в струнку, услужливо позволив ей пройти.

Ида Рью сидела в гостиной в своем любимом кресле — в нем она и обедала, и пришивала пуговицы, и лущила горох перед телевизором. Да и само кресло, мягкое, удобное, с пообтершейся твидовой обивкой и сбившейся в комки подкладкой, стало похоже на Иду, как, бывает, собака становится похожей на хозяина; иногда Гарриет, если не могла заснуть, спускалась в гостиную и сворачивалась клубочком в кресле, прижимаясь щекой к коричневому твиду, напевая себе под нос странные старинные песни, которые пела только Ида, песни, которые Гарриет слышала в детстве, старые песни, загадочные, как само течение времени — песни о призраках, и разбитых сердцах, и любимых, что сгинули навеки:

Свидеться бы с матушкой, свидеться бы мне,
Свидеться бы с матушкой, свидеться бы мне,
Каждый день цветы цветут
Там, где солнце вечно светит в вышине.

Эллисон, скрестив ноги, лежала на полу возле кресла. Они с Идой смотрели в окно. В окне висело низкое оранжевое солнце, в подрагивающем от зноя вечернем воздухе топорщились телеантенны на крыше миссис Фонтейн.

До чего же она любила Иду! Чувство нахлынуло на нее так, что у Гарриет даже голова закружилась. Не обращая ни малейшего внимания на сестру, Гарриет подбежала к Иде и пылко обняла ее.

Ида вздрогнула:

— Господь милосердный, — сказала она, — а ты откуда взялась?

Гарриет закрыла глаза и уткнулась лицом в ее теплую и влажную шею: от Иды пахло гвоздикой, чаем, дымком и еще какой-то еле уловимой сладкой горечью, которую Гарриет, однако, распознала бы везде, потому что, по ее мнению это и был запах любви.

Ида расцепила руки Гарриет.

— Еще придушишь ненароком, — сказала она. — Гляди. Мы во-он за той птичкой на крыше смотрели.

Не оборачиваясь, Эллисон сказала:

— Он каждый день прилетает.

Гарриет прикрыла ладонью глаза от солнца. У миссис Фонтейн на крыше, на краешке аккуратно обложенной кирпичами трубы сидел краснoперый дрозд: щеголеватый, грудь колесом, глазки живые, внимательные и на каждом крыле — по ослепительному алому штриху, будто по эполету.

— Еще тот чудилка, — сказала Ида. — Он вот как поет.

Она сжала губы и умело передразнила пение птицы: то было не тягучее попискивание лесных дроздов, которое резко скатывалось в сухенький стрекот — тц-тц-тц, как у сверчков, а потом опять взмывало вверх захлебывающимися, хмельными трелями, и неясное, в три ноты, посвистывание синиц, и даже не резкий, похожий на скрип ржавых дверных петель, зов голубой сойки. То был отрывистый, клекочущий, незнакомый вскрик, словно предупреждение — берррргегиии! — который обрывался тихим, мелодичным свистом.

Эллисон рассмеялась:

— Глядите! — воскликнула она, привстав на колени, потому что птица встрепенулась и, как будто прислушиваясь, склонила набок глянцевитую головку. — Он тебя слышит!

— Сделай так еще! — попросила Гарриет.

Иду просто так не уговоришь показать им, как поют птицы, всегда надо подгадывать, чтобы у нее было подходящее настроение.

— Да, Ида, пожалуйста!

Но Ида только засмеялась и покачала головой:

— Небось, помните, — сказала она, — старую сказку про то, откуда у дрозда красные крылья?

— Нет, — хором ответили Гарриет с Эллисон, хотя всё они, конечно, помнили.

Теперь, когда они стали старше, Ида все реже и реже рассказывала им сказки, о чем они очень жалели, потому что Идины сказки были странными, безумными и очень страшными: она рассказывала им об утонувших детях и лесных призраках, и о том, как гриф на охоту ходит, и о том, что еноты с золотыми клыками кусают младенцев прямо в колыбелях, и о том, как в заколдованных блюдцах молоко ночью превращается в кровь…

— Ну так вот, давно-предавно, — начала Ида, — жил да был уродливый карлик-горбун, и до того он всех ненавидел, что однажды решил сжечь весь мир. И вот так он разозлился, что взял в каждую руку по факелу да и пошел к большой-пребольшой реке, где жили все животные. А тогда, в стародавние времена, не было таких речушек да ручейков поплоше, как сейчас вот. Была только одна река.

Птица захлопала крыльями, быстро, деловито снялась с крыши и улетела.

— Ох, надо же. Вот и нет его. Видать, не хочет мою сказку слушать, — шумно вздохнув, Ида поглядела на часы и — к превеликому недовольству Гарриет — встала и потянулась. — Да и мне домой пора.

— Ну хотя бы нам расскажи!

— Завтра доскажу.

— Ида, не уходи! — закричала Гарриет, когда Ида Рью, тяжело вздохнув, нарушила их тихую идиллию и потихоньку поплелась к двери, как будто у нее ноги болели: бедняжечка Ида. — Ну пожалуйста!

— Да уж я завтра вернусь, — не оборачиваясь, усмехнулась Ида, пристроила под мышку коричневый бумажный пакет с продуктами и тяжело затопала к выходу. — Это уж будь спокойна.

— Слышь, Дэнни, — сказал Фариш. — Риз уезжает, поэтому нам бы надо пойти на площадь да послушать Юджиновы… — он неопределенно помахал рукой в воздухе, — сам знаешь. Туфту эту религиозную.

— Зачем? — Дэнни отодвинулся от стола. — Зачем нам его слушать?

— Малый завтра уезжает. И, как пить дать, с утра пораньше.

— Ну так давай прямо сейчас смотаемся к миссии да засунем товар ему в грузовик.

— Нельзя. Он куда-то уехал.

— Черт, — Дэнни задумался. — А ты где думаешь прятать? В моторе?

— Я такие места знаю, что фэбээровцы могут хоть на части этот грузовик разобрать и в жизни ничего не найти.

— И долго ты?.. Говорю, долго ты, — повторил Дэнни, увидев, как во взгляде Фариша вспыхнула злоба, — будешь товар прятать?

Фариш после выстрела в голову стал глуховат на одно ухо, как обторчится — делался параноиком и тогда уж как-то очень извращенно все недослышал, например, попросишь его дверь закрыть или соль передать, а ему кажется, что ты его в жопу послал.

— Долго ли, говоришь? — Фариш поднял руку, растопырил все пять пальцев.

— Ну, значит так. Вот как мы поступим. Черт с ними, с проповедями, мы лучше сразу потом наведаемся в миссию. Я их наверху буду убалтывать, а ты в это время товар засунешь в грузовик, уж куда там ты хочешь, и делов-то.

— Меня вот что беспокоит, — вдруг сказал Фариш. Он уселся за стол рядом с Дэнни и принялся ножом вычищать грязь из-под ногтей. — Возле Джинова дома машина щас стояла. Он мне насчет нее позвонил.

— Машина? Что за машина?

— Штатская. Они остановились возле дома, — Фариш гнилостно на него дыхнул. — Сорвались с места, как только Джина в окне заметили.

— Да вряд ли тут что серьезное.

— Чего? — Фариш подался назад, заморгал. — Не шепчи ты мне тут. Терпеть не могу, когда ты еле шепчешь.

— Говорю, ничего серьезного, — Дэнни внимательно поглядел на брата, покачал головой. — Да кому Юджин сдался?

— Им не Юджин нужен, — мрачно сказал Фариш, — а я. Говорю тебе, федералы на меня уже оттакенной толщины досье собрали.

— Фариш.

Только бы Фариш снова не завел свою волынку про федеральные власти, только не сейчас, когда он под наркотой по уши. Он тогда всю ночь нудить будет и еще весь следующий день.

— Слушай, — сказал он, — если бы ты только уплатил тот налог…

Фариш злобно на него зыркнул.

— Только вчера очередное извещение пришло. Фариш, если ты не будешь платить налоги, тебя в тюрьму упекут.

— Не в налогах дело, — ответил Фариш. — Государство мне уже двадцать лет в жопу дышит.

Когда на кухню вошла мать, Гарриет, ссутулившись и обхватив голову руками, сидела за кухонным столом. Она понадеялась было, что мать спросит, в чем дело, и поэтому ссутулилась еще сильнее, но та ее даже не заметила и направилась прямиком к морозильнику, откуда выудила огромное полосатое ведерко мороженого с кусочками мятных леденцов.

Гарриет смотрела, как мать встает на цыпочки, достает с верхней полки винный бокал, а потом старательно запихивает туда ложкой шарики мороженого. На ней была очень старая ночная сорочка с полупрозрачным светло-голубым подолом и ленточками у ворота. В детстве Гарриет обожала эту сорочку, потому что у Голубой Феи в книжке про Пиноккио был точно такой же наряд. Но теперь сорочка выцвела, посерела по швам и стала просто старой.

Мать Гарриет развернулась, чтобы убрать мороженое в морозилку, и заметила нахохлившуюся Гарриет.

— Что случилось? — спросила она, хлопнув дверцей морозильника.

— Начнем с того, — громко ответила Гарриет, — что я умираю с голоду.

Мать легонько, вежливо нахмурилась и затем (нет, пожалуйста, мысленно просила ее Гарриет, только не говори это) именно это и спросила:

— Хочешь мороженого?

— Я… ненавижу… такое… мороженое, сколько раз можно повторять!

— А?

— Мама, я ненавижу мороженое с мятными леденцами! — На Гарриет накатило отчаяние: неужели ее вообще никто не слушает? — Терпеть его не могу! Никогда его не любила! Его, кроме тебя, вообще никто не любит!

Она с удовлетворением отметила, что мать ее слова задели.

— Ну, прости… я думала, нам всем бы хорошо сейчас съесть что-то легкое и холодненькое… сейчас так жарко по вечерам…

— Мне — нет.

— Ну, пусть тогда Ида тебе что-нибудь приготовит…

— Ида ушла!

— И ничего тебе не оставила?

— Ничего!

Ничего, чего Гарриет бы хотелось: один тунец и все.

— Так, и чего тебе тогда хочется? Такая жарища… тебе вряд ли хочется плотно поужинать, — с сомнением сказала мать.

— Нет, хочется!

Дома у Хили, и в жару, и не в жару, всегда ужинали по-настоящему, всегда съедали по жирному, обильному, горячему ужину, от которого у них вся кухня раскалялась: ростбиф, лазанью, жареных креветок.

Но мать ее не слушала:

— Тогда, может, тост, — бодро сказала она и убрала ведерко с мороженым в холодильник.

— Тост?!

— А что, что не так?

— Нельзя есть тосты на ужин! Почему мы не можем поужинать как все нормальные люди?!

Однажды на уроке здоровья и гигиены учитель попросил класс Гарриет в течение двух недель записывать все, что они едят, и, записав все, Гарриет с ужасом поняла, что питается она кое-как, особенно в те дни, когда у Иды выходной: сплошной фруктовый лед, маслины и тосты с маслом. Поэтому Гарриет порвала настоящий список и прилежно выписала унылый набор сбалансированных меню из поваренной книги ("Тысяча способов порадовать семью"), которую матери подарили на свадьбу: куриная пиката, тыквенный гратен, садовый салат, яблочный компот.

— В обязанности Иды входит тебя кормить, — вдруг очень резко сказала мать. — Я ей за это плачу. Если она не справляется со своими обязанностями, то мы подыщем на ее место кого-нибудь другого.

— Заткнись! — завизжала Гарриет, которая чуть не задохнулась от такой несправедливости.

— Твой отец мне про Иду уже все уши прожужжал. Говорит, что она почти ничего по дому не делает. Я знаю, ты Иду любишь, но…

— Она ни в чем не виновата!

— … но если она не справляется со своей работой, то нам с ней придется кое о чем побеседовать, — сказала мать. — Завтра…

Она взяла стакан с мятным мороженым и выплыла из кухни. Гарриет, растерявшись и опешив от такого поворота событий, опустила голову на стол.

Наконец кто-то зашел в кухню. Гарриет подняла голову и тупо уставилась на стоявшую в дверях Эллисон.

— Не надо было так говорить, — сказала она.

— Отстань!

Зазвонил телефон. Эллисон сняла трубку, сказала: "Але!" Взгляд у нее тут же потускнел. Она уронила трубку, которая закачалась на шнуре.

— Это тебя, — сказала она и вышла.

Не успела Гарриет сказать: "Алло", как Хили торопливо выпалил:

— Гарриет? Ты только послушай…

— Можно я у тебя поужинаю?

— Нет, — растерявшись, ответил Хили. Дома все уже давно поужинали, но он так перевозбудился, что ему кусок в горло не лез. — Слушай, Эсси просто с катушек слетела. Раскокала пару стаканов в кухне и ушла, папа к ней поехал, а там к нему вышел ее дружок, и они та-ак поцапались, и папа ему сказал, что Эсси пусть даже не думает возвращаться, потому что она уволена. Урааааа! Но я тебе не поэтому звоню, — быстро сменил он тему, потому что, услышав это, Гарриет затряслась от ужаса. — Слушай, Гарриет. У нас мало времени. Этот проповедник со шрамом сейчас стоит на площади. Их там двое. Мы их с папой видели, когда возвращались от Эсси, но я не знаю, сколько они еще там пробудут. У них там громкоговоритель. Их даже отсюда слышно.

Гарриет положила трубку на кухонную стойку и подошла к задней двери. И точно, сквозь оплетенную вьюнком веранду пробивалось дребезжащее эхо громкоговорителя: кто-то еле слышно орал в шипящий и потрескивающий старый микрофон.

Она вернулась, взяла трубку — на другом конце прерывисто, тихонько дышал Хили.

— Выйти сможешь? — спросила она.

— Встретимся на углу.

Было начало восьмого, еще не стемнело. Гарриет поплескала себе в лицо водой из-под крана на кухне, побежала в сарай, вытащила велосипед. Она выехала на дорожку перед домом, захрустел под шинами гравий, а потом — бух — переднее колесо стукнулось об асфальт, и Гарриет помчалась по улице.

Хили уже ждал ее на углу, на велосипеде. Едва завидев Гарриет, он сорвался с места, Гарриет поднажала и вскоре его догнала. Фонари еще не зажглись, в воздухе пахло жимолостью, лосьоном от комаров и обрезками листвы и веток от свежеподстриженных живых изгородей. Розы на клумбах вспыхивали в сумерках пунцовыми, карминовыми, померанцевыми огнями. Гарриет с Хили крутили педали, и позади оставались сонные дома, шипящие поливалки, визжащий терьер, который, подпрыгивая на коротеньких ножках, гнался за ними квартала два, но потом отстал.

На Уолтхолл-стрит они резко свернули за угол. Мелькнули широкие фронтоны викторианского особняка, где жил мистер Лилли, кровельные скаты накренились над улицей, словно острые носы вытащенных на берег лодок — над зеленой насыпью. Свернув за угол, Гарриет разогналась, отпустила педали и пару секунд просто летела вперед на полной скорости, а вслед ей несся пряный, недолговечный аромат плетистых роз мистера Лилли, которые алыми кучными облаками сползали по шпалерам возле его крыльца. Гарриет снова надавила на педали, и вскоре они с Хили вырулили к главной улице, похожей на зеркальную галерею: в густеющем свете белые колонны и фасады долгой величественной перспективой смыкались на площади, где в угасающей лиловой дали, на фоне иссиня-голубого холщового неба торчал хлипкий штакетник вокруг эстрады и виднелись белые ажурные стены беседок. Все замерло, будто под огнями рампы на сцене школьного театра (пьеса “Наш городок”), только вышагивали взад-вперед двое мужчин в черных брюках и белых рубашках, размахивали руками, вопили что-то, то наклоняясь, то изгибаясь, и пути их пересекались в центре и расходились крестом ко всем четырем углам площади.

Они надрывались, будто пара аукционистов, их мерные, микрофонные взвизги сталкивались, сшибались и разваливались на два отчетливых мотивчика: нечленораздельное басовитое бормотание Юджина Рэтлиффа и — контрапунктом к нему — истеричный, провинциально-гнусавый фальцет его молодого напарника, из которого резко выскакивали куцые гласные уроженца гор:

— …и мама…

— …и папа…

— …и несчастный твой малютка, что давно схоронен…

— И ты говоришь, что они подымутся?

— Говорю тебе, они подымутся!

— Говоришь, они восстанут из мертвых?

— Говорю тебе, они восстанут из мертвых!

— Библия говорит тебе, они восстанут из мертвых.

— Христос говорит тебе, они восстанут из мертвых.

— Все пророки говорят тебе — они восстанут из мертвых!

Юджин Рэтлифф топал ногами и так яростно хлопал в ладоши, что седой кок у него надо лбом растрепался и сальный клок волос теперь закрывал ему лицо, а паренек с торчащими во все стороны вихрами вдруг вскинул руки и затрясся в танце. Он весь дрожал, сучил белыми руками, словно бы электрический ток, который так и искрил у него в глазах и вздыбливал его волосы, вдруг прошел по телу, да так, что паренек забился и задергался на эстраде в самых настоящих конвульсиях.

— …И я возоплю громко, как в библейские времена…

— … возоплю, как возопил пророк Илья!

— … возоплю так громко, чтоб дьявол обозлился…

— … Давайте, дети, позлим-ка дьявола!

На площади почти никого не было. В другом конце улицы смущенно хихикали две девочки-подростка. В дверях ювелирной лавки стояла миссис Мирей Эбботт, да возле хозяйственного магазина какая-то семейная пара наблюдала за представлением из машины с опущенными окнами. Рубиновый перстень у Рэтлиффа на мизинце (который тот легонько оттопыривал, будто держал в руке не тоненький, как карандашик, микрофон, а чашку с чаем) ловил багряные лучи заходящего солнца.

— … Вот-вот грядет Судный День…
— … И мы пришли, чтоб толковать вам Библию…
— … Мы пришли, чтоб толковать вам Книгу Книг, как в стародавние времена.
— … чтоб толковать ее, как толковали ее пророки.

Гарриет увидела грузовик ("Я НЕ ОТ МИРА СЕГО!") и с досадой отметила, что в кузове пусто — там стоял только маленький усилитель, обтянутый винилом, похожий на дешевый чемодан.

— О-о-о, многие тут давненько не появлялись…
— … не заглядывали в Библию…
— … не ходили в церковь…
— … не преклоняли колен, будто малые дети…

Гарриет вздрогнула, заметив, что Юджин Рэтлифф глядит прямо на нее.

— …потому что помышления плотские суть СМЕРТЬ…
— …потому что помышления злокозненные суть СМЕРТЬ…
— … и томление о поте есть СМЕРТЬ…
— О плоти, — машинально поправила его Гарриет.
— Чего? — спросил Хили.
— О плоти. Не "о поте".
— … ибо возмездие за грех — СМЕРТЬ…
— …и обольщения сатанинские суть АД И СМЕРТЬ…

Гарриет поняла, что они зря подошли так близко, но теперь поделать уже ничего было нельзя. Хили, раскрыв рот, таращился на проповедников. Она ткнула его в бок.

— Идем, — прошептала она.
— Чего? — спросил Хили, утирая рукой пот со взмокшего лба.

Гарриет скосила глаза — идем, мол. Не говоря ни слова, они развернулись и чинно покатили велосипеды в обратную сторону, свернув за угол, откуда их не было видно.

— Но где же змеи? — жалобно спросил Хили. — Ты же говорила, они были в грузовике.
— Наверное, после того как уехал мистер Дайал, их занесли обратно в дом.
— Едем туда, — сказал Хили. — Давай быстрее, пока они не закончили.

Они запрыгнули на велосипеды и на всех парах помчались к мормонскому дому. Тени вытягивались и густели. Остриженные кругляши самшитовых кустов, которые делили Главную улицу по медиане, ослепительно полыхали под закатным солнцем, будто долгая череда полумесяцев — сфера еще видна, но уже на три четверти закрыта черным диском. В темных валах бирючины по обе стороны улицы надрывались лягушки и сверчки. Но когда они наконец — пыхтя, изо всех сил нажимая на педали — подкатили к деревянному дому, то увидели, что на крыльце темно и никаких машин на подъездной дорожке не стоит. Поблизости не было ни души — один чернокожий старикан с блестящими острыми скулами, похожий на ссохшуюся безмятежную мумию, мирно ковылял себе по улице, держа под мышкой бумажный пакет. Хили с Гарриет спрятали велосипеды посреди улицы, под разросшимся кустом клетры. Из-за куста же они пристально следили за стариком, пока тот не доплелся до угла и не скрылся из виду. Едва он завернул за угол, они стрелой метнулись через дорогу и засели на корточках под низкими разлапистыми ветками смоковницы в соседнем дворе, потому что рядом с каркасным домишкой укрыться было негде — ни кустика, все голо, один пожухлый клочковатый ландышник облепил спиленный ствол дерева.

— Ну и как мы туда попадем? — спросила Гарриет, разглядывая водосточную трубу, которая тянулась со второго этажа до первого.

— Погоди-ка.

Задохнувшись от собственной смелости, Хили выскочил из-под смоковницы и одним махом взлетел по ступенькам, а потом так же стремительно скатился обратно. Промчался по лысому двору и нырнул обратно в укрытие, к Гарриет.

— Заперто, — сказал он, наигранно, как герой комикса, пожимая плечами.

Сквозь подрагивающую листву они вместе разглядывали дом. Перед ними была темная стена. В густом закатном свете горели лиловым огнем выходившие на улицу окна.

— Вон там, — Гарриет вытянула руку, — там, где крыша плоская, видишь?

Над задранным козырьком крыши виднелся крохотный фронтон. Матовое стекло в окошке было снизу приоткрыто. Хили хотел было спросить, как она думает туда залезть, ведь окошко в добрых пятнадцати футах от земли, но Гарриет сказала:

— Если ты меня подсадишь, я по трубе залезу.
— Черта с два! — воскликнул Хили, потому что труба почти насквозь проржавела.

Окошко было узенькое, от силы фут в ширину.

— Это, скорее всего, окно ванной, — сказала Гарриет. Она ткнула пальцем в темное окно под ним, но гораздо ниже. — А там что?
— Там уже мормоны. Я проверял.
— Куда оно выходит?
— На лестницу. Там лестничный пролет, а на стене — доска для объявлений и какие-то плакаты.
— Может… Попался! — торжествующе сказала Гарриет, шлепнув себя по руке и разглядывая ладонь, по которой был размазан окровавленный комар.
— Может, первый и второй этажи внутри соединяются? — сказала она Хили. — Ты ведь никого там не видел, правда?
— Слушай, Гарриет, дома никого нет. Если они вернутся и нас застукают, мы скажем, что залезли на слабо, но тогда или лезем прямо сейчас, или уж никогда. Я не хочу тут всю ночь просидеть.
— Ладно…

Она глубоко вздохнула и метнулась в пустынный двор, Хили — за ней. Взлетели вверх по ступенькам. Хили стоял в карауле, пока Гарриет, прижав ладонь к стеклу, вглядывалась внутрь: за окном была заброшенная лестница, уставленная складными стульями; подрагивающий брусок света из окна, выходящего на дорогу, слегка расцвечивал унылые бурые стены. Она заметила питьевой фонтанчик, залепленную афишками доску (“РАЗГОВАРИВАЙ С НЕЗНАКОМЦАМИ! ТЕРАПИЯ ДЛЯ НЕБЛАГОПОЛУЧНЫХ ДЕТЕЙ”).

Окно было закрыто, сетки не было. Хили с Гарриет подсовывали пальцы под металлическую подъемную раму, дергали туда-сюда, но без толку…

— Машина, — прошипел Хили.

Они вжались в стену — сердца у них так и выпрыгивали из груди, — но машина с шумом пронеслась мимо.

Едва она скрылась из виду, как они вылезли из тени и снова попробовали открыть окно.

— Это как так? — прошептал Хили, вытянувшись на цыпочках, чтобы получше разглядеть середину окна, где верхняя часть без единого зазора сходилась с нижней.

Гарриет заметила, что привлекло его внимание. Задвижки на окне не было, сами панели явно не наезжали друга на друга — для этого места мало.

— Эй, — вдруг прошептал Хили и показал ей, чтоб помогала.

Они вместе нажали на нижнюю панель — поначалу что-то заело, заскрипело, но потом нижняя половинка окна с треском подалась вовнутрь и встала в горизонтальное положение. Хили еще раз оглядел улицу, где уже основательно стемнело — все нормально, мол, путь свободен, — и уже через секунду они вместе протискивались в окно.

Хили повис вниз головой, уперся в пол кончиками пальцев и вдруг увидел, как серые пятнышки на линолеуме летят прямо на него, будто эта расписанная под гранит поверхность была неизведанной планетой, которая несется к нему со скоростью миллион миль в час — шлеп, он рухнул на пол, стукнулся головой, и рядом с ним приземлилась Гарриет.

Они пробрались в дом — и оказались на старомодного вида лестнице: всего три ступеньки вверх, потом еще один длинный лестничный пролет. Чуть не лопаясь от возбуждения и стараясь дышать потише, они на цыпочках взбежали наверх, завернули за угол и едва не врезались в массивную дверь, запертую на тяжелый висячий замок.

Тут же было еще одно окно — старинное, деревянное, с подъемной рамой на задвижке и сеткой. Хили принялся внимательно его рассматривать, и, пока Гарриет с досадой глядела на замок, он вдруг исступленно замахал руками, скалясь от восторга — прямо под окном был козырек крыши, который вел прямехонько к окну во фронтоне.

Побагровев от натуги, они тянули раму вверх — наконец им удалось поднять ее где-то дюймов на восемь. Извиваясь, первой выползла наружу Гарриет (Хили придерживал ее за ноги — как плуг за ручки, — пока она нечаянно его не пнула, тогда он, чертыхнувшись, отскочил). Крыша была липкая, раскаленная, шершавая на ощупь. Осторожно, очень осторожно Гарриет выпрямилась. Крепко зажмурившись, вцепившись левой рукой в оконную раму, она протянула правую руку Хили, который выполз на крышу и встал рядом с ней.

Ветерок уже поулегся. Небо по диагонали перечеркнули параллельные самолетные следы, тоненькие белые дорожки от водных лыж посреди безграничного озера. До Гарриет, которая тяжело дышала и боялась опустить взгляд, откуда-то снизу долетел легкий аромат ночных цветов: фиалок или, может, душистого табака. Она вскинула голову, поглядела на небо: облака были громадные, с ослепительно розовой глазурью на брюшках, точь-в-точь как облака на полотнах с библейскими сюжетами. Потихонечку, потихонечку, дрожа от волнения, они подобрались к углу крыши и увидели, что прямо под ними — тот самый двор со смоковницей.

Уцепившись кончиками пальцев за алюминиевую обшивку, которая за день нагрелась и теперь обжигала им пальцы, они подползли к фронтону. Гарриет добралась до окна первой и немного подвинулась, чтобы Хили было куда встать. Окошко было и впрямь очень маленькое, размером с коробку для обуви, да и открыто было снизу от силы дюйма на два. Осторожно — рука за рукой — они расцепили пальцы и вместе ухватились за раму: поначалу легонько, чтобы, если рама вдруг резко перевернется, она не сбила их с ног. Рама поначалу подалась, проскользила вверх дюймов на пять, но потом наглухо застряла, хоть они и тянули за нее так, что у них руки затряслись от натуги.

У Гарриет вспотели ладони, а сердце заскакало в груди теннисным мячиком. И тут они услышали, что к дому подъезжает машина.

Оба они так и застыли. Машина, не останавливаясь, пронеслась мимо.

— Дурочка, — прошептал Хили, — вниз не смотри.

Он был от Гарриет в нескольких дюймах и даже ее не касался, но влажный жар исходил от него осязаемым облаком, силовым полем — от головы до ног.

Вокруг были жутковатые сизые сумерки, но Гарриет храбро отвернулась. Хили поднял большой палец, а потом просунулся в окно по плечи и стал протискиваться в окно.

Окошко было узенькое. Хили протиснулся внутрь по пояс и наглухо застрял. Гарриет, хватаясь левой рукой за алюминиевую обшивку, а правой — за оконную раму, как могла, уворачивалась от его ног, которыми он бешено молотил по воздуху. Скат был почти отвесный, и один раз у нее нога соскользнула вниз, да так, что Гарриет чуть было не свалилась, но не успела она сглотнуть или хотя бы перевести дух, как Хили с глухим стуком провалился в окно, и теперь наружу торчали только его кеды. На миг он замер, но потом исчезли и ноги.

— Есть! — донесся до Гарриет его голос, еле слышный, торжествующий, она распознала детское упоение чердачной полутьмой, в которой они, бывало, ползали на четвереньках, прячась в крепостях из картонных коробок.

Она просунула голову в окошко. С трудом разглядела в полумраке Хили: тот скорчился на полу и потирал ушибленную коленку. Затем он неуклюже — поначалу встав на колени — распрямился, ухватил Гарриет за руки и что было сил потянул ее к себе. Гарриет, втянув живот, извивалась что было сил — уууx! — и дрыгала ногами, будто Винни-Пух, застрявший в кроличьей норе.

Так, извиваясь, она и шлепнулась на пол — на Хили и на отсыревший, затхлый ковролин, который вонял так, будто лежал где-то на дне лодки. Она откатилась в сторону, стукнулась головой о стену — звук вышел глухой. Они действительно попали в ванную — и крошечную, без ванны — только раковина и унитаз, стены обиты фанерой и оклеены пленкой, изображающей плитку.

Хили встал, помог ей подняться. Гарриет выпрямилась и почувствовала ядреный рыбный запах — и это не был запах плесени, хотя и ей тут тоже пахло, нет, это была резкая, ощутимая и невероятно гадкая вонь. Борясь с тошнотой, давя в себе панику, Гарриет навалилась всем телом на раздвижную дверь (пластиковую гармошку с рисунком под древесину), у которой наглухо заклинило рельсы.

Дверь с треском подалась, и они шлепнулись на пол, вывалились в комнату побольше — здесь было так же душно, только еще темнее. Противоположная стена, черная от пожара, пузырчатая от сырости, торчала, как вздутый живот. Хили, который запыхтел было от восторга, словно беспечный терьер, учуявший след, вдруг так и застыл на месте — его сковал такой дикий страх, что он даже ощутил на языке его металлический привкус. Во многом из-за того, что случилось с Робином, родители Хили всю жизнь ему твердили, что не все взрослые — хорошие, что бывают такие взрослые — их немного, но они все-таки есть, — которые детей похищают, пытают, а то и убивают. Но только сейчас Хили, будто его с размаху в грудь толкнули, понял, что — да, это все правда; от вони и омерзительно вздувшихся стен Хили замутило, и все жуткие истории, которые ему рассказывали родители (про связанных детей с кляпом во рту, которых находили в заброшенных домах, про детей, которых вешали или запирали в чуланах, где те умирали с голоду), вдруг ожили, обратили на него колючие желтые глазищи и оскалились, как акулы: клац-клац-клац.

Никто не знал, где они. Никто — ни сосед, ни прохожий — не видел, как они сюда лезли, никто даже не узнает, что с ними случилось, если они не вернутся домой. Гарриет смело прошагала в соседнюю комнату, Хили пошел за ней и чуть не вскрикнул, споткнувшись об электрический шнур.

— Гарриет!

Голос у него прозвучал странно. Он стоял в полумраке, ждал, пока она отзовется и глядел на единственный источник света — затянутые фольгой окна, три прочерченных в копоти прямоугольника, которые зловеще парили в темноте. Вдруг у него земля ушла из-под ног. А вдруг это ловушка? Откуда они знают, что никого нет дома?

— Гарриет! — крикнул он.

Ему вдруг захотелось писать, ему в жизни так сильно не хотелось писать, и он, сам едва понимая, что делает, затеребил молнию на ширинке, отскочил от двери и помочился прямо на ковер: скорей-скорей-скорей, он аж подпрыгивал от нетерпения, совершенно позабыв про Гарриет, потому что, когда родители стращали его всякими психами, невольно заронили ему в голову и кое-какие странные идеи — например, он панически боялся, что похитители не выпускают украденных детей в туалет, и им приходится ходить под себя, прямо там, где их держат, а они ведь могут быть привязаны к грязному матрасу, заперты в багажнике, зарыты в гробу с трубочкой для кислорода…

Вот та-а-а-к, подумал он, дурея от облегчения. Теперь, даже если реднеки и станут его пытать (складными ножами, гвоздодерами, да чем угодно), по крайней мере он не обмочится, не доставит им такого удовольствия. Тут он услышал позади какой-то шорох, и сердце у него так и запрыгало в груди, как колеса по гололеду.

Но там была всего-навсего Гарриет, она привалилась к дверному косяку — маленькая, глаза огромные, как лужицы чернил. Он так ей обрадовался, что даже не подумал, не видела ли она часом, как он тут писал.

— Идем, покажу кое-что, — безучастно сказала она.

Она была так спокойна, что его страх тотчас же улетучился. Она прошел за ней следом в соседнюю комнату. Едва он вошел, как гнилостный, тельный запах — ну как же он сразу его не опознал? — ударил ему в нос с такой силой, что он как будто даже ощутил его на языке.

— Гос-споди, — сказал он, зажимая нос.

— А я говорила, — сухо сказала Гарриет.

Почти весь пол был заставлен ящиками — кучей ящиков, — которые поблескивали в слабом свете; белые пуговки, битое стекло, осколки зеркал, шляпки гвоздей, дешевые побрякушки тихонько вспыхивали в полумраке, будто бы Гарриет с Хили попали в пиратскую пещеру с награбленными сокровищами, где из грубо сколоченных сундуков вываливаются небрежными грудами алмазы, серебро и рубины.

Хили посмотрел вниз. Прямо рядом с ним стоял ящик, в котором свернулся кольцами полосатый гремучник и — цык, цык, цык — постукивал хвостом. Уголком глаза он заметил, как еще одна змейка — пестрая буква *S* — тихонько подтягивается к нему по сетчатой дверце ящика, и инстинктивно отпрыгнул назад. Змея впечаталась рыльцем в стенку ящика и вновь скрутилась в кольцо (невозможным движением, прокрученной назад кинопленкой, струйкой, которая вспархивает из лужицы пролитого молока и влетает обратно в молочник). Хили снова отскочил и споткнулся о другой ящик, из которого тотчас же раздалось слаженное клокочущее шипение.

Тут он увидел, что Гарриет толкает к запертой двери перевернутый ящик. Она остановилась, откинула волосы с лица:

— Эту я забираю, — сказала она. — Помогай.

Эмоции захлестнули Хили. Он понял, что до этих самых пор вообще не верил Гарриет; теперь же азарт забурлил в нем ледяными пузырьками, опасным, восхитительным покалыванием, будто просочилось сквозь течь в лодке студеное зеленое море.

Гарриет, плотно сжав губы, вытолкала ящик на свободное пространство, потом перевернула его набок.

— Мы ее отнесем… — она помолчала, потерла руки, — мы ее отнесем вниз, спустим по лестнице.

— Но мы же не сможем по улице этот ящик тащить!

— Просто помоги, ладно? — пыхтя, Гарриет дергала застрявший ящик.

Хили пошел к ней. Протискиваться между ящиками было неприятно, он все время смутно чувствовал невидимое движение за сетками — которые, кстати, были не толще оконных, ногой продавить легче легкого. Там разрывались, распадались и вновь смыкались круги, мерзким, безмолвным потоком текли один за другим черные ромбы. В голове у него шумело. Это все понарошку, твердил он себе, понарошку, это просто сон — и действительно, много лет спустя, уже совсем взрослый Хили иногда во сне будет проваливаться в эту смердящую тьму, в шипящую сокровищницу кошмаров.

Величественная, вытянувшаяся в струнку кобра, которая сидела в ящике в одиночестве и раздраженно покачивалась, когда они толкали ящик, вовсе не показалась Хили странной, он вообще думал только о том, как отвратительно она перекатывается из стороны в сторону, и о том, что нужно руки держать подальше от сетки. Они мрачно дотолкали ящик до задней двери, которую Гарриет отворила и распахнула пошире. Вместе они подняли ящик, вытащили его на внешнюю лестницу (кобра потеряла равновесие и теперь билась о стены с сухим яростным стуком) и поставили на землю.

На улице было совсем темно. Зажглись фонари, над каждым крыльцом загорелись лампочки. У Хили с Гарриет кружились головы, они оба боялись даже взглянуть на ящик, где со злобным неистовством колотилась кобра, и ногами затолкали его под дом.

Подул зябкий ночной ветерок. У Гарриет руки покрылись мелкими острыми пупырышками. Откуда-то сверху — за углом, не видно, где именно — послышался шум: стукнула по перилам дверь-сетка, захлопнулась с грохотом.

— Погоди-ка, — сказал Хили.

Он выпрямился и снова взбежал вверх по лестнице. Трясущимися, непослушными руками схватился за ручку, стал нашаривать засов. Ладони вспотели, на него навалилась странная, дремотная легкость, вокруг заколыхался темный безбрежный мир, словно бы он взгромоздился на мачту пиратского корабля из кошмарных снов, и теперь ночной ветер, бушевавший над морскими просторами, болтал его во все стороны…

Быстрее, понукал он себя, быстрее, пора сматываться, но руки его не слушались, только скользили беспомощно по дверной ручке, словно бы это были вовсе не его руки…

Гарриет придушенно вскрикнула — в крике было столько ужаса и отчаяния, что она поперхнулась и смолкла.

— Гарриет? — крикнул он в зыбкую тишину.

Голос у него звучал невыразительно, даже как-то обыденно. И тут он услышал, как прошуршали по гравию шины. Задний двор окатило мощным светом фар. И через много лет, стоило Хили вспомнить эту ночь, как перед глазами у него отчего-то сразу вспыхивала эта картина: фары выхватывают из темноты сухую, пожухлую траву, торчащие острые стебельки — джонсонову траву, репьи, которые подрагивают в резком белом свете…

Не успел он опомниться, даже выдохнуть не успел, как дальний свет сменился ближним: оп. Оп — и трава исчезла в темноте. Хлопнула дверца машины, и по лестнице затопали тяжелые ботинки — с таким грохотом, как будто поднималось человек десять.

Хили запаниковал. Потом он все удивлялся, как это он от ужаса не спрыгнул с лестницы и не сломал себе ногу или шею, но, заслышав тяжелую жуткую поступь, Хили отчего-то забыл обо всем на свете, кроме изуродованного лица проповедника, представил, как оно выплывает на него из темноты, и не придумал ничего лучше, чем кинуться в квартиру, чтобы спрятаться там.

Он метнулся за дверь, в темноту, и сердце у него екнуло. Маленький столик, складные стулья, морозилка — ну и где тут спрячешься? Он побежал в другую комнату, ушиб ногу о ящик из-под динамита (который отозвался сердитым стуком и цык-цык-цыканьем гадючьих хвостов) и тотчас же понял, какую глупость сделал, но — поздно. Скрипнула входная дверь. "Я ее хоть закрыл?" — подумал он, чувствуя, как в животе заскребся страх.

Тишина, самая долгая тишина в жизни Хили. Казалось, что целая вечность прошла, прежде чем в замке тихонько щелкнул ключ и затем его торопливо провернули еще два раза.

— Чего там? — послышался надтреснутый мужской голос. — Заело?

В соседней комнате зажгли лампочку. Из дверного проема флажком упал свет, и тут Хили понял, что попался: прятаться негде, бежать некуда. Кроме змей, в комнате почти ничего и не было: одни газеты, ящик с инструментами, к стене прислонена намалеванная от руки вывеска (*"С Божьей помощью защитим и укрепим протестантское вероисповедание и постоим за наши гражданские права..."*), да в углу стоит виниловое кресло-мешок. Торопливо, боясь, что его застукают (стоило им только заглянуть в комнату, они бы его сразу увидели), Хили протиснулся за ящики, поближе к креслу.

Еще щелчок:

— Ага, наконец-то, — снова надтреснутый голос, но Хили его уже почти не слышал, потому что заполз под кресло-мешок и постарался как следует им прикрыться.

Снова чей-то голос, но слов Хили уже не мог разобрать. Кресло-мешок было тяжелое, он лежал лицом к стене, свернувшись клубочком. Правой щекой он вжался в ковер, который вонял потными носками. И тут — о ужас! — в комнате зажегся свет.

О чем они там говорят? Хили съежился еще больше. Повернуться он не мог, поэтому стоило ему открыть глаза, и он упирался взглядом прямиком в аляповатый ящик с сетчатым окошком, за которым, всего в каких-нибудь двух футах от его носа, ползали штук пять или шесть змей. Пока Хили, окаменев от ужаса, будто в трансе на них таращился, одна змейка выскользнула из общей кучи и вползла на сетку. Под горлом у нее была белая впадинка, а чешуйки на брюхе тянулись длинными, горизонтальными пластинками, словно белесый налет от солнцезащитного лосьона.

Хили поздновато спохватился — он так, бывало, разинув рот, подолгу пялился на размазанные по шоссе, как спагетти с мясным соусом, кишки какого-нибудь зверька — и не успел вовремя закрыть глаза. Черные круги на оранжевом фоне — световой оттиск в негативе — поплыли откуда-то из глубин один за другим, будто пузырьки в аквариуме, и, всплывая, истончались, растворялись...

Пол задрожал от чьих-то шагов. Кто-то вошел, остановился; еще шаги — грузное, торопливое шлепанье, которое тоже резко оборвалось.

"А вдруг у меня ботинок торчит?" — подумал Хили, от ужаса еле сдерживая дрожь.

Ни звука. Кто-то пошел обратно — шаг, другой. Неразборчивое бормотанье. Хили показалось, что один человек подошел к окну, потоптался там, потом вышел. Сколько всего было голосов, Хили никак не мог различить, но один здорово выделялся: он был невнятный, певучий, у них с Гарриет такие голоса делались, когда они играли в бассейне — говорили что-нибудь под водой, а потом угадывали, кто что сказал. При этом Хили все время слышал тихое чирк-чирк-чирк, которое доносилось из ящика со змеями, но звук был такой слабый, что Хили даже подумал, будто ему это только слышится. Он открыл глаза. Сбоку от него, в узкой щелочке между вонючим ковром и креслом виднелись дюймов восемь бледного змеиного брюха, которое как-то затейливо уперлось в сетку. Змея, похожая на бурое щупальце морской твари, слепо подергивалась туда-сюда, будто дворник на стекле машины и... почесывалась, с ужасом и изумлением понял Хили, чирк... чирк... чирк...

Раз — и свет неожиданно погас. Шаги и голоса стихли вдали.

Чирк... чирк... чирк... чирк... чирк...

Не шевелясь, зажав руки между колен, Хили с отчаянием глядел в темноту. Если присмотреться, то сквозь сетку еще можно было различить змеиное брюхо. А вдруг ему тут всю ночь лежать придется? Мысли у него в голове беспомощно трепыхались и мельтешили, и от этой дикой сумятицы Хили аж подташнивало. Помни, где находятся выходы, сказал он себе — так было написано в учебнике по "Здоровью и безопасности", мол, надо знать, где все выходы на случай пожара или чрезвычайного происшествия, но Хили не смотрел по сторонам, а от тех выходов, которые он запомнил, сейчас толку не было никакого: к черному ходу — не подобраться... лестницу внутри дома — мормоны на замок заперли... окошко в ванной — ну еще куда ни шло, хотя через него и так-то пролезть было трудно, так что бесшумно протиснуться обратно вряд ли получится, да еще в темноте...

Только теперь он вспомнил о Гарриет. Где же она? Он постарался представить, что сам бы сделал на ее месте. Решится ли она позвать кого-нибудь на помощь? Если б не нынешние обстоятельства, Хили скорее бы согласился, чтобы Гарриет насовала ему за шиворот раскаленных углей, чем отца позвала, но теперь, когда его жизнь висела на волоске, другого выхода не было. Лысоватого, раздавшегося в талии отца Хили никак не назовешь грозным здоровяком, да и росту он был, прямо скажем, ниже среднего, но за долгие годы на посту директора школы он научился смотреть на людей взглядом представителя власти и подолгу молчать с таким каменным лицом, что даже взрослым делалось не по себе.

Гарриет! Хили с тоской представил себе белый телефон в родительской спальне. Если отец узнает, что случилось, то бесстрашно примчится сюда, вцепится ему в плечо, вытолкает наружу, и — дома его ждет порка, в машине — нотация, от которой у него уши гореть будут, а проповедник тем временем забьется в угол к своим шипящим змеям — да, сэр, спасибочки, сэр — и будет недоумевать, что же это его с ног сбило.

У него заныла шея. Теперь он ничего не слышал, даже змей. Вдруг он подумал, а что, если Гарриет погибла? Что, если ее задушили, пристрелили или, кто знает, может, проповедник на нее своим грузовиком наехал — и переехал.

Никто не знает, где я. У него затекли ноги. Он пошевелил ими — самую капельку. Никто. Никто. Никто.

Икры так и ожгло иголочками. Пару минут он лежал, сжавшись, не двигаясь, боясь, что вот-вот на него накинется проповедник. Но все было тихо, и Хили наконец перевернулся на другой бок. В затекших ногах заколола кровь. Он пошевелил пальцами, повертел головой. Подождал. Наконец ждать больше не было никаких сил, и он выглянул из-за кресла.

Ящики посверкивали в темноте. Свет косым квадратом падал из открытой двери на табачно-бурый ковролин. За дверью — Хили уперся локтями в пол, подтянулся — виднелась замызганная желтая комнатка, которую лампочка под потолком заливала белым светом. Слышался чей-то голос — визгливая деревенская скороговорка, — но слов было не разобрать.

Его оборвал чей-то рык:

— Иисус ради меня палец о палец не ударил, а уж законники — тем паче.

В дверях вдруг выросла гигантская тень.

Хили вцепился в ковролин, окаменел, боясь даже вздохнуть. Раздался другой голос — еле слышное брюзжание:

— Эти змеюки просто мерзкие — и все тут. И Господь тут ни при чем.

Стоявшая в дверях тень странно, пискляво хохотнула — и Хили обмер. Фариш Рэтлифф. Даже отсюда было видно, как он обшаривает темноту слепым глазом — белесым, как глаз у вареной щуки, будто лучом маяка со скалы.

— Я тебе так скажу…

Хили с невероятным облегчением услышал, как Фариш затопал к двери. Из соседней комнаты донесся скрип — кто-то распахнул дверцу кухонного шкафчика. Когда Хили открыл глаза, в дверях никого не было.

— … вот что скажу, ты если устал змей туда-сюда тягать, так вывези их в лес, выпусти там да постреляй всех. Всех пристрели на хер, до последней твари. Или сожги, — громко говорил он, перебивая проповедника, — или в реке утопи, мне все равно. И тогда — никаких проблем.

Недоброе молчание.

— Змеи умеют плавать, — раздался другой голос, явно белого мужчины, только помоложе.

— И что, далеко они уплывут в этом чертовом ящике? — Послышался хруст, будто бы Фариш разгрыз что-то, и он продолжил шутливым, отрывистым тоном: — Слушай, Юджин, ну раз ты не хочешь с ними морочиться, то у меня в бардачке — вон тридцать восьмой калибр. Да я тебе за десять центов их всех перестреляю, до единой.

У Хили заколотилось сердце. "Гарриет! — в панике подумал он, — Где же ты?!" Это же они убили ее брата, а когда они найдут Хили (а они найдут, тут и думать нечего), убьют и его…

Чем тут можно отбиваться? Как себя защитить? По сетке вползла вторая змея, уткнулась рыльцем первой змее под голову — они теперь были как та медицинская картинка, где две змеи сплелись хвостами. Раньше ему и в голову не приходило, до чего же эта примелькавшаяся эмблема (мать отсылала пожертвования в Ассоциацию пульмонологов в конвертах, на которых был такой вот красный значок) — гадкая. В голове у него все смешалось. Плохо соображая, что он делает, Хили дрожащей рукой приподнял задвижку на ящике со змеями.

Вот так-то, это их задержит, подумал Хили, перекатившись на спину и уставившись в оклеенный пенопластовой плиткой потолок. Как пойдет неразбериха, может быть, ему удастся сбежать. Даже если его ужалят, он, наверное, успеет добежать до больницы…

Хили потянулся к замку на ящике, и одна из змей тотчас же к нему рванулась. Он почувствовал, как ладонь обдало чем-то липким — ядом? Эта тварь попала в него прямо через сетку. Он торопливо обтер ладонь о шорты, надеясь, что у него там не было никаких царапин или порезов, о которых он вдруг позабыл.

Змеи не сразу сообразили, что их выпустили на волю. Две змеи, которые висели на сетке, вывалились сразу и несколько секунд просто лежали, не двигаясь, пока другие не поползли вслед за ними — посмотреть, что происходит. И тут до них разом, как по сигналу, дошло, что путь свободен, и змеи радостно расползлись во все стороны.

Хили, весь в поту, вылез из-под кресла и прокрался мимо открытой двери — быстро, насколько хватило духу, проскочив пятно света из соседней комнаты. От ужаса его мутило, но заглянуть в комнату он не решился и все время глядел в пол — боялся, они почувствуют, что он на них смотрит.

Благополучно миновав дверь — ну, пока что благополучно, — Хили привалился к темной стене, сердце у него колотилось так сильно, что он обмяк и весь дрожал. Больше ничего не придумывалось. Если кто-то вдруг опять войдет и включит свет, то сразу заметит, как он тут беззащитно жмется к хлипкой деревянной стенке…

Неужели он вправду змей выпустил? Двух змей он видел — они лежали на полу, еще одна энергично ползла к свету. Всего минуту назад ему казалось, что это он здорово придумал, но теперь он горячо раскаивался в содеянном — пожалуйста, Господи, пожалуйста, только бы они сюда не заползли… У змей на коже были ромбики, как у медноголовок, только поострее. А на хвосте у самой отважной змеи — у той, которая храбро ползла на свет — Хили различил кольца-погремушки дюйма в два длиной.

Но больше всего он боялся змей, которых не видел. Там в ящике их было штук пять или шесть, а то и больше. И где они?

Из окна на улицу не выпрыгнешь — слишком высоко. Единственный выход — ванная. Если выберется на крышу, сумеет свеситься с крыши, держась за козырек, а там уж спрыгнуть. Прыгал же он с деревьев, которые были почти такой же высоты.

Но тут он растерянно понял, что двери в ванную тут нет. Он сделал еще несколько шажков вдоль стены — даже далековато забрался, слишком близко к темному углу, где он змей выпустил, но оказалось, что там двери нет, просто он принял за дверь прислоненный к стене кусок фанеры.

Хили был сбит с толку. Дверь в ванную была слева, это он точно помнил; он раздумывал, пройти ли еще немножко вперед или вернуться назад, как вдруг сердце у него оборвалось — он понял, что дверь в ванную была слева, но в другой комнате.

Он так опешил, что даже шевельнуться не мог. На какой-то миг комната будто обвалилась в пустоту (бездонная глубина, глухой колодец, падаешь — и ширятся зрачки), а когда все встало на место, Хили даже сразу не понял, где находится. Он уперся головой в стену, повозил ей туда-сюда. Ну почему он такой тупой? С ориентированием у него были проблемы, он вечно путал правую сторону с левой, поднимет на секундочку глаза от учебника, а там уже все цифры с буквами перепутались и скалятся уже совсем с других строчек, он, бывало, в школе садился не на свое место и даже не замечал этого. "Невнимательный! Невнимательный!" — вопили красные чернила на его сочинениях, контрольных по математике и подчищенных лезвием прописях.

Когда на подъездной дорожке вспыхнули фары, Гарриет здорово растерялась. Она шлепнулась наземь, нырнула под дом — бух, прямо об ящик с коброй, которая в ответ гневно щелкнула хвостом. Она и дух не успела перевести, как захрустел гравий и буквально в паре футов от ее лица со свистом промелькнули шины, в синюшном свете фар чахлая трава всколыхнулась от резкого порыва ветра.

Лежа вниз лицом в крупитчатой пыли, Гарриет почувствовала тошнотворную, трупную вонь. В Александрии из-за угрозы наводнений под каждым домом было небольшое пространство, но тут оно было особенно узеньким — не выше фута и тесное, как могила.

Кобра, которой пришлось не по вкусу, что ее сначала спустили вниз по лестнице, а потом еще и перевернули, все буйствовала в ящике, и Гарриет ощущала этот отвратительный сухой хлест даже через деревянную стенку. Но было тут кое-что и похуже кобры, похуже вони от дохлых крыс — пыль, от которой у нее невыносимо свербело в носу. Она мотнула головой. Красноватый косой отблеск задних фар скользнул под дом, осветив взрыхленную червями землю, бугорки муравейников, грязный осколок стекла.

Вдруг сделалось совсем темно. Хлопнула дверь машины.

— …поэтому тачка-то и загорелась, — послышался грубый голос, говорил точно не проповедник. — “Ладно, — говорю я ему — а они уж меня мордой в землю разложили, — скажу вам, сэр, все как на духу, везите меня в тюрьму, да только вот на этого парня ордер тоже выписан — и он подлиннее твоей руки будет”. Ха! Как он припустил оттуда!

— Похоже, тем все и кончилось.

Смех — недобрый.

— Верно соображаешь.

Тяжелые шаги приближались к Гарриет. Она изо всех сил сдерживалась, чтобы не чихнуть — затаила дыхание, зажала рот и нос. Шаги прогрохотали по лестнице, прямо у нее над головой. Лодыжку защекотало — кто-то легонько ее ужалил. Не встретив сопротивления, насекомое куснуло ее сильнее — и Гарриет аж задрожала, до того ей хотелось его пришлепнуть.

Ее ужалили снова, на этот раз — в икру. Рыжие муравьи. Класс.

— Ну так и вот, возвращается он домой, — грубоватый голос звучал тише, удаляясь, — и они все давай думать, как бы его раскрутить, чтоб он правду сказал…

Голос смолк. Наверху все было тихо, но Гарриет не слышала, чтобы дверь открылась, и подозревала, что в дом они так и не зашли, а стояли возле двери, осматривались. Гарриет застыла и вслушивалась изо всех сил.

Время тянулось. Рыжие муравьи — все чаще, все энергичнее — жалили ее руки и ноги. Она прижалась к ящику и сквозь деревянную стенку то и дело чувствовала, как кобра разобиженно стучит ей в спину. Ей все чудились в душной тишине какие-то шаги, чьи-то голоса, но стоило ей прислушаться, как звуки затухали, растворялись без следа.

От ужаса она боялась шевельнуться и лежала на боку, уставившись в кромешную тьму. Долго ей придется тут лежать? Если ее тут застукают, придется отползать дальше под дом, и что уж там муравьи — под домами обычно гнездились осы, да и скунсы тоже, а еще пауки и всякие разные грызуны и рептилии; бешеные опоссумы и больные кошки заползали туда умирать, а недавно чернокожий мужчина по имени Сэм Бебус, который чинил паровые котлы, попал на первую полосу местной газеты, когда нашел череп под "Марселлесом" — особняком с греческими колоннами, всего-то в паре кварталов отсюда, на Главной улице.

Вдруг из-за облаков выплыла луна и посеребрила клочковатую траву, которая росла вокруг дома. Позабыв про муравьев, Гарриет приподняла голову, прислушалась. Перед глазами у нее подрагивали узкие, белобокие от лунного света стебельки мятлика — то прижмутся к земле, то снова вытянутся. Гарриет — встрепанная, перепуганная — выждала еще немного. Она долго лежала, затаив дыхание, пока наконец не осмелилась, подтянувшись на локтях, высунуть голову из-под дома.

— Хили! — прошептала она.

Во дворе стояла мертвая тишина. Сквозь блестящий на подъездной дорожке гравий пробивались сорняки, похожие на крохотные зеленые колоски. В конце дорожки стояла темная, безмолвная махина — большущий грузовик, который был повернут к ней задом.

Гарриет свистнула, подождала. Ей показалось, что прошла целая вечность, прежде чем она наконец выползла наружу. Что-то прилипло к щеке — похоже, раздавленный панцирь жука, Гарриет отерла щеку, грязными руками стряхнула с себя муравьев. Рваные бурые облачка, похожие на выхлопные пары, клочьями наскакивали на луну. Вдруг их все разогнало ветром, и на двор пролился ясный, сероватый свет.

Гарриет быстро спряталась в тени возле стены. Возле дома не было ни деревца, и во дворе было светло как днем. Только тут Гарриет осенило, что она вообще-то не слышала, чтобы Хили спускался.

Она заглянула за угол. По соседской лужайке шуршали тени деревьев, но там никого не было — ни души. Занервничав еще сильнее, Гарриет прокралась дальше. Сквозь дырчатую сетку забора виднелся двор другого дома — и там прозрачная тишь, только валяется на залитой лунным светом траве детский надувной бассейн — заброшенный, одинокий.

Держась в тени, прижимаясь спиной к стене, Гарриет обогнула весь дом, но Хили нигде не было видно. Скорее всего, он ее бросил и припустил домой. Она нехотя отошла от дома, запрокинула голову, глянула на второй этаж. Возле двери никого не было, окошко ванной до сих пор приоткрыто, и там темно. В других окнах наверху свет горел — в квартире кто-то ходил, разговаривал, но толком было ничего не разобрать.

Гарриет собралась с духом и выскочила на ярко освещенную улицу, но когда добежала до кустов, под которыми они спрятали велосипеды, сердце у нее екнуло и ухнуло вниз, а сама она, не веря своим глазам, остановилась как вкопанная. Под гроздьями белых цветов лежали себе два велосипеда.

На мгновение она застыла на месте. Потом опомнилась, нырнула под куст, шлепнулась на коленки. У Хили был новенький, дорогой велосипед, он так над ним трясся — словами не передать. Схватившись за голову, с трудом сдерживая панику, Гарриет уставилась на велосипед, а потом развела руками ветки куста и, прищурившись, глянула на дом через дорогу, на ярко освещенные окна второго этажа.

Из дома не доносилось ни звука, только наверху посверкивали жутковато серебристые окна, и вдруг до Гарриет разом дошло, в какой переплет они попали, и она до смерти перепугалась. Хили застрял в доме, это точно. Ей нужна помощь, но рядом никого, а времени — в обрез. Растерявшись, она плюхнулась наземь, завертела головой, пытаясь придумать, что же делать дальше. В ванной окно было до сих пор приоткрыто — но толку-то? В "Скандале в Богемии" Шерлок Холмс швырнул в окно дымовую шашку, чтобы выманить из дома Ирэн Адлер — классная идея, конечно, только вот у Гарриет не было под рукой дымовой шашки, у нее вообще ничего под рукой не было, одни палки да щебень.

Она еще посидела, подумала — и, перебежав залитую ослепительным лунным светом улицу, влетела в соседний двор, где они с Хили прятались под смоковницей. Под густыми ветвями пекановых деревьев разросся во все стороны давно не полотый теневой цветник (каладиумы, ясенцы), окруженный белеными булыжниками.

Гарриет опустилась на колени и подергала булыжник, но он был накрепко слеплен цементом с другими камнями. Из чьего-то дома, перекрывая рев горячего воздуха из выставленной в окно трубы кондиционера, несся резкий, неугомонный собачий лай. Гарриет, будто енот, который на дне источника ощупью ищет рыбу, окунула руки в травяную пену, зашарила в сорняках, пока наконец не наткнулась на гладкий обломок кирпича. Подняла его обеими руками. Собака все гавкала.

— Панчо! — мерзко завизжала старуха-янки грубым, как наждак, голосом. Она, похоже, еще и простужена. — Заткни пасть!

Сгибаясь под весом камня, Гарриет побежала обратно к мормонскому дому. Теперь она увидела, что на подъездной дорожке стоят два грузовика. У одного номера были местные, Миссисипи, округ Александрия, а вот второй грузовик был из Кентукки, и Гарриет, хоть камень и оттягивал ей руки, остановилась и постаралась номера запомнить. Когда убили Робина, никто и не додумался, что надо было подозрительные номера запоминать.

Она быстро спряталась за грузовиком — за тем, который из Кентукки. Потом перехватила поудобнее камень (который оказался не просто каким-нибудь там старым кирпичом, а садовым украшением в виде свернувшегося котенка) и треснула им по передней фаре. *Чпок*! — одна за другой трещали фары, взрываясь, будто перегоревшие лампочки — *чпок, чпок*! Она отбежала назад и расколотила все фары в грузовике Рэтлиффов: и передние, и задние. Ей хотелось колошматить их со всей силы, но она сдерживалась — боялась, что перебудит всю округу, да и потом, чтобы разбить фару, нужно было всего-то хорошенько, прицельно ударить разок, будто яйцо бьешь, и вот огромные треугольные куски стекла уже сыплются на щебенку.

Она выудила из осколков задних фар самые острые и самые большие куски стекла и повтыкала их в покрышки задних колес, стараясь засунуть их поглубже и не порезаться. Потом обежала грузовик и то же самое проделала с передними колесами. Сердце у нее выпрыгивало из груди, пришлось пару раз глубоко вздохнуть. Она обеими руками ухватила котенка, подняла его повыше — насколько хватило сил — и, размахнувшись, швырнула в лобовое стекло.

Стекло лопнуло с шумными брызгами. По приборной доске дождем застучало стеклянное крошево. В доме через дорогу зажегся свет, за ним — осветилось соседнее крыльцо, но на усыпанном осколками дворе никого не было, потому что Гарриет уже бежала вверх по лестнице.

— Это что щас было?

Тишина. На до смерти перепугавшегося Хили вдруг обрушилось сто пятьдесят ватт белого электрического света из лампочки под потолком. Мигом ослепнув, Хили в ужасе съежился возле куска хлипкой фанеры, но не успел он и глазом моргнуть (по полу ползало чертовски много змей), как кто-то выругался и снова выключил свет.

В темную комнату протиснулась чья-то грузная фигура. Несмотря на свои внушительные размеры, мужчина легко проскользнул мимо Хили и приблизился к окну.

Хили обмер, вся кровь отхлынула у него от головы и с резким свистом ушла в пятки, а комната так и завертелась перед глазами, но тут за стеной послышался какой-то шум. Кто-то заговорил — взволнованно, неразборчиво. Проскребли по полу ножки стула.

— Не надо, — отчетливо произнес кто-то.

Яростные перешептывания. В темноте, всего в паре футов от него, затаился, прислушиваясь, Фариш Рэтлифф — застыл на месте, вскинув голову, расставив кряжистые ноги, будто медведь перед нападением.

В соседней комнате скрипнула дверь.

— Фарш? — позвал кто-то.

И тут Хили с удивлением услышал детский голос: запыхавшийся, плаксивый, невнятный.

Фариш, который стоял ужасно близко к нему, рявкнул:

— Кто там?

Шум, суета. Фариш, который стоял буквально в паре шагов от Хили, шумно выдохнул, развернулся и ворвался в соседнюю, освещенную комнату так, будто хотел кого-нибудь там придушить.

Кто-то из мужчин прокашлялся:

— Фариш, слушай…

— Во дворе… подите гляньте, — вклинился незнакомый детский голос, плаксивый, деревенский, даже, пожалуй, уж слишком плаксивый, вдруг радостно понял Хили, который перестал уже на что-либо надеяться.

— Фарш, она говорит, что грузовик…

— Он вам все окна побил… — пропищал кто-то тоненьким, визгливым голоском. — Скорее, а то…

Всеобщую суматоху вдруг прорезал вопль, от которого затряслись стены.

— … а то не догоните, — сказала Гарриет — деревенский говорок пропал, голос был строгий, звонкий, точно ее, но все вокруг разом забормотали, зачертыхались, и на нее и внимания никто не обратил.

Раздался топот — все кинулись вниз по лестнице.

— Черт, черт! — визжал кто-то.

Под окнами творилось что-то невообразимое — дикая ругань, вопли. Хили осторожно прокрался к двери. Постоял, послушал — вслушивался он так внимательно, а свет был такой слабый, что Хили совершенно не заметил, как возле его ноги, готовясь к удару, сворачивается кольцами маленькая гадюка.

— Гарриет? — наконец прошептал он, точнее, попытался: оказалось, что у него полностью пропал голос.

Только теперь он понял, что в горле у него ужасно пересохло. Со двора неслись растерянные крики, кто-то молотил кулаком по железу — гулкие, ритмичные звуки, будто барабанили по оцинкованной ванне, которая во время школьных спектаклей и концертов отвечала за раскаты грома.

Он осторожно высунулся за дверь. Стулья в беспорядке отодвинуты, стаканы с подтаявшим льдом стоят на столике посреди наползающих друг на друга водяных кругов, возле пепельницы лежат две пачки сигарет. Дверь на лестницу открыта нараспашку. Еще одна змейка незаметно заползла под батарею, но Хили про змей и думать позабыл. Без промедления, даже не глядя под ноги, Хили промчался через кухню и кинулся к двери.

Проповедник, обхватив себя руками, навис над проезжей частью, уставился себе под ноги — будто поезда ждет. Он стоял боком к Гарриет, и обожженной стороны его лица видно не было, но даже в профиль глядеть на него было неприятно, потому что он то и дело украдкой глуповато высовывал наружу кончик языка. Гарриет постаралась встать от него подальше и отвернулась, чтобы ни он, ни все остальные (которые по-прежнему, чертыхаясь, толпились возле грузовиков) не смогли ее как следует рассмотреть. Ей отчаянно хотелось припустить отсюда со всех ног, и Гарриет уже начала было тихонько отступать к тротуару, но тут проповедник очнулся и потащился за ней, и она побоялась, что не сумеет его обогнать. Когда Гарриет увидела в освещенном дверном проеме братьев Рэтлиффов, которые грозно нависли над ней всей своей массой, внутри у нее все обмякло и затряслось: все как один — здоровяки, все загорелые, потные, все в татуировках и все злобно уставились на нее своими стеклянными, прозрачными глазами. Самый грязный и самый здоровенный брат — бородач с черными космами и омерзительным белесым бельмом на глазу, точь-в-точь слепой Пью из "Острова сокровищ" — треснул кулаком по дверному косяку и выругался грязно, лихо и с такой дикой яростью, что Гарриет в ужасе попятилась; теперь же он тряс седеющей гривой и методично долбил ногой по осколкам задней фары, растаптывая их в кашу. Из-за мощного торса и коротеньких ножек он был похож на злющего Трусливого Льва.

— Скажи-ка, а они часом не на машине приехали? — спросил проповедник, развернувшись к Гарриет шрамом и внимательно глядя на нее.

Гарриет тупо уставилась себе под ноги, помотала головой. Мимо них медленно прошаркала к себе домой изможденная дамочка в ночнушке и пляжных вьетнамках, под мышкой у нее был чихуахуа, а на запястье болтался больничный браслет из розовой пластмассы. Собаку, сигареты и зажигалку она вынесла в кожаной сумке и подошла к забору, чтобы поглядеть, что происходит. Чихуахуа, безостановочно тявкая, через ее плечо наблюдал за Гарриет и вертелся так, будто только и мечтал вырваться из хозяйкиных рук и разорвать Гарриет на куски.

— Он был белый? — спросил проповедник. Поверх белой рубашки с короткими рукавами он носил кожаный жилет, а седые волосы зачесывал назад и бриолинил, так, чтобы получался высокий кудрявый кок. — Точно?

Гарриет кивнула и, будто бы засмущавшись, подергала себя за волосы, прикрыла ими лицо.

— Поздненько ты гуляешь. Не тебя ли я, случаем, на площади сегодня видал?

Гарриет снова помотала головой, деланно отвернулась и увидела, что Хили — белый как мел, на лице ни кровинки — быстро бежит по лестнице. Он слетел вниз и, никого не замечая, с размаху врезался в одноглазого, который, опустив голову и что-то бормоча себе в бороду, стремительно шагал к дому.

Хили отшатнулся, испуганно, тоненько всхлипнул. Но Фариш просто отпихнул его с дороги и протопал вверх по лестнице. Он тряс головой и говорил что-то злым, отрывистым голосом ("…вот уж не стоит, вот уж не советую…"), будто бы за ним по ступенькам карабкалось какое-то невидимое, но совершенно реальное существо фута в три ростом и вот к нему-то Фариш и обращался. Внезапно он даже рукой взмахнул, будто оплеуху отвешивал — со всего размаху, словно и впрямь ударил что-то живое, какого-то злобного, увязавшегося за ним горбуна.

Хили и след простыл. Вдруг на Гарриет упала чья-то тень.

— А ты кто?

Гарриет вздрогнула, вскинула голову и увидела, что перед ней стоит Дэнни Рэтлифф.

— Значит, просто увидела? — спросил он, уперев руки в боки, встряхнув головой, чтобы челка не лезла в глаза. — А где ж ты была, когда нам тут все окна побили? Откуда она взялась? — спросил он брата.

Гарриет с ужасом уставилась на него. У Рэтлиффа вдруг резко побелели ноздри, и Гарриет поняла, что отвращение написано у нее на лице крупными буквами.

— Чего пялишься?! — рявкнул он. Одет он был в джинсы и аляповатую футболку с длинными рукавами и вблизи оказался очень смуглым и по-волчьи поджарым, под кустистыми, тяжелыми бровями — чуть раскосые глаза, которые смотрели будто бы сквозь нее, от чего Гарриет сделалось не по себе. — Чего тебе не по вкусу?

Проповедник, который, похоже, здорово разволновался и то и дело оглядывал улицу, скрестил руки на груди, засунул ладони под мышки.

— Не бойся, — сказал он уж чересчур дружеским фальцетом. — Мы не кусаемся.

Гарриет, конечно, очень перепугалась, но все равно заметила у него на руке расплывшуюся синюшную татуировку и гадала, что за рисунок там наколот. И разве бывают у проповедников татуировки?

— Что такое? — спросил проповедник. — Лица моего напугалась?

Говорил он вполне любезно, но потом безо всякого предупреждения вцепился ей в плечи, и его лицо вдруг очутилось у нее прямо перед глазами, будто бы он хотел ей доказать — да, такого лица и впрямь нужно бояться.

Гарриет застыла от ужаса, но страшнее ожога (глянцево-красного, с блестящими, кровавыми жилками незажившей кожи) было то, что он ухватил ее за плечи. Из-под влажного, без единой ресницы века посверкивал глаз проповедника — яркий, будто осколок синего стекла. Внезапно он резко взмахнул сложенной ковшиком ладонью, будто хотел ее ударить, но когда Гарриет дернулась, просиял:

— Эй, эй, эй! — торжествующе воскликнул он.

Он коснулся ее щеки, легонько, омерзительно погладил костяшкой пальца, и вдруг ни с того ни с сего сунул ей прямо под нос измятую пластинку жвачки.

— Чего, никак язык проглотила? — спросил Дэнни. — А наверху тебя вон было не заткнуть.

Гарриет внимательно разглядывала его руки. Они были еще по-мальчишески костлявые, но уже покрыты густой сеткой шрамов, ногти — грязные, обкусанные, на пальцах — уродливые, тяжелые кольца (серебряный череп, какая-то мотоциклетная эмблема), такие носят рок-звезды.

— Уж не знаю, кто это, но смотался он шустро.

Гарриет искоса глянула не него. Сложно было понять, о чем он думает. Он шарил глазами по сторонам, и взгляд у него был беспокойный, нервный, подозрительный, как у школьного задиры, который перед тем, как кого-нибудь побить, озирается — нет ли поблизости учителя.

— Хочешь? — проповедник повертел перед ней жвачкой.

— Нет, спасибо, — ответила Гарриет и тотчас же с ужасом осеклась.

— Ты вообще чего тут делаешь? — вдруг взорвался Дэнни Рэтлифф, накинувшись на нее так, будто она его чем-то оскорбила. — Тебя как звать?

— Мэри, — прошептала Гарриет.

Сердце у нее выпрыгивало из груди. “Нет, спасибо”, тоже мне. Она, конечно, была чумазая (в волосах — листья, руки и ноги перепачканы), но кто же теперь поверит, что она — ребенок реднеков? Никто, уж тем более сами реднеки.

— Ал-лё-о! — Дэнни Рэтлифф неожиданно захихикал, резко и визгливо. — Не слышу! — говорил он быстро, но губами едва шевелил. — Погромче!

— Мэри.

— Слышь, Мэри, — ботинки у него были тяжеленные и очень страшные, с кучей пряжек. — Мэри — а дальше? Ты чья будешь?

Зябкий ветерок качнул деревья. На залитом лунным светом тротуаре вздрогнули, заколыхались тени от листвы.

— Джон… Джонсон, — выдавила Гарриет.

Господи боже, подумала она. И это все, на что я способна?

— Джонсон? — спросил проповедник. — Это из которых ты Джонсонов?

— Странно, а мне что-то кажется, ты из Одумов. — У Дэнни еле заметно подергивался левый уголок рта, он покусывал щеку изнутри. — И что это ты тут делаешь-то, одна? Это ведь тебя я возле бильярдной видел?

— Мама… — сглотнула Гарриет, решив начать все заново. — Мама меня наругает…

Тут она заметила, что Дэнни Рэтлифф разглядывает ее новенькие, дорогие мокасины, которые Эди выписала ей по почте из каталога "Л.Л. Бин", специально для поездки в лагерь.

— Мама наругает меня, что я сюда пришла, — тихо промямлила она.

— И кто твоя мама?

— Жена Одума скончалась, — чопорно заметил проповедник, сложив руки.

— Я не тебя спрашиваю, я ее спрашиваю. — Дэнни жевал заусенец и смотрел на Гарриет остекленевшими глазами, от этого взгляда у Гарриет мурашки по коже бежали. — Глянь-ка ей в глаза, Джин, — сказал он брату, нервно дернув головой.

Проповедник любезно наклонился, заглянул ей в глаза.

— Поди ж ты, зеленые. В кого у тебя такие зеленые глаза?

— Гляди, гляди, она на меня уставилась, — взвизгнул Дэнни. — Вон как уставилась. Чего смотришь, а?

Чихуахуа все не унимался. Гарриет услышала вдали какие-то звуки, очень похожие на вой полицейской сирены. Рэтлиффы их тоже услышали и напряглись, но тут со второго этажа раздался ужасающий вопль.

Дэнни с Юджином переглянулись, и Дэнни помчался к дому. Юджин поднес дрожащую руку ко рту — он окаменел от ужаса и думал только о том, что скажет мистер Дайал (а уж после такого ора он точно примчится сюда вместе с шерифом). Он услышал за спиной чей-то топот, обернулся и увидел, что девчонка удирает.

— Девочка! — заорал он ей вслед. — Эй, девочка!

Юджин было кинулся за ней, но тут на втором этаже с грохотом взметнулась оконная рама и наружу вылетела змея, сверкнув белым брюшком на фоне ночного неба.

Юджин отпрыгнул. От неожиданности он даже крикнуть ничего не успел. Брюхо у змеи было передавлено — похоже, чьим-то ботинком, на месте головы — кровавая каша, и все равно она продолжала хлестать по траве хвостом и корчиться в конвульсиях.

Вдруг откуда-то появился Лойал Риз.

— Это нехорошо, — сказал он Юджину, глядя на мертвую змею, но к ним, размахивая кулаками, уже несся Фариш с налившимися кровью глазами, и не успел растерянно заморгавший Лойал сказать еще хоть слово, как Фариш махом развернул его к себе и так приложил кулаком по зубам, что тот зашатался и чуть не упал.

— Ты на кого работаешь? — взревел он.

Лойал попятился, разинул было разбитый рот, из которого стекала тоненькая струйка крови, но — прошла секунда, другая — не смог выдавить ни слова, и тогда Фариш, быстро оглянувшись, ударил его еще раз, и теперь Лойал все-таки упал.

— Кто тебя подослал? — вопил он. У Лойала был весь рот в крови, Фариш схватил его за воротник, рывком поставил на ноги. — Это кто удумал? Это вы с Дольфусом? Подосрать мне хотели? Деньжат срубить влегкую? Не на того напали…

— Фариш! — Белый как мел Дэнни сбежал вниз, перепрыгивая через две ступеньки зараз. — Револьвер у тебя в грузовике?

— Погодите, — заметался Юджин: чтоб в квартире, которую он у Дайала арендует, и оружие? И труп? — Вы все не так поняли, — закричал он, заламывая руки. — Давайте все успокоимся!

Фариш свалил Лойала на землю.

— У нас с тобой вся ночь впереди, — сказал он. — Сучонок. Только вздумай меня надуть, я тебе все зубы выбью, все ребра переломаю.

Дэнни схватил Фариша за руку.

— Брось его, Фариш, пошли. Берем револьвер, идем в дом.

Лойал приподнялся на локтях.

— Они, что, расползлись? — спросил он с таким неподдельным изумлением, что даже Фариш замер.

Дэнни, пятясь, шаркая тяжелыми мотоциклетными ботинками, вытер пот со лба грязной рукой. Вид у него был такой, будто его контузило.

— По всему гребаному дому, — ответил он.

— Одной не хватает, — сказал Лойал десять минут спустя, утирая костяшками струйку кровавой слюны.

Левый глаз у него побагровел и заплыл, превратившись в узенькую щелочку.

Дэнни сказал:

— Тут чем-то воняет. Тут мочой воняет. Джин, чуешь? — спросил он брата.

— Вон она! — вскрикнул Фариш и ринулся к вентиляционной решетке в полу — сама вентиляция давно уже не работала, и теперь оттуда высовывался змеиный хвост.

Хвост дернулся, стукнул на прощанье погремушкой и, словно лассо, исчез в вентиляции.

— Перестань, — сказал Лойал Фаришу, который изо всех сил пинал решетку тяжелым сапогом.

Он подскочил к вентиляционному отверстию и бесстрашно склонился над ним (Юджин, Дэнни и даже притихший Фариш сразу отошли подальше). Лойал сжал губы и засвистел — свист был тихий, отчетливый, жутковатый, иииииии, не то пар из чайника вырывается, не то кто-то водит мокрым пальцем по воздушному шарику.

Тишина. Лойал снова сложил трубочкой окровавленные, раздувшиеся губы — иииииии, от этого свиста волосы вставали дыбом. Потом он приложил ухо к полу, прислушался. Пролежав так, в полной тишине, минут пять, он, морщась, поднялся на ноги и отряхнул брюки.

— Уползла, — сообщил он.

— Уползла? — вскрикнул Юджин. — Куда уползла?

Лойал утер рот тыльной стороной ладони.

— Вниз уползла, в другую квартиру, — мрачно сказал он.

— Тебе в цирке надо выступать, — сказал Фариш, было видно, что Лойал сразу вырос в его глазах. — Экие номера откалываешь. Кто тебя так свистеть выучил?

— Змеи меня слушаются, — скромно ответил Риз, на которого все смотрели, разинув рты.
— Хо-хо! — Фариш приобнял Лойала — он был под таким впечатлением от свиста, что сразу подобрел. — А меня научить сможешь, а?
Дэнни уставился в окно, пробормотал:
— Что-то тут не так.
— Что-что? — рявкнул Фариш, резко обернувшись к нему. — Ты мне в глаза смотри, братишка, когда со мной разговариваешь.
— Что-то тут не так, говорю. Когда мы пришли, дверь была открыта.
— Джин, — Лойал прокашлялся, — надо идти к твоим соседям снизу. Я точно знаю, куда эта девочка уползла. Она сидит себе в интиляции, пригрелась у труб с горячей водой.
— И поэтому, значит, обратно не ползет? — спросил Фариш. Он выпятил губы и безуспешно пытался повторить жутковатый свист, которым Лойал, одну за другой, выманил из разных уголков комнаты шесть полосатых гремучих гадюк. — Плохо выдрессировал, что ли?
— Я их никого не дрессировал. Им просто галдеж этот не по нраву и топот. Не-е, — Лойал почесал в затылке, еще раз заглянул в вентиляцию, — эта уползла.
— И как ты ее доставать будешь?
— Эй, мне к врачу надо! — провыл Юджин, потирая запястье. Рука у него так распухла, что стала похожа на надутую резиновую перчатку.
— Черт подери! — весело воскликнул Фариш. — Тебя ужалили.
— Я говорил, что меня ужалили! Вот сюда, сюда и сюда!
Лойал подошел к Юджину:
— Они, бывает, за раз весь яд не пускают.
— Да эта тварь на мне повисла!
Поле зрения Юджина оплывало черным по краешкам, рука горела, он был как будто под кайфом — довольно приятное, кстати, чувство — из шестидесятых, из тюремного еще времени, когда он еще не пришел к Иисусу, когда он балдел, нанюхавшись в прачечной жидкого мыла, когда вокруг него смыкались запотевшие бетонные стены и он смотрел на мир сквозь узенький, миленький кружок, будто через картонную трубочку от туалетной бумаги.
— Меня еще похуже цапали, — сказал Фариш. Чистая правда, было такое, давным-давно, когда он расчищал участок на тракто-

ре и решил оттащить камень с дороги. — Лойл, посвисти ему, чтоб прошло.

Лойал осмотрел распухшую руку Юджина:

— Ого, — мрачно протянул он.

— Давай! — веселился Фариш. — Помолись за него, проповедник! Призови-ка нам Господа! Поделай чего там надо!

— Это все не так делается. Ох, и здорово же малыш тебя покусал, — сказал Лойал Юджину, — прямо в вену вон угодил.

Дэнни нервно провел рукой по волосам, отвернулся. Он весь одеревенел, тело ныло от адреналина, мускулы подрагивали, как провода под напряжением; ему хотелось еще закинуться, хотелось убраться из миссии ко всем чертям, да пусть у Юджина рука хоть отвалится, ему наплевать, и Фариш у него уже в печенках сидел. Вот, значит, Фариш притащил его сюда — и что же, скажите на милость, спрятал он наркотики у Лойала в грузовике, пока можно было? Нет. Он расселся тут и сидел добрых полчаса: развалился на стуле, наслаждался тем, что вежливый проповедничек так и глядит ему в рот, врал напропалую да хвастался, травил байки, которые братья уже по сто раз слышали, и просто не затыкался. Дэнни ему уж чуть ли не открытым текстом намекал, ан нет, Фариш так никуда и не пошел ничего прятать, наркотики так и остались лежать в купленном по дешевке военном ранце. Куда там, он прямо прикипел к Лойалу Ризу, с головой ушел в ловлю змей. И очень уж легко у него Риз отделался, уж как-то слишком легко. Фариш, бывало, нанюхается и как втемяшит себе что-нибудь в голову, не выбьешь оттуда потом эти его мыслишки и идейки — да и не знаешь никогда, за что он уцепится. Фариш, будто дитя малое, отвлекался на любую дурацкую мелочь — шутку, мультик по телевизору. И папаша их был такой же. Он мог избивать до полусмерти Дэнни, Майка или Рики Ли — из-за полной ерунды, но стоило ему услышать хоть какую-нибудь зряшную новость, как он мигом замирал с поднятым кулаком (сын в это время рыдал и корчился на полу), а потом мчался в соседнюю комнату и врубал радио. Цены на скот выросли! Ну ничего ж себе!

Но вслух он сказал только:

— Мне, знаешь ли, вот что любопытно, — Дольфусу он никогда не доверял, и Лойалу этому доверять не собирался тоже. — Как змеи-то вообще из ящика выползли?

— Ох, твою мать! — вскрикнул Фариш и кинулся к окну.

Тут и Дэнни понял, что слабенькое монотонное пощелкивание у него в ушах — чпок, чпок! — ему вовсе не послышалось, что к дому и вправду, шурша гравием, подъехала машина.

У Дэнни перед глазами, шипя, заплясали красные точки, будто огненные галочки. Он и опомниться не успел, как Лойал уже спрятался в соседней комнате, а Фариш, стоя возле двери, причитал:

— Иди сюда. Скажи ему, что, шум, мол… Юджин? Скажи, что тебя во дворе змея укусила…

— Скажи ему, — у Юджина стекленели глаза, от яркого света лампочки его корежило, — скажи ему, чтоб увозил своих гадов чертовых. Скажи ему, чтоб утром и духу его тут не было.

— Извиняйте, мистер, — сказал Фариш, преградив путь мужчине, который, громко возмущаясь, пытался попасть в квартиру.

— Что здесь происходит? Это что за попойка тут у вас…

— Никаких попоек, сэр, нет-нет, не входите, — сказал Юджин, который загораживал вход мощными плечами, — нам тут не до гостей. Нам помощь нужна, моего брата змея укусила — он сам не свой, видите? Помогите мне дотащить его до машины.

— Ах ты, черт баптистский, — сообщил Юджин краснорожей галлюцинации Роя Дайала, одетой в клетчатые шорты и канареечного цвета тенниску — галлюцинация маячила в сужающемся кружке света, в самом конце черного туннеля.

Ночью, пока шлюховатая, увешанная драгоценностями дамочка рыдала среди цветов и толп, рыдала на подергивающемся черно-белом экране, потому что широки врата и пространен путь, и ревут далеко побежавшие по нему гонимые народы[1], Юджин ворочался на больничной койке, и в носу у него стоял запах паленых тряпок. Он взмывал от белых занавесей к шлюшкиным осаннам, к бурям возле берегов темной и далекой реки. Видения мелькали перед ним вихрем, будто пророчества: блудницы, гнездо каких-то злобных птиц, слепленное из сброшенной змеями чешуи, из гнезда выползает длинная черная змея, сожравшая птиц: крошечные бугорки перекатываются у нее в брюхе, они еще живы и пытаются петь даже во тьме змеиного чрева…

1 Переиначенные библейские цитаты (Матфей, 7:13–14, Исайя, 17:12) .

Лойал, свернувшись клубочком в спальном мешке, крепко спал в миссии, и его сон не тревожили ни подбитый глаз, ни кошмары, ни рептилии. Он отлично выспался, проснулся затемно, помолился, умылся, выпил стакан воды, торопливо перетаскал в грузовик всех своих змей, прибежал обратно, присев за кухонный стол, старательно вывел на обороте чека за бензин благодарственную записку Юджину и оставил ее на столе вместе с бахромчатой кожаной закладкой, брошюркой "Речи Иова" и стопочкой однодолларовых банкнот — всего тридцать семь штук. Когда солнце встало, он уже трясся по шоссе в грузовике с разбитыми фарами, ехал на встречу прихожан в Восточном Теннесси. Пропажу кобры (самой ценной своей змеи, единственной змеи, которую он купил) он заметил только в Ноксвилле, но когда позвонил Юджину, трубку никто не взял. В миссии никого не было, и поэтому никто не услышал, как вопили два мормона — оба они заспались допоздна (до восьми утра, потому что ночью поздно вернулись из Мемфиса) и страшно перепугались, когда во время отправления утренних духовных актов заметили полосатую гремучую змею, которая наблюдала за ними, свернувшись клубком поверх стопки свежевыстиранного белья.

Глава 5

Красные перчатки

Гарриет проснулась поздно: грязная, все тело зудит, в кровати — песок. Вонь под мормонским домом, блестящие гвозди в разноцветных ящиках, вытянутые тени в ярко освещенном дверном проеме — все это, да и еще много чего, просочилось в ее сон, причудливо перемешалось с черно-белыми картинками из дешевого издания "Рикки-Тикки-Тави", в котором и большеглазый мальчик Тэдди, и мангуст, и даже змеи были бойкими и симпатичными. В самом низу страницы кто-то трепыхался завитушкой-концовкой, какое-то несчастное существо, связанное по рукам и ногам, — существо мучилось, существу надо было помочь, но чем именно, Гарриет никак не могла сообразить. С одной стороны, для Гарриет это был немой укор, наглядное доказательство тому, какая она безвольная и трусливая, но с другой — существо вызывало у нее такое омерзение, что Гарриет даже глядеть в его сторону не могла, не то что помочь.

Гарриет, не смотри туда! — пропела Эди. Они с проповедником устанавливали в углу спальни, возле комода, какое-то пыточное устройство, похожее на зубоврачебное кресло, утыканное иголками. При этом они ужас до чего напоминали влюбленную парочку — многозначительно вскидывали брови, обменивались обожающими взглядами, Эди осторожно, пальчиком трогала иголки, проверяя, острые ли, а проповедник отошел чуть подальше и, нежно улыбаясь, скрестил руки на груди, спрятав ладони под мышками…

Вздрагивая, Гарриет провалилась обратно в стоячее болото кошмара, а Хили как раз проснулся — он лежал на верхнем ярусе и подскочил так, что задел головой потолок. Не успев даже опомниться, он перекинул ноги через бортик и чуть было не упал, потому что сам же вчера отцепил лестницу и сбросил ее на пол, до того боялся, что к нему кто-нибудь по ней залезет.

Вдруг засмущавшись, будто он свалился на детскую площадку и теперь на него смотрит куча народу, Хили спрыгнул с кровати, выскочил из темной прохладной комнатки и, уже дойдя до конца коридора, вдруг понял, что дома очень тихо. Он на цыпочках спустился по лестнице, прокрался в кухню (никого, на подъездной дорожке пусто, маминых ключей от машины нет на месте), намешал себе миску "Хи-хи-хлопьев" с молоком и уселся в гостиной перед телевизором. Шла какая-то телевикторина. Хили прихлебывал молоко из миски. Оно было достаточно холодное, но хрустящие шарики — какие-то на удивление безвкусные и совсем не сладкие — все равно царапали нёбо.

Было так тихо, что Хили занервничал. Сразу вспомнилось, что так же тихо было утром, после того как они с кузеном Тоддом, который был постарше него, стащили из чьего-то незапертого "линкольна" перед "Загородным клубом" бутылку рома в бумажном пакете и выпили примерно половину. Пока родители Хили и Тодда прохлаждались на гавайской вечеринке возле бассейна, поглощая фуршетные сосисочки на шпажках, они с Тоддом позаимствовали гольф-мобиль и врезались на нем в сосну, хотя этого Хили уже не помнил — в памяти у него отпечаталось только то, как он падает на бок и катится, катится, катится по отвесному склону за полем для гольфа. А когда у Хили свело живот, Тодд велел ему идти к буфету и побыстрее съесть как можно больше закусок, чтоб унять разбушевавшийся желудок. Потом он стоял на коленях, укрывшись за чьим-то "кадиллаком", и его рвало, а Тодд хохотал так, что его подленькая веснушчатая рожица стала красной, как помидор. Хили каким-то образом добрался до дома и улегся в постель, хотя сам он этого не помнил. На следующий день, когда он проснулся, дома никого не было: все уехали в Мемфис без него, повезли Тодда с родителями в аэропорт.

Это был самый долгий день в жизни Хили. Он часами слонялся по дому в полном одиночестве — скучно, заняться нечем, да еще он пытался припомнить, что же все-таки вчера произошло, и боялся, что, когда родители вернутся, ему достанется на орехи —

разумеется, так оно и вышло. Все деньги, которые ему подарили на день рождения, ушли на возмещение ущерба (большую часть, конечно, выплатили родители), и Хили пришлось писать письмо с извинениями владельцу гольф-мобиля. Телевизор ему смотреть тоже запретили — такое чувство, что лет на сто. Но хуже всего было, когда мать начинала громко сокрушаться, что он вор.

“Беда даже не в том, что он пил спиртное, — в миллионный, наверное, раз повторила она отцу, — а в том, что он его украл”.

Отцу, впрочем, до этих тонкостей дела не было, он вел себя так, будто Хили ограбил банк. Он с ним целую вечность не разговаривал, разве что соль за столом попросит передать, даже глядеть на него и то не глядел, да и вообще, после того случая дома у них все неуловимо переменилось. Тодд — музыкальный вундеркинд, первый кларнет в иллинойском детском оркестре — конечно же, свалил все на Хили, пока они были маленькие, он всегда так делал, поэтому хорошо, что они с ним нечасто виделись.

В телестудии гостья, какая-то знаменитость, вдруг сказала нехорошее слово (в игре нужно было рифмовать слова и участникам надо было придумать рифму, чтоб разгадать загадку)… Ведущий запипикал ругательство противным сигналом, будто наступил на собачью игрушку-пищалку, и погрозил звезде пальчиком, а та прихлопнула рот рукой, закатила глаза…

Черт, ну где же родители? Пусть бы уже пришли домой да отругали бы его, и все. “Плохая, плохая девочка!” — хохотал ведущий. Другие знаменитости тоже смеялись, запрокинув головы, и одобрительно ей аплодировали.

О прошлом вечере он старался не вспоминать. От воспоминаний утро сразу портилось, тускнело, будто от обрывков дурного сна. Хили твердил себе, что он ни в чем не виноват, совсем ни в чем, он ведь никого не ударил, ничего не испортил, не украл. Змею разве что, но вообще-то они ее так и не украли, она до сих пор под домом лежит. Еще он, правда, змей выпустил, ну и что с того? Да в Миссисипи змеи везде ползают, можно подумать, их кто-то считать станет. Он всего-то поднял задвижку, одну задвижечку. Что тут такого? Это ведь не то же, что угнать у члена муниципалитета гольф-мобиль и потом его разломать…

Дзынь! — звякнул колокольчик, победит тот, кто верно ответит на дополнительный вопрос! У участников забегали глаза, они, нервно сглатывая, столпились возле табло, было бы им с чего нервничать, горько думал Хили. Он сбежал, даже не поговорив с Гарриет, не знал даже, добралась ли она домой, и теперь волновался еще и за нее. Он тогда выскочил со двора, перебежал на другую сторону улицы и припустил домой по чужим дворам, прыгая через заборы, под неуемный собачий лай, который, казалось, несся со всех сторон.

Домой он прокрался с черного хода — раскрасневшись, хватая ртом воздух — взглянул на висевшие над плитой часы и увидел, что время еще не позднее, всего-то девять вечера. Родители в гостиной смотрели телевизор. Теперь он жалел, что вчера не заглянул к ним, ничего им не сказал, даже не крикнул с лестницы: "Спокойной ночи!", но тогда у него духу не хватило взглянуть им в глаза, и он трусливо прошмыгнул к себе в комнату, так ни с кем и не поговорив.

С Гарриет ему и вовсе не хотелось встречаться. От одного ее имени у него в голове всплывало такое, о чем он бы с удовольствием позабыл. Бежевый ковер на полу, теннисные кубки на полках за мини-баром — все в гостиной теперь казалось ему чужим, угрожающим. Сжавшись так, будто в дверях стоял какой-то злобный наблюдатель и сверлил взглядом его спину, Хили наблюдал за тем, как знаменитости в телевизоре ломают головы над загадкой, и старался не думать о своих бедах: не думать о Гарриет, не думать о змеях, не думать о том, как его накажет отец. Не думать о больших и страшных реднеках, которые его точно запомнили, это уж как пить дать… А что, если они придут к отцу? Или, что еще хуже, придут за ним? Как знать, на что способен этот псих Фариш Рэтлифф?

К дому подъехала машина. Хили чуть не вскрикнул. Он выглянул в окно и увидел, что это не Рэтлиффы — всего-навсего отец приехал. Он задергался, засуетился, развалился было на диване, как будто спокойно смотрит себе телевизор, но устроиться поудобнее никак не получалось, в животе у него холодело, он все ждал, когда хлопнет дверь и отец шумно протопает по коридору, верный признак того, что он злится, а значит — жди беды…

Хили до того старался расслабиться, что его аж затрясло от усилий, но любопытство победило, он бросил перепуганный взгляд в окно и увидел, что отец с невыносимой ленцой только-только вылезает из машины. Вид у него был спокойный — скучающий даже, но так наверняка и не скажешь, потому что отец прикрыл очки дымчатыми солнцезащитными щитками.

Хили завороженно следил за тем, как отец обходит машину, открывает багажник. Как, стоя посреди залитого солнцем пустого двора, одну за другой вытаскивает покупки, ставит их наземь. Канистру с краской. Пластмассовые ведра. Бухту зеленого поливочного шланга.

Хили тихонько встал, отнес миску на кухню и сполоснул ее, потом поднялся к себе и заперся. Он лежал на нижнем ярусе, разглядывал перекладины над головой, старался дышать поразмереннее и не думать о том, что сердце у него так и выскакивает из груди. Наконец за дверью послышались шаги. Раздался голос отца:

— Хили!

— Слушаю, сэр! — "Почему у меня голос дрожит?"

— Сколько раз тебе повторять, чтоб ты выключал телевизор, если его не смотришь.

— Простите, сэр.

— Выходи давай и помоги мне полить мамин садик. Я думал, дождь будет, но, похоже, разгулялось.

Отказаться Хили не осмелился. Мамины цветы он на дух не переносил. Руби, которая работала у них до Эсси Ли, отказывалась даже близко подходить к густым зарослям, из которых мать нарезала букеты. "Цветы змеи любят", — приговаривала она.

Хили натянул кеды и вышел на улицу. Раскаленное солнце уже стояло высоко в небе. Хили стоял на пожухлой желтой траве, футах в семи-восьми от маминых клумб и, жмурясь от яркого света и пошатываясь от жары, поливал цветы из шланга, стараясь держать его как можно дальше от себя.

— Где твой велосипед? — спросил отец, вернувшись из гаража.

— Я…

Сердце у Хили ухнуло в пятки. Велосипед его был там, где он его и бросил — на разделительном газоне под кустом, возле мормонского дома.

— Ну сколько раз тебе повторять? Сначала загони велосипед в гараж, потом заходи домой. Уже сил никаких нет напоминать тебе, чтоб ты его во дворе не бросал.

Гарриет спустилась вниз и поняла — что-то случилось. Мать в хлопковом приталенном платьице, в котором она обычно ходила в церковь, порхала по кухне.

— Держи-ка, — она поставила перед Гарриет холодный тост и стакан молока. Ида стояла к Гарриет спиной и подметала возле плиты.

— Мы что, куда-то идем? — спросила Гарриет.

— Нет, милая… — Голос у матери был бодрый, но губы — поджатые, навощенные оранжевой помадой, и лицо от этого казалось очень белым. — Я просто решила, что сегодня утром встану пораньше и приготовлю тебе завтрак, ты же не против?

Гарриет глянула на Иду, которая так и не обернулась. И плечи она держала как-то странно. “Что-то случилось с Эди, — с ужасом подумала Гарриет, — Эди в больнице…” Едва она об этом подумала, как Ида, так и не глядя в сторону Гарриет, нагнулась, чтобы собрать пыль в совок, и Гарриет вздрогнула, заметив, что Ида плакала.

Весь ужас, который ей пришлось пережить за прошлые сутки, так и навалился на нее, а вместе с ним — и новый, безымянный страх. Она робко спросила:

— А где Эди?

Мать с удивлением глянула на нее.

— Дома, — ответила она. — А что?

Тост уже давно остыл, но Гарриет все равно его съела. Мать сидела, облокотившись о стол, подперев подбородок руками, и смотрела, как Гарриет ест.

— Вкусно? — наконец спросила она.

— Да, мэм.

Гарриет не понимала, что происходит и как надо себя вести, и поэтому старательно жевала тост. Мать вздохнула, Гарриет подняла голову и успела увидеть, как та разочарованно встает из-за стола и выплывает из кухни.

— Ида… — прошептала Гарриет, едва они остались одни.

Ида покачала головой, но так ничего и не сказала. Лицо у нее было бесстрастное, но в глазах дрожали огромные, прозрачные слезы. Она демонстративно отвернулась.

Гарриет обомлела. Она уставилась Иде в спину, на завязки фартука, которые пережимали крест-накрест ее хлопковое платье.

Она слышала все-все, даже самые тихонькие звуки — и звучали они отчетливо, грозно, — гудел холодильник, жужжала муха над мойкой.

Ида высыпала мусор в ведро под раковиной, захлопнула дверцу.

— Ты за что на меня нажаловалась? — не оборачиваясь, спросила она.

— Нажаловалась?!

— Я к тебе всегда с добром, — Ида обогнула стол, положила совок на место — к стоявшим возле нагревателя метле и швабре. — За что ты на меня наговариваешь?

— За что мне было на тебя жаловаться?! Я не жаловалась!

— Еще как нажаловалась. И не только на меня, — она так глянула на Гарриет красными, воспаленными глазами, что та вся сжалась. — Это из-за вас мистер Клод Халл ту беднягу рассчитал. — Гарриет, заикаясь от изумления, пыталась что-то возразить, но Ида ее перебила: — Мистер Клод поехал туда вчера вечером, слышала бы ты, как он с этой несчастной женщиной разговаривал, будто с собакой какой. Я своими ушами все слышала, и Чарли Ти все слышал.

— Я не жаловалась! Я не…

— Вы только послушайте! — прошипела Ида. — Да как тебе не совестно! Наговорила мистеру Клоду, будто эта женщина их дом поджечь хотела. А потом-то что, потом домой пошла выкаблучиваться да маме рассказывать, будто я вас не кормлю.

— Я не жаловалась на нее! Это все Хили!

— Про него разговору нет! Я про тебя говорю.

— Но я же просила его не жаловаться! Мы сидели у него в комнате, а она начала колотить в дверь и кричать…

— Ну да, ну да, а ты потом еще взяла да и на меня заодно нажаловалась. Разобиделась, значит, что я вчера ушла, потому что не захотела тут с вами после работы рассиживаться да сказки вам рассказывать. А то нет?

— Ида! Ну ты же знаешь, что мама вечно все путает! Я сказала только…

— И я знаю, зачем ты так. Ты вредничаешь и капризничаешь из-за того, что я не сижу тут с вами дотемна, не жарю вам курицу да сказок не рассказываю, потому что у меня дома дел невпроворот. После того-то, как я за вами весь день тут намываю.

Гарриет вышла на улицу. День был жаркий, безмолвный, прогретый добела. Казалось, будто ей только что поставили пломбу: в передних резцах боль набухает черными горошинами, она толкает стеклянные двери, выходит под палящее солнце, на раскаленную автостоянку. "Гарриет, за тобой заедут?" — "Да, мэм", — всегда отвечала Гарриет регистраторше, даже если за ней никто не заезжал.

Из кухни — ни звука. У матери в спальне опущены жалюзи. Иду уволили? Невероятно, но отчего-то эта мысль не вызвала у Гарриет ни тревоги, ни боли, только тупое замешательство, как тогда, когда ей вкололи новокаин, она прикусила щеку, а боли и не почувствовала.

"Наберу-ка я ей помидоров к обеду, — подумала Гарриет и, жмурясь от яркого солнца, пошла за дом, где Ида разбила огородик — неогороженный клочок земли, всего с дюжину квадратных футов, здорово заросший сорняками. Дома у Иды места под огород не было. Каждый день Ида делала им сэндвичи с помидорами, но большую часть урожая уносила с собой. Ида постоянно предлагала Гарриет что-нибудь в обмен на помощь с огородом — сыграть в шашки, рассказать сказку, но Гарриет всегда отказывалась, она терпеть не могла возиться в земле, ненавидела грязь под ногтями, жуков, жару и шершавые, колючие лозы тыкв, от которых у нее потом ноги зудели.

Теперь от собственного эгоизма ее даже замутило. Неприятные мысли так и теснились у нее в голове, так ее и жалили. Ида все время трудится не покладая рук… и не только тут, но и дома. А чем занята Гарриет?

Наберу помидоров. Ида обрадуется. Еще она нарвала сладких перцев и бамии, взяла и кругленький черный баклажан — первый этим летом. Он свалила грязные овощи в маленькую картонную коробку и, сцепив зубы, принялась выпалывать сорняки. Ей и овощи — кроме самих плодов, конечно, — из-за грубой, уродливой ботвы и расползшихся во все стороны стеблей казались какими-то сорняками-переростками, поэтому она выдергивала только ту сорную траву, которую знала: клевер и одуванчики (это легко) и длинные стебли джонсоновой травы — Ида как-то хитро их складывала и свистела, так что звук выходил нечеловечески пронзительный.

Но стебли были острые, и вскоре Гарриет распорола большой палец — у самого основания вспух красный стежок, будто порез от бумаги. Обливаясь потом, Гарриет плюхнулась на грязные пятки. У нее ведь были детские садовые перчатки, красные, Ида купила их прошлым летом в хозяйственном магазине и подарила ей, и теперь Гарриет сделалось тошно от того, что она про них напрочь забыла. Богачкой Ида не была, и на подарки у нее уж точно денег не было, и хуже того — Гарриет так ненавидела этот ее огород, что не надела перчатки ни разу. "Тебе не нравятся, что ли, мои рукавички?" — как-то раз печально спросила Ида, когда они с ней сидели однажды вечером на веранде. Гарриет стала горячо возражать, но Ида только головой покачала.

Они мне нравятся, правда нравятся. Я их надеваю, когда играю...

Да брось, лапушка, уж не выдумывай ничего. Мне просто жаль, что они тебе так и не сгодились.

У Гарриет вспыхнули щеки. Красные перчатки стоили три доллара, бедная Ида в день зарабатывала немногим больше. Только теперь до Гарриет дошло, что у нее от Иды был один-единственный подарок — эти красные перчатки. А она их потеряла! И почему она такая раззява? Она их забросила в сарай, они там всю зиму провалялись в цинковом корыте, вместе с какими-то инструментами, секаторами, садовыми ножницами...

Выполотые сорняки разлетелись по грязи, Гарриет вскочила и помчалась в сарай. Но в корыте перчаток не оказалось. Их не было ни у Честера в ящике с инструментами, ни на полке, где стояли цветочные горшки и мешки с удобрением, и когда она отодвинула от стены жестянки, покрытые засохшими потеками олифы, краски и шпаклевки, перчаток не нашлось и там.

Она отыскала на полках ракетки для бадминтона, секатор, ручную пилу, бесконечные мотки удлинителей, желтую пластмассовую каску, какие носят строители, еще кучу садовых инструментов — сучкорезы, ножницы для подрезки роз, полольники, грабли для кустов, три лопаты разных размеров и перчатки Честера. Но Идиных перчаток не было. Гарриет чувствовала, что вот-вот забьется в истерике. Честер знает, где перчатки, твердила она себе. Я спрошу Честера. Он приходил к ним только по понедельникам, а в остальные дни либо косил траву или полол сорняки на кладбище, либо брался за какую-нибудь разовую подработку в городе.

Гарриет, тяжело дыша, стояла в пыльном, пропахшем бензином полумраке, разглядывала груду инструментов, сваленных на засаленный пол, и раздумывала, где бы еще поискать перчатки, их надо было найти во что бы то ни стало — я должна их найти, думала она, окидывая взглядом устроенный ей беспорядок, если я их потеряла, умру, — как тут прибежал Хили, просунул голову в дверь:

— Гарриет! — выдохнул он, повиснув на двери. — Надо сбегать за великами!

— За великами? — помолчав, растерянно переспросила Гарриет.

— Они там остались! Отец заметил, что моего велика нет, он меня выпорет, если я его потерял! Пойдем!

Гарриет постаралась переключиться на велосипеды, но в голове у нее были одни красные перчатки.

— Я попозже схожу, — наконец сказала она.

— Нет! Сейчас! Один я туда не пойду!

— Ну тогда подожди немножко, я…

— Не-ет! — провыл Хили. — Идти нужно сейчас!

— Слушай, я тогда пойду и руки вымою. А ты сложи, пожалуйста, весь этот хлам на полку, ладно?

Хили уставился на свалку на полу:

— Вот это всё?

— Помнишь, у меня были такие красные перчатки? Они вот тут лежали, в корыте.

Хили испуганно поглядел на нее как на сумасшедшую.

— Садовые перчатки. Красные, с резинкой на запястье.

— Гарриет, серьезно тебе говорю. Велики всю ночь пролежали на улице. Их, может, уже и след простыл.

— Скажешь, если найдешь, хорошо?

Она побежала в огород и быстро, кое-как покидала сорняки в большую кучу. Ладно, думала она, потом все приберу… Схватила коробку с овощами, побежала домой.

На кухне Иды не было. Гарриет быстро сполоснула руки, даже мыло брать не стала. Подхватила коробку и потащила ее в гостиную, где Ида сидела в своем любимом твидовом кресле, расставив ноги, обхватив голову руками.

Ида медленно повернула голову. Глаза у нее были по-прежнему красные.

— Я… я тебе кое-что принесла, — пролепетала Гарриет.

Она поставила коробку возле кресла.

Ида тупо уставилась на овощи.

— Что ж мне делать? — сказала она, покачивая головой. — Куда идти?

— Хочешь, забери домой, — услужливо подсказала Гарриет.

Она вытащила из коробки баклажан, показала его Иде.

— Мама твоя говорит, мол, я плохо работаю. А как тут будешь хорошо работать, когда у нее мусор да газеты до потолка навалены, — Ида утерла глаза краешком фартука. — А платит она мне всего-то двадцать долларов в неделю. Нехорошо это. Вон Одеан у мисс Либби получает по тридцать пять, а там ни грязищу разгребать не надо, ни за детьми приглядывать.

Гарриет не знала, куда деть руки, они висели бесполезными плетьми. Ей хотелось обнять Иду, чмокнуть ее в щеку, уткнуться ей в колени, разреветься, но что-то в Идином голосе, что-то в ее скованной, напряженной позе испугало ее, и она не осмелилась подойти поближе.

— Твоя мама сказала — сказала, что вы уже большие и за вами не нужно доглядывать. Вы обе в школу ходите. А после школы теперь и сами справитесь.

Глаза Иды покраснели от слез, глаза Гарриет округлились от ужаса — на миг их взгляды встретились, столкнулись, и взгляд этот Гарриет будет помнить до самой смерти. Ида первой отвернулась.

— Правда ее, — уже спокойнее сказала она, — Эллисон скоро школу закончит, а ты… а за тобой больше не надо целый день глядеть. Да и ты в школе вон почти круглый год.

— Да я уже седьмой год в школе!

— Ну, я тебе говорю, что она мне сказала.

Гарриет взлетела по лестнице, без стука ворвалась в спальню матери. Мать сидела на кровати, а Эллисон ревела, стоя на коленях и уткнувшись лицом в покрывало. Когда вошла Гарриет, та вскинула голову — в ее опухших глазах было столько боли, что Гарриет смешалась.

— Еще ты теперь, — сказала мать. Она еле шевелила губами, глаза у нее были сонные. — Девочки, идите. Я хочу прилечь…

— Ты не можешь уволить Иду.

— Девочки, мне тоже нравится Ида, но ведь она не бесплатно у нас работает, а в последнее время ей тут, похоже, все не нравится.

Такое обычно говорил отец Гарриет, у матери голос был вялый, механический, будто она заученные слова повторяла.

— Ты не можешь ее уволить! — взвизгнула Гарриет.

— Твой отец сказал…

— Ну и что? Он тут не живет.

— Ну, девочки, тогда сами с ней и поговорите. Ида согласна с тем, что сложившаяся ситуация радости никому из нас не доставляет.

Долгое молчание.

— Зачем ты сказала Иде, будто я на нее жаловалась? — спросила Гарриет. — Что ты ей наговорила?

— Давай попозже это обсудим, — Шарлотта отвернулась, легла на кровать.

— Нет! Сейчас!

— Не переживай, Гарриет, — сказала Шарлотта. Она закрыла глаза. — И ты, Эллисон, не реви, ну прошу тебя, терпеть этого не могу, — говорила она отрывисто, все тише и тише. — Все наладится. Обещаю…

Закричать? Плюнуть в нее? Оцарапать? Укусить? Нет, ничем не выразишь охватившую Гарриет ярость. Она уставилась на безмятежное лицо матери. Мирно вздымалась ее грудь — мирно опускалась. Над верхней губой влажно блестел пот, коралловая помада смазалась, забилась в тонкие морщинки, побагровевшие веки залоснились, а во внутренних уголках глаз залегли глубокие вмятины, будто кто пальцем надавил.

Эллисон осталась возле матери, Гарриет выбежала из спальни, шлепнула с размаху ладонью по перилам. Ида так и сидела в кресле и, подперев щеку рукой, глядела в окно. Никогда прежде Ида не казалась ей такой осязаемой, такой незыблемой и крепкой, такой восхитительно плотной. Грудь у нее ходила ходуном, тоненький серый хлопок ее застиранного платья трепетал в такт мощному дыханию. Гарриет рванулась было к креслу, но тут Ида, у которой до сих пор блестели на щеках слезы, обернулась и так посмотрела на Гарриет, что та застыла на месте.

Долго-долго глядели они друг на друга. Сколько Гарриет себя помнила, они с Идой всегда играли в гляделки — то было соревнование, проверка на прочность, повод для шуток, но сейчас они вовсе не играли, сейчас все было не так, как надо, сейчас все было ужасно, и когда Гарриет наконец пристыженно отвела взгляд, шутить никто не стал. Больше ничего нельзя было поделать, и Гарриет ушла — молча, повесив голову, чувствуя, как обжигает ей спину взгляд любимых глаз.

— Что случилось? — спросил Хили, когда увидел, с каким опавшим, застывшим лицом вышла к нему Гарриет.

Он уж думал задать ей хорошенько за то, что она так долго копалась, но, увидев ее, сразу уверился в том, что теперь-то они уж влипли так влипли, влипли так, как им и не снилось.

— Мама хочет уволить Иду.

— Невезуха! — послушно согласился Хили.

Гарриет уставилась себе под ноги, стараясь припомнить, как же выглядело ее лицо, как звучал ее голос, когда все было в порядке.

— Давай потом за великами сходим, — сказала она и даже приободрилась, услышав, до чего обыденно она это сказала.

— Нет! Отец меня убьет!

— Скажи ему, что у нас велосипед оставил.

— Нельзя его там оставлять. Его кто-нибудь украдет… Слушай, ты же обещала, — взмолился Хили. — Ну сходи со мной…

— Ладно. А ты тогда обещай, что…

— Гарриет, пожалуйста! Я ради тебя весь этот хлам там собрал и вообще.

— Обещай, что сходишь туда со мной вечером. Мы заберем ящик.

— И куда мы его денем? — спросил Хили. — Ко мне домой нельзя!

Гарриет вскинула руки: пальцы не скрещены.

— Ладно, — сказал Хили и тоже поднял руки — на их языке жестов это все равно что накрепко что-нибудь пообещать. Они выбежали за ворота и быстро зашагали по улице.

Они держались поближе к кустам, прятались за деревьями, и, когда до мормонского дома оставалось футов сорок, Хили ухватил Гарриет за запястье и ткнул пальцем в сторону разделительного газона. Там, под разросшимся кустом клетры, поблескивали хромированные штырьки.

Они осторожно крались к дому. На подъездной дорожке — пусто. Возле соседнего дома, где жил со своей хозяйкой пес Панчо, стоял белый седан, который Гарриет сразу узнала — на нем ездила миссис Дорьер. Каждый вторник, в пятнадцать сорок пять, этот же седан медленно подкатывал к дому Либби, и миссис Дорьер, одетая в голубой медицинский халатик, меряла Либби давление: она плотно затягивала манжету на ее костлявой, птичьей ручке, отсчитывала секунды на огромных мужских часах, а Либби, которая приходила в неописуемое смятение, едва дело касалось врачей, болезней и лекарств, сидела, уставившись в потолок и держась за сердце — губы трясутся, из-под очков вот-вот потекут слезы.

— Давай, пошли! — сказал Хили, оглянувшись через плечо.

Гарриет указала на седан.

— Там медсестра, — прошептала она. — Подождем, пока уедет.

Они ждали, спрятавшись за деревом. Через несколько минут Хили не выдержал:

— Чего они так долго?

— Не знаю, — Гарриет и саму это занимало, у миссис Дорьер пациенты жили по всему округу, ее визиты к Либби были молниеносными, она никогда не оставалась поболтать или выпить чашечку кофе.

— Я тут весь день торчать не собираюсь, — прошептал Хили, но тут хлопнула дверь, из соседнего дома вышла миссис Дорьер, одетая, как всегда, в голубой халат и белую шапочку. За ней тащилась прокопченная от загара тетка-янки в замызганных шлепанцах и ядовито-зеленом платье, пес Панчо висел у нее на локте.

— По два бакса за таблетку! — визжала она. — Я в день принимаю по четырнадцать баксов! Я этому мальцу в аптеке так и сказала…

— Лекарства стоят дорого, — вежливо ответила миссис Дорьер. Ей было лет пятьдесят — высокая худая женщина, с седыми прядками в черных волосах и очень прямой осанкой.

— Я ему говорю: сынок, говорю, у меня эмфизема! У меня желчные камни! Артрит у меня! У меня… Так, чего такое, Панч? — спросила она Панчо, который весь напрягся, выставил, как локаторы, свои огромные уши.

Гарриет пряталась за деревом, но он как будто все равно ее видел, уставился прямо на нее своими круглыми, лемурьими глазками. Оскалился и с бешеной яростью принялся тявкать и рваться из хозяйкиных рук.

Тетка шлепнула его по голове.

— Пасть закрой!

Миссис Дорьер смущенно рассмеялась, взяла сумку, спустилась по ступенькам.

— Ну, до вторника.

— Он прямо сам не свой, — крикнула женщина, пытаясь удержать Панчо. — К нам тут вчера вуёрист в окна заглядывал. А к соседям полиция приезжала.

— Ну и денек! — миссис Дорьер открыла дверцу машины, остановилась. — Бывает же такое.

Панчо заходился в лае. Миссис Дорьер села в машину, медленно отъехала от дома, а тетка, которая вышла аж на самый тротуар, еще раз шлепнула Панчо и унесла его домой, громко хлопнув дверью.

Хили с Гарриет, затаив дыхание, выждали еще несколько минут, потом, убедившись, что поблизости нет никаких машин, рванули к газону и, добежав до велосипедов, шлепнулись на коленки под кустом.

Гарриет кивнула в сторону мормонского дома, на подъездной дорожке было пусто.

— Дома никого.

Тяжесть у нее в груди будто бы слегка рассосалась, Гарриет даже почувствовала себя легче, проворнее, увереннее.

Хили, пыхтя, вытащил велосипед из-под куста.

— Мне нужно змею забрать.

Говорила она грубовато, и Хили вдруг стало ее очень жаль, а отчего — он и сам не понял. Он поднял велосипед. Гарриет оседлала свой и грозно глядела на него.

— Мы еще вернемся, — сказал он, отводя глаза.

Он вскочил на велосипед, они с Гарриет нажали на педали и полетели по тротуару.

Гарриет обогнала его, агрессивно подрезала на углу. Хили глядел, как она, ссутулившись, изо всех сил жмет на педали, и вдруг подумал, что вид у нее такой, будто ее здорово отделали, и что ведет она себя как местные хулиганы, Деннис Пит и Томми Скогтс, которые лупили малышей, а их потом самих лупили ребята побольше. Может, это все потому, что она девчонка, но Хили восхищался Гарриет, когда она была вот такой вот злой, бедовой. Мысль о кобре тоже приводила его в восторг, и хотя он никак не мог набраться духу и рассказать Гарриет, что он еще и с полдесятка змей на волю выпустил, до него вдруг дошло, что дома у мормонов никого нет и, похоже, еще долго никого не будет.

— Как думаешь, ее часто надо кормить? — спросила Гарриет, они с Хили волокли тачку, он тянул, она, сгорбившись, толкала — в темноте продвигались они медленно. — Может, ей лягушку дать?

Хили перекатил тачку через бордюр, и они потащили ее по улице. Ящик был прикрыт пляжным полотенцем, которое Хили стянул из дома.

— Я эту тварь кормить не собираюсь, — сказал он.

Он верно угадал, что в мормонском доме никого не было. Хотя догадка Хили и основывалась только на его личном убеждении, что лучше уж спать в багажнике, чем в доме, где ползают гремучие гадюки. Он так и не рассказал Гарриет, что выпустил змей, но постоянно об этом думал, стараясь найти оправдание своему поступку. Хили и не подозревал, что мормоны в этот самый момент сидят в гостинице "Холидей Инн" и вместе с юристом по недвижимости из Солт-Лейк-Сити пытаются решить, можно ли считать присутствие ядовитых рептилий в арендуемом помещении нарушением условий арендного договора.

Хили очень надеялся, что никто не проедет мимо и их не засечет. По легенде они с Гарриет были в кино. Отец дал им денег на билеты. Гарриет полдня просидела дома у Хили, что на нее было совсем не похоже (обычно он ей быстро надоедал, и она уходила домой, даже когда он упрашивал ее остаться), а сегодня они несколько часов играли в блошки, сидя на полу по-турецки и обсуждая в перерывах, что им делать с коброй. Ящик был огромный, его просто так нигде не спрячешь — ни у него дома, ни у нее. После долгих споров они решили спрятать кобру на западной окраине города возле заброшенной эстакады, которая нависала над пустынным участком окружного шоссе.

Вытащить ящик из-под дома и погрузить его на красную детскую тележку Хили оказалось куда проще, чем они думали, — вокруг не было ни души. Вечер выдался душный, парило, вдали слышались раскаты грома. Все выключили поливалки, зазвали домой котов, убрали подушки с садовой мебели.

Грохотали колеса по дороге. До железнодорожного депо надо было всего-то пройти два квартала вверх по Хай-стрит, и чем дальше на восток они забирались, чем ближе подходили к реке и товарным складам, тем меньше было вокруг фонарей. Шелестели в запустелых дворах разросшиеся сорняки, на калитках висели таблички: "ПРОДАЕТСЯ" и "ВХОД ВОСПРЕЩЕН".

Пассажирские поезда останавливались в Александрии всего два раза в день. Поезд в Новый Орлеан, отправлявшийся из Чикаго, приходил в 7.14 утра, и в 20.47 он же останавливался здесь на обратном пути, а все остальное время на станции было пусто. В кассе — развалюхе с островерхой крышей и облупившимися стенами — было темно, кассир ее откроет только через час. За кассой расходились в стороны старые засыпанные щебнем дорожки, которые шли от трансформаторных будок к складам, от складов — к погрузчикам, лесопилкам и реке.

Хили и Гарриет остановились, перекатили тачку с тротуара на щебенку. Лаяли собаки — большие, но далеко. На юге светились огни лесопилки, за ней, чуть дальше, на их улице — приветливо мерцали фонари. Они решительно отвернулись от последних проблесков цивилизации и зашагали в другую сторону — на север, к великой тьме, к безграничным, безлюдным просторам пустошей, что начинались за опустевшими складскими дворами, за раскрытыми товарными вагонами, за пустыми тележками для перевозки хлопка, — туда, где в темном сосновом лесу исчезала узенькая тропка.

Хили и Гарриет тут играли, впрочем, нечасто — тропинка вела к заброшенному складу хлопка. В лесу было тихо, страшно, над головой густо сплетались ветви айлантов, сосен и стираксовых деревьев, и поэтому на мрачной тропке, которая тут и вовсе сжималась в ниточку, даже днем было всегда темно. В нездоровом, влажном воздухе зудели комары, а тишину только изредка нарушал резкий хруст веток под лапками кролика да грубое карканье невидимых птиц. Несколько лет назад в лесу укрывались беглые заключенные — их перевозили цепью, в кандалах, и нескольким удалось сбежать. Но Хили с Гарриет тут ни разу никого не видели — только однажды маленький негритенок в красных трусах, припав на одно колено, швырнул в них камнем, а потом попятился и с визгом нырнул в кусты. Места тут были безлюдные, и Хили с Гарриет не любили здесь играть, хотя никогда в этом бы не признались.

Щебень громко затрещал под колесами тележки. Несмотря на то, что они с ног до головы опрыскали себя средством от насекомых, в душном, волглом лесу к ним ринулись целые тучи москитов. Они с трудом различали дорогу в тенистых сумерках. Хили захватил с собой фонарик, но теперь им казалось, что светить им тут, наверное, не стоит.

Сгущались, синели сумерки, они шли, и тропа сужалась, пропадала под валежником, который забором вырастал с обеих сторон, поэтому они катили тачку очень медленно, то и дело останавливаясь, разводя в стороны ветки и сучья.

— Фух! — пыхтел впереди Хили, скрипела тачка, и вдруг мухи зажужжали громче, и Гарриет прямо в нос ударила мокротная, гнилая вонь.

— Вот гадость! — донесся до нее крик Хили.

— Что? — в темноте она различала только широкие белые полоски на футболке Хили. Хрустнул гравий — Хили поднял передний край тележки и резко оттащил ее влево.

— Что там?

Вонь была такая — не передать словами.

— Опоссум.

На тропинке лежала темная бесформенная кучка, над которой вились мухи. Сучки и ветки царапали Гарриет лицо, но она все равно отвернулась, когда они протискивались мимо.

Они остановились передохнуть только когда стих жестяной мушиный гул и перестало вонять. Гарриет зажгла фонарик, кончиками пальцев приподняла краешек полотенца. Кобра презрительно уставилась на нее поблескивающими глазками и зашипела, разинув щелястую пасть, которая до ужаса напоминала ухмылку.

— Ну, как у нее дела? — проворчал Хили, упершись руками в коленки.

— Нормально, — ответила Гарриет и тотчас же отскочила, так что в кружке света бешено замелькали макушки деревьев, — кобра стала бросаться на сетку.

— Чего ты?

— Ничего, — ответила Гарриет. Выключила фонарик. — Может быть, она даже привыкла к ящику. — В тишине ее голос казался оглушительно громким. — Она тут всю жизнь сидит, наверное. Вряд ли они ее выпускали поползать, правда ведь?

Они помолчали, потом снова, с неохотой, покатили тележку дальше.

— Жара ей, наверное, не мешает, — сказала Гарриет. — Это же индийская кобра. А в Индии еще жарче, чем здесь.

Хили внимательно глядел себе под ноги — в темноте за этим надо особенно следить. В черных рядах сосен хором надрывались древесные лягушки, их кваканье металось через дорогу — туда-сюда, мутно пульсировало у него за ушами, будто стереоэффект.

Они вышли на поляну, к складу, который лунный свет выбелил до желтовато-серого. Вмятины на погрузочной платформе, на которой они столько раз сиживали, болтая ногами и разговаривая, теперь казались темными, незнакомыми, зато на белесых от лунного света воротах отчетливо виднелись грязные круглые метины от их теннисных мячиков.

Вдвоем они перетащили тележку через канаву. Самое худшее — позади. От дома Хили до окружной дороги сорок пять минут на велосипедах, но если пойти по тропинке, которая начиналась за складом, можно было здорово срезать. Она выходила к железнодорожным путям, а там — всего минута, и о чудо! — вот она окружная дорога, съезд на Пятую магистраль.

За складом виднелись рельсы. На фоне свинцово-багряного неба чернели увитые жимолостью покосившиеся телеграфные столбы. Хили оглянулся и увидел, что Гарриет, стоя по колени в густой осоке, нервно озирается по сторонам.

— Ты чего? — спросил он. — Потеряла что-то?

— Меня кто-то ужалил.

Хили утер взмокший лоб.

— До поезда еще целый час, — сказал он.

Кое-как они втащили тачку на рельсы. Пассажирский в Чикаго действительно проедет не скоро, но они оба знали, что иногда тут ходят грузовые поезда. Местные ехали в депо и тащились так медленно, что их можно было бегом обогнать, зато грузовые экспрессы, шедшие в Новый Орлеан, проносились так быстро, что Хили, который как-то раз стоял с матерью в машине перед опущенным шлагбаумом на Пятой магистрали, даже не смог разобрать надписи на вагонах.

Теперь ветки им не мешали, и шли они гораздо быстрее, колеса тележки оглушительно стучали по шпалам. У Хили заныли зубы. Шумели они ужасно — их, конечно, все равно никто не слышал, но Хили боялся, что за таким грохотом и лягушачьими воплями они прохлопают приближение грузового поезда и опомнятся только когда он их переедет. Он бежал, глядя вниз — под ногами мелькали темные шпалы, зрелище было гипнотическое, да и к тому же он быстро, ритмично дышал, но едва он подумал о том, что недурно было бы уже остановиться и зажечь фонарик, как Гарриет шумно выдохнула. Хили поднял голову и тоже с облегчением вздохнул — вдалеке замерцал красный неоновый знак.

Они стояли на обочине магистрали, жались друг к другу в колючих зарослях травы, вглядываясь в сторону железнодорожного переезда, где торчал знак “СТОП! ОГЛЯДИСЬ! ПРИСЛУШАЙСЯ!”. Лица им обдуло ветерком — свежим, прохладным, будто дождик. Если б они посмотрели налево, в сторону дома, то увидели бы вдалеке вывеску “Тексако”, зелено-розовые огни “У Джамбо”. Здесь же огоньки редко вспыхивали — не было тут ни магазинов, ни светофоров, одни поля, поросшие сорной травой, да сараюшки из гофрированного металла.

Они вздрогнули — мимо, шурша колесами, пронеслась машина. Хили с Гарриет посмотрели в обе стороны, убедились, что больше машин нет, перемахнули через пути и перебежали пустынную магистраль. Чтобы срезать, они пошли через коровье пастбище — тележку затрясло в темноте по колдобинам. По этому участку окружной дороги, сразу за “Загородным клубом”, почти никто не ездил — тут были одни огороженные пастбища, перечеркнутые пыльными дорожками от бульдозеров.

В носу у Хили засвербело от ядреного запаха навоза. И тут же его кед скользнул по чему-то омерзительно-мягкому. Он остановился.

— Ты чего?

— Погоди, — уныло отозвался он, вытирая подошву о траву.

Фонарей тут не было, но луна светила так ярко, что Хили с Гарриет прекрасно видели, где находятся. Рядом с окружной дорогой виднелась полоска асфальта — всего ярдов двадцать, и потом асфальт резко обрывался. Тут начали было строить параллельное шоссе, но стройку прекратили, когда дорожная комиссия решила, что федеральная трасса пойдет по другому берегу Хумы, в обход Александрии. Через растрескавшийся асфальт пробивалась трава. Нависая над окружной дорогой, белела вдали заброшенная эстакада.

Хили и Гарриет зашагали дальше. Поначалу они думали спрятать кобру в лесу, но слишком хорошо помнили о том, как ловили змею, а потому не горели желанием пробираться в темноте сквозь густой кустарник — хрустеть ветками, наступать сослепу на гнилые бревна, да еще и тащить на себе ящик весом в пятьдесят фунтов. Думали они и насчет какого-нибудь склада, но даже у заброшенных складов с наглухо заколоченными окнами везде висели таблички, что это, мол, частная собственность.

Другое дело — бетонная эстакада. Если знать, где срезать, то с Натчез-стрит отсюда было легко добраться, эстакада вроде как у всех на виду, да только проходила она над закрытым участком окружной дороги, и до города отсюда было не сказать, чтоб близко, а значит, здесь не будут шастать рабочие, любопытные старикаsuccessful и дети.

На машине тут не проедешь, недостроенная эстакада могла и рухнуть, впрочем, даже если бы ее достроили, на нее сумел бы вскарабкаться разве что джип, но втащить красную тележку им удалось быстро — Хили тянул, Гарриет толкала. Если бы вдруг внизу проехала машина, они легко смогли бы укрыться за высокими бетонными заграждениями, но на дороге было темно. За эстакадой исчезали во тьме безграничные поля, вспыхивали белые огни города.

На эстакаде ветер был сильнее: свежий, опасный, бодрящий. И бортики, и проезд были припорошены сероватой пылью. Хили отер руки о шорты — они были как будто мелом перепачканы, зажег фонарик и обвел им эстакаду: засохший сливной желоб, забитый смятыми бумажками, покосившийся бетонный блок, куча мешков с цементом и липкая бутылка, в которой до сих пор плескались остатки оранжада. Гарриет перегнулась через заграждение, как через перила на палубе океанского лайнера, и глядела вниз, на темную дорогу. Ветер дул ей прямо в лицо, волосы у нее развевались и Хили подумал, что сейчас она хотя бы не выглядит такой несчастной, как днем.

Вдалеке раздался долгий, мрачный свист паровоза.

— Ого, — сказала Гарриет, — уже восемь, что ли?

У Хили коленки стали как ватные.

— Не-е, — сказал он.

В звенящей тишине зазвучал торопливый перестук вагонных колес, задребезжали рельсы железнодорожного переезда, все громче, громче и громче…

Снова провизжал свисток, на этот раз — почти рядом, и они увидели, как по рельсам, где они всего каких-нибудь пятнадцать минут назад толкали тачку, шумно пролетел товарный поезд. Вдалеке строго дрожало сигнальное эхо. На востоке, в клубившихся над рекой тучах ртутно-синей венкой дернулась беззвучная молния.

— Нужно почаще сюда приходить, — сказала Гарриет.

Глядела она не в небо, а на липкий черный асфальт, который вырывался из туннеля прямо у них под ногами, Хили стоял за спиной, но она будто и не с ним говорила, будто висела над водосливом плотины — брызги летят ей в лицо, и слышит она только рев воды.

Змея забилась в ящике, они оба вздрогнули.

— Тихо-тихо, — нежно засюсюкала над ней Гарриет, — не вертись ты…

Они подняли ящик и засунули его в дырку между заграждением и мешками с цементом. Гарриет, опустившись на колени прямо среди осколков чашек и окурков, оставленных рабочими, попыталась вытащить снизу пустой мешок из-под цемента.

— Поскорее, — сказал Хили.

Жара окутывала его мокрым колючим одеялом, от цементной пыли, сена в полях, от дрожащего, наэлектризованного воздуха защекотало в носу.

Гарриет выдернула пустой мешок, который тотчас же заполоскало на ветру, будто белесый флаг высадившейся на Луну экспедиции. Она быстро свернула его, спрятала возле бортика. Хили плюхнулся на колени рядом с ней. Сталкиваясь головами, они прикрыли мешком ящик с коброй и для верности придавили его цементом, чтоб не улетел.

Вот все взрослые сидят сейчас по домам, а что же они делают, думал Хили — подсчитывают расходы, смотрят телевизор, вычесывают кокер-спаниелей? Ночной ветер был свежим, живительным и одиноким — Хили казалось, что весь привычный ему мир остался далеко позади. Они потерпели крушение и высадились на пустынной планете… хлопают на ветру флаги, погибших хоронят по военному обычаю… торчат в пыли самодельные кресты. За горизонтом посверкивают тусклые огоньки инопланетного поселения — там им не рады, там — враги Федерации. “В контакт с местным населением не вступать, — раздался строгий голос у него в голове. — В противном случае вас с девушкой ожидает смерть”.

— Ей там хорошо, — сказала Гарриет, встав на ноги.

— Она справится, — сказал Хили уверенным басом капитана звездолета.

— Змеям не нужно есть каждый день. Надеюсь только, что ее напоили как следует, перед тем как мы ее забрали.

Сверкнула молния — на этот раз ярко, с резким треском. И сразу же загрохотал гром.

— Давай обратно длинным путем вернемся, — попросил Хили, откидывая челку с глаз, — по дороге.

— Зачем? Поезд из Чикаго еще не скоро проедет, — сказала Гарриет,

Хили молчал, но, увидев, до чего пронзительно она на него уставилась, разволновался:

— Он через полчаса будет.

— Успеем.

— Ну, как хочешь, — сказал Хили и обрадовался, что по голосу и не скажешь, что он напуган. — Я по дороге пойду.

Молчание.

— А с тележкой что тогда? — спросила она.

Хили задумался:

— Наверное, тут брошу.

— Прямо здесь?

— Ну и что? — сказал Хили. — Все равно я с ней больше не играю.

— А вдруг ее кто-нибудь найдет?

— Да сюда никто не ходит.

Они помчались вниз по бетонному спуску — ветер в лицо, вот здорово, — разогнавшись, махом одолели половину пастбища и, задыхаясь, сбавили скорость.

— Дождь начинается, — сказала Гарриет.

— Ну и что, — ответил Хили.

Он чувствовал себя непобедимым — он старший офицер, покоритель планет.

— Эй, Гарриет, — он ткнул пальцем в сторону соседнего поля, там, посреди разворочанных бульдозерами глиняных кратеров поблескивала вычурная неоновая вывеска:

Тенистые рощи

ДОМА БУДУЩЕГО

— Хреновое у них будущее, — сказал Хили.

Они побежали по обочине Пятой магистрали, держась подальше от фонарей, обегая мусорные баки (Хили был настороже — как знать, вдруг матери захотелось мороженого и она попросила отца сбегать к "Джамбо", чтоб успеть до закрытия). Затем они свернули в город и темными переулками добежали до кинотеатра на площади.

— Уже полфильма прошло, — сообщила им кассирша с очень лоснящимся лицом, выглядывая из-за раскрытой пудреницы.

— Да, мы знаем, — Хили протолкнул два доллара под стеклянное окошечко, сделал шаг назад, нетерпеливо приплясывая на месте, размахивая руками. Сейчас ему меньше всего на свете хотелось смотреть полфильма о говорящем "фольксвагене". Кассирша защелкнула пудреницу, вытащила ключи, чтоб открыть зал и впустить их, и тут вдалеке раздался свисток паровоза: на станцию Александрия прибывает поезд до Нового Орлеана, отправление в 20.47.

Хили ткнул Гарриет в плечо.

— Давай скатаемся на нем в Новый Орлеан. Как-нибудь вечерком.

Гарриет отвернулась, скрестила руки на груди, выглянула на улицу. Вдали грохотал гром. На другой стороне улицы захлопал на ветру навес над хозяйственным магазином, обрывки бумаги запрыгали, закувыркались по тротуару.

Хили взглянул на небо, выставил ладонь. Когда кассирша повернула ключ в стеклянной двери, на лоб ему шлепнулась капля дождя.

— Гам, а ты "Транс АМ" водить сможешь? — спросил Дэнни.

Как же он торчал, торчал, что твой лютик, а бабка у него ну до того худющая, костями ощетинилась, ни дать ни взять кактус в красном цветочном халате — цветастом, поправил себя он, уставившись на бабку, — в красный бумазейный цветочек.

До бабки и впрямь доходило, как до кактуса, прошло несколько минут, прежде чем она, запыхтев, ответила своим колючим голоском:

— Водить-то еще ладно, могу. Мне просто сидеть в ней уж больно низко. С моим-то артуритом.

— А я не могу… — Дэнни смолк, все обдумал, начал заново: — Я могу отвезти тебя в суд, если хочешь, но машина-то выше не станет.

Бабке не угодить, все-то ей было не по росту. Когда грузовик был исправен, так она жаловалась, что в кабину лезть высоко.

— Эх, — мирно ответила Гам, — я и не против, чтоб ты меня, сынок, отвез. Не зря ж мы столько денег отдали, чтоб тебя на дальнобойщика выучить.

Вцепившись сухонькой коричневой клешней в руку Дэнни, она медленно — очень медленно — прошаркала к машине по утоптанному пыльному двору, мимо Фариша, который, сидя в шезлонге, разбирал телефонный аппарат, и тут Дэнни пришло в голову (как озарило, оно так всегда и бывает), что все его братья — да и он тоже — умели разглядеть самую суть вещей.

Кертис видел в людях добро, Юджин видел в мире Божью руку, понимал, что у каждой вещи есть заповеданные ей роль и место, Дэнни видел, что творится у людей в головах, что движет их поступками, а иногда — под действием наркотиков, конечно же — видел и будущее. Но вот Фариш — по крайней мере до болезни — зрел в корень лучше их всех вместе взятых. Фариш понимал энергию, которая движет миром, видел все ее скрытые возможности, знал, как все устроено — хоть двигатели, хоть животные в этой его таксидермической лаборатории. Теперь, правда, если уж Фариш чем и заинтересуется, так ему обязательно надо это выпотрошить да вытрясти, чтоб удостовериться — ничего там особенного внутри и не было.

Радио Гам не любила, поэтому до города они ехали в полной тишине. Дэнни чувствовал все-все металлические детальки, которые слаженно вертелись в бронзовом нутре машины.

— Ну и славно, — безмятежно заметила Гам, — а то я уж как волновалась, что зря мы тебя на водителя учили.

Дэнни молчал. Самое счастливое это было время — когда он грузовик водил, до того, как второй раз в тюрьму попал. Он повсюду шатался, играл на гитаре, даже подумывал, не собрать ли группу, поэтому крутить баранку ему было скучно — полная банальщина, не то что блестящее будущее, которое он себе рисовал. Но теперь он вспоминал это времечко — это было всего-то пару лет назад, а кажется, что целая вечность прошла, — и с тоской вспоминал не ночи, проведенные в барах, а дни за рулем.

Гам вздохнула.

— Оно, может, и к лучшему, — прошелестела она тонким старческим голоском, — а то так бы и водил этот грузовик, пока б не помер.

"Уж все получше, чем дома штаны просиживать", — подумал Дэнни. Бабка его вечно выставляла тупым, из-за того что ему нравилась та работа. "Дэнни-то от жизни многого не надо". Вот что она всем твердила, когда он нанялся дальнобойщиком. "Это хорошо, Дэнни, что ты ни на что особо не надеешься, тогда и разочарований не будет". Этот жизненный урок должны были накрепко затвердить все ее внуки: от мира многого не жди. Мир — место поганое, тут человек человеку волк (другая ее любимая присказка). Если ее мальчики будут многого хотеть или будут много чего из себя воображать, дождутся только того, что все их надежды разобьют да растопчут. Как по Дэнни, а урок это был так себе.

— Я Рики Ли так и сказала, — она кротко сложила на коленях изъязвленные ручки, покрытые царапинами и вздувшимися черными венами. — Когда он получил баскетбольную стипендию в университет Дельты и ему надо было не только учиться да мячом стучать, а еще и ночами вкалывать, чтоб за книжки было чем заплатить. И я ему так и сказала: "До чего ж тошно думать, Рики, что тебе работать больше всех придется. Только чтоб богатенькие детки, у которых всего в жизни есть поболе, чем у тебя, стояли сложа руки да над тобой надсмехались..."

— Угу, — сказал Дэнни, когда понял, что бабка ждет ответа.

Рики Ли от стипендии отказался — хватило ему и бабки с Фаришем, которые его вдвоем дружно высмеяли. И где теперь Рики? В тюрьме.

— Вон как. И учиться, значит, и по ночам работать. Только чтоб в мячик играть.

Дэнни дал себе слово, что завтра бабка поедет в суд своим ходом.

Гарриет глядела в потолок — проснувшись, она не сразу вспомнила, где находится. Вылезла из кровати — она снова заснула в одежде, с грязными ногами — и спустилась вниз.

Ида вешала белье во дворе. Гарриет наблюдала за ней. Сначала она хотела пойти помыться — без напоминаний, — чтобы сделать Иде приятное, но потом передумала: если Ида увидит, какая она грязная, увидит, что на ней вчерашняя несвежая одежда, то сразу поймет — она тут жизненно необходима. Набив рот прищепками, мурлыкая что-то себе под нос, Ида вытаскивала белье из корзины. Она не выглядела грустной или огорченной, просто — сосредоточенной.

— Тебя уволили? — спросила Гарриет, не сводя с нее глаз.

Ида вздрогнула, вытащила прищепки изо рта.

— Ну и ну, доброе утро, Гарриет! — сказала она с таким безликим радушием, что у Гарриет сердце упало. — Ох, и чумазая же ты! А ну иди помойся!

— Тебя уволили?

— Нет, меня не уволили. Я решила, — Ида снова взялась за белье, — я решила, поеду-ка я в Хэттисберг, буду там жить у дочери.

В небе чирикали воробьи. Ида с громким хлопком встряхнула влажную наволочку, повесила ее на веревку.

— Такое вот мое решение, — сказала она. — Пора мне.

У Гарриет во рту пересохло.

— А Хэттисберг далеко? — спросила она, хотя и так знала, что далеко, возле самого залива — в сотнях миль отсюда.

— Далеко-предалеко. Это там, где такие сосны растут, с длинными иголками! Я вам больше не нужна, хватит, — бросила Ида походя, будто сообщала Гарриет, что ей хватит уже сладкого или кока-колы. — Я вон на пару годов старше тебя была, а уж замужем. И с ребенком.

Гарриет обиделась, оскорбилась. Детей она терпеть не могла — Ида это прекрасно знала.

— Да-а, мэм, — задумавшись, Ида продолжала развешивать рубашки. — Все меняется. Я за Чарли Ти вышла, когда мне пятнадцать годов было. И ты скоро замуж пойдешь.

Спорить с ней смысла не было.

— И Чарли Ти с тобой поедет?

— А то ж.

— А он хочет?
— Чего ж не хочет?
— А что там делать?
— Кому делать — мне или Чарли?
— Тебе.
— Ну, уж не знаю. Устроюсь к кому-нибудь работать. За другими детьми глядеть, может, за младенчиками.

Подумать только, Ида — Ида! — бросает ее ради чужого слюнявого младенца!

— Когда ты уезжаешь? — холодно спросила она Иду.
— На той неделе.

Больше сказать было нечего. Ида явно дала понять, что не намерена продолжать разговор. Несколько минут Гарриет наблюдала за ней — как Ида нагибается к корзине, вешает белье, снова нагибается к корзине, — а потом ушла, прошлась по двору, залитому бесцветным, неживым солнцем. Дома она застала мать в наряде Голубой Феи — мать нервно мялась, потом просочилась на кухню, попыталась поцеловать Гарриет, но она вырвалась из ее объятий и, громко топая ногами, выскочила из кухни на задний двор.

— Гарриет? Что такое, моя сладкая? — заканючила мать, выйдя на заднее крыльцо. — Ты на меня как будто сердишься… Гарриет?

Ида удивленно воззрилась на Гарриет, которая вихрем пронеслась мимо нее, и вытащила прищепки изо рта.

— А ну отвечай матери!

Обычно от такого тона Гарриет замирала на месте.

— Мне больше не нужно тебя слушаться, — не останавливаясь, сказала Гарриет.

— Если твоя мать хочет уволить Иду, — сказала Эди, — я ей не могу помешать.

Гарриет безуспешно пыталась заглянуть Эди в глаза:

— Почему не можешь? — наконец спросила она, когда Эди уткнулась в блокнот. — Эди, почему не можешь?
— Не могу и все тут, — ответила Эди, которая прикидывала, что взять с собой в Чарльстон.

Синие туфли на плоской подошве — самые удобные, но двухцветные лодочки лучше сочетаются с ее светлыми летними костюмами. Эди к тому же немного покоробило, что Шарлотта, решившись на такой ответственный шаг, как увольнение прислуги, даже не спросила ее совета.

Гарриет настаивала:

— Но почему ты не можешь ей помешать?

Эди отложила карандаш:

— Гарриет, я не имею права.

— Не имеешь права?

— Моего мнения не спрашивали. Дорогая моя девочка, не волнуйся, — бодрым тоном продолжила Эди, рассеянно похлопала Гарриет по плечу и встала, чтоб подлить себе кофе. — Все устроится к лучшему! Вот увидишь!

Обрадовавшись, что с этой бедой она быстро разобралась, Эди налила себе еще кофе, уселась обратно за стол и, нарушив мирную (как ей думалось) тишину, сказала:

— Мне бы в поездке, конечно, очень пригодилась парочка костюмов, которые гладить не надо. Мои уже все поизносились, а льняные брать в дорогу непрактично. Можно было бы пристроить портплед на заднем сиденье…

Она глядела куда-то поверх головы Гарриет и снова погрузилась в свои размышления, совершенно не замечая, как побагровела ее внучка и каким злым, вызывающим взглядом она на нее смотрит.

Время шло, Эди была занята своими мыслями, и тут скрипнули ступеньки — кто-то зашел с заднего двора.

— Приве-ет! — чья-то тень за дверью, кто-то, прижав ладонь ко лбу, вглядывается через сетку. — Эдит?

— Так, так! — воскликнул другой голос, тоненький и бодрый. — Да никак это Гарриет там с тобой?

Эди даже встать не успела, а Гарриет уже выскочила за дверь, промчалась мимо Тэт, подбежала к стоявшей на крылечке Либби.

— А где Аделаида? — спросила Эди у Тэт, которая с улыбкой оглянулась на Гарриет.

Тэт закатила глаза:

— Заскочила в бакалею за баночкой "Санки"[1].

— Вот это да, — доносился с порога слегка придушенный голос Либби, — Гарриет, надо же! Какой теплый прием…

1 Популярный напиток, растворимый кофе без кофеина.

— Гарриет, — резко окрикнула ее Эди, — не висни на Либби.

Она ждала, вслушивалась. Услышала, как Либби спросила Гарриет:

— Да все ли с тобой в порядке, ангел мой?

— Боже правый, — сказала Тэтти, — никак ребенок плачет?

— Либби, сколько ты платишь Одеан в неделю?

— О господи! Что это ты вдруг решила узнать?

Эди встала, ринулась к двери.

— Не суй нос не в свое дело, Гарриет, — гаркнула она. — Иди в дом.

— Ох, да Гарриет мне вовсе не в тягость, — Либби высвободила руку, поправила очки и уставилась на Гарриет ясным, невинным взглядом.

— Твоя бабушка хочет сказать, — на крыльцо вслед за Эди вышла Тэт, которая с самого детства только и занималась тем, что облекала в более дипломатичную форму резкие и безапелляционные высказывания Эди, — она имеет в виду, Гарриет, что о деньгах спрашивать невежливо.

— Эка важность, — не поддалась им Либби. — Гарриет, я плачу Одеан тридцать пять долларов в неделю.

— Мама платит Иде всего двадцать. Это нехорошо, правда же?

— Вот как... — Либби явно опешила, заморгала. — Я даже не знаю. Ну, то есть твоей маме, конечно, лучше знать, но...

Ее перебила Эди, которая вовсе не собиралась все утро обсуждать уволенную прислугу:

— Прекрасная прическа, Либ. Правда же, у Либби волосы нынче идеально уложены? Кто тебя причесывал?

— Миссис Райан, — Либби засмущалась, вскинула руку к голове.

— Мы нынче все седые, — любезно подхватила разговор Тэт, — нас теперь одну от другой и не отличишь.

— А тебе нравится прическа Либби? — строго спросила Эди. — Гарриет!

У Гарриет в глазах уже вскипали слезы, она сердито отвернулась.

— А я знаю одну девочку, которой не мешало бы подстричься, — озорно сказала Тэт. — Гарриет, тебя мама еще к цирюльнику водит или уже в салон записывает?

— Как по мне, мистер Либерти совсем недурно ее стрижет, да и берет вполовину дешевле, — сказала Эди. — Тэт, ты бы сказала Аделаиде, чтоб ничего не покупала. Я ведь говорила ей, у меня для нее припасен горячий шоколад в таких отдельных пакетиках, я его уже упаковала.

— Эдит, я все ей сказала, но она говорит, что ей нельзя сахар.

Эди ехидно вскинула брови, спросила с деланым изумлением:

— А что так? От сахара она тоже перевозбуждается?

Аделаида недавно бросила пить кофе — якобы по этой самой причине.

— Ну хочет она "Санку", пусть купит, я не против.

Эди фыркнула:

— Я тоже. Я ведь не хочу, чтоб Аделаида у нас перевозбудилась.

— Что? Кто там перевозбуждается? — очнулась Либби.

— А ты что, не знаешь? Аделаида больше не пьет кофе. Она от него перевозбуждается.

— Аделаида просто повторяет за своей глупенькой подружкой по хору, миссис Питкок, та тоже недавно начала это всем рассказывать.

— Да я и сама, бывает, от чашечки "Санки" не откажусь, — сказала Тэт. — Но и страдать от его отсутствия не буду. Нет его — и обойдусь.

— Не в Бельгийское же Конго мы едем! В Чарльстоне "Санка" тоже продается, нет никакой нужды тащить с собой огромную, тяжелую банку!

— А почему бы и нет? Шоколад же ты берешь. Себе.

— Ты же знаешь, Эдит, Адди очень рано встает, — разволновавшись, вмешалась Либби, — и она боится, вдруг обслуживать номера начинают только с семи или с восьми…

— Поэтому-то я и беру в дорогу отличнейший горячий шоколад! От чашечки горячего шоколада Аделаиде хуже не станет, нисколечко!

— Меня все устраивает, горячий шоколад — это просто замечательно! — Либби захлопала в ладоши, обернулась к Гарриет. — Всего через неделю мы уже будем в Южной Каролине! Жду не дождусь!

— Да-да, — бодро воскликнула Тэт, — и твоя бабушка такая молодец, что нас всех туда везет.

— Ну, не знаю, молодец я или нет, но думаю, уж сумею довезти нас туда и обратно в целости и сохранности.

— Либби, Ида Рью уволилась, — жалобно зачастила Гарриет, — она уезжает…

— Уволилась? — переспросила Либби, она была туговата на ухо и поэтому вопросительно взглянула на Эди, которая говорила четче и громче всех. — Гарриет, ты уж, пожалуйста, повтори-ка помедленнее…

— Ида Рью, которая у них работает, — Эди скрестила руки на груди, — она уволилась, и Гарриет теперь расстраивается. Я ей уже сказала, что все меняется, одни люди уходят, другие приходят, потому что так устроен мир.

У Либби вытянулось лицо. Она с искренним сочувствием взглянула на Гарриет.

— Ох, милая моя, как нехорошо, — сказала Тэт. — Ида у вас так долго проработала, тебе ее будет не хватать, это уж точно.

— О-хо-хо, — сказала Либби, — и ведь наша девочка так любит Иду! Ты ведь очень любишь Иду, правда, моя хорошая? — спросила она Гарриет. — Так же как я люблю Одеан.

Тэт с Эди многозначительно переглянулись, Эди сказала:

— Ты, Либ, Одеан чересчур любишь.

Сестры Либби вечно подшучивали над тем, какая Одеан ленивая, как она, бывало, рассядется, жалуясь на здоровье, а Либби только и делает, что носит ей попить холодненького да посуду за ней моет.

— Но Одеан уже пятьдесят лет у меня работает, — сказала Либби. — Она — моя семья. Господи боже, да она еще в "Напасти" прислуживала, и здоровье у нее уже слабое.

Тэт сказала:

— Либби, она злоупотребляет твоей добротой.

— Милочка, — сказала заметно порозовевшая Либби, — позволь тебе напомнить, что Одеан меня на руках вынесла из дому, когда мы тогда были за городом и я подхватила ужаснейшую пневмонию. Она меня несла! На спине тащила! От самой "Напасти" до "Чиппокса"!

Эди ядовито заметила:

— Зато сейчас от нее проку мало.

Либби тихонько обернулась к Гарриет и долго-долго глядела на нее старческими водянистыми глазами — пристально, сочувственно.

— Как же плохо быть ребенком, — просто сказала она, — когда все за тебя решают взрослые.

— Погоди, скоро вырастешь, — Тэтти приобняла Гарриет, пытаясь ее утешить, — будет у тебя свой дом, и будешь ты там жить вместе с Идой Рью. Как тебе такая идея, а?

— Глупости, — сказала Эди. — Пострадает и перестанет. Прислуга приходит и уходит…

— Ни за что не перестану! — завизжала Гарриет, да так, что все вздрогнули.

Не успел никто ничего сказать, как Гарриет стряхнула руку Тэт и опрометью выскочила из дома. Эди страдальчески вскинула брови, будто говоря — вот, а я все утро это терплю.

— Боже правый! — наконец нарушила молчание Тэт, проведя рукой по лбу.

— Если честно, — сказала Эди, — я думаю, что Шарлотта поступает неправильно, но я уже устала во все вмешиваться.

— Эдит, ты столько всего для Шарлотты сделала.

— Это верно. Поэтому сама она делать ничего не умеет. Так что, по-моему, самое время ей повзрослеть.

— А как же девочки? — спросила Либби. — Думаешь, они справятся?

— Либби, ты и в "Напасти" хозяйничала, и о папочке заботилась, и за нами приглядывала, когда была немногим старше вон ее, — Эди кивнула в сторону двери, через которую выскочила Гарриет.

— Ну да. Но эти дети на нас не похожи, Эдит. Они чувствительнее нас.

— Ну, нас-то никто не спрашивал, чувствительные мы или нет. Нам выбирать не приходилось.

— А что с ребенком такое? — с порога спросила Аделаида — припудренная, накрашенная, со свежим перманентом. — Она мимо меня пронеслась сломя голову, а уж грязная какая. Даже слова мне не сказала.

— Пойдемте-ка все в дом, — сказала Эди, потому что уже начало припекать. — Я как раз кофе сварила. Для тех, кто его пьет, конечно.

— Ого, — Аделаида восхищенно остановилась перед грядой нежно-розовых лилий, — ничего себе они вымахали!

— Зефирные лилии-то? Я их пересадила. Зимой, в самый мороз, выкопала, посадила в горшки, так летом только одна и проросла.

— А теперь глядите-ка! — Аделаида склонилась над лилиями.

— Мама их называла, — Либби облокотилась о перила, глянула вниз, — мама их называла "розовым дождиком".

— Правильно говорить — зефирные.

— А мама говорила — "розовый дождик". На похоронах у нее эти цветы и были, и туберозы еще. Такая жара стояла, когда она умерла…

— Так, я пошла в дом, — сказала Эди. — Не то меня тепловой удар хватит. Пойду выпью кофе, а вы уж как хотите.

— А тебя не затруднит вскипятить мне водички? — спросила Аделаида. — А то я кофе не пью, боюсь…

— Перевозбудиться? — Эди вскинула бровь. — Конечно, Аделаида, мы же не хотим, чтоб ты перевозбуждалась.

Хили объехал на велосипеде весь квартал, но Гарриет так и не нашел. Дома у нее творилось что-то странное (странное — даже по меркам их дома), и Хили встревожился. На его стук никто не вышел. Он прошел на кухню, увидел, что Эллисон рыдает за столом, а Ида этого будто и не замечает — хлопочет себе, моет пол. И обе молчат. У Хили аж мурашки по коже забегали.

Он решил поискать Гарриет в библиотеке. Хили толкнул стеклянную дверь, и в лицо ему ударила волна прохладного кондиционированного воздуха — в библиотеке всегда было холодно, хоть летом, хоть зимой. Из-за стойки выдачи раздался звон браслетов — миссис Фосетт крутнулась в кресле, помахала ему рукой.

Хили помахал ей в ответ, чинно, но быстро прошагал мимо — чтоб она не успела припереть его к стенке и подписать на программу летнего чтения — и юркнул в читальный зал. Гарриет сидела под портретом Томаса Джефферсона, облокотившись на стол. Перед ней лежала огромная книжища — Хили такую в первый раз видел.

— Привет, — он шлепнулся на соседний стул. Он так спешил поделиться новостями, что говорить тихо стоило ему больших трудов. — Знаешь что? Машина Дэнни Рэтлиффа стоит возле здания суда.

Большая книжка оказалась газетной подшивкой, и Хили с изумлением увидел на пожелтевшей странице жуткое, зернистое фото матери Гарриет — она стоит возле их дома, рот раскрыт, волосы дыбом. "ДЕНЬ МАТЕРИ ЗАВЕРШИЛСЯ ТРАГЕДИЕЙ" — было написано в заголовке. На переднем плане виднелись вроде как распахнутые дверцы скорой и чья-то размытая фигура: мужчина ставит в машину носилки, но что на них лежит — не разобрать.

— Эй! — воскликнул он, радуясь собственной догадливости, — это ж твой дом.

Гарриет захлопнула книгу, ткнула пальцем в табличку: "Соблюдайте тишину!"

— Пойдем, — прошептал Хили и поманил ее за собой. Гарриет молча встала из-за стола и пошла за ним.

Хили и Гарриет вышли на улицу — к жаре и слепящему солнцу.

— Слушай, машина точно Дэнни Рэтлиффа, я ее знаю, — сказал Хили, прикрывая глаза рукой. — Такой "Транс АМ" — один на весь город. Жаль только, что он прямо возле суда стоит, не то б я ему насовал битого стекла под колеса.

Гарриет думала про Эллисон с Идой, как они сидят сейчас дома за наглухо задернутыми занавесками, смотрят дурацкую мыльную оперу про вампиров и призраков.

— Пойдем, заберем змею и засунем ее в машину, — сказала она.

— Ты что?! — в Хили проснулся здравый смысл. — Нельзя же ее сюда на тачке везти. Все увидят.

— Тогда зачем мы ее вообще забирали? — сердито спросила Гарриет. — Нам нужно, чтоб она его укусила.

Они стояли на библиотечном крыльце, молчали. Наконец Гарриет вздохнула:

— Пошла-ка я обратно.

— Стой!

Она обернулась.

— Я вот о чем подумал... — Ни о чем он не думал, но нужно было срочно что-то сказать, чтобы спасти положение. — Вот о чем... У него на "Транс-АМе" — тарга-топ. В смысле, он у него с откидным верхом, — поправился он, увидев непонимающий взгляд Гарриет. — Спорю на миллион долларов, он обратно поедет по окружной дороге. Вся эта шваль за рекой живет.

— Именно там он и живет, — сказала Гарриет. — Я в справочнике смотрела.

— Вот и отлично. Потому что змею мы уже на эстакаду затащили.

Гарриет презрительно поморщилась.

— Да ладно тебе, — сказал Хили, — ты что, новости не смотрела? Про то, как дети в Мемфисе залезли на эстакаду и кидались оттуда камнями по машинам?

Гарриет нахмурила брови. Дома они никогда не смотрели новости.

— Там такое было! Два человека погибли. Выступал какой-то полицейский, говорил, что, если едешь и видишь наверху детей, сразу, мол, надо перестроиться в соседнюю полосу. Ну, давай, — он с надеждой попинал ее ботинок носком кеда, — ты ж все равно ничего не делаешь. Пойдем хоть проверим, как там кобра? Я б на нее еще разик взглянул, а ты? Где твой велик?

— Я пешком пришла.

— Ладно. Садись на раму. Туда я тебя везу, а ты меня — обратно.

Жизнь без Иды. Если бы Иды не существовало, думала Гарриет, сидя по-турецки на пыльной, выбеленной солнцем эстакаде, то мне сейчас не было бы так плохо. Значит, мне всего-то нужно притвориться, что Иды никогда и не было. Все просто.

Ведь когда Ида уйдет, дома ничего не переменится. Ее присутствие было почти незаметным. В кладовке она держала бутылку кукурузной патоки, потому что любила макать в нее лепешки; был еще красный пластмассовый стакан, из которого Ида пила — летом она с утра наполняла его льдом и носила за собой по всему дому. (Родители запрещали Иде пить из домашних стаканов, вспомнила Гарриет, сгорая со стыда.) Фартук на заднем крыльце, табачные жестянки с помидорной рассадой, овощная грядка за домом.

И всё. Ни дня в своей жизни Гарриет не провела без Иды. Но когда Ида соберет свои жалкие пожитки — пластмассовый стакан, табачные жестянки, бутылку патоки, — ничего в доме не будет о ней напоминать, как будто ее тут никогда и не было. От этой мысли Гарриет стало совсем тошно. Она представила себе заросший сорняками огородик.

"Я буду о нем заботиться, — поклялась она. — Вырежу из журнала купон и выпишу какую-нибудь рассаду". Она вообразила, как вскапывает землю, изо всех сил наваливаясь на лопату, а на ней — соломенная шляпа и садовый халат, коричневый, как у Эди.

Эди выращивает цветы, ну а овощи чем сложнее? Эди ей поможет, Эди только рада будет, если она займется чем-то полезным…

Ей тут же вспомнились красные перчатки, и Гарриет накрыло мощной волной страха, смятения, опустошенности. Один-единственный раз Ида ей сделала подарок, а она его взяла и потеряла… Нет, наказала она себе, *перчатки найдутся, не думай о них сейчас, подумай о чем-нибудь другом…*

О чем? О том, как она вырастет, станет знаменитым ботаником и получит множество наград. Она представила, как вышагивает между цветочных грядок в белом халате, будто Джордж Вашингтон Карвер[1]. Она будет гениальным ученым — и очень скромным — и за все свои выдающиеся достижения денег не попросит.

Днем с эстакады все виделось по-другому. Пастбища были не зелеными, а пожухло-коричневыми, отдельные места скот вытоптал до пыльных красных проплешин. На заборах из колючей проволоки жимолость сплеталась с ядовитым плющом. За пастбищами — пустыри и бездорожье, только на горизонте развалины амбара — серые доски, ржавая крыша, будто выброшенный на берег остов корабля.

Гарриет сидела, привалившись спиной к прохладным мешкам с цементом, которые и тень отбрасывали на удивление прохладную и глубокую. На всю жизнь, думала она, я на всю жизнь запомню этот день, запомню это чувство. Где-то далеко за холмами монотонно гудел комбайн. Над холмами парили три сарыча — три черных воздушных змея. День, когда она потеряла Иду, навсегда останется для нее днем скользящих по безоблачному небу черных крыльев, днем выжженных солнцем пастбищ и сухого стеклянного воздуха.

Хили сидел напротив нее в белой пыли, скрестив ноги, прижавшись спиной к заграждению, и читал комикс, на обложке которого заключенный в полосатой тюремной форме на четвереньках полз по кладбищу. Хили клевал носом, хотя до этого долго продержался — где-то с час, стоя на коленях, он зорко следил за дорогой и шипел: тсс! тсс! — всякий раз, когда под ними проезжал очередной грузовик.

1 Джордж Вашингтон Карвер (1865–1943) — американский ботаник, миколог.

Усилием воли Гарриет снова переключилась на мысли о садике. У нее будет самый красивый сад в мире, там будут фруктовые деревья, декоративные изгороди, а капусту она посадит узорами, постепенно сад разрастется и займет весь двор, и двор миссис Фонтейн — тоже. Возле ее сада будут останавливаться машины, люди будут просить устроить им экскурсию. Мемориальный сад Иды Рью Браунли… нет, только не мемориальный, спешно одернула она себя, это звучит, как будто Ида умерла.

Один сарыч вдруг камнем рухнул вниз, за ним — два остальных, будто их утянула за собой бечева воздушного змея, накинулись на какую-нибудь полевку или сурка, которого переехал трактор. Вдали показалась машина, трудно разглядеть в дрожащем от жары воздухе. Гарриет прикрыла глаза обеими руками. Всмотрелась, вскрикнула:

— Хили!

Зашелестели страницы — Хили отбросил комикс.

— Уверена? — спросил он и подполз посмотреть. Уже два раза была ложная тревога.

— Это он, — сказала Гарриет и поползла на четвереньках по белой пыли к противоположной стене, где на четырех мешках цемента стоял ящик с коброй.

Хили прищурился. Вдали посверкивала машина, от которой кругами расходились выхлопные газы и пыль. Для “Транс АМа” она уж слишком медленно ехала, но только Хили открыл рот, чтобы это сказать, как под лучами солнца ослепительной бронзой вспыхнул металл капота. Взрезав знойное марево, оскалилась решетка радиатора — блестящая акулья ухмылка, ни с чем не спутаешь.

Он пригнулся (Хили почему-то только сейчас вспомнил, что Рэтлиффы всегда вооружены пистолетами) и пополз помогать Гарриет. Они перевернули ящик — сеткой в сторону дороги. В первый раз, когда была ложная тревога, они оцепенели от ужаса и совершенно запутались, пытаясь не глядя нашарить спереди задвижку, а машина тем временем пронеслась мимо; теперь же они заранее ослабили засов на ящике и подперли его палочкой от мороженого, чтоб можно было выдернуть язычок, не дотрагиваясь до него руками.

Хили оглянулся. “Транс АМ” катился в их сторону — подозрительно медленно. Он нас заметил, точно заметил. Но машина не остановилась. Он нервно глянул на стоявший у них над головами ящик.

Гарриет, дыша с присвистом, будто у нее астма, тоже оглянулась:

— Окей, — сказала она, — давай, раз, два…

Машина скрылась под мостом, Гарриет выбила палочку — и мир притормозил, перешел в режим замедленной съемки, когда они вместе, одновременно столкнули ящик с эстакады. Кобра выскользнула наружу, перевернулась, задергала хвостом, пытаясь распрямиться, и тут у Хили в голове разом пронеслось несколько мыслей. Самое главное — куда бежать? Сумеют ли они его обогнать? Ведь он затормозит, любой дурак затормозит, если ему кобра на крышу свалится, и тогда он за ними погонится…

Бетонный пол задрожал у них под ногами, когда кобра выскользнула из ящика и полетела вниз. Гарриет вскочила, облокотилась на заграждение, и лицо у нее сделалось гадкое, злобное, как у мальчишки-восьмиклассника.

— Бомбы пущены! — сказала она.

Они перегнулись через заграждение. У Хили закружилась голова. Извиваясь, кувыркаясь, кобра падала прямо на асфальт. Промахнулись, подумал он, глядя на пустую дорогу, и тут "Транс АМ" с откинутой крышей — выскочил у них из-под ног и проехал прямо под летящей вниз змеей…

Несколько лет назад они с Пемом играли в бейсбол возле бабушкиного дома в Мемфисе — дом был старый, но после ремонта в нем появилось много новомодного стекла. "Попадешь в окно, — сказал Пем, — и я дам тебе миллион долларов". "Ага, — не подумав, согласился Хили, взмахнул битой и отбил мяч даже не глядя, с такой силой, что у Пема челюсть отвисла — мяч взмыл ввысь и полетел далеко-далеко, стрелой, не отклоняясь от курса, с грохотом — бабах! — пробил окно на веранде и чуть не угодил в бабушку, которая разговаривала по телефону — и как раз с отцом Хили.

Удар был фантастический, один на миллион: в бейсбол Хили играл из рук вон плохо, когда набирали команду, о нем вспоминали в самую последнюю очередь, чтоб не звать совсем уж задротышей и придурков, Хили ни разу в жизни не отбивал мяч так сильно, так уверенно, так высоко — бита выпала у него из рук, а сам Хили, разинув рот, следил за тем, как мяч, прочертив в воздухе безукоризненную, безупречную дугу, спикировал прямиком в центральное окошко бабушкиной застекленной веранды…

И ведь он знал, знал, что мяч разобьет окно, он понял это ровно в ту секунду, когда звучно шмякнул по нему битой, когда глядел, как мяч пущенной ракетой летит в стекло, знал — и чувствовал только всепоглощающий восторг. На секунду-другую он позабыл, как дышать, и (как раз перед тем, как мяч пробил окно — невозможную, далекую мишень) Хили с мячом стали единым целым, Хили казалось, что он управляет им силой разума, что на один непостижимый миг Бог даровал ему полный мысленный контроль над этим тупым предметом, который со скоростью света несся к неизбежной цели — вжжжжик, ввууууx, банзай…

Потом, конечно, были и слезы, и порка, но все равно историю эту Хили вспоминал с огромным удовлетворением. И сейчас он с такой же оторопью — с таким же ужасом, восторгом и трепетом, так же онемев и вылупив глаза, глядел на то, как все невидимые силы Вселенной разом слаженно взмыли вверх и синхронно полетели вниз, устремившись к одной невозможной цели, как пятифутовая кобра косо, по диагонали врезалась в край откинутой крыши, как ее тяжеленный хвост угодил прямиком в кабину и утянул кобру за собой.

Не сдержавшись, Хили вскочил, подпрыгнул, взмахнул кулаком:

— Есть!

Прыгая и улюлюкая, будто дьяволенок, он схватил Гарриет за руку, затряс ее, радостно тыча пальцем в "Транс АМ" — взвизгнули тормоза, машина, вильнув, съехала к обочине. Подняв облако пыли, машина тихонько запрыгала по камешкам, захрустел под колесами гравий.

Наконец машина остановилась. Не успели они и слова вымолвить, даже пошевелиться не успели, как дверца машины распахнулась и оттуда вместо Дэнни Рэтлиффа выкатилась какая-то тощая мумия — хилая, бесполая, в брючном костюме омерзительного горчичного цвета. Слабо вскидывая скрюченные ручки и шатаясь из стороны в сторону, она выскочила на середину дороги, потом запнулась, развернулась и проковыляла пару шажков обратно. "Айииииииии!" — завывало существо. Вой был тихий и на удивление вялый, если учесть, что на плече у мумии мертвым грузом висела кобра: все пять футов ее черного тела тянулись вниз. Она начиналась капюшоном (сверху была отчетливо видна жуткая метина-восьмерка) и заканчивалась узким и до ужаса проворным черным хвостом, за которым вздымалось грозовое облако красной пыли.

Гарриет оцепенела. Она ведь довольно ясно представляла, что произойдет, но отчего-то все шло шиворот-навыворот, будто она глядела в телескоп не с той стороны — приглушенные, неестественные крики, механические движения, все замедлилось от беспримесного, ошалелого ужаса. Теперь не выйдешь из игры, не бросишь игрушки, не смахнешь фигуры с шахматной доски, чтоб начать партию заново.

Гарриет пустилась наутек. За спиной у нее взметнулся ветер, раздался грохот, и вот уже Хили пронесся мимо нее на велосипеде, спрыгнул со съезда и рванул по трассе, пригнувшись к рулю, съежившись, будто крылатая обезьянка из книжки про волшебника страны Оз, яростно крутя педали — теперь каждый был сам за себя.

Гарриет бежала, и сердце у нее выскакивало из груди, позади бестолковым эхом метались слабые вскрики (аййййй… айййй). Полыхало убийственно безоблачное небо. С обочины… в траву, сюда… мимо забора с табличкой "Вход воспрещен!", срезать через пастбище… Там, в бездонной жаре над дорогой, они с Хили прицелились и угодили даже не в машину, а в точку бифуркации: время стало зеркалом заднего вида, в котором мелькнуло и исчезло прошлое. Можно бежать вперед — и добежать до дома, но назад — назад уже не убежишь, ни на десять минут, ни на десять часов, ни на десять лет или дней. А это, как говорит Хили, невезуха. Невезуха, потому что Гарриет хотелось бежать только назад, потому что сейчас ей хотелось только одного — убежать в прошлое.

Кобра с облегчением скользнула в высокую траву, в жару и зелень, напомнившие ей о родине — подальше от городских чар, городского морока. В Индии кобра добывала себе пропитание на окраинах деревень и в полях (в сумерках она проскальзывала в амбары с зерном и охотилась там на крыс), поэтому и на новом месте она живо осваивалась в сараях, зернохранилищах и мусорных баках. Еще много лет она будет попадаться на глаза фермерам, охотникам и пьяницам, ее будут ловить искатели приключений, пытаясь сфотографировать или убить, и путь ее — безмолвный, одинокий — будет устлан слухами о загадочных смертях.

— Ты с ней почему не поехал? — наскакивал Фариш на Дэнни, пока они ждали в приемном покое реанимации. — Я жду ответа. Мне казалось, что и домой ее ты повезешь.

— Да откуда мне было знать, что она раньше выйдет? Нет бы звякнуть мне в бильярдную. Я приезжаю к суду в пять, а ее уж и след простыл.

"А ты, мол, добирайся, как знаешь", чуть было не прибавил он. Дэнни пришлось тащиться на автомойку и просить Реверса, чтоб тот подбросил его до дому.

Фариш шумно дышал — сопел, видно, что вот-вот сорвется.

— Раз так, надо было там ее дожидаться.

— В суде? Или в машине сидеть? Целый день?

Фариш выругался.

— Надо было мне ее отвезти, — сказал он и отвернулся. — Так и знал, добром это все не кончится.

— Фариш… — Дэнни умолк.

Пожалуй, не стоило напоминать Фаришу о том, что он не умеет водить.

— А какого черта ты ее в грузовике не повез? — рыкнул Фариш. — Отвечай!

— Она сказала, что у грузовика лесенка уж больно крутая, она не заберется. Лесенка крутая, — повторил Дэнни, заметив, как побагровел Фариш, которому что-то послышалось.

— Слышу! — огрызнулся Фариш.

Он окинул Дэнни долгим тяжелым взглядом.

Гам лежала в реанимации — под двумя капельницами, с кардиореспираторным монитором. Ее в своем грузовике привез какой-то мужик. Он как раз проезжал мимо и стал свидетелем невероятного зрелища: по шоссе спотыкаясь, ковыляет старушка, а в плечо ей намертво вцепилась королевская кобра. Он выскочил из машины, вытащил из кузова пластмассовую оросительную трубу в шесть футов длиной и принялся охаживать тварь. Когда он наконец сбил кобру наземь, та метнулась в траву и уползла, но тут уж не сомневайтесь, сказал он врачу, когда привез Гам в больницу, то была самая настоящая кобра — капюшон, метина в форме очков, все было при ней. Он знал, как выглядит кобра, видел ее картинку на коробке патронов для пневматики.

— А броненосцы, а пчелы-убийцы, — говорил водитель грузовика, приземистый коротышка, румяный, улыбчивый, щекастый, пока доктор Бридлав листал главу про ядовитых рептилий в учебнике терапевтической помощи, — лезут к нам с Техаса, а потом на людей бросаются.

— Если вы говорите правду, — отвечал ему доктор Бридлав, — то эта кобра приползла из мест, которые подальше Техаса будут.

Доктор Бридлав долго проработал в неотложке, а поэтому прекрасно знал миссис Рэтлифф, которая здесь была постоянным гостем. Один юный медбрат отлично ее передразнивал, изображал, как она, держась за сердце, ковыляет к карете скорой помощи и одышливым голосом раздает указания внукам. Эта история с коброй — какая-то чушь собачья, но чушь или не чушь, а у старухи все симптомы совпадают — ее укусила кобра, а не какая-нибудь местная змея. У нее набрякли веки, упало давление, она жаловалась на боль в груди и затрудненное дыхание. Если б ее укусил гремучник, вокруг ранки была бы характерная припухлость, а ее не было. Укус, похоже, был неглубокий. Пиджак был с подплечниками, и поэтому кобре не удалось прокусить плечо.

Доктор Бридлав сполоснул крупные розовые руки, вышел к угрюмо столпившимся возле реанимации внукам.

— Налицо нейротоксические симптомы, — сказал он, — птоз, угнетение дыхания, понижение кровяного давления, отсутствие ярко выраженных отеков. Мы внимательно следим за ее состоянием, так как ее, возможно, придется интубировать и переводить на искусственное дыхание.

Внуки вздрогнули, недоверчиво на него уставились, самый младший — по виду умственно отсталый — энергично замахал рукой.

— Привет! — сказал он.

Фариш выдвинулся вперед, чтоб было ясно, кто тут главный.

— Где она? — он оттолкнул доктора. — Мне надо с ней поговорить.

— Сэр... Сэр! Боюсь, что сейчас этого сделать нельзя. Сэр, убедительно прошу вас вернуться.

— Где она? — Фариш растерянно застыл посреди трубок, аппаратов, попискивающих устройств.

Путь ему преградил доктор Бридлав.

— Сэр, она отдыхает. — Он ловко, при помощи парочки санитаров, выпроводил Фариша обратно в приемный покой. — Ее лучше не беспокоить. Сейчас вы ей ничем не сможете помочь. Вот, глядите-ка, вот здесь можно присесть и подождать. Вот здесь.

Фариш стряхнул его руку.

— А вы-то ей как помогаете? — спросил он так, будто помогали они ей спустя рукава.

Доктор Бридлав снова бойко зачастил о кардиореспираторных мониторах, птозе и отсутствии ярко выраженных отеков. Умолчал он только о том, что в больнице от яда кобры не было противоядия и достать они его никак не могли. И не сказать, чтоб за те несколько минут, что он листал учебник терапевтической помощи, он узнал о чем-то, чего ему не рассказывали во время учебы. Человеку, которого укусила кобра, поможет только одно определенное противоядие. Но противоядие это можно было раздобыть только в очень крупных зоопарках или солидных медицинских центрах, да и вводить его надо в течение пары часов после укуса, а то — никакой пользы. Старушке придется выкарабкиваться самой. Вероятность того, что укус кобры окажется смертельным, сообщал учебник, от десяти до пятидесяти процентов. Разброс огромный, если учесть, что в учебнике не было сказано, как именно велись подсчеты выживших — это только те люди, которым удалось ввести противоядие, или вообще все укушенные? Кроме того, пациентка была старая, у нее и помимо укуса проблем со здоровьем хватало. Ее медкарта была в палец толщиной. И потому, когда доктора Бридлава спрашивали, переживет ли она ночь, протянет ли хоть еще час, он совершенно не знал, что на это отвечать.

Гарриет повесила трубку и пошла к матери — без стука вошла к ней в спальню, встала в ногах кровати.

— Завтра я поеду в лагерь на озере Селби, — объявила она.

Мать Гарриет оторвала взгляд от нового номера журнала выпускников Ол Мисс. Она клевала носом, читая о бывшем однокурснике, который был теперь в Конгрессе и занимался чем-то таким сложным, что она никак не могла понять, чем же.

— Я позвонила Эди. Она меня отвезет.

— Что-что?

— Вторая смена уже началась, но они сказали Эди, что все равно меня возьмут, хоть это и против правил. Они ей даже скидку дали.

Она бесстрастно смотрела на мать, ждала. Мать молчала, да и какая разница, что она там скажет — если вообще скажет, — потому что всем теперь заправляла Эди. Гарриет ненавидела лагерь на озере Селби, но все-таки это лучше, чем исправительная школа или тюрьма.

Гарриет позвонила бабке, потому что запаниковала. Не успела она домой добежать, еще мчалась по Натчез-стрит, как услышала вой сирен — скорая это была или полиция, она не поняла. Задыхаясь, прихрамывая — ноги заходятся от судорог, легкие так и обжигает болью, — она заперлась в ванной, побросала всю одежду в корзину для грязного белья и включила воду. Несколько раз, пока Гарриет сидела в ванне, сжавшись, разглядывая узкие горячие росчерки света, которые просачивались в полутемную комнату сквозь планки жалюзи, ей слышались чьи-то голоса возле парадной двери. А если это полиция, что же тогда делать?

Окаменев от ужаса, она все ждала, что в дверь вот-вот постучат, и поэтому просидела в ванне до тех пор, пока вода не стала совсем холодной. Наконец она вылезла, оделась, на цыпочках прокралась в коридор и сквозь щелочку в кружевных занавесках выглянула на улицу — никого. Ида уже ушла домой, и дома стояла зловещая тишина. Казалось, будто сто лет прошло, хотя на самом-то деле — сорок пять минут.

Гарриет все стояла в коридоре, напряженно следила за дорогой. Она уже устала стоять, но все равно боялась идти к себе в комнату и потому все ходила туда-сюда, из коридора в гостиную, то и дело выглядывая из окна. Вдруг услышала сирены — и у нее аж сердце зашлось, ей показалось, будто они сворачивают на Джордж-стрит. Она застыла посреди гостиной, боясь даже шевельнуться, и вскоре нервы у нее сдали окончательно — она позвонила Эди и, задыхаясь, подтащила телефон к кружевной полоске света возле окна, чтоб во время разговора следить за происходящим на улице.

Надо отдать должное Эди, под ее руководством дело закипело, да так споро, что у Гарриет даже какие-то теплые чувства к ней снова проснулись. Едва Гарриет, заикаясь, выдавила, что передумала насчет церковного лагеря и хотела бы поскорее туда уехать, Эди даже никаких вопросов задавать не стала. Она сразу позвонила на озеро Селби и, справившись с недовольством какой-то мямли-секретарши, добилась, чтобы ее соединили с доктором Вэнсом. Эди перезвонила Гарриет через каких-нибудь десять минут, и у нее уже все было схвачено — разрешение кататься на водных лыжах она подписала, место на верхнем ярусе кровати в вигваме "Синичка" выхлопотала, список вещей, которые надо взять с собой, составила и уже завтра в шесть утра отвезет Гарриет в лагерь. Оказалось, что про лагерь она вовсе не забыла, просто ей надоело уламывать Гарриет и ее мать, которая и не думала помогать Эди. Эди твердо верила в то, что все беды Гарриет происходят от того, что она мало общается с другими детьми, особенно с детьми нормальными, приличными, баптистскими, и Гарриет стоило больших трудов промолчать, пока Эди соловьем разливалась о том, как отлично Гарриет будет проводить там время, да какие чудеса творит христианский соревновательный дух.

В спальне у матери стояла оглушительная тишина.

— Что ж, — сказала Шарлотта, отложив журнал, — надо же, как неожиданно. А мне казалось, что тебе в прошлом году там ужасно не понравилось.

— Мы уедем рано, ты еще будешь спать. Эди хочет пораньше выехать и побыстрее добраться. Я подумала, надо тебе сказать.

— И почему ты передумала? — спросила Шарлотта.

Гарриет надменно пожала плечами.

— Ну… Я горжусь тобой, — Шарлотта не знала, что и сказать.

Она заметила, что Гарриет загорела до черноты, да еще и похудела — на кого же она похожа? Волосы эти черные, вздернутый подбородок?

— Интересно, — сказала она, — что же сталось с той книжкой про Гайавату, которая мне одно время вечно попадалась на глаза?

Гарриет отвернулась, выглянула в окно, будто ждала кого-то.

— Это очень важно… — Мать Гарриет упрямо пыталась вспомнить, что же она хотела сказать. Это все из-за скрещенных на груди рук, думала она, из-за стрижки. — Я хочу сказать, это хорошо, что ты будешь делать какое-то… какое-то дело.

Эллисон околачивалась за дверью — подслушивала, решила Гарриет. Она пошла за Гарриет и стояла в дверях их комнаты, пока та вытаскивала из комода носки, белье и зеленую футболку с эмблемой лагеря, которая осталась у нее с прошлого года.

— Что ты натворила? — спросила она.

Гарриет замерла.

— Ничего, — ответила она. — С чего ты решила, будто я что-то натворила?

— Ты так себя ведешь.

Гарриет промолчала, отвернулась к комоду — щеки у нее полыхали.

Эллисон сказала:

— Когда ты вернешься, Ида уже уедет.

— Мне все равно.

— Она последнюю неделю у нас работает. Если ты уедешь, вы с ней больше не увидитесь.

— Ну и что? — Гарриет запихнула кеды в рюкзак. — Она нас даже и не любит.

— Знаю.

— Тогда какое мне до нее дело? — ответила Гарриет, но сердце у нее дрогнуло, дернулось.

— Потому что мы ее любим.

— Я — нет, — быстро ответила Гарриет. Она застегнула рюкзак и швырнула его на кровать.

Гарриет спустилась вниз, отыскала на столике в коридоре лист бумаги и в слабом вечернем свете написала Хили записку:

> Дорогой Хили!
>
> Завтра я еду в лагерь. Надеюсь, ты хорошо проведешь остаток лета. Надеюсь, что, когда ты перейдешь в седьмой класс, мы вместе будем сидеть на классном часе.
>
> Твой друг, Гарриет К.-Дюфрен

Не успела она дописать, как зазвонил телефон. Гарриет не хотела отвечать, но после третьего или четвертого звонка передумала и осторожно сняла трубку.

— Эй, чувиха, — раздался голос Хили, слабый, потрескивающий — из-за шлема-телефона. — Слышала сирены только что?

— Я как раз написала тебе письмо, — сказала Гарриет. Из коридора ей казалось, будто на улице никакой не август, а зима. Свет с увитой лозами веранды сочился сквозь стеклянные дольки полукруглого окна над дверью и щели в занавесках — жидкий сероватый свет, слабенький и тусклый. — Эди завтра отвезет меня в лагерь.

— Не-ет! — казалось, будто он кричит со дна океана. — Не уезжай! Ты совсем чокнулась, что ли?

— Я тут не останусь.

— Давай сбежим!

— Не могу.

Большим пальцем ноги Гарриет очертила в пыли черный кружок — на разлапистой палисандровой ножке столика пыль лежала нетронутым слоем, будто сизый налет на сливах.

— А вдруг нас кто-нибудь видел? Гарриет?

— Здесь я, — ответила Гарриет.

— А с тележкой моей как быть?

— Не знаю, — ответила Гарриет.

Она и сама все думала про тачку Хили. Она ведь так и осталась там, на эстакаде, и ящик вместе с ней.

— Может, мне вернуться и забрать ее?

— Нет. Тебя могут увидеть. Там твоего имени не было нигде написано?

— Не-а. Я давно в нее не играю. Слушай, Гарриет, а кто это был?

— Не знаю.

— На вид — прямо старый-престарый. Человек этот.

Наступило тягостное, взрослое молчание — не такое, как бывало, когда им больше нечего было сказать друг другу и они мирно ждали, пока кто-нибудь наконец что-нибудь да скажет.

— Мне пора, — сказал Хили. — Мама на ужин готовит такос.

— Ладно.

Так они и сидели, дыша в трубку — Гарриет в затхлом коридоре с высоким потолком, Хили — у себя на кровати, на верхнем ярусе.

— А что сталось с теми детьми, про которых ты рассказывал? — спросила Гарриет.

— С какими?

— Ну, с детьми в Мемфисе, которые в новостях были. Которые с эстакады камнями кидались.

— А, с этими. Их поймали.

— И что с ними сделали?

— Не знаю. Наверное, в тюрьму посадили.

Снова — долгое молчание.

— Я тебе открытку пришлю. Чтобы, когда почту разносить будут, и тебе было что почитать, — сказал Хили. — Я напишу, если будут какие-то новости.

— Не надо. Ничего не пиши. Об этом — ни слова.

— Я и не буду!

— Я знаю, что не будешь, — огрызнулась Гарриет. — Просто вообще — не болтай об этом.

— Ну, я и не собираюсь всем рассказывать.

— Никому вообще не рассказывай. Слушай, такое нельзя разболтать кому-нибудь… кому-нибудь вроде Грега Делоуча. Хили, я серьезно, — настаивала она, не давая ему и слова вставить, — обещай, что ему не расскажешь.

— Да Грег вообще живет на Хикори-сёркл. Мы с ним только в школе и видимся. И потом, Грег на нас в жизни не нажалуется, я точно знаю!

— Все равно, ничего ему не говори. Даже если ты одному человеку расскажешь…

— Вот бы мне с тобой поехать. Вот бы уехать хоть куда-нибудь, — проныл Хили. — Мне страшно. Мы, похоже, змеей кинули в бабушку Кертиса.

— Слушай, что я говорю. Дай мне слово. Что никому не расскажешь. Потому что…

— Если это бабка Кертиса, значит, она и всем остальным бабка. И Дэнни, и Фаришу, и проповеднику, — Хили вдруг зашелся визгливым истеричным хохотом. — Они меня прирежут!

— Да, — очень серьезно подтвердила Гарриет, — и именно поэтому нам нужно молчать. Если ты никому ничего не скажешь, и я никому ничего…

Тут Гарриет что-то заметила, вскинула голову — и до ужаса перепугалась, увидев, что Эллисон стоит в дверях гостиной, всего-то в нескольких шагах от нее.

— Как же хреново, что ты уезжаешь, — дребезжал в трубке голосок Хили. — Только вот с трудом верится, что ты едешь в этот вонючий, мерзкий баптистский лагерь.

Гарриет демонстративно отвернулась от Эллисон, промычала что-то в трубку, чтоб стало ясно, что она не может разговаривать, но Хили ничего не понял.

— Вот бы и мне куда-нибудь уехать. Родители хотели на каникулах свозить нас в Смоки-Маунтинс[1], но отец сказал, что ему не хочется гонять машину на такое расстояние. Слушай, может, тогда оставишь мне пару четвертаков, чтоб я, если что, мог тебе позвонить?

— У меня нет денег.

Как это похоже на Хили — родители ему карманные деньги выдают, а он еще и у нее их клянчит. Эллисон ушла.

— Господи, только бы не оказалось, что это их бабка. Пожалуйста, пожалуйста, только не она!

— Мне пора.

Отчего же свет такой печальный? У Гарриет на сердце было так тяжело, будто оно вот-вот лопнет. В мутном зеркале виднелась стена у нее над головой (растрескавшаяся штукатурка, почерневшие фотографии, тусклые золоченые канделябры), а по зеркалу плесневелыми облачками вихрились черные пятнышки.

Из трубки по-прежнему неслось хриплое дыхание Хили. У него дома не было ничего печального — все новенькое, веселенькое, и телевизор вечно включен, — но стоило его дыханию пробраться по проводам к ним в дом, как и оно менялось, делалось грустным.

— Мама записала меня к мисс Эрлихсон, теперь она у меня будет классным руководителем, — сказал Хили. — Так что, похоже, мы с тобой в седьмом классе нечасто будем видеться.

Гарриет что-то безразлично фыркнула в ответ, стараясь не показывать, до чего задело ее это предательство. В седьмом классе руководителем у Гарриет была закадычная подружка Эди, мисс Кларенс Хакни (по прозвищу Тупоголовка), и она же будет учить

1 Грейт-Смоки-Маунтинс — национальный парк между штатами Северная Каролина и Теннесси.

ее в восьмом. Но если Хили выбрал в руководители мисс Эрлихсон (новую учительницу, молоденькую блондинку), то, значит, и учиться они теперь будут в разных корпусах, и обедать будут ходить в разное время, и все у них теперь будет разное.

— Мисс Эрлихсон клевая. Мама сказала, что она в жизни не допустит, чтоб и второй ее сын целый год терпел мисс Хакни. Она разрешает сочинения писать по каким хочешь книжкам и... Хорошо! — крикнул кому-то Хили и бросил Гарриет: — Ужинать зовут. До скорого!

Гарриет сжимала в руках черную тяжелую трубку до тех пор, пока оттуда не понеслись гудки. Она положила трубку на рычаг — раздался звучный щелчок. Тоненький бодрый голосок Хили, эти его виды на мисс Эрлихсон — Гарриет казалось, что даже Хили она потеряла или вот-вот потеряет, будто и он в ее жизни появился только мимоходом, как лето или как светлячки. В узком коридоре почти стемнело. Теперь, когда умолк и голос Хили — пусть слабый, пусть дребезжащий, — некому было разогнать ее уныние, и снедавшая Гарриет тоска почернела, расползлась катарактой.

Хили! Он жил в людном, ярком, компанейском мирке, где все было новенькое и блестящее: в мире кукурузных хлопьев и пинг-понга, стерео и газировки, в мире, где его мать носила тенниски и шорты из обрезанных джинсов и шлепала босиком по ковролину. Там даже пахло новизной и лимонной свежестью — не то что в их сумрачном доме, просевшем от смрада воспоминаний, где висел застоявшийся запах пыли и старой одежды. Что знал Хили, который ел на ужин такос и безо всякой задней мысли собирался осенью учиться у мисс Эрлихсон, — что он там знал о холоде и одиночестве? Что он вообще знал о ее мире?

Гарриет потом еще вспомнит этот день, для нее он будет той самой четкой, по-научному ясной точкой, после которой ее жизнь станет невыносимой. Она и до этого не сказать, чтоб была счастлива или довольна, но к разверзшейся перед ней неведомой тьме оказалась и вовсе не готова. Всю жизнь Гарриет будет вспоминать, дергаясь, как от пощечины, что у нее тогда не хватило духу остаться на один день — всего на день! — чтобы посидеть у Идиных ног, положив голову ей на колени. О чем бы они говорили? Этого она так никогда и не узнает. Как же больно будет Гарриет, что она тогда трусливо сбежала, не дожидаясь ухода Иды; как же больно будет ей от того, что, кажется, во всей этой истории только она и виновата; как же невыносимо больно ей будет, что они с Идой не попрощались. Но больнее всего окажется то, что она так и не справилась со своей гордостью и не сказала Иде, что любит ее. Гордыня и высокомерие помешали ей осознать, что она больше никогда не увидит Иду. Новая жизнь — жизнь гадкая — сгущалась вокруг Гарриет в темном коридоре, возле телефонного столика, впрочем, это тогда она казалась Гарриет новой, но уже через несколько дней она станет привычной до ужаса.

Глава 6
Похороны

— В те времена гостеприимство ценилось превыше всего, — сказала Эди.

Ее звонкий, ораторский голос легко перекрыл рев раскаленного ветра, влетавший в опущенные окна автомобиля. Даже не удосужившись посигналить, Эди величественно перестроилась в левый ряд, подрезав грузовик с дровами.

"Олдсмобиль" был дородный, задастый — ламантин, а не машина. Эди купила ее еще в пятидесятых, в Виксбурге. Между Эди и привалившейся к двери Гарриет свободного места было хоть отбавляй. Здесь помещались и плетеная сумка Эди с деревянными ручками, и клетчатый термос с кофе, и коробка пончиков.

— К нам в "Напасть" мамина родня, бывало, наезжала без предупреждения, гостили неделями, и никто им и слова поперек не говорил, — рассказывала Эди.

Тут можно было и до пятидесяти пяти разогнаться, но Эди ехала в привычном ей прогулочном темпе: сорок миль в час.

Гарриет глядела в боковое зеркало — водитель грузовика хлопал себя по лбу, нетерпеливо размахивал руками.

— Это, конечно, не мемфисская родня была, — сказала Эди. — Я про тех, которые в Батон-Руж жили. Мисс Олли, Джулс, Мэри Виллард. И тетушка Душечка!

Гарриет угрюмо глядела в окно: одни лесопилки да сосны, которые нелепо розовеют в лучах рассветного солнца. Теплый пыльный ветер ерошил ей волосы, монотонно шлепал свисавшим сверху лоскутом обивки, шуршал целлофановой пленкой на коробке с пончиками. Гарриет хотелось пить — да и есть тоже, — но кроме кофе пить было нечего, а пончики были черствые и крошились. Эди всегда покупала вчерашние пончики, хотя они стоили всего-то на пару центов дешевле свежих.

— У маминого дяди была маленькая плантация неподалеку от Ковингтона, называлась "Анжуйская", — Эди подцепила салфетку и с монаршим достоинством, по-другому и не скажешь, будто король, который привык есть руками, откусила большой кусок пончика. — Либби нас троих туда возила, когда еще ходил поезд, "четверка". Мы гостили там неделями! У мисс Олли на заднем дворе стояла такая крохотная летняя кухонька — внутри только печка, столик и стулья, и как же мы любили в этой кухоньке играть!

Голые ноги Гарриет прилипали к кожаному сиденью. Она сердито заерзала, пытаясь устроиться поудобнее. Они ехали уже третий час, солнце стояло высоко и палило вовсю. Эди то и дело порывалась сменять "олдсмобиль" на машину поновее — чтоб там был кондиционер или радио работало, — но в последний момент всегда передумывала, потому что втайне обожала глядеть, как раздосадованный Рой Дайал скачет вокруг нее, заламывая руки.

Мистер Дайал никак не мог пережить, что Эди, такая приличная баптистская дама, ездит на двадцатилетнем авто, и поэтому, бывало, заезжал к ней вечерком с какой-нибудь новенькой машиной — как правило, "кадиллаком" последней модели — и, хоть его никто об этом не просил, оставлял его Эди "опробовать". "Вы просто покатайтесь денек-другой, — отмахивался он, — поглядите, подумайте". Эди жестоко его дурачила: сначала притворялась, будто от машины просто без ума, а потом, едва мистер Дайал подготовит все документы, возвращала ее, потому что ей вдруг разонравился цвет или электрические стеклоподъемники, а то и придиралась к какому-нибудь крошечному изъяну — то в приборной доске что-то постукивает, то кнопка замка заедает.

— На номерных знаках в Миссисипи, конечно, по-прежнему пишут "Гостеприимный штат", да только я думаю, кончилось все наше гостеприимство, осталось в первой половине нынешнего века. Мой прадед страсть как не хотел, чтоб строили отель "Александрия" — старый, который еще до войны стоял, — Эди возвысила голос, чтобы перекричать несшийся им в спины настойчивый рев клаксона. — Говорил, что любого достойного путника с радостью разместит у себя.

— Эди, этот дядька тебе сигналит.

— Пусть сигналит, — ответила Эди, которую ее скорость вполне устраивала.

— По-моему, он хочет нас обогнать.

— Подождет, ничего ему не сделается. А то, поглядите-ка, бревна он везет, уж такое спешное у него дело.

Пейзаж за окном — песчаные холмы, бесчисленные сосны — был до того первобытным и непривычным, что у Гарриет засосало под ложечкой. Куда ни глянь, сразу вспоминаешь, что дом остался далеко позади. Даже в соседних машинах сидели совсем другие люди — с кирпичным загаром, плоскими, приплюснутыми лицами, в деревенской одежде, — совсем не похожие на жителей ее города.

Замелькала череда унылых лавчонок: "Покраска авто, Фрилон и Ко", "Запчасти Тьюнс", "Нью-Дикси — Камни и щебень". Дряхлый чернокожий старикан в комбинезоне и оранжевом кепи ковылял по обочине, держа под мышкой коричневый магазинный пакет. И что подумает Ида, когда придет утром на работу и поймет, что она уехала? Она уже вот-вот должна прийти — от этой мысли у Гарриет даже дыхание перехватило.

Провисшие телефонные провода, делянки с капустой и кукурузой, обветшалые домишки и вытоптанные палисадники. Гарриет прижалась лбом к нагретому стеклу. Быть может, Ида наконец поймет, как сильно она обидела Гарриет, поймет, быть может, что нельзя вот так вот грозить отъездом всякий раз, когда ей что-то не по нраву… Чернокожий мужчина в очках кормил рыжих цыплят, швыряя им корм из жестянки, в которой раньше был "Криско". Он важно вскинул руку вслед проезжающей машине, и Гарриет замахала ему в ответ, да так рьяно, что сама засмущалась.

Она и за Хили волновалась тоже. Он вроде как был уверен, что его имени на тележке не было, но все-таки очень плохо, что они оставили тележку там и ее могут найти. Ей делалось дурно при одной мысли о том, что Рэтлиффы могут узнать, чья это тележка. Даже не думай об этом, велела она себе, даже не думай.

Они все ехали и ехали. Хижины сменились лесами, изредка мелькали поля, от которых несло пестицидами. Посреди чахлой полянки стоял дом на колесах, возле которого вешала белье толстуха в малиновой майке и шортах, одна нога у нее была закована в тяжелый ортопедический ботинок. Она взглянула на машину, но махать не стала.

Размышления Гарриет прервал визг тормозов, машина резко вильнула — Гарриет прижало к двери, а коробка с пончиками накренилась. Это Эди — наперерез всему движению — свернула на ухабистую проселочную дорогу, которая вела к лагерю.

— Прости, милая, — невозмутимо сказала Эди и наклонилась, чтобы поправить сумку. — И почему эти знаки делают такими маленькими, пока вплотную не подъедешь, и разглядеть-то толком ничего нельзя…

Они молча тряслись по щебенке. По сиденью катался серебристый цилиндрик помады. Гарриет поймала его — "Вишни в снегу" было написано на прилепленном к донышку ярлычке — и бросила в соломенную сумку Эди.

— Вот теперь мы точно въехали в округ Джонс! — весело сказала Эди.

Солнце било ей в затылок, на ее резко очерченный, девчачий профиль падала тень. Только кожа на горле да руки на руле — узловатые, пятнистые — выдавали ее возраст, а так Эди, в накрахмаленной белой рубашке, юбке в складочку и двухцветных туфлях, была вылитая восторженная репортерша из сороковых годов в погоне за сенсацией.

— Помнишь историю про дезертира Найта, вы должны были это проходить на уроках по истории Миссисипи? Про Робин Гуда из Пайни-Вудс, как он себя сам называл? Он и его соратники были людьми бедными, несчастными, воевать за богачей им не хотелось, поэтому они попрятались тут в лесах, и до Конфедерации им и дела не было. "Республика Джонса", вот как себя окрестили. Военные выслеживали их с собаками, так старухи-фермерши травили псов красным перцем, чтоб они задохнулись! Вот какие они, уроженцы округа Джонс!

— Эди, — сказала Гарриет, которая все это время внимательно глядела на бабку, — может, тебе зрение проверить?

— Я все прекрасно вижу. Да-да. Одно время, — важно продолжала Эди, — в здешних лесах было полно дезертиров-конфедератов. Они были бедные, денег на рабов у них не было, поэтому рабовладельцев-богачей они презирали. Тогда они откололись от отколовшихся! Разбили чахлые огородики и пололи кукурузу прямо тут, посреди сосен. Куда ж им понять, что вся война на самом деле началась из-за разного правового положения штатов.

Лес кончился, началось поле. Гарриет увидела узенькие унылые трибуны, футбольные воротца, вытоптанную траву, и сердце у нее упало. Взрослые девчонки весьма свирепого вида играли в тетербол, в утренней тишине оглушительно звенели шлепки по мячу, уханье. Над доской для счета висела рукописная табличка:

…новая смена де Селби!

Перед вами открыты все дороги!

У Гарриет сжалось горло. До нее вдруг дошло, что она совершила ужасную ошибку.

— А вот Натан Бедфорд Форест был родом не то чтобы из очень богатой семьи, да и не сказать, чтобы очень образованной, зато — великий полководец! — говорила Эди. — Да-да! "Среди первых, среди лучших"! Такой он был, Форест.

— Эди, — торопливо прошептала Гарриет, — я не хочу тут оставаться. Поехали домой.

— Домой? — слова Гарриет, похоже, даже не удивили Эди, просто позабавили. — Чепуха! Ты чудесно проведешь время!

— Нет, Эди, пожалуйста. Я ненавижу это место.

— Зачем тогда ты хотела сюда поехать?

Гарриет не нашлась, что ответить. Они завернули за угол, спустились к подножию холма, и перед Гарриет замелькала череда позабытых ужасов. Клочковатая трава, потускневшие от пыли сосны и красновато-желтый гравий, похожий на сырую куриную печенку — ну почему же она забыла, что место тут просто омерзительное, что каждая проведенная здесь минута была для нее сущей пыткой? Впереди слева — ворота, за ними спрятался в зловещей тени домик директора. Над дверью висело полотнище с намалеванным вручную голубем и жирными косыми буквами: ВОЗРАДУЙТЕСЬ!

— Эди, пожалуйста, — быстро сказала Гарриет, — я передумала. Давай вернемся.

Эди сжала руль, резко развернулась и недобро посмотрела на Гарриет — светлым, хищным взглядом, взглядом, который Честер звал “снайперским”, потому что такими глазами только в прицел глядеть. Глаза Гарриет (которую Честер иногда звал “младшим снайпером”) были такими же светлыми и ледяными, но видеть уменьшенное отражение своего собственного упрямого взгляда Эди было не по душе. На застывшем личике внучки Эди не заметила ни тоски, ни тревоги — ей казалось только, что она дерзит, и дерзит самым нахальным образом.

— Не глупи, — безжалостно сказала она и перевела взгляд на дорогу — очень вовремя, не то они бы съехали в канаву. — Тебе тут понравится. Через неделю будешь ныть и канючить, чтоб тебя отсюда не забирали.

Гарриет изумленно уставилась на Эди.

— Эди, — сказала она, — да тебе бы самой тут ни за что не понравилось. Ты бы и за миллион долларов тут не осталась бы.

— “Ой, Эди, — издевательски запищала Эди, передразнивая Гарриет, — отвези меня в лагерь! Я хочу обратно!” Вот что ты будешь говорить, как придет время уезжать.

От обиды Гарриет даже дар речи потеряла.

— Не буду, — наконец выдавила она. — Не буду.

— Будешь-будешь, — пропела Эди, вздернув подбородок — Гарриет терпеть не могла этот ее самодовольный, бодренький голосок. — Еще как будешь! — еще громче повторила она, даже не взглянув на Гарриет.

Вдруг загнусавил кларнет — звук вышел зуболомный, не то надрывается скот в загоне, не то деревенщина с кем-то здоровается: это доктор Вэнс, словно герольд, вострубил их прибытие. Доктор Вэнс был никакой не доктор — не настоящий доктор-врач — а так, разрекламированный христианский управленец, янки с кустистыми бровями и зубищами, как у осла. Он считался большой шишкой в баптистском молодежном движении и, как верно подметила Аделаида, лицом был вылитый Безумный Шляпник со знаменитых иллюстраций Тенниэла к “Алисе в Стране чудес”.

— Дамы, добро пожаловать, — заворковал он, просунув голову в опущенное окно машины. — Слава Господу!

— Слава, слава, — отозвалась Эди, которой дела не было до евангельского душка, которым, бывало, отдавали реплики доктора Вэнса. — Вот, привезла вам пассажира. Сейчас запишу ее и домой поеду.

Доктор Вэнс нагнул голову, просунулся подальше в окошко и улыбнулся Гарриет. Лицо у него было обветренное, кирпично-красное. Гарриет холодно отметила, что из носа у него торчат волоски, а между крупных квадратных зубов скопился налет.

Доктор Вэнс театрально отдернул голову, как будто Гарриет ошпарила его взглядом.

— Ого! — он вскинул руку, понюхал подмышку, взглянул на Эди. — Я уж было подумал, что утром забыл дезодорантом побрызгаться.

Гарриет уткнулась взглядом в коленки. "Ну и что, что мне придется тут остаться, — мысленно твердила она, — но притворяться, что мне тут нравится, я не обязана". Дети в лагере, считал доктор Вэнс, должны быть шумными, резвыми, подвижными, а если кто духу лагеря не соответствует, так он его расшевелит силой — затормошит, задразнит. "Что такое, шуток не понимаешь? Не можешь, что ли, над собой посмеяться?" Только кто затихнет — неважно, почему, — как доктор Вэнс тут как тут, швырнет в него наполненный водой воздушный шар, заставит танцевать перед всем лагерем — по-цыплячьи дрыгать ногами, или отправит бегать по грязи, ловить перемазанную жиром свинью, или нацепит жертве на голову дурацкую шапку.

— Гарриет! — нарушила Эди неловкое молчание.

Но что бы там Эди ни говорила, а от доктора Вэнса ей тоже не по себе делалось, и Гарриет это знала.

Доктор Вэнс уныло подудел в кларнет, но Гарриет все равно не подняла головы, тогда он снова просунулся в окно и показал ей язык.

"Я окружена врагами", — напомнила себе Гарриет. Придется проявить силу духа и вспомнить, зачем она сюда приехала. Да, она ненавидит лагерь на озере Селби, но сейчас для нее безопаснее места и не придумаешь.

Доктор Вэнс присвистнул — звук вышел обидным, презрительным. Гарриет с неохотой подняла глаза (сопротивляться бессмысленно, он так и будет к ней цепляться), и доктор Вэнс сделал брови домиком, как у грустного клоуна, выпятил нижнюю губу.

— Праздник жалости к себе, он и не праздник вовсе, — сказал он. — А знаешь почему? А? Потому что празднуешь один-одинешенек.

У Гарриет запылали щеки, она тайком глянула в окно, за спину доктору Вэнсу. Тонкие высокие сосны. Мимо тихонько прокралась стайка девочек в купальниках, ноги у них были забрызганы красной грязью. “Пала власть горских вождей, — подумала Гарриет. — Я оставил родину и укрылся в вересковых пустошах”[1].

— … неприятности дома? — услышала она ханжеский голосок доктора Вэнса.

— Никаких неприятностей. Просто она… Гарриет просто много о себе воображает, — звонко и четко сказала Эди.

Гарриет вдруг живо с гадливостью припомнила, как доктор Вэнс выталкивал ее на сцену, чтобы она поучаствовала в конкурсе “Покрути-ка обруч”, и как над ней смеялся весь лагерь.

— Ясно, — хохотнул доктор Вэнс, — что ж, с воображалами мы тут умеем управляться.

— Слышала, Гарриет? Гарриет! Ох, не знаю, — вздохнула Эди, — не знаю, что на нее нашло.

— Ничего, пара-другая “королевских ночей”, пробежит разок-другой эстафету с горячей картошкой — и мигом оттает.

“Королевские ночи”! Так и замельтешили сумбурные воспоминания: кто-то своровал ее трусы, кто-то налил воду ей в кровать (“А Гарриет в кровать писается!”), какая-то девчонка ноет: “Не садись сюда!”

Мисс Зубрилка, В-Книге-Нос!

— Эге-гей!

У жены доктора Вэнса голос визгливый, деревенский, а вот и она сама, приветливо трусит к ним в полиэстеровом пляжном костюмчике. Миссис Вэнс (сама она, правда, предпочитала, чтобы ее звали мисс Пэтси) руководила лагерем для девочек и была такой же противной, как доктор Вэнс, правда, действовала по-другому: вечно лезла с телячьими нежностями, совала во все свой нос и задавала кучу личных вопросов (про мальчиков, про интимности, всякое такое). “Мисс Пэтси” было ее официальным прозвищем, но все девочки звали ее “Врачихой”.

— Привет, лапуля! — она просунула руку в окно и ущипнула Гарриет. — Как наши делишки? — Дерг, дерг. — Поглядите-ка на нее!

— Здрасте, миссис Вэнс, — сказала Эди, — как поживаете?

Эди втайне обожала людей вроде миссис Вэнс, потому что на их фоне можно было без особых усилий казаться королевой.

1 Здесь Гарриет вспоминает роман Вальтера Скотта “Уэверли, или Шестьдесят лет назад”.

— Ну так идемте же! Все идем в контору! — Миссис Вэнс всегда говорила неестественно бодрым голосом, как женщины, которые участвовали в конкурсе красоты “Мисс Миссисипи” или в “Шоу Лоренса Велка”[1]. — Дорогуша, да ты вон как вымахала! — сказала она Гарриет. — Ну что, обещаешь в этот раз ни с кем не драться?

Доктор Вэнс очень недобро поглядел на Гарриет, и ей этот взгляд совсем не понравился.

В больнице Фариш все прокручивал варианты того, что могло случиться с их бабкой, выдвигал самые разные версии и искал объяснения — весь вечер, да и весь следующий день, поэтому братьям уже очень, очень надоело его слушать. Отупев от недосыпа, они слонялись по приемному покою возле отделения реанимации, то слушая Фариша, то поглядывая воспаленными глазами в телевизор, где показывали мультик про пса-сыщика.

— Только дернешься, как она сразу и укусит, — сообщил Фариш кому-то невидимому, как будто Гам могла его услышать. — Зря ты задергалась. Да хоть бы она на коленях у тебя свернулась.

Он встал, провел руками по волосам и принялся расхаживать туда-сюда, мешая им смотреть телевизор.

— Фарш, — громко сказал Юджин, вытянул ноги, потом снова их скрестил. — Гам ведь так и так надо было за руль садиться, ведь верно?

— Только в канаву выруливать было необязательно, — сказал Дэнни.

Фариш свел брови.

— Меня ты из машины так легко бы не выманил, — свирепо сказал он. — Я б сидел тихо как мышка. Стоит дернуться, — он плавно рассек воздух рукой, — это для нее как угроза. Тогда она защищается.

— Ну а что еще ей было делать, Фариш? Ей, черт подери, змея в машину свалилась.

Вдруг Кертис захлопал в ладоши и ткнул пальцем в телевизор.

— Гам! — воскликнул он.

Фариш вскинулся, обернулся. Дэнни с Юджином смущенно прыснули со смеху. В телевизоре пес и группа подростков пробира-

1 Популярное американское музыкально-танцевальное телешоу 1950–1970-х годов.

лись по жуткому старинному замку. На стене, промеж охотничьих рожков и алебард висел, оскалившись, скелет, который — ну это ж надо — был здорово похож на Гам. Внезапно скелет слетел со стены и поплыл за псом, который с визгом принялся от него удирать.

— Вот так, — с трудом выдавил Юджин, — вот так она и выглядела, когда кобра за ней гналась.

Фариш только молча поглядел на них — устало, безнадежно. Кертис понял, что что-то натворил, сразу же перестал смеяться и растерянно воззрился на Фариша. Но тут к ним вышел доктор Бридлав, так что они все разом замолчали.

— Ваша бабушка пришла в сознание, — сказал он. — Похоже, выкарабкается. Мы отключили ее от аппарата.

Фариш закрыл лицо руками.

— В смысле, от аппарата искусственного дыхания. Но она по-прежнему под капельницей из-за нестабильной стенокардии. Зайдете к ней?

Они выстроились гуськом и чинно прошествовали за доктором сквозь дебри аппаратов и загадочных устройств к отгороженному занавеской закутку, где лежала Гам (один Кертис остался радостно смотреть "Скуби Ду"). Лежала она неподвижно, и эта ее неподвижность и была страшнее всего, потому что в остальном выглядела она не хуже обычного, разве что глаза полуприкрыты — из-за паралича Гам не могла шевелить веками.

— Ну, я вас оставлю с ней на минуточку, — доктор энергично потер руки. — Но всего на минуточку. Ей нельзя переутомляться.

Фариш первым подскочил к кровати.

— Это я, — сказал он, склонившись над бабкой.

Глаза под веками задвигались, Гам медленно отняла руку от покрывала, и Фариш тотчас же ухватил ее обеими ладонями.

— Кто это сделал? — грозно спросил он и почти прижал ухо к ее губам, чтобы лучше слышать.

Через несколько секунд она ответила:

— Не знаю, — голос у нее был сухой, слабый, еле слышный. — Я только вдалеке детей каких-то видала.

Фариш покачал головой, встал, с размаху шлепнул кулаком по ладони. Подошел к окну, уставился на парковку.

— Да какие дети, брось ты, — сказал Юджин. — Я как про все это узнал, знаете, на кого подумал? На Портона Стайлса. — У Юджина рука до сих пор была в перевязи после укуса змеи. — Или это Бадди Рибалс. Говорят же, что у Бадди есть список людей, с которыми он хочет поквитаться. Что когда-нибудь он всем отомстит.

— Нет, это точно не они. — Взгляд у Фариша вдруг сделался умный, проницательный. — Это все тогда вечером началось, в миссии.

Юджин сказал:

— Не надо на меня так смотреть. Я тут ни при чем.

— Думаешь, это Лойал? — спросил Дэнни Фариша.

— С чего бы? — сказал Юджин. — Он уж неделю как уехал.

— Одно мы знаем точно. Это, черт подери, его змея. Без вопросов, — сказал Фариш.

— Знаешь, это ты попросил его приехать и притащить своих змей, — сердито сказал Юджин, — я его не звал. Я теперь вообще к себе домой-то зайти боюсь…

— Говорю, это змея его, — сказал Фариш, нервно постукивая ногой, — я не говорил, что это он ее кинул.

— А меня, Фариш, знаешь, беспокоит, — сказал Дэнни, — кто нам тогда лобовое стекло-то разбил? Если они товар искали…

Дэнни заметил, что Юджин как-то странно на него смотрит, поэтому замолчал и засунул руки в карманы. Не стоит болтать про наркотики в присутствии Гам и Юджина.

— Думаешь, это Дольфус? — спросил он Фариша. — Ну, или кто-то, кто на Дольфуса работает?

Фариш обдумал этот вариант.

— Нет, — ответил он. — Это не его почерк — змеи и тому подобная дрянь. Дольфус просто прислал бы кого-нибудь тебе жопу раскроить, да и все дела.

— Я, знаешь, о чем все думаю? — сказал Дэнни. — Помнишь девчонку, которая тогда в дверь постучалась?

— Я про нее тоже думаю, — сказал Фариш. — Я ее толком не разглядел. Откуда она взялась? Почему ошивалась возле дома?

Дэнни пожал плечами.

— Ты что, ее не спросил?

— Слушай, братан, — Дэнни старался говорить очень ровно, — тогда столько всего творилось.

— И ты ее отпустил? Ты говорила, что ребенка видала, — обратился Фариш к Гам. — Черного или белого? Мальчишку или девчонку?

— Да, Гам, — подхватил Дэнни. — Кого ты видела?

— Сказать по правде, — прошелестела бабка, — я и не разглядела как следует. Сами знаете, глаза у меня слабые.
— Один был ребенок? Или несколько?
— Я их не видела. Только когда бежала по дороге, слышала детский голос на эстакаде — кто-то кричал и смеялся.
— Девчонка эта, — сказал Юджин Фаришу, — она еще на площади была, когда мы с Лойалом проповедовали. Я ее вспомнил. Она на велосипеде ехала.
— Когда она к нам пришла, велосипеда не было, — сказал Дэнни. — Она просто убежала.
— Я просто говорю, что видел.
— По-моему, велосипед я видала, — сказала Гам. — Хотя точно не помню.
— Я хочу поговорить с этой девчонкой, — сказал Фариш. — Вы, значит, не знаете, чья она?
— Она говорила, как ее зовут, но не слишком уверенно. Сначала сказала, Мэри Джонс. Потом — Мэри Джонсон.
— Узнаете ее, если увидите снова?
— Я узнаю, — сказал Юджин. — Я там с ней минут десять стоял. Я ее хорошенько разглядел.
— Я тоже, — сказал Дэнни.
Фариш сжал губы.
— Копы приходили? — резко спросил он бабку. — Вопросы задавали?
— Я им ни словечка не сказала.
— Хорошо, — Фариш неуклюже потрепал бабку по плечу. — Я узнаю, кто это с тобой сотворил, — сказал он. — Найду их, и уж тогда они у меня попляшут.

Последние рабочие дни Иды были очень похожи на те несколько дней перед смертью Вини: бесконечные часы на кухонном полу возле коробки, где лежал кот — еще вроде бы живой, но тот Вини, которого они знали и любили, тот уже давно их покинул. "Горошек «Ле Сюр»" было написано на коробке. Так велико было отчаяние Эллисон, что черные буквы намертво отпечатались в ее памяти. Она лежала, уткнувшись носом в эти самые буквы, стараясь дышать в такт частым судорожным всхрипам кота, как будто своим дыханием хотела поддержать его на плаву. И какой же огромной ей с пола ночью виделась кухня — сплошные тени. Да и теперь смерть Вини отливала восковым блеском линолеума в кухне у Эди, трещала по швам, как ее застекленные буфеты (толпа тарелок набилась рядками на галерку и беспомощно на них таращилась), горела дурацким румянцем красных посудных полотенец и вишенок на занавесках. Глупые, добродушные вещи — картонная коробка, занавески в вишенку, горка пластиковых контейнеров — теснились теперь в горе Эллисон, бодрствовали с ней вместе, несли долгую, страшную ночную вахту. Теперь уходит Ида, и опять только вещи и могут выразить печаль Эллисон, разделить ее с ней. Мрачные ковры, мутные зеркала, сгорбленные, пригорюнившиеся кресла, даже старинные напольные часы застыли, будто вот-вот забьются в рыданиях. В серванте умоляюще заламывали руки фарфоровые венские волынщики и долтоновские девицы в кринолинах — чахоточный румянец, растерянные, запавшие глаза.

У Иды было полно дел. Она вымыла холодильник, разобрала и вычистила все кухонные шкафы, испекла банановый хлеб, сделала несколько кастрюлек мясного рагу, обернула их фольгой и поставила в морозилку. Она болтала и даже напевала что-то себе под нос, и вроде как совсем не унывала, суетилась, хлопотала, только вот Эллисон ни разу в глаза не взглянула. Однажды Эллисон показалось, что Ида плачет. Она робко застыла в дверях.

— Ты плачешь? — спросила она.

Ида Рью аж подпрыгнула — прижала руку к груди, рассмеялась.

— Да Господь с тобой! — отозвалась она.

— Ида, тебе грустно?

Но Ида только головой покачала и снова принялась за работу, а Эллисон убежала к себе в комнату и разревелась. Потом она будет жалеть, что целый час проплакала в одиночестве, когда у них с Идой оставалось так мало времени вместе. Но до того тоскливо было тогда смотреть, как Ида, отвернувшись, протирает кухонные шкафчики, до того тоскливо, что потом от одних воспоминаний горло у Эллисон перехватывало удушливой паникой. Казалось, что Ида уже уехала, что теплая, основательная Ида в белых тапках на резиновой подошве уже успела стать прошлым, призраком, хоть и стояла перед ней на залитой солнцем кухне.

В магазине Эллисон взяла для Иды картонную коробку, чтоб той было куда поставить рассаду и она бы не поломалась в дороге.

Все свои деньги — тридцать два доллара, которые остались у нее еще с Рождества — Эллисон потратила на подарки, купив Иде все, что, по ее мнению, ей могло бы пригодиться: консервированного лосося и крекеры, которыми Ида любила обедать, кленовый сироп, чулки, кусок дорогого английского лавандового мыла, тетрадку марок, симпатичную красную зубную щетку, полосатую зубную пасту и даже большой пузырек мультивитаминов.

Эллисон притащила все покупки домой, и весь вечер просидела на крыльце, заворачивая жестянки и пластмассовые баночки с рассадой в аккуратные кулечки из мокрых газет. На чердаке нашлась миленькая красная коробка, в которой лежали елочные гирлянды. Эллисон вытряхнула гирлянды на пол, а коробку забрала с собой и как раз перекладывала в нее подарки, когда в коридоре раздались шаги матери (легкая, беззаботная поступь) и та заглянула в спальню.

— Скучновато без Гарриет, правда? — весело спросила она. Лицо у нее лоснилось от кольдкрема. — Хочешь, пойдем ко мне, телевизор посмотрим?

Эллисон помотала головой. Ей стало не по себе: на мать это совсем не похоже — расхаживать по дому после десяти вечера, чем-то интересоваться, куда-то звать.

— А что ты делаешь? Пойдем, лучше со мной телевизор посмотришь, — повторила мать, потому что Эллисон молчала.

— Ладно, — сказала Эллисон.

Она встала с кровати.

Мать глядела на нее как-то странно. Эллисон сделалось мучительно неловко, она отвела взгляд. Иногда, особенно если они с матерью оставались вдвоем, она остро чувствовала, как разочарована мать тем, что Эллисон — это Эллисон, а не Робин. С чувством этим мать ничего не могла поделать и, по правде сказать, довольно трогательно пыталась его скрыть, но Эллисон понимала, что она всем своим существованием напоминает матери о том, чего та лишилась, и потому, чтобы не ранить лишний раз ее чувства, Эллисон изо всех сил старалась пореже попадаться ей на глаза, вести себя тихонько, быть незаметной. Нелегко им теперь придется — без Иды и Гарриет.

— Тебя никто не заставляет смотреть телевизор, — наконец сказала мать. — Я просто подумала, вдруг тебе захочется.

Эллисон почувствовала, как у нее запылали щеки. Она не могла взглянуть матери в глаза. Все цвета в спальне — и коробка тоже — вдруг стали нестерпимо яркими, кислотными.

Мать ушла, Эллисон завернула все подарки и сунула остатки денег в конверт, где уже лежали тетрадка марок, ее школьная фотография и листок плотной писчей бумаги, на которой она аккуратными печатными буквами записала их адрес. Коробку она обвязала зеленой мишурой.

Посреди ночи Эллисон, вздрогнув, проснулась от кошмара — ей и раньше снилось, будто она стоит перед белой стеной, чуть ли не уткнувшись в нее носом. Во сне она не могла шевельнуться, казалось, что ей всю жизнь так и придется смотреть в стену.

Она тихонько лежала в темноте, разглядывая коробку, которая стояла на полу возле кровати, и вот наконец погасли фонари, в комнату проник синеватый рассвет. Тогда она встала, прошлепала босыми ногами по полу, вытащила из ящика булавку, уселась на пол, по-турецки скрестив ноги, и целый час прилежно выцарапывала тайные послания меленькими буквами на стенках коробки, пока не взошло солнце и в комнате не посветлело: начался их последний день с Идой. ИДА! МЫ ТЕБЯ ЛЮБИМ, нацарапала она. ИДА. Р. БРАУНЛИ. ИДА, ВОЗВРАЩАЙСЯ. НЕ ЗАБЫВАЙ МЕНЯ, ИДА. Я ЛЮБЛЮ ТЕБЯ.

Стыдно сказать, но Дэнни только рад был, что бабка в больнице. Без нее дома дышалось свободнее, некому Фариша было подначивать. Фариш, конечно, наркоту только так ел (Гам-то дома нет, кто ему помешает хоть всю ночь сидеть перед теликом с лезвием да зеркальцем), но теперь, когда не нужно было по три раза на дню собираться на кухне ради жирной и обильной бабкиной готовки, он хоть на братьев не так часто срывался.

Дэнни и сам наркоту потреблял будь здоров, но он-то в полном порядке, он скоро завяжет, просто время еще пока не подошло. Зато от наркотиков у него было столько энергии, что он весь трейлер вычистил. Раздевшись до джинсов, обливаясь потом, он вымыл окна, полы и стены, повыбрасывал вонючие кофейные жестянки с прогорклым маслом и свиным жиром, которые Гам рассовала по всей кухне, отдраил ванную, до блеска натер линолеум, отбелил все трусы и майки. (Бабка так и не освоила стиральную машинку, которую ей купил Фариш, и белые вещи стирала вместе с цветными, так что они становились серыми.)

Уборка подняла Дэнни настроение — все у него под контролем. В трейлере все было опрятненько, тип-топ, прямо как в корабельной каюте. Даже Фариш отметил, до чего у них стало чисто. Впрочем, Фаришевы "проекты" (наполовину разобранные механизмы, разломанные газонокосилки, карбюраторы и настольные лампы) Дэнни трогать не трогал — рядом с ними только все прибрал, и без ненужного хлама сразу получше стало. Мусор он вывозил на свалку два раза в день. Пожарит Дэнни Кертису яичницу с беконом или разогреет ему суп с макарошками-буковками и потом сразу посуду помоет и вытрет, не копит их в раковине. Он даже приспособился тарелки в шкафчик убирать так, чтоб они там места много не занимали.

По ночам они болтали с Фаришем. Вот чем еще спиды хороши — в сутках становится сорок восемь часов. Есть время и поработать, и поговорить, и подумать.

А подумать им было о чем. После нападений на миссию и на Гам Фариш ни о чем другом и думать не мог. Раньше, до того как он себе голову повредил, Фариш умел ловко решать проблемы определенного толка — бытовые, технические задачки. Вот и теперь в нем будто проснулась прежняя цепкость, сметливость, пока они с Дэнни оглядывали заброшенную эстакаду — место преступления: разрисованный ящик из-под динамита, в котором сидела кобра, игрушечную красную тележку и цепочки детских следов, которые разбегались туда-сюда по цементной пыли.

— Если это она устроила, — сказал Фариш, — то засранке не жить.

Он молча, уперев руки в бедра, разглядывал следы в пыли.

— Ты о чем думаешь? — спросил его Дэнни.

— Думаю, как ребенок сумел притащить сюда тяжелый ящик.

— На тележке.

— Из миссии да по лестнице? Нет, вряд ли, — Фариш покусал нижнюю губу. — Да и потом, если это она змею украла, зачем к нам потом стучаться, чтоб мы ее запомнили?

Дэнни пожал плечами:

— Детишки, — он закурил, пустил дым через нос, защелкнул зажигалку. — Они ж тупые.

— Тупой такое не провернул бы. Тут надо и время подгадать, и не зассать.
— Может, повезло просто.
— Как знать, — сказал Фариш.

Он скрестил руки на груди — в этой своей форменной одежде выглядел он очень по-военному — и вдруг как-то так глянул на Дэнни, что Дэнни напрягся.
— Ты-то Гам зла не желаешь, а? — спросил он.

Дэнни заморгал.
— Нет! — у него от ужаса чуть язык не отнялся. — Господи Иисусе!
— Она старая.
— Да знаю я, — Дэнни с заметным раздражением откинул челку с глаз.
— Я все думаю, кто еще мог знать, что тогда она за рулем будет, а не ты?
— И что? — спросил Дэнни, растерянно помолчав. Солнце отражалось от раскаленного асфальта, било прямо ему в глаза, и он уже плохо понимал, что происходит. — Какая разница? Она сказала, не хочу мол, лезть в грузовик, только и всего. Я говорил тебе. Да ты сам ее спроси.
— Или мне.
— Чего?
— Или мне, — повторил Фариш. Он запыхтел — частые мокротные выдохи. — Мне ты зла не желаешь, ведь правда?
— Нет, — ответил Дэнни, выдержав долгую напряженную паузу, стараясь говорить как можно безразличнее.

Он, конечно, побоялся сказать: "Да пошел ты в жопу!", хоть и очень хотелось. Под наркотой он не меньше Фариша вкалывал, и в лаборатории работал, и на побегушках у Фариша был — черт, да еще возить его всюду приходилось, а Фариш что, платил ему половину, как равному? Хрен там, он ему вообще не платил, так, подкинет иногда десятку или двадцатку. Оно, конечно, правда — одно время так жить было в сто раз круче, чем таскаться на постоянную работу. Он столько времени разбазарил, пока торчал в бильярдной, возил туда-сюда Фариша, слушал музыку, зажигал ночами — отрыв, веселуха, наркоты выше крыши. Но с каждым разом рассветы становились все тошнее, все гаже, а в последнее время от них и вовсе делалось жутко. Устал он от этой жизни, и торчать он устал тоже, и если б Фариш заплатил Дэнни все, что он ему должен, почему б тогда и не уехать куда-нибудь, где его никто не знает (в этом городишке с фамилией Рэтлифф делать нечего), не устроиться для разнообразия на нормальную работу? Но нет. С чего бы Фаришу платить Дэнни? Его-то бесплатный раб полностью устраивает.

Фариш резко сказал:

— Отыщи девчонку. Это твоя задача номер один. Я хочу, чтоб ты ее нашел, чтоб вытряс из нее все, что она знает. Как угодно, хоть шею ей сверни, мне насрать.

— Конечно, она ведь уже была в колониальном Вильямсбурге[1], какое ей дело, посмотрю я его или нет, — Аделаида, надувшись, отвернулась к окну.

Эди сжала губы, сделала глубокий вдох. Она уже притомилась от езды, потому что пришлось везти Гарриет в лагерь, потому что Либби два раза возвращалась, чтобы проверить, все ли она дома выключила, потому что Аделаида в последний момент решила захватить какое-то платье и им пришлось ждать в машине, пока она его выгладит, потому что Тэт вспомнила, что забыла часы в ванной на раковине, когда они полгорода проехали, потому что из-за этакой неорганизованности, которая и святого в гроб вгонит, они отправились в путь часа на два позже, чем следовало бы, а теперь они еще из города выехать не успели, и нате вам — Аделаида требует, чтобы они заехали в другой штат.

— Ой, мы столько всего посмотрим, что нам будет не до Вирджинии, — сказала свеженькая, нарумяненная Тэт, от которой пахло лавандовым мылом, "АкваНетом"[2] и туалетной водой Souvenez-vous?[3] — она рылась в своей крошечной желтой сумочке, искала ингалятор от астмы. — Хотя, жаль, конечно… Мы ведь все равно будем проезжать мимо.

Аделаида принялась обмахиваться журналом "Проселки Миссисипи", который она захватила почитать в дорогу.

1 Часть исторического центра города Вильямсбург, штат Вирджиния, музей под открытым небом, где сохранились постройки XVII–XIX вв.

2 Известная американская марка лака для волос.

3 *Vous souvenez-vous?* — название туалетной воды, которую до сих пор производит маленький нью-орлеанский парфюмерный дом *Hové Parfumeur*.

— Если тебе там душно, — сказала Эди, — может, опустишь окно хоть немного?

— Не хочу, чтобы волосы растрепались. Я их только что уложила.

— Слушай, — Тэт потянулась к окну, — если его открыть на во-от такую щелочку…

— Не надо! Перестань! Это ручка двери!

— Нет, Аделаида, вот ручка двери. А эта открывает окно.

— Не надо ничего. Мне и так хорошо.

Эди сказала:

— Я бы на твоем месте, Адди, не о волосах бы переживала. Вам там скоро станет очень жарко.

— Все остальные окна и так открыты, — холодно отозвалась Аделаида. — Меня и без того с места сдувает.

Тэт рассмеялась:

— Ну уж нет, свое окно я не закрою!

— Ну а я, — поджав губы, ответила Аделаида, — не открою мое.

Либби, которая сидела впереди, рядом с Эди, вдруг как-то сонно, капризно фыркнула, будто ей никак не удавалось устроиться поудобнее. От нее пахло ненавязчивым пудровым одеколончиком, но у Эди уже закладывало нос — все дело в жаре и в сгущавшихся на заднем сиденье могучих облаках восточного "Шалимара" и *Souvenez-vous?*.

Вдруг Тэт взвизгнула:

— Где моя сумочка?

— Что? Что? — заговорили все разом.

— Сумку найти не могу!

— Эди, нужно вернуться! — сказала Либби. — Она сумку дома забыла.

— Не забыла я ее. Я ее только что в руках держала!

Эди сказала:

— Не могу я развернуться посреди улицы.

— Где же она? Только что была здесь! Я…

— Ох, Тэтти! — захохотала Аделаида. — Вот же она! Ты на ней сидишь!

— Что там? Нашла? — запереживала Либби, оглядываясь. — Нашла сумочку, Тэт?

— Да, вот она.

— Ох, ну слава богу. Плохо было бы, если б ты потеряла сумочку. Что бы ты тогда делала?

Аделаида вдруг заявила, будто объявление по радио делала:

— Что-то мне это напоминает те безумные выходные, когда мы на День независимости поехали в Натчез. Никогда их не забуду.

— И я тоже, — сказала Эди.

Дело было в пятидесятые, Аделаида тогда еще курила — она так увлеченно болтала, что подожгла пепельницу, как раз когда Эди ехала по автостраде.

— Господи, как же мы тогда долго ехали, как же было жарко.

Эди ядовито заметила:

— Да уж, моей руке было очень жарко.

У Эди, когда она пыталась одновременно вести машину и тушить пожар, к руке прилип раскаленный кусок расплавленного целлофана — обертка от сигарет Аделаиды (от Адди не было никакой помощи, она только визжала и вертелась на переднем сиденье). Ожог был серьезный, у Эди потом остался шрам, а от боли и страха она чуть с дороги не съехала.

Она тогда проехала две сотни миль по августовской жаре, засунув руку в картонный стаканчик со льдом, слезы у нее катились градом, а ей еще всю дорогу пришлось выслушивать нытье и жалобы Аделаиды.

— А помните, как мы тогда в августе поехали в Новый Орлеан? — спросила Аделаида, комично прижав руку к сердцу. — Эдит, я думала, что просто умру от теплового удара. Мне все казалось, ты глянешь на пассажирское сиденье и увидишь там мой труп.

"Конечно! — думала Эди. — Ты еще поплотнее окно закрой! Кто во всем виноват-то?"

— Да! — сказала Тэт. — Ну и поездка. И тогда еще…

— Тебя с нами не было.

— Была я с вами!

— Была-была, этого я уж точно не забуду, — непререкаемым тоном заявила Аделаида.

— Ну как же ты не помнишь, Эди, ты тогда еще заехала в "Мак-Авто", в Джексоне, и сообщила наш заказ мусорному баку на парковке.

Переливы веселого смеха. Эди стиснула зубы, сосредоточилась на дороге.

— Ох, какие же мы все-таки безумные старые тетки, — сказала Тэт. — Что только о нас тогда люди подумали.

— Надеюсь, я ничего не забыла, — пробормотала Либби. — Вчера ночью мне все казалось, что я чулки дома забыла и все деньги потеряла…

— Душечка, ты, наверное, всю ночь и глаз не сомкнула, — Тэт нагнулась вперед, положила руку на хрупкое плечико Либби.

— Чепуха! Со мной все отлично! Я…

— Да, конечно, не сомкнула! Всю ночь, наверное, проволновалась. Я знаю, что тебе нужно, — сказала Аделаида. — Тебе нужно позавтракать.

— А знаете что, — Тэтти захлопала в ладоши, — это превосходная идея!

— Давай остановимся, Эдит!

— Знаете что! Я вообще хотела выехать в шесть утра! Если мы еще и сейчас остановимся, то на автостраду выберемся только к полудню! Вы что, не поели, что ли, перед выходом?

— Ну, я, например, не знала, как мой желудок себя поведет — надо было сначала немного проехаться, — сказала Аделаида.

— Да мы еще из города не выехали!

— Не переживай за меня, милая, — сказала Либби, — я так взволнована, что ни кусочка не смогу проглотить.

— Ну-ка, Тэт, — Эди нашарила термос, — налей-ка ей чашечку кофе.

— Если она не спала, — занудно сказала Тэт, — то от кофе у нее начнется тахикардия.

Эди зафыркала:

— Да что с вами такое? У меня дома вы все пили кофе и ни на какую тахикардию не жаловались. А теперь, можно подумать, я вам яду предлагаю. Перевозбудились прямо.

Вдруг Аделаида сказала:

— О боже. Эди, возвращаемся.

Тэт прикрыла рот рукой, захохотала:

— Ну, что-то мы сегодня никак собраться не можем.

Эди спросила:

— Теперь-то что?

— Прости, — напряженно сказала Аделаида, — но мне нужно вернуться.

— Что ты забыла?

Аделаида уставилась в одну точку.

— “Санку”.

— Ну ладно, купим еще по дороге.

— Ну-у, — пробормотала Тэт, — если у нее дома целая банка, зря тратить деньги на еще одну…

— И потом, — Либби с неподдельной тревогой выпучила глаза, поднесла руки ко рту, — а если не купим? А если она там не продается?

— “Санка” везде продается.

— Эдит, пожалуйста, — сорвалась Аделаида. — И слышать ничего не хочу. Не хочешь возвращаться, тогда просто останови машину и высади меня.

Эди резко, не включая поворотника, свернула на парковку перед банком и развернулась.

— Хлопот с нами не оберешься! А я-то думала, что сегодня одна такая забывчивая, — весело сказала Тэт, которая из-за резкого поворота врезалась в Аделаиду и вцепилась ей в руку.

Но только она открыла рот, чтобы сказать, что теперь ее не мучает совесть из-за того, что она забыла дома часы, как тут впереди придушенно вскрикнула Либби и — БУМ: что-то с грохотом врезалось в переднюю пассажирскую дверцу “олдсмобиля”, машина завертелась, и никто опомниться не успел, как уже надрывались клаксоны, из носа у Эди лилась кровь, а они стояли на встречной полосе и глядели на едущие на них машины сквозь расползавшуюся по стеклу паутинку трещин.

— О, Гаррр-риэт!

Смех. Гарриет испуганно поняла, что это ее выбрала одетая в джинсовый костюм кукла чревовещателя. Все они — Гарриет и еще пятьдесят девочек всех возрастов — сидели на бревнах посреди лесной полянки, которую воспитатели называли “часовней”.

Две девчонки из домика Гарриет (Доун и Джейда), которые сидели впереди, обернулись и злобно уставились на нее. Они утром как раз подрались с Гарриет, и драка прекратилась, только когда в часовне ударили в гонг.

— Эй, Зигги, старик, ты полегче! — захихикал чревовещатель.

Его звали Зак, он был воспитателем в лагере у мальчиков. Доктор и миссис Вэнс то и дело рассказывали, что Зиг (кукла) и Зак спят вместе вот уже двенадцать лет, что кукла была его "соседом по комнате" в общежитии при университете Боба Джонса и вообще, Гарриет уже знала о них больше, чем ей хотелось. Кукла была одета в духе "ребят из «Тупика»[1] — бриджи, фетровая шляпа, — у нее был жуткий красный рот и веснушки, похожие на оспины. Теперь кукла, видимо, изображая Гарриет, выпучила глаза и завертела головой.

— Эй, босс! А еще говорят, что я — болванчик! — злобно заверещала кукла.

Опять смех — громче всех смеялись Доун и Джейда, одобрительно хлопая в ладоши. У Гарриет пылали щеки, но она надменно уставилась в затылок девчонки, которая сидела впереди нее: та была постарше, лифчик врезался ей в спину и жир торчал валиками. "Надеюсь, что я никогда такой не стану, — думала Гарриет. — Лучше голодная смерть".

Она была в лагере уже десять дней. А казалось, целую вечность. Она подозревала, что Эди перекинулась парой слов с доктором Вэнсом и его женой, потому что у всех воспитателей вдруг появилась отвратительная привычка выделять ее из толпы, но беда ее отчасти заключалась в том — это Гарриет и сама отлично понимала, только поделать ничего не могла, — что у нее не получалось незаметно влиться ни в одно общество. Она из принципа не стала подписывать и сдавать "клятвенную карточку", которая лежала у нее в информационном буклете. Там был целый набор торжественных обещаний, под которыми все должны были подписаться: клянусь, мол, не ходить на фильмы для взрослых, не слушать "тяжелую и психоделическую рок-музыку", не употреблять алкоголь, не заниматься сексом до свадьбы, не курить табак и марихуану и не поминать Господа всуе. Не то чтобы Гарриет и вправду хотелось сделать что-нибудь из этого списка (ну разве что в кино сходить — да и то редко), но она решила, что подписывать не будет и все тут.

— Эй, лапуля! Ты ничего не забыла? — бодренько спросила Врачиха Вэнс, приобняв Гарриет (которая тут же одеревенела), и по-компанейски ее потискала.

— Нет.

1 Группа молодых нью-йоркских актеров *The Dead End Kids* прославилась после бродвейской постановки "Тупик" (*The Dead End*) 1935 года.

— Я от тебя "клятвенную карточку" так и не получила.

Гарриет молчала.

Врачиха снова надоедливо прижала ее к себе.

— Знаешь, лапуля, Господь дал нам выбор! Можно поступать правильно, а можно поступать неправильно. Или ты болеешь за Христа, или нет. — Она вытащила из кармана незаполненную "клятвенную карточку". — Вот, о чем я тебя попрошу, Гарриет, помолись над этой карточкой. И пусть Господь подскажет тебе, как поступить.

Гарриет уставилась на кругленькие носки белых кед Врачихи.

Врачиха сжала ладонь Гарриет:

— Лапуля, а хочешь, я с тобой помолюсь? — доверительно спросила она, будто облагодетельствовать ее собиралась.

— Нет.

— Ну, я знаю, Господь наставит тебя на путь истинный, — Врачиха искрилась энтузиазмом, — уж я-то знаю!

До приезда Гарриет все девочки в ее вигваме уже успели разделиться на пары и по большей части ее игнорировали, и хоть однажды ночью Гарриет и проснулась от того, что рука у нее опущена в тазик с теплой водой, а остальные девчонки стоят в темноте возле ее кровати, хихикают и перешептываются (считалось, что если опустить руку спящего человека в теплую воду, то он описается), но вроде бы это было не потому, что девчонки терпеть не могли именно ее — впрочем, был еще случай, когда пищевую пленку натянули под сиденьем унитаза. "Эй, ты чего там застряла?" Человек десять так и покатились со смеху, когда она вышла из туалета — с каменным лицом и в мокрых шортах, но это ведь ей тогда просто не повезло, они ведь не специально над ней подшутить хотели? Но казалось, что все остальные про шутку знали: Бет и Стефани, Беверли и Мишель, Марси и Дарси и Сара Линн, Кристл и Джейда, и Ли Энн, и Дэвон, и Доун. Все они в основном были из Тупело и Колумбуса (девочки из Александрии жили в вигвамах "Иволга" и "Щегол", хотя Гарриет и их не особо жаловала), все они были выше Гарриет и на вид — старше, эти девчонки мазали губы ароматизированными блесками, носили шорты из обрезанных джинсов и натирались кокосовым маслом перед тем, как встать на водные лыжи. А от их разговоров ("Бей Сити Роллерс", "Осмондс"[1], какой-то мальчишка

1 Известные поп-группы 1960–1970-х гг.

по имени Джей Джексон, который учился в их школе) Гарриет делалось скучно и тошно.

И Гарриет знала, что так и будет. Знала, что ее ждут "клятвенные карточки". Знала, какой ужасной жизнь будет без библиотеки, знала про спортивные соревнования (как же она их ненавидела), "королевские ночи" и зубрежку Библии, знала, что придется скучать и вариться заживо, сидя в неудобном каноэ в безветренную погоду, и слушать разговоры о том, добрый ли христианин Дэйв, удалось ли уже Уэйну потрогать за грудь Ли Энн и пьет ли Джей Джексон.

В общем, проблем и без того хватало. Но теперь Гарриет перешла в восьмой класс и поэтому даже представить не могла, что ее ждет еще одно жуткое унижение, потому что ее впервые в жизни записали в "подростки", которые, судя по выданной ей литературе, были совершенно безмозглыми существами — сплошные выпуклости и выделения. Она не знала, что ей придется смотреть бодренькие и позорные фильмы с кучей отвратительных медицинских подробностей, не знала, что нужно будет сидеть на "круглых столах", где девочек не только поощряли задавать вопросы очень личного характера, которые Гарриет иногда казались и вовсе порнографическими, но еще и отвечать на них.

Во время этих обсуждений Гарриет сгорала от стыда и ненависти. Ее оскорбляло, когда Врачиха не моргнув глазом ставила ее — Гарриет! — в один ряд с этими идиотками из Тупело, которые только и думали о запахе пота подмышками, половых органах и свиданиях. Густой дух дезодорантов и "гигиенических" лосьонов в раздевалках, щетинистые волоски на ногах, жирный блеск для губ — все заляпано липким маслицем "половозрелости", непристойности, все — вплоть до капелек воды на сосисках для хот-догов. Хуже того, Гарриет казалось, будто отвратительный слайд из набора "Твой организм в период созревания" — сплошные молочные железы, какие-то трубы и матка — спроецирован на ее глупенькое несчастное тело, как будто, стоит теперь кому-нибудь на нее посмотреть, и они — даже сквозь одежду — только и увидят, что внутренние органы, гениталии и волосы в самых неподобающих местах. И знать, что этого никак не избежать ("естественный процесс взросления!"), — это как знать, что ты умрешь. Но в смерти хотя бы есть достоинство — конец бесчестью и печалям.

Конечно, были у нее в домике и девочки с нормальным чувством юмора, Кристл и Марси, например. Но другие ее соседки, повзрослее, с женскими формами (Ли Энн, Дарси, Джейда, Доун) были грубыми и пугали Гарриет, она с отвращением наблюдала за тем, как рьяно они стремились сбиться в группы по примитивным биологическим признакам — у кого, например, выросли "титьки", а у кого — нет. Они рассказывали, как с кем-нибудь "обжимались", они говорили, что у них началась "менстра", они сквернословили. И в головах у них были одни пошлости. "Смотри, — сказала Гарриет, когда Ли Энн никак не могла застегнуть спасательный жилет, — просто вот здесь надо трахнуть кулаком посильнее..."

Все девчонки, в том числе и неблагодарная Ли Энн, так и прыснули со смеху.

"Что-что ей надо сделать, Гарриет?"

"Трахнуть, — ледяным тоном ответила Гарриет. — Трахнуть — совершенно нормальное слово".

"Да ну? — идиотское хихиканье — до чего же они пошлые, все-все, сплошной пот и менструации, волосы на лобках и мокрые круги под мышками, и одни парни на уме, пихают друг дружку локтями, перемигиваются. — Повтори-ка, Гарриет. Это как? Что ей нужно сделать?.."

Зак и Зиг добрались до темы распития пива.

— Ну-ка, скажи мне, Зиг. Стал бы ты пить что-нибудь невкусное? Да еще и вредное?

— Фу-у! Ни за что!

— Ну, хочешь — верь, хочешь — нет, а многие взрослые такое пьют, да и дети, бывает, тоже!

Зиг с удивлением воззрился на публику:

— Вот эти дети, Босс?

— Как знать. Всегда ведь найдутся малолетние дурачки, которым кажется, что пить пиво — это круто, чуваки!

Зак растопырил пальцы галочкой. Раздался нервный смех.

От сидения на солнце у Гарриет разболелась голова, она, прищурившись, разглядывала точечки от комариных укусов на руке. После этого собрания (которое, слава богу, через десять минут закончится) — сорок пять минут плавания, библейская викторина и обед.

В лагере Гарриет только плавание и любила. Она просачивалась сквозь темное, как глубокий сон, озеро, сквозь пронзавшие мрак слабенькие, дрожащие полоски света, слыша только стук своего сердца. У самой поверхности вода была теплой, как в ванне, но стоило заплыть поглубже, как холодные ключи стрелами ударяли ей в лицо и осадок, будто зеленый дым, взмывал с ворсистого илистого дна пыльными лентами, закручиваясь в спирали с каждым ее ударом по воде, с каждым ее движением.

Плавать девочкам разрешали только два раза в неделю: по вторникам и четвергам. Гарриет до сих пор не отошла от того, что случилось утром, когда разносили почту, и поэтому особенно радовалась, что сегодня можно будет поплавать. Пришло письмо от Хили. Распечатав его, она с ужасом увидела, что внутри лежит вырезка из "Александрийского орла", заголовок — "НАПАДЕНИЕ ЭКЗОТИЧЕСКИХ РЕПТИЛИЙ: ПОСТРАДАЛА ЖЕНЩИНА".

Внутри еще было письмо на голубом линованном тетрадном листе.

— Ого-о-о-о, письмо от жениха? — Доун выхватила письмо у нее из рук. "Привет, Гарриет, — вслух зачитала она. — Как дела?"

Из конверта выпорхнула вырезка. Гарриет схватила ее дрожащими руками, смяла в комок и сунула в карман.

— "Решил, что тебе стоит взглянуть. Почитай..." Почитай — что? Что там? — спрашивала Доун.

Не вынимая руки из кармана, Гарриет ногтями разодрала вырезку в клочья.

— У нее в кармане, — надрывалась Джейда, — она в карман что-то сунула.

— Отнимите у нее! Отнимите!

Джейда, торжествуя, набросилась на Гарриет, и Гарриет ударила ее по лицу.

Джейда заголосила:

— Черт! Она меня поцарапала! Сучка малолетняя, ты мне веко расцарапала!

— Эй вы там, — прошипел кто-то, — Мел услышит.

Мелани была воспитательницей, которая отвечала за их вигвам.

— У меня кровь течет! — визжала Джейда. — Она глаз мне хотела выцарапать! Сука!

Доун застыла от изумления, раззявив густо намазанный перламутровым блеском рот. Воспользовавшись ее замешательством, Гарриет выхватила письмо Хили у нее из рук и сунула в карман.

— Смотрите! — Джейда вскинула руку. Кончики ее пальцев и веко были измазаны кровью — не то чтобы сильно, но заметно. — Смотрите, что она со мной сделала!

— А ну, заткнитесь! — взвизгнул кто-то. — Не то схлопочем выговор.

— Еще один выговор, — раздался взволнованный голос, — и нас не пустят с ребятами зефир на костре жарить.

— Точняк. Заткнись!

Джейда подошла к Гарриет, театрально потрясая кулаком.

— Ты, девочка, будь поосторожнее, — сказала она, — я тебе…

— Заткнись! Мел идет!

Тут ударили в гонг, всем пора было в часовню. Зак с его куклой хоть ненадолго, но спасли Гарриет. Если Джейда на нее нажалуется, ей попадет, но было бы из-за чего переживать — Гарриет постоянно влетало за драки.

Переживала она из-за вырезки. Прислать ее — невероятная глупость со стороны Хили. Хорошо хоть никто ее не видел. Впрочем, и она сама успела прочесть только заголовок, потому что как следует изорвала и вырезку, и письмо Хили и смяла их в кармане в один большой ком.

Тут она поняла, что на поляне что-то переменилось. Зак замолчал, и все девочки разом стихли и замерли. Наступило молчание, Гарриет дернулась, запаниковала. Она ждала, что сейчас все обернутся, уставятся на нее, но тут Зак прокашлялся, и Гарриет будто очнулась, поняла, что замолчали все совсем не из-за нее, что все просто молятся. Она быстро закрыла глаза и склонила голову.

Когда молитва закончилась и девочки начали потягиваться, хихикать, сбиваться в стайки и болтать (Джейда, Доун и Дарси явно обсуждали Гарриет и, скрестив руки на груди, бросали в ее сторону недобрые взгляды), Мел — в теннисном козырьке и с полоской солнцезащитного крема на носу — ухватила Гарриет за воротник.

— Никакого плавания. Вэнсы хотят с тобой поговорить.

Гарриет сделала вид, что ее это вовсе не беспокоит.

— Иди в контору, — сказал Мел и провела языком по брекетам.

Глядела она не на Гарриет, а на Зака Великолепного, волновалась, наверное, что он сбежит в лагерь для мальчиков, так и не поговорив с ней.

Гарриет бесстрастно кивнула. Что они ей сделают? Заставят целый день просидеть в вигваме в полном одиночестве?

— Эй, — крикнула ей вслед Мел, которая, заметив Зака, замахала рукой и стала протискиваться к нему сквозь толпу девчонок, — если Вэнсы тебя отпустят до викторины, иди на теннисный корт и поразминайся вместе с десятичасовой группой, хорошо?

Среди сосен было темно — хоть передохнуть от "часовни", которую солнце выжгло добела, а земля под ногами была мягкой, вязкой. Гарриет шла, повесив голову. "Быстро как", — думала она. Джейда, конечно, была злобной задирой, но Гарриет как-то не раскусила в ней ябеду.

Хотя как знать? Может, тут пустяк какой-нибудь. Может, доктор Вэнс решил устроить ей, как он выражался, "сеанс" (во время которого он сначала читал кучу библейских стихов о послушании, а потом спрашивал, готова ли Гарриет принять Иисуса как личного спасителя). А может, хотел порасспрашивать ее про игрушку из "Звездных войн". (Два дня назад он собрал весь лагерь, и мальчиков, и девочек, и целый час на них орал, потому что кто-то, как он утверждал, украл какую-то игрушку из "Звездных войн" у его насупленного маленького сына Брентли.)

Или ей кто-нибудь позвонил. Телефон стоял в конторе доктора Вэнса. Но кто станет ей звонить? Хили?

А вдруг это полиция, с тревогой подумала она, вдруг они нашли тележку. Она изо всех сил гнала от себя эту мысль.

Из лесу она вышла с опаской. Возле конторы, рядом с микроавтобусом и фургончиком доктора Вэнса стояла машина с дилерскими номерами — "Шевроле Дайала". При чем тут может быть она, Гарриет и подумать не успела, потому что дверь конторы распахнулась и на крыльцо, под мелодичный перезвон китайских колокольчиков, вышел доктор Вэнс, а за ним — Эди.

Гарриет остолбенела. Эди изменилась — притихла, постарела, в какой-то миг Гарриет даже показалось, будто она обозналась, но нет, это точно была Эди, просто Гарриет редко видела, чтоб она надевала эти старые очки — в тяжелой, черной, мужской оправе, от которой лицо у нее казалось очень бледным.

Доктор Вэнс заметил Гарриет и помахал ей — обеими руками, будто стоял посреди битком набитого стадиона. Подходить Гарриет не хотелось. Ей подумалось, что она, похоже, серьезно влипла, по-настоящему, но тут и Эди ее увидела и улыбнулась — и вдруг (наверное, это все очки) она стала прежней Эди, из доисторических времен, Эди из коробки-сердечка, которая насвистывала и швыряла Робину бейсбольные мячи на фоне зловещего "кодахромового" неба.

— Готтентот! — позвала она Гарриет.

Доктор Вэнс со сдержанно-великодушным видом взирал на то, как Гарриет, которую захлестнула волна любви, потому что она давно уже не слышала этого старого семейного прозвища, кинулась к Эди по усыпанной гравием дорожке и как Эди нагнулась (ловко, по-военному) и чмокнула ее в щеку.

— Да, мэм! Соскучилась по бабушке! — прогудел доктор Вэнс, закатив глаза к небу, покачиваясь из стороны в сторону.

Говорил он с преувеличенной теплотой и так, будто голова у него была занята совсем другими делами.

— Гарриет, здесь все твои вещи? — спросила Эди и Гарриет увидела, что на дорожке стоит ее чемодан, а рядом с ним — рюкзак и теннисная ракетка.

Гарриет растерянно помолчала — до нее так и не совсем дошло, что это ее вещи лежат тут на дороге, — и затем сказала:

— У тебя очки новые.

— Очки старые. Машина новая, — Эди кивнула в сторону нового авто, припаркованного возле фургона Вэнса. — Если в домике что-то твое еще осталось, беги, забирай.

— А где твоя машина?

— Неважно. Давай-ка побыстрее.

Гарриет дважды просить не пришлось, и она побежала в домик. Она недоумевала, отчего это помощь подоспела, откуда ее совсем не ждали, когда она уже готова была кинуться Эди в ноги, рыдать и умолять забрать ее домой.

Забирать было почти нечего — какие-то ее поделки Гарриет и так были не нужны (неопрятная рукавичка-прихватка, декупажная подставка для карандашей, которая даже еще не просохла), поэтому захватить надо было только тапочки для душа и полотенца. С одним ее полотенцем кто-то, похоже, ушел плавать, поэтому она просто схватила второе и помчалась обратно к конторе доктора Вэнса.

Доктор Вэнс засовывал ее чемодан в багажник новой машины Эди, и тут Гарриет впервые заметила, что Эди двигается немного скованно.

Ида, вдруг подумала Гарриет. Может, Ида передумала уходить. Или, может, все-таки захотела повидаться со мной перед отъездом. Впрочем, Гарриет понимала, что ничего такого быть не могло.

Эди подозрительно на нее взглянула:

— Мне казалось, ты брала два полотенца.

— Нет, мэм.

Гарриет заметила у Эди в ноздрях какие-то темные крошки — табак, что ли? Честер нюхал табак.

Только Гарриет собралась сесть в машину, как к ней подскочил доктор Вэнс и, вклинившись между ней и пассажирской дверью, протянул Гарриет руку:

— Неисповедимы замыслы Господни, Гарриет, — сообщил он ей, как будто по секрету. — Всегда ли нам это нравится? Нет. Всегда ли мы Его понимаем? Нет. Всегда ли из-за этого нужно страдать и огорчаться? Нет, нет и нет.

Гарриет, побагровев от смущения, уставилась в неприветливые серые глаза доктора Вэнса. Когда они с Врачихой обсуждали “Твой организм”, там тоже было много разговоров о Божьем замысле и о том, что все эти трубы, гормоны и унизительные выделения, о которых им рассказывали в фильме, — тоже, мол, часть Божьего замысла касательно девочек.

— А отчего так? Отчего Господь испытывает нас? Зачем подносит нам чашу сию? Зачем насылает на нас эти вечные бедствия? — доктор Вэнс так и впился взглядом ей в лицо. — Чему учат они нас на пути веры?

Молчание. Гарриет застыла от омерзения, даже руку выдернуть не решалась. Высоко в соснах заливалась голубая сойка.

— Он экзаменует нас, Гарриет, чтобы мы поняли, что Он ни делает, все к лучшему. А зачем нам это понимать? Чтобы склониться пред волею Его! И склониться с радостью! Вот какое испытание должны претерпеть все христиане!

Его лицо маячило совсем близко, и Гарриет вдруг очень перепугалась. Собрав всю волю в кулак, она уставилась на плохо сбритый пучок рыжей щетины, которая торчала у него из ямки на подбородке.

— Помолимся же! — вдруг воскликнул доктор Вэнс и стиснул ее руку. — Дорогой Иисус, — он зажмурился, упер в веки большой и указательный пальцы. — Какая честь — предстать ныне перед Тобой! Благословенна молитва твоя! Возрадуемся, возрадуемся вместе с Тобой!

"Да чего это он?" — недоумевала Гарриет.

Кожа у нее зудела от комариных укусов, но почесаться она не решалась. Сквозь полуприкрытые веки она разглядывала свои ботинки.

— Гос-споль, не оставь Гарриет и ее семью в дни грядущие. Защити их. Храни их, наставляй и направляй их. Гос-споль, помоги им понять, — доктор Вэнс старательно выговаривал каждый слог, каждую букву, — что нынешние печали и испытания посланы им на пути веры…

"Где же Эди? — зажмурившись, думала Гарриет. — В машине, что ли?"

Рука у доктора Вэнса была потная, держать ее было неприятно, ну и опозорится она, если вдруг Марси с другими девчонками из ее домика пойдут мимо и увидят, как она тут стоит и держится за ручку — и с кем, с доктором Вэнсом!

— Гос-споль, пусть не отвратятся они от Тебя. Пусть смирятся и не сетуют на свою долю. Пусть они не ослушаются Тебя, не возропщут, но примут Твои пути и блюдут Твои заветы…

"Смирятся с чем?" — дернулась Гарриет.

— …именем Твоим, Иисусе, молим об этом, АМИНЬ, — проорал доктор Вэнс так громко, что Гарриет вздрогнула.

Она огляделась. Эди, опершись на капот, стояла возле машины с водительской стороны, хотя непонятно было, она все это время так стояла или просто выдохнула немного после молитвы.

Откуда-то вынырнула Врачиха Вэнс. Она налетела на Гарриет и притиснула ее к груди, чуть не придушив.

— Господь любит тебя! — воскликнула она своим искристым голосочком. — Не забывай об этом!

Она похлопала Гарриет по попе и, расплывшись в улыбке, повернулась к Эди, будто ждала, что та с ней сейчас болтать примется.

— Привет-привет!

Но у Эди, с тех пор как она привезла Гарриет в лагерь, терпения и разговорчивости явно поубавилось. Она сухо кивнула Врачихе и ничего не сказала.

Они сели в машину, Эди, приспустив очки на нос, поизучала немного непривычную еще приборную панель, потом выжала сцепление, и они укатили. Вэнсы вышли на самую середину гравийной дорожки и, обнявшись, махали им вслед до тех пор, пока Эди не завернула за угол.

В новой машине был кондиционер, и поэтому там было гораздо, гораздо тише, чем в старой. Гарриет неловко ерзала, разглядывая новое радио и окна, которые теперь опускались и поднимались автоматически. Сидя в наглухо закупоренной прохладе, они плавно неслись сквозь текучие тени деревьев и бойко пролетали выбоины, на которых "олдсмобиль" дребезжал бы всем корпусом. И только когда они проехали тенистую дорожку и выехали на залитое солнцем шоссе, Гарриет осмелилась взглянуть на бабку.

Но Эди как будто и забыла про нее. Они все ехали и ехали. Дорога была широкая и пустая: ни единой машины, безоблачное небо и полосы ржаво-красной пыли на обочинах, которые на горизонте сходились в точечку. Эди вдруг прокашлялась — громкое, неловкое ЭХЕМ!

Смотревшая в окно Гарриет вздрогнула и обернулась к Эди.

— Прости меня, малыш, — сказала Эди.

На миг у Гарриет даже дыхание перехватило. Кругом все замерло — тени, сердце, красные стрелочки на приборной доске.

— Что случилось? — спросила она.

Но Эди глядела только на дорогу. Лицо у нее было каменное.

Кондиционер был включен на полную мощность. Гарриет обхватила себя за голые плечи. Мама умерла, подумала она. Или Эллисон. Или папа. И в ту же самую секунду поняла — это она пережить может. Вслух же она спросила:

— Что случилось?

— Либби...

После аварии поднялась такая суматоха, что никому и в голову не пришло проверить, а не пострадал ли кто из старушек. Они отделались синяками и царапинами, да еще у Эди пошла кровь носом, но и тут не было ничего серьезного, просто вид ужасный — а так никто и не поранился, все перепугались больше. Да и приехавшие на “скорой” санитары до возмутительного дотошно их осмотрели, прежде чем отпустить.

— Так, на этой ни царапинки, — заявил умник, который помогал Либби — белоснежно-седой, в жемчугах и бледно-розовом платьице — вылезти из помятой машины.

Либби как будто оглушило. Удар пришелся как раз на ту сторону, где она сидела, и Либби все ощупывала затылок — осторожно, кончиками пальцев, будто пульс искала, но, когда Эди, невзирая на протесты санитаров, вылезла из кареты “скорой помощи”, чтобы проверить, как там сестры, Либби от нее отмахнулась и сказала: “Ой, да за меня-то не беспокойся!”

У всех ныли шеи. Эди казалось, что ее шея — будто кнут — со щелчком переломилась надвое. Аделаида кружила вокруг “олдсмобиля”, то и дело хватаясь за уши, чтобы проверить, на месте ли серьги, и причитала:

— Чудо просто, что никто не погиб! Эди, чудо просто, как это ты нас всех не поубивала!

Но когда наконец санитары убедились, что ни у кого нет ни сотрясения мозга, ни переломов (почему, думала Эди, ну почему она не настояла на том, чтоб эти идиоты заодно измерили Либби давление? Она ведь работала медсестрой, должна была про это помнить), то в больницу собрались увозить одну Эди, от чего она только рассвирепела, потому что Эди была целехонька — ничего не сломано, никаких внутренних повреждений, она это и сама прекрасно знала. Она даже опустилась до перепалки с санитарами. Все с ней было в порядке, ну подумаешь, ударилась о руль и ребро треснуло, она в войну медсестрой работала и отлично помнила, что с трещиной в ребре ничего особо не поделаешь — надо перевязать поплотнее и все, солдат свободен.

— Но, мэм, у вас ребро треснуло, — сказал второй санитар, не тот, который умник, а другой, с огромной, как тыква, головой.

— Да знаю я! — чуть ли не кричала она в ответ.

— Но, мэм… — тянул он к ней надоедливые руки, — давайте мы вас все-таки отвезем в больницу, мэм…

— Зачем? Чтоб там с меня за перевязку сотню долларов содрали? За сотню долларов я себя и сама перевяжу!

— В неотложке с вас побольше сотни сдерут, — вмешался умник, который стоял, прислонившись к капоту несчастной, разбитой машины (ее машина! Машина! Глянешь, и сердце просто разрывается). — Один рентген вам в семьдесят пять долларов встанет!

К тому времени вокруг уже собралась небольшая толпа — набежали зеваки из банка, в основном чавкавшие жвачкой девицы, с начесами и коричневой помадой. Тэт, которая остановила полицейскую машину, размахивая своей желтой сумкой, залезла на заднее сиденье разбитого "олдсмобиля" (несмотря на то что клаксон так и надрывался), и они с Либби так и просидели там, пока Эди — целую вечность — разбиралась с полицейским и вторым водителем. Им оказался шустрый возмутительный всезнайка по имени Лайл Петтит Рикси: тощий человечек с крючковатым, будто у черта из табакерки, носом, который носил длинные остроконечные туфли и ходил, старательно задирая колени. Он, судя по всему, чрезвычайно гордился тем, что он уроженец округа Аттала, и еще — всеми своими именами, которые он с удовольствием повторял. Он раздраженно тыкал в Эди костлявым пальцем и приговаривал: "эта вот женщина". Он выставил все так, будто Эди алкоголичка или села пьяной за руль. "Эта вот женщина выскочила прямо мне наперерез. Этой вот женщине вообще машину водить нельзя". Эди надменно повернулась к нему спиной, когда отвечала на вопросы полицейского.

Она не уступила дорогу, она была виновата в аварии, теперь ничего не поделаешь — вину надо признавать с достоинством. Она разбила очки и теперь в дрожащем от жары воздухе ("Эта вот женщина в такую жару на дорогу вздумала выскакивать", — жаловался мистер Рикси санитарам) еле различала Либби и Тэт — два пятна, желтое и розовое, на заднем сиденье разбитого "олдсмобиля". Эди вытерла лоб намокшей салфеткой. Каждый год, на Рождество, в "Напасти" под елку выкладывали четыре платья разных цветов — розовое для Либби, голубое для Эди, желтое для Тэт и нежно-лиловое для крошки Аделаиды. Разноцветные перочистки, разноцветные ленточки, разноцветная писчая бумага... одинаковые фарфоровые куклы-блондинки, только платьица разные, у каждой свой акварельный оттенок...

— Так вы развернулись на проезжей части, — спрашивал полицейский, — или нет?

— Нет. Я развернулась здесь, на парковке.

Мимо проехала машина, солнце отразилось в боковом зеркале, ударило Эди в глаза, и тотчас же у нее в памяти необъяснимым образом всплыло позабытое детское воспоминание: старая кукла Тэтти — в замызганном желтом платье, с задранными ногами — валяется в пыли на заднем дворе "Напасти", под смоковницами, где вся земля была изрыта курами, которые иногда сюда пролезали. Сама Эди в куклы не играла, ей было неинтересно, ни капельки, но эту оловянную куколку припомнила теперь до странного отчетливо: тряпичное тельце, на носу облупилась краска и вместо него — жутковатое блестящее металлическое пятно. Сколько же лет Тэтти волочила по всему двору эту потрепанную куклу — серебристую "мертвую голову"? И сколько лет Эди и не вспоминала об этом страшном безносом личике?

Полицейский полчаса допрашивал Эди. Из-за его монотонного голоса и зеркальных очков Эди иногда чудилось, будто ее допрашивает Муха из одноименного фильма ужасов с Винсентом Прайсом. Заслонив глаза рукой, Эди изо всех сил старалась слушать, о чем он спрашивает, но то и дело отвлекалась на машины, которые неслись по залитому солнцем шоссе, а в голове у нее была одна эта ужасная старая кукла с серебристым носом. Как же ее звали-то, куклу эту? Эди, хоть убей, не могла вспомнить. У Тэтти была каша во рту до тех самых пор, пока она в школу не пошла, и имена она куклам выдумывала уж какие-то совсем нелепые — Грайс, Лиллиум, Артемо…

Девчушки из банка заскучали — они стали разглядывать ногти, накручивать на пальцы прядки волос и наконец потянулись обратно. Аделаида, которую Эди с горечью винила в аварии (эта ее проклятая "Санка"!), с расстроенным видом отошла в сторонку, будто бы происходящее ее вовсе не касалось, и принялась болтать с миссис Картретт, своей любопытной подружкой по хору, которая проезжала мимо и остановилась поглядеть, что тут стряслось. А потом она вообще взяла, запрыгнула в машину миссис Картретт и укатила, не сказав Эди ни словечка. "Мы поехали в «Макдоналдс», съедим по бургеру!" — крикнула она Тэт и бедняжке Либби. В "Макдоналдс"! И вдобавок ко всему, когда насекомообразный полицейский наконец отпустил Эди, ее несчастная старая машинка отказалась заводиться, и Эди пришлось, расправив плечи, вернуться в выстуженный банк и спрашивать этих малолетних нахалок-кассирш, можно ли ей воспользоваться телефоном. И все это время Либби и Тэт, в жуткую жару, безропотно сидели в "олдсмобиле".

Такси приехало быстро. Эди стояла у окна, возле конторки управляющего, разговаривала по телефону с автомехаником и видела, как Либби и Тэт идут к машине — ухватившись за руки, осторожно ступая по гравию выходными туфельками. Она постучала по стеклу, и стоявшая на самом солнце Тэт обернулась, махнула ей рукой, и вдруг, ни с того ни с сего, Эди вспомнила, как звали ее старую куклу, и даже расхохоталась от неожиданности.

— Что? — спросил механик, а управляющий — пучеглазик в толстенных очках — поглядел на Эди как на сумасшедшую, но Эди было плевать.

Ликобас. Ну, конечно. Вот как звали оловянную куколку. Ликобас — проказница, которая дерзила матери, Ликобас, которая однажды позвала Аделаидиных кукол к себе на чай, а подала им одну воду с редисками.

Когда подъехал тягач, водитель предложил подвезти Эди до дому, и она согласилась. Она не сидела в грузовике со времен Второй мировой — кабина была высокая, лезть туда с треснутым ребром — занятие не из приятных, но, как любил напоминать дочерям судья, дареному коню в зубы не смотрят.

Домой она добралась только к часу дня. Эди повесила одежду в шкаф (и только тут вспомнила, что все чемоданы так и остались в багажнике "олдсмобиля"), приняла прохладную ванну и, усевшись на кровать в одном бюстгальтере и высоких трусиках, сделала глубокий вдох и как следует себя перебинтовала. Потом выпила стакан воды, приняла эмпирин с кодеином, которые остались у нее после какого-то визита к зубному, надела кимоно и прилегла на кровать.

Спала она долго, и разбудил ее телефонный звонок. На миг ей почудилось, будто тоненький голосок на другом конце провода принадлежит ее дочери.

— Шарлотта? — резко сказала она, но ответа не было, и Эди спросила: — Простите, кто это?

— Это Эллисон. Я у Либби. Она… она сама не своя.

— Я ее понимаю, — сказала Эди и втянула воздух сквозь зубы, она резко села на кровати, и боль застигла ее врасплох. — Не стоит ей сейчас гостей развлекать. Ты бы ее, Эллисон, сейчас лучше не беспокоила.

— Не похоже, чтоб она устала. Она… она говорит, что будет свеклу мариновать.

— Свеклу мариновать! — фыркнула Эди. — Я б тоже была сама не своя, если б мне сегодня надо было еще и свеклу замариновать.

— Но она говорит…

— Беги-ка домой и дай Либби передохнуть, — сказала Эди.

От обезболивающих голова у нее была немного ватная, к тому же она боялась, что Эллисон начнет расспрашивать ее про аварию (полицейский предположил, что у нее плохое зрение, говорил что-то про окулиста, про то, что у нее могут отобрать права), и поэтому ей хотелось побыстрее свернуть разговор.

До нее донеслось какое-то сердитое бормотание.

— Это что?

— Она волнуется. Она попросила позвонить тебе. Эди, я не знаю, что делать, пожалуйста, приходи…

— С чего бы вдруг? — спросила Эди. — Дай ей трубку.

— Она в другой комнате. — Неразборчивый разговор, потом Эллисон снова взяла трубку. — Она куда-то собралась и говорит, что не знает, где ее туфли и чулки.

— Передай ей, чтоб не переживала. Чемоданы в багажнике. Она поспала?

Снова какое-то бормотание, терпение у Эди лопнуло.

— Алло? — крикнула она в трубку.

— Эди, она говорит, что с ней все хорошо, но…

(Либби всегда говорила, что с ней все хорошо. Когда у Либби была скарлатина, Либби говорила, что с ней все хорошо.)

— …но она не может усидеть на месте, — голос Эллисон доносился словно издалека, будто бы она трубку толком до рта не донесла. — Она стоит посреди гостиной…

Эллисон еще что-то говорила, а Эди слушала, вот закончилась одна фраза, началась другая, и тут до Эди вдруг дошло, что она не поняла ни слова.

— Ты извини, — сухо прервала она ее, — но тебе надо говорить почетче.

Но не успела она отчитать Эллисон за невнятную речь, как возле парадной двери послышался какой-то шум: тюк, тюк, тюк, тюк — раздался бодрый перестук. Эди запахнула кимоно, затянула потуже пояс и высунулась в коридор. За дверью стоял Рой Дайал и скалился, как опоссум, ощерив серые острые зубки. Он энергично замахал ей рукой.

Эди быстро юркнула обратно в спальню. “Стервятник, — подумала она. — С радостью бы его пристрелила”. Рожа довольная. Эллисон все что-то говорила.

— Слушай, я кладу трубку, — быстро сказала она. — Тут в дверь стучат, а я не одета.

— Она говорит, что ей надо на вокзал, встретить невесту, — отчетливо произнесла Эллисон.

Эди не хотелось признавать, что у нее какая-то беда со слухом, и к тому же она привыкла в разговорах пропускать мимо ушей всякую галиматью, поэтому она сделала глубокий вдох (заныли ребра) и сказала:

— Передай Либ, пусть приляжет. Если хочет, я потом к ней зайду, измерю ей давление и дам успокоительное, когда…

Тюк, тюк, тюк, тюк!

— Когда этого выпровожу, — сказала она, попрощалась и повесила трубку.

Эди набросила шаль на плечи, надела тапки и вышла в коридор. В витражном дверном стекле маячил мистер Дайал, который, раскрыв рот, из кожи вон лез, чтоб изобразить, как он рад, и потрясал чем-то, обернутым в желтый целлофан, похоже, корзинкой фруктов. Когда он увидел, что Эди в халате, то состроил унылую виноватую гримаску (вскинул брови перевернутой буквой *V*), виртуозно оттопырив губу, указал ей на корзинку, зашевелил губами: *Извиняюсь за беспокойство! Маленький подарочек! Я его тут оставлю…*

Поколебавшись, Эди крикнула — куда более приветливым голосом:

— Погодите минутку! Я мигом!

Едва она отвернулась, как ее улыбка увяла, но она все равно побежала к себе в комнату, прикрыла дверь и вытащила из гардероба домашнее платье.

Так, застегнуть молнию на спине, *шлеп-шлеп* — нарумянить щеки, пройтись пуховкой по носу. Морщась от боли в поднятой руке, Эди причесалась и, оглядев себя напоследок в зеркале, пошла открывать дверь.

— Подумать только, — сухо сказала она, когда мистер Дайал вручил ей корзинку.

— Надеюсь, я вам не помешал. — Мистер Дайал умильно повернулся к ней другим глазом. — Дороти в бакалее повстречала Сьюзи Картретт, и та рассказала ей про аварию... Я который год твержу, — он многозначительно стиснул ей предплечье, — что на этом перекрестке нужен светофор. Который год! Я звонил в больницу, но мне сказали, что вас туда, слава богу, не привозили.

Он прижал руку к груди и с благодарностью возвел глаза к Небесам.

— Ой, право же, — растаяла Эди. — Спасибо.

— Слушайте, это же самый опасный перекресток во всем округе! И я вам скажу, чем все кончится. Ужасно так говорить, но Окружной совет и пальцем не пошевелит, пока там кто-нибудь не погибнет.

Эди с удивлением отметила, что манеры мистера Дайала ее уже не так раздражают — вел он себя очень достойно и, кстати, был убежден, что в аварии нет никакой ее вины. Поэтому, когда он указал на новый "кадиллак", припаркованный у дороги ("Простая вежливость... думаю, дай, одолжу ее вам на пару деньков, вам ведь надо на чем-то ездить..."), эта хитрая уловка разозлила ее не так сильно, как могла бы всего несколько минут назад, и Эди послушно пошла с ним к машине, пока он расписывал все ее преимущества: кожаные сиденья, встроенная магнитола, руль с гидроусилителем. ("Эта красотка у нас всего второй день, но я, как ее увидел, сразу подумал: а вот это идеальная машина для мисс Эдит!") Странно, но наблюдать за тем, как он демонстрирует работу стеклоподъемников и всего прочего, было даже приятно, особенно если вспомнить наглецов, которые не далее чем сегодня утверждали, что Эди якобы и за руль не стоит садиться.

Он все не умолкал. Действие обезболивающего заканчивалось. Она хотела побыстрее свернуть разговор, но мистер Дайал не сдавался (потому что уже вызнал у водителя тягача, что "олдсмобиль" осталось разве что свезти на свалку) и перешел к тяжелой артиллерии — он готов скинуть пятьсот долларов с заявленной цены, а все почему? Вскидывая ладони: "Вовсе не по доброте душевной. Нет, мэм, мисс Эдит. А вот почему. Потому что я хороший бизнесмен и потому что «Шевроле Дайала» нужен такой клиент, как вы". Лился щедрый летний свет, мистер Дайал рассказывал, что еще продлит ей и без того продленную гарантию, и тут Эди полоснуло болью под грудиной, и она — вспышкой безобразного кошмара — увидела, как надвигается на нее старость. Ноют суставы, слезятся глаза, в горле вечная горечь от аспирина. Облезает краска, прохудилась крыша, подтекают краны, двор зарос травой, и кошки ссут прямо на ковер. И время — у нее куча времени, чтоб часами стоять во дворе и выслушивать каждого жулика, каждого проходимца, каждого захожего "доброжелателя". Сколько раз она, бывало, приезжала в "Напасть" и заставала отца во дворе за разговорами с каким-нибудь коммивояжером, прохвостом-подрядчиком или бродягой-зубоскалом, который нанимался подрезать им деревья, а потом оказывалось, что цена-то была не за дерево, а за ветку, с приветливыми иудами в туфлях с пряжками, которые подсовывали ему журналы с девочками и угощали виски, которые предлагали уникальные условия для покупки акций и невероятные премии по опционам, права на разработку недр, участки с торговыми привилегиями и столько безопасных инвестиций и шансов, которые бывают раз в жизни, что наконец обобрали несчастного старика до нитки, даже дома родного ему не оставили…

Эди слушала его, и внутри у нее ширилась безнадежная чернота. А толку-то сопротивляться? Она была вся в отца — непреклонная старая язычница, в церковь она, конечно, ходила, выполняя свой гражданский и общественный долг, но, по правде сказать, не верила ничему, что там говорили. Везде царил кладбищенский запах: скошенной травы, лилий, взрыхленной земли, с каждым вдохом боль пронзала ребра, и из головы у нее все никак не шла мамина брошка с ониксами и бриллиантами, которую она, глупая старуха, положила в незапертый чемодан, что лежал теперь в незапертом багажнике разбитой машины, на другом конце города. "Всю жизнь, — думала она, — меня грабят и грабят. У меня отняли все, что я любила".

И отчего-то ее утешало участливое присутствие мистера Дайала, его раскрасневшееся лицо, бьющий в нос запах лосьона после бритья, тявкающий смешок, похожий на лай дельфина. Его бабья суетливость, с которой никак не вязались бугры мышц под накрахмаленной рубашкой, казалась ей до странного ободряющей. "Я всегда считала, что мужчина он симпатичный", — думала Эди. Рой Дайал, конечно, не идеален, но он хоть не нахал, как некоторые, не говорит, что ей нельзя за руль садиться... "Машину я водить буду, — накричала она на молокососа-окулиста всего за неделю до этого, — и пусть я хоть всех в Миссисипи посбиваю, мне плевать!"

И пока Эди слушала, как мистер Дайал расхваливает машину, тыча толстеньким пальцем ей в плечо (и это еще не все, говорил он, и потом — и это еще не совсем все, а когда основательно ее уболтал, принялся спрашивать: "Что мне еще сказать, чтоб вы стали моим клиентом? Сию секунду? Скажите же, что вам рассказать, чтобы вы совершили у нас покупку?"), пока Эди, которая в кои-то веки не могла найти в себе сил, чтоб от него отвязаться, и поэтому стояла и слушала все это словоблудие, Либби стошнило в раковину, а затем она прилегла на кровать с холодным компрессом на лбу и провалилась в кому, из которой уже не вышла.

Инсульт. Вот что это было такое. Никто и не знал, когда с ней случился первый удар. Будь это любой другой день, с ней была бы Одеан, но из-за поездки Либби на неделю отпустила Одеан. Либби долго не подходила к двери, и Эллисон подумала, что она, наверное, спит, но тут дверь наконец открылась — Либби не надела очки, и взгляд у нее был немного мутный.

— Ты хорошо себя чувствуешь? — спросила Эллисон.

Ей уже рассказали про аварию.

— Да-да, — рассеянно отозвалась Либби.

Она впустила Эллисон и побрела куда-то в другую комнату, будто никак не могла что-то отыскать. Выглядела она нормально, разве что по скуле кляксой расползся синяк, похожий на тоненький слой виноградного джема, да волосы растрепались, чего с Либби обычно не случалось.

Эллисон огляделась:

— Ты газету ищешь?

Дома у Либби было безукоризненно чисто — пол вымыт, пыль везде протерта, даже подушки на диване взбиты и аккуратно разложены, но именно эта чистота и не дала Эллисон заподозрить неладное. У нее дома болезнь всегда означала беспорядок: засаленные занавески и грязные простыни, выдвинутые ящики и крошки на столе.

Газета вскоре нашлась, она валялась на полу возле кресла — кроссвордом вверх, на ней же лежали очки, Эллисон подняла их и отнесла на кухню, где Либби, сидя за столом, одной рукой разглаживала скатерть — напряженными круговыми движениями.

— Вот твой кроссворд, — сказала Эллисон. Свет на кухне был чересчур яркий. Солнце било прямо в окна, но и лампа под потолком горела тоже, как будто на дворе был зимний вечер, а не середина лета. — Принести тебе карандаш?

— Нет, я никак с этой ерундой не могу сладить, — Либби капризно оттолкнула газету, — буквы расползаются в разные стороны… Да и мне уже пора свеклой заняться.

— Свеклой?

— Иначе она в срок не поспеет. Наша юная невеста приезжает на "четверке"…

— Какая невеста? — замешкавшись, спросила Эллисон.

Она и не знала, что такое эта "четверка". Все было ярким, ненастоящим. Всего час, как ушла Ида Рью, в то же самое время, что и всегда по пятницам, только теперь она не вернется — ни в понедельник, никогда вообще. И она ничего не взяла, кроме своего красного пластмассового стакана, не забрала из коридора ни тщательно упакованную рассаду, ни коробку с подарками — сказала, что ей тяжело будет их нести.

— Не нужно мне ничего этого! — деловито сказала она, обернувшись и поглядев Эллисон прямо в глаза, сказала таким тоном, будто она ей пуговицу предлагала или обслюнявленную ребенком конфетку. — На что мне сдались эти безделки?

Потрясенная Эллисон изо всех сил старалась не расплакаться.

— Ида, я люблю тебя, — сказала она.

— Что ж, — задумчиво ответила Ида, — и я тебя люблю.

Все было ужасно, так ужасно, что этого просто быть не могло. И все-таки они с Идой стояли возле парадной двери. Горе встало у Эллисон острым комом в горле, когда она увидела, как Ида сложила зеленый чек, лежавший на столике в коридоре — "Двадцать долларов, 00 центов", — сначала аккуратно свела уголки вместе, потом согнула и загладила сгиб ногтями. Убрала чек в свою маленькую черную сумочку.

— Я больше не могу жить на двадцать долларов в неделю, — сказала Ида.

Говорила она тихо и спокойно, и при этом каким-то совершенно чужим голосом. Как же так вышло, что они стоят вот тут, в коридоре, как же так вышло, что это все взаправду?

— Я всех вас люблю, но так вот оно все сложилось. Я уж старая, — она погладила Эллисон по щеке. — Ну-ну, все будет хорошо. Передай крошке Бу, что я ее люблю.

Бу значит Бука — так Ида звала Гарриет, когда та ее не слушалась. Потом дверь закрылась, Ида ушла.

— А то мне кажется, — сказала Либби, и Эллисон с беспокойством отметила, что Либби как-то дергано заозиралась по сторонам, будто у нее под ногами летала моль, — она приедет, а ее нет.

— Прости, ты о чем? — спросила Эллисон.

— О свекле. О маринованной свекле. Ох, вот бы мне хоть кто-нибудь помог, — Либби горестно и даже капельку комично закатила глаза.

— А я могу тебе чем-то помочь?

— Где Эдит? — спросила Либби, и голос у нее сделался до странного резкий, отрывистый. — Она мне поможет.

Эллисон уселась за стол и попыталась поговорить с Либби:

— Тебе правда надо сегодня эту свеклу мариновать? — спросила она. — Либ?

— Я знаю только то, что мне сказали.

Эллисон сидела на залитой светом кухне, кивала и думала, что делать дальше. Случалось, конечно, что у Либби после очередного собрания какого-нибудь миссионерского общества или кружка появлялись очень странные запросы: то ей нужны были зеленые марки, то старые оправы от очков, то этикетки от "кэмпбелловских" консервированных супов (баптистская миссия в Гондурасе обменивала их на деньги), то палочки от мороженого или бутылки из-под моющего средства "Люкс" (для поделок, которые потом продавались на благотворительных ярмарках).

— Кому мне позвонить, скажи? — наконец спросила она. — Я позвоню и передам, что ты утром попала в аварию. Пусть тогда кто-нибудь другой свеклу принесет.

Либби резко бросила:

— Эдит мне поможет.

Она встала и вышла из кухни.

— Мне ей позвонить? — Эллисон поглядела ей вслед. — Либби?

Либби никогда так грубо с ними не разговаривала.

— Эди все уладит, — отозвалась Либби тоненьким, капризным голоском, и это на нее уж совсем было не похоже.

Эллисон кинулась к телефону. Но она еще не оправилась от прощания с Идой и поэтому так и не сумела толком подобрать слов, чтоб объяснить Эди, какая Либби стала странная, какая рассеянная, какое у нее сделалось чужое, застывшее личико. Как стыдливо она теребила подол платья. Эллисон до упора растягивала телефонный провод, тянула шею, выглядывала в соседнюю комнату и заикалась от ужаса. Казалось, будто волосы у Либби вдруг вспыхнули красным — белоснежные, как паутинка, волосы, такие реденькие, что Эллисон сквозь них видела уши Либби, довольно, кстати, большие.

Эди даже не дала Эллисон договорить.

— Беги-ка домой, — сказала она, — дай Либби отдохнуть.

— Погоди, — сказала Эллисон и крикнула в соседнюю комнату: — Либби! Это Эди! Хочешь с ней поговорить?

— Что-что? — переспрашивала Эди. — Алло!

По обеденному столу яркими лужами сусального золота разливалось солнце, отскакивали от люстры, подрагивали на потолке водянистые кружки света. Весь дом искрился, сиял огнями, будто бальная зала. Либби была обведена нестерпимым красным жаром, словно уголек, и вместе с вечерним солнцем, которое зубцами растекалось вокруг нее, в комнату ползли тени, будто гарь.

— Она… я боюсь за нее, — с отчаянием сказала Эллисон. — Приходи, пожалуйста. Я не могу понять, что она такое говорит.

— Слушай, мне пора, — сказала Эди. — Кто-то стучит в дверь, а я не одета.

И повесила трубку. Эллисон постояла возле телефона, пытаясь собраться с мыслями, потом кинулась в соседнюю комнату, чтобы поглядеть, как там Либби. Либби уставилась на нее застывшим взглядом.

— У нас была пара пони, — сообщила она. — Гнедые малыши.

— Я вызову врача.

— Никаких врачей, — твердо сказала Либби, таким авторитетным взрослым тоном, что Эллисон сразу ее послушалась. — Не вздумай никого вызывать.

— Но ты же заболела, — расплакалась Эллисон.

— Нет-нет, все со мной хорошо. Просто они уже давно должны были за мной приехать, — сказала Либби. — Где же они? Уже скоро вечер.

Она ухватилась сухенькой, прозрачной ручкой за руку Эллисон и взглянула на нее так, будто ждала, что та сейчас ее куда-нибудь отведет.

В траурном зале было жарко, и всякий раз, когда вентилятор гнал в ее сторону удушливый аромат лилий и тубероз, Гарриет начинало мутить. Она в лучшем своем выходном платье — все том же, белом с ромашками — сидела на диванчике с изогнутой спинкой, и перед глазами у нее все плыло. Резные деревяшки упирались ей под лопатки, платье жало в груди, и от этого грудь сдавливало все сильнее, воздух делался еще более душным и спертым — казалось, будто она дышит в разреженной атмосфере, откуда выкачали весь кислород. Она не завтракала и не ужинала, почти всю ночь она прорыдала, уткнувшись лицом в подушку. Проснулась она поздно, с гудящей головой и, когда увидела собственную спальню, замерла и несколько головокружительных секунд с восторгом разглядывала знакомые предметы (занавески, листву, которая отражалась в зеркале трюмо, неизменную кипу просроченных библиотечных книг на полу). С тех пор как она уехала в лагерь, ничего не изменилось — и тут на нее камнем обрушилось воспоминание: Ида уехала, Либби умерла, и все теперь было ужасно и неправильно.

Эди — вся в черном, с нитками жемчуга под горлом, величественная донельзя — стояла в дверях, возле пюпитра с книгой соболезнований. Каждому входящему она говорила одно и то же.

— Гроб в малом зале, — ответила она на рукопожатие краснолицего мужчины в линялом коричневом костюме и через его плечо бросила худышке миссис Фосетт, которая вежливо топталась в сторонке, дожидаясь своей очереди: — Гроб в малом зале. Увы, закрытый, но тут уж решала не я.

Миссис Фосетт смешалась, но потом тоже взяла Эди за руку. Вид у нее был такой, будто она вот-вот расплачется.

— Я так расстроилась, когда узнала, — сказала она. — Мы все в библиотеке любили мисс Клив. Я сегодня пришла, увидела книги, которые для нее отложила — и мне стало так грустно.

"Миссис Фосетт!" — Гарриет так и захлестнуло отчаянной нежностью. Миссис Фосетт, похоже, пришла прямиком с работы, на ней было летнее платье с набивным рисунком и льняные красные эспадрильи — отрадный островок цвета в толпе темных костюмов.

Эди похлопала ее по руке:

— Да-да, она в вас всех тоже души не чаяла, — сказала она, и Гарриет передернуло от ее сухого, подчеркнуто любезного тона.

Аделаида и Тэт сидели на диванчике напротив Гарриет и разговаривали с двумя дородными старухами — по виду сестрами. Они обсуждали цветы в часовне, которые — по недосмотру работников похоронного бюро — за ночь все увяли. Услышав это, дородные старухи горестно заохали.

— Уж какая-нибудь прислуга могла бы их полить! — воскликнула та, что была покрупнее и позадорнее — кругленькая, с румяными щечками и седыми кудряшками, прямо миссис Санта-Клаус.

— Увы, — холодно отозвалась Аделаида, вздернув подбородок, — они и пальцем не пошевелили.

Гарриет ожгло невыносимой ненавистью — к Адди, к Эди, ко всем старухам — за то, как бойко они разбираются в правилах скорби.

Рядом с Гарриет тоже щебетали какие-то дамочки. Гарриет узнала только миссис Уайлдер Уитфилд, которая в церкви играла на органе. Сначала они хохотали так, будто не на поминки пришли, а поиграть в бридж, но потом сдвинули головы и зашептались.

— Оливия Вандерпул, — пробормотала какая-то женщина с гладеньким бесстрастным личиком, — ну, Оливия сколько лет болела. Перед смертью она исхудала до семидесяти пяти фунтов[1], ее кормили через трубочку.

— Бедняжка Оливия. Она как тогда второй раз упала, да так и не оправилась.

1 Около 35 килограммов.

— Рак костей, говорят, самый тяжелый.

— Да-да. Повезло душечке мисс Клив, что она быстро отмучилась. У нее ведь никого не было.

"Никого не было? — подумала Гарриет. — Это у Либби-то?!" Миссис Уитфилд улыбнулась, заметив сердитый взгляд Гарриет, но Гарриет отвернулась и красными, зареванными глазами уставилась в пол. После возвращения из лагеря она столько плакала, что теперь выдохлась: ее мутило, в горле стоял ком. Вчера, когда она наконец уснула, ей приснились насекомые — они черным сердитым роем вылетали из какого-то дома.

— Это чей ребенок? — театральным шепотом спросила миссис Уитфилд гладколицая женщина.

— А-а, — ответила миссис Уитфилд и тоже зашептала что-то в ответ.

В глазах у Гарриет стояли слезы, и в них дрожал и плыл свет керосиновых фонарей, полумрак растекся, подернулся пеленой. И в то же время Гарриет будто глядела на все это со стороны, с ледяной злобой обзывала себя плаксой, а в стеклянных призмах то опадали, то вспыхивали озорные огоньки.

Похоронное бюро находилось в высоком викторианском особняке, который, ощетинившись башенками и угловатыми чугунными фестонами, стоял возле баптистской церкви на Главной улице. Сколько раз Гарриет, бывало, проезжала мимо на велосипеде и думала о том, что же происходит под этими сводами, в этих башенках, за этими окнами с козырьками? Иногда — вечерами, когда кто-нибудь умирал, — в витражном стекле самой высокой башенки теплился таинственный свет, и Гарриет всякий раз вспоминала статью о мумиях, которую она прочла в старом выпуске "Нейшнл Джеографик". "*До самой ночи жрецы-бальзамировщики,* — было написано под фотографией (сумеречный Карнак, жутковатые огни), — *трудились, чтобы подготовить фараонов к долгой дороге в загробный мир*".

Каждый раз, когда Гарриет видела в башенке свет, по спине у нее бежал холодок, и она сильнее жала на педали, летела домой или куталась поплотнее в пальто и вжималась в сиденье машины Эди, когда они с ней зимой, в ранних сумерках, возвращались с репетиций хора:

Динь-дон, перезвон, —

пели девчонки после хора, прыгая через скакалку в церковном дворе, —

До свиданья, мама,
С братом старшим мы лежим
В одной могилке рядом.

Но какие бы таинства ни свершались наверху под покровом ночи — кромсали ли там, потрошили или набивали чьих-то близких, — внизу все тонуло в сонной викторианской мрачности. Полутемные комнаты и залы грандиозных размеров, плотный буроватый ковролин, неудобная обшарпанная мебель (плетеные кресла на обточенных ножках, старомодные банкетки). Лестница была отгорожена бархатным шнуром, красный ковер на ступеньках растворялся в темноте из фильма ужасов.

Владел похоронным бюро мистер Мейкпис, приветливый человечек с длинными руками и длинным точеным носиком, одну ногу он приволакивал после полиомиелита. Он был общительный живчик, которого все любили, несмотря на его профессию. Сейчас он, увечный вельможа, хромал от одной группки к другой, жал всем руки — всегда радушно, всегда с улыбкой, — и люди отступали в сторонку, любезно впускали его в свои разговоры. Его узнаваемый силуэт, вывернутая нога, привычка то и дело хватать себя обеими руками за бедро и протаскивать ногу вперед, когда она подворачивалась, — все это напомнило Гарриет картинку, которую она видела в какой-то страшилке Хили: там горбун-дворецкий, вцепившись себе в ногу, пытался выдернуть ее из костлявых пальцев нежити, которая тянула к нему лапы из могилы.

У Эди все утро только и разговоров было о том, до чего мистер Мейкпис "замечательно поработал". Она хотела хоронить Либби в открытом гробу, хотя Либби чуть ли не всю жизнь настаивала на том, что не хочет, чтобы на нее после смерти смотрели. Пока Либби была жива, Эди только отмахивалась от этих ее страхов, а когда Либби умерла, то и вовсе собиралась пренебречь ее пожеланиями и поэтому и гроб, и одежду выбирала, думая, что во время прощания гроб будет открытый: ведь иначе их не поймет родня из других городов, ведь так принято, ведь так все делают. Но Аделаида с Тэтти утром закатили такую истерику в похоронном бюро, что Эди не выдержала, рявкнула: “Ох, ради всего святого!” и сказала мистеру Мейкпису, чтобы закрывал гроб.

Из-под тяжелого аромата лилий пробивался какой-то другой запах. Запах был химический, какой-то нафталиновый, только еще приторнее — бальзамирующая жидкость? Нет, не стоит об этом думать. Либби никогда не рассказывала Гарриет, почему она была против открытых гробов, но Гарриет подслушала, как Тэтти говорила кому-то, что в прежние времена “провинциальные бальзамировщики, бывало, работу свою делали кое-как. Холодильников тогда еще не было. Мама летом умерла, так что сами понимаете”.

Общий гам вдруг перекрыл отчетливый голос Эди, которая не отходила от книги соболезнований:

— Плохо они знали папочку. Ему до этого никогда и дела не было.

Белые перчатки. Тихие перешептывания, будто на собрании “Дочерей американской революции”[1]. И воздух — затхлый, удушливый — застревал у Гарриет в легких. Тэтти, сложив руки и покачивая головой, разговаривала с лысым человечком, которого Гарриет не знала, и несмотря на то, что губы у Тэтти были не накрашены, а под глазами залегли тени, держалась она до странного холодно и деловито.

— Нет-нет, — повторяла она, — папочку так прозвал старый мистер Хольт Лефевр, когда они с ним еще мальчишками были. Мистер Хольт гулял со своей нянькой, сбежал от нее, набросился на папочку, папочка, естественно, дал ему сдачи, и мистер Хольт, который был раза в три больше папочки, разревелся. Ты, мол, забияка.

— Мой отец частенько так звал судью. Забиякой.

— Ну, знаете, папочке это прозвище никак не подходило. Он ведь даже и не был крупным мужчиной. Правда, в старости располнел. У него был флебит, лодыжки распухли, он и ходил-то с трудом, не то что раньше.

Гарриет прикусила щеку.

— Когда мистер Хольт уже совсем выжил из ума, — продолжала Тэт, — Вайолет мне рассказывала, что он, бывало, ненадолго при-

1 Американская общественная организация, основана в 1890 г. Ее членами могут быть только потомки тех, кто участвовал в войне за независимость США.

ходил в себя и все спрашивал: "А где же старый Забияка? Давненько я не видал старого Забияку". К тому времени папочки уже давно на свете не было. И вот как-то раз он так долго нудил про папочку, переживал, что тот долго к нему не заходил, что Вайолет пришлось ему сказать: "Забияка заходил, Хольт, хотел с тобой повидаться. Но ты спал".

— Ох, упокой его Господь, — сказал лысый и перевел взгляд на стоявшую в дверях супружескую пару.

Гарриет сидела тихо-тихо. "Либби!" — хотелось крикнуть ей, крикнуть что было сил, как и теперь, случалось, кричала она: "Либби!", просыпаясь от кошмара посреди ночи. Либби, у которой глаза вечно были на мокром месте, если надо было идти к врачу, Либби, которая боялась пчел!

Она встретилась взглядом с Эллисон — у той были красные, брызжущие горем глаза. Гарриет стиснула губы, сжала кулаки, так что ногти вонзились в ладони, и уставилась в пол, изо всех сил сдерживая дыхание.

Пять дней — Либби целых пять дней пролежала в больнице, прежде чем умереть. Незадолго до смерти казалось даже, что она еще очнется — она начала что-то бормотать во сне, переворачивать страницы воображаемой книги, но потом слова стали совсем нечленораздельными, и Либби совсем исчезла в белом тумане лекарств и болезни. "Она угасает", — сообщила Эди медсестра, которая зашла осмотреть Либби в то последнее утро: Эди спала подле Либби, на каталке. Она позвонила Аделаиде и Тэт, и те успели приехать в больницу, и вот — около восьми часов, когда у ее кровати собрались все трое сестер, Либби начала дышать все реже и реже. "А потом, — криво улыбнулась Тэт, — просто-напросто перестала". У нее так распухли пальцы, что кольца пришлось срезать... Маленькие ручки Либби, сухонькие, изящные ручки! любимые веснушчатые ручки, которые складывали бумажные кораблики и пускали их плавать в тазу! Распухли, как сосиски — ужасное выражение, мерзкое выражение, которое то и дело повторяла Эди. "Распухли, как сосиски. Пришлось звать ювелира, чтобы кольца срезал..."

"Ты почему мне не позвонила? — спросила Гарриет, онемевшая, остолбеневшая, когда к ней наконец вернулся дар речи. В кондиционированном холоде новой машины Эди ее голос показался ей неуместным писком, прозвучав из-под лавины черноты, которой ее придавило чуть ли не до обморока, когда она услышала: Либби умерла.

"Ну, — философски ответила Эди, — я подумала, не стоит раньше времени портить тебе отдых".

— Бедные девочки, — раздался над их головами знакомый голос — Тэт.

Эллисон закрыла лицо руками и расплакалась. Гарриет стиснула зубы. "Здесь только Эллисон грустнее, чем мне, — думала она, — во всем зале только нам двоим по-настоящему грустно".

— Не плачь, — Тэт по-учительски положила руку на плечо Эллисон. — Либби бы не хотела, чтобы ты плакала.

Голос у нее был расстроенный — немного расстроенный, холодно отметила та самая Гарриет, которая наблюдала за всем со стороны, над которой горе было не властно. Расстроенный, да не очень. "Ну почему, — думала Гарриет, ослепнув, одурев и изболевшись от слез, — почему они не забрали меня из этого вонючего лагеря, когда Либби умирала?"

Пока они ехали домой, Эди вроде как извинилась. "Сначала мы думали, что она поправится, — сказала она, — а потом я подумала, уж лучше тебе такой ее не видеть, а под конец я уж и вовсе ни о чем не думала".

— Девочки, — сказала Тэт, — вы помните кузину Деллу и кузину Люсинду из Мемфиса?

К ним подошли две замшелые старухи, одна высокая и загорелая, другая кругленькая, черненькая, с черной бархатной сумкой, расшитой блестящими камешками.

— Вы только поглядите! — сказала высокая и загорелая старуха.

На ней были широкие туфли на плоской подошве, и стояла она по-мужски, засунув руки в карманы приталенного платья цвета хаки.

— Храни вас Господь! — пробормотала черненькая толстушка, промокая глаза (которые тоже были подведены черным, как у актрис немого кино) розовой салфеткой.

Гарриет глядела на них и думала о бассейне в "Загородном клубе" — о голубом свете, о том, каким совершенно беззвучным делался мир, когда она с глубоким вдохом уходила под воду. "Ты и сейчас можешь там оказаться, — твердила она себе, — только сосредоточься как следует и сможешь".

— Можно я украду Гарриет на минутку? — Аделаида, одетая в модное черное платьице с белым воротничком, схватила ее за руку и потащила за собой.

— Чтоб потом вернула на место! — маленькая толстенькая старушка погрозила ей унизанным кольцами пальцем.

"Отсюда можно сбежать. Мысленно. Что там Питер Пэн говорил Венди? «Закрой глаза и вспомни что-нибудь славное»".

— Ах! — Аделаида застыла посреди комнаты, зажмурилась.

Люди проталкивались мимо них. Где-то рядом гремел орган ("Ближе, Господь, к Тебе" — скукота, впрочем, Гарриет никогда не могла угадать, от чего старушки могут прийти в восторг).

— Туберозы! — выдохнула Аделаида, и ее нос в профиль был до того похож на нос Либби, что у Гарриет отвратительно сжалось сердце. — Понюхай! — она подтащила Гарриет к огромному букету, который стоял в фарфоровой вазе.

Орган был ненастоящий. В нише за столиком Гарриет углядела катушечный магнитофон, спрятанный за бархатными занавесками.

— Мои любимые цветы! — Аделаида все подталкивала ее поближе. — Вот эти, меленькие, видишь? Ты только понюхай, милая!

У Гарриет скрутило живот. В комнате было до того жарко, что аромат казался липким, убийственно приторным.

— Божественный запах, правда? — спрашивала Аделаида. — Они у меня в свадебном букете были…

В глазах у Гарриет зарябило, с боков наползла чернота. Не успела она опомниться, как свет покосился и чьи-то крепкие пальцы — явно мужские — ухватили ее под локоть.

— Ну, обморок не обморок, а если не проветрить, голова у меня от них сразу начинает болеть, — говорил кто-то.

— Надо ее на воздух вывести, — сказал незнакомец, который держал Гарриет на руках — невероятно высокий старик, волосы у него были белоснежные, а брови — черные и кустистые.

Несмотря на жару, одет он был в вязаную безрукавку с треугольным вырезом, а под ней — еще рубашка и галстук.

Откуда ни возьмись налетела Эди — вся в черном, будто злая колдунья из "Страны Оз" — и уставилась на Гарриет. Несколько секунд мерила ее ледяным зеленым взглядом. Потом поднялась (все выше, выше и выше) и сказала:

— Пусть посидит в машине.

— Я ее отведу, — сказала Аделаида.

Она взяла Гарриет за левую руку, а старик — за правую (он был совсем старый, ему было, может, уже за восемьдесят, а то и все девяносто), и они с ним вывели Гарриет за дверь, на слепящее солнце — шли они еле-еле, примеряясь скорее к шагу старика, чем к Гарриет, хоть у той и подгибались колени.

— Гарриет! — театрально воскликнула Аделаида и сжала ее руку. — Ты, верно, и не знаешь, кто это! Это мистер Джей Роудс Самнер, у него дом был совсем неподалеку от нашего!

— "Чиппокс", — уточнил мистер Самнер, важно выпятив грудь.

— Ну, конечно же, "Чиппокс". От "Напасти" прямо вниз по улице. Помнишь, Гарриет, мы тебе рассказывали про мистера Самнера, который уехал в Египет по дипломатической службе?

— Я знал твою тетю Адди, когда она была совсем крошкой.

Аделаида игриво рассмеялась:

— Ну, не такой уж и крошкой. Гарриет, я думала тебе будет интересно пообщаться с мистером Самнером, раз уж ты так интересуешься Тутанхамоном и всяким таким.

— Я в Каире недолго был, — сказал мистер Самнер, — только во время войны. Тогда в Каире кого только не было. — Он прошаркал к длинному черному лимузину-катафалку, нагнулся, просунулся в окошко с пассажирской стороны, чтобы поговорить с шофером. — Приглядите за этой юной леди, хорошо? Она тут полежит немножко на заднем сиденье.

Шофер, у которого на голове было громадное темно-рыжее афро, а лицо белое, как у Гарриет, вздрогнул, выключил радио.

— Чего? — Он завертел головой, не зная, куда смотреть — то ли на дряхлого старика, который торчал в окне, то ли на Гарриет, которая забралась на заднее сиденье. — Плохо ей?

— А знаешь что, — сказал мистер Самнер, который вслед за Гарриет просунул голову в темное нутро лимузина, — тут, судя по всему, и бар есть!

Тут шофер наконец встрепенулся, выпрямился.

— Нет, сэр, мистер, это в другой моей машине! — ответил он шутливым, снисходительным и преувеличенно любезным тоном.

Мистер Самнер одобрительно хлопнул по крыше лимузина, и они с водителем расхохотались.

— Замечательно! — сказал он. Руки у него тряслись, и хоть соображал он нормально, но все равно Гарриет впервые видела, чтоб такой старенький и дряхлый человек мог самостоятельно передвигаться. — Замечательно! Значит, дела у тебя идут отлично?

— Не жалуюсь.

— Рад слышать. Так, девочка, — сказал он Гарриет, — чего тебе хочется? Хочешь кока-колы?

— Ой, Джон, — пробормотала Аделаида, — да не нужно ей ничего.

Джон! Гарриет уставилась в одну точку.

— Ты только знай, что твою тетю Либби я любил больше всего на свете, — сказал мистер Самнер. Голос у него был старческий, надтреснутый, а выговор — настоящего южанина. — На этой девушке я бы женился, если бы только она за меня пошла!

У Гарриет на глаза навернулись возмутительные слезы. Она сжала губы и постаралась не расплакаться. В машине была страшная духота.

Мистер Самнер сказал:

— Когда твой прадедушка помер, я и впрямь попросил Либби за меня выйти. А мы тогда уж старые были, — он усмехнулся. — Знаешь, что она мне ответила? — Он заметил, что Гарриет на него не смотрит и легонько постучал по двери машины. — Эй! Знаешь, милая, что она сказала? Она сказала, что, может, и согласилась бы, если б только не надо было в самолет садиться. Ха-ха-ха! Чтоб вы понимали, юная леди, я тогда в Венесуэле работал.

Стоявшая позади него Аделаида что-то сказала. Старик еле слышно произнес:

— Черт меня дери, прямо вылитая Эдит!

Аделаида кокетливо рассмеялась, и, стоило Гарриет услышать этот смех, как у нее вдруг сами по себе затряслись плечи и рыдания прорвались наружу.

— Ах! — с неподдельной мукой воскликнул мистер Самнер, и на Гарриет — сквозь окно в машине — снова упала его тень. — Храни тебя Господь, девочка!

— Нет-нет. Нет, — твердо сказала Аделаида и увела его. — Оставь ее. Все с ней будет в порядке, Джон.

Дверь машины так и осталась открытой. В тишине рыдания Гарриет казались особенно громкими и отвратительными. Шофер молча разглядывал ее в зеркало заднего обзора поверх дешевой брошюрки, на обложке которой был нарисован зодиакальный круг и написано "Твой любовный гороскоп". Наконец он осведомился:

— У тебя мама померла?

Гарриет помотала головой. В зеркале шофер вскинул бровь.

— Мама, говорю, померла?

— Нет.

— Ну и все, — он щелкнул зажигалкой, — тогда нечего и реветь.

Он закурил, захлопнул зажигалку и выдохнул в окно длинную струйку дыма.

— Только тогда и узнаешь, — сказал он, — как оно, когда по-настоящему тоскливо.

Он вытащил из бардачка пару салфеток, протянул ей.

— Так кто помер-то? — спросил он. — Папа?

— Тетя, — с трудом выговорила Гарриет.

— Кто-кто?

— Тетя!

— А-а! Тетка! — он помолчал. — Ты у нее жила?

Несколько минут он терпеливо ждал ее ответа, потом пожал плечами и отвернулся — выставил локоть в окно, тихонько докурил сигарету. Другой рукой он придерживал брошюрку, которая лежала справа от него на сиденье и в которую он периодически заглядывал.

— Ты когда родилась? — вдруг спросил он Гарриет. — В каком месяце?

— В декабре, — ответила Гарриет, едва он открыл рот, чтоб повторить вопрос.

— В декабре? — он обернулся, задумчиво глянул на нее. — Стрелец, значит?

— Козерог.

— Козерог! — смеялся он неприятно и даже как-то гаденько. — Значит, ты козочка. Ха-ха-ха!

На другой стороне улицы зазвонили колокола баптистской церкви — полдень. Ледяной механический перезвон пробудил в Гарриет одно из самых первых ее воспоминаний: одетая в красное пальто Либби (осенний день, сочное небо, красные и желтые листья в канаве) нагнулась к Гарриет, обхватила ее руками за талию. "Послушай!" И они вместе слушают, как в холодном, погожем воздухе звучит жалобная нотка, которая и десять лет спустя звучит так же, как тогда — печально и зябко, будто кто-то ударил по клавишам игрушечного пианино, — нотка, которая и летом отзывается оголенными ветвями, зимним небом и потерями.

— Не против, если я радио включу? — спросил шофер.

Гарриет плакала и ничего не ответила, тогда он все равно его включил.

— А жених у тебя имеется? — спросил он.

Кто-то погудел им клаксоном.

— Хай! — откликнулся шофер, махнул рукой, и Гарриет вскинулась, будто ее током ударило, потому что на нее в упор глядел явно узнавший ее Дэнни Рэтлифф, который, судя по его лицу, был поражен не меньше нее.

Еще миг — он пронесся мимо, и Гарриет уставилась вслед непристойно задранному заду "Транс АМа".

— Эй, слышишь чего, — все повторял шофер, и Гарриет, вздрогнув, наконец заметила, что он перегнулся через спинку водительского кресла и глядит на нее. — Жених есть, говорю?

Гарриет постаралась незаметно проследить за "Транс АМом" и увидела, как он, проехав пару кварталов, свернул налево, в сторону вокзала и заброшенных товарных складов. После угасающих нот хорала церковные колокола вдруг яростно принялись отбивать время: бам, бам, бам, бам, бам…

— А ты выпендрежница, — сказал шофер. Голос у него был игривый, кокетливый. — А то нет?

Гарриет вдруг испугалась, что Дэнни может вернуться. Она глянула в сторону похоронного бюро. На ступеньках толклись люди — несколько старичков курили, мистер Самнер с Аделаидой стояли в сторонке, мистер Самнер заботливо склонился над Аделаидой — он, что же это, прикуривает ей сигарету? Адди давно курить бросила. Но нет, вон она стоит, руки скрестила и, как-то непривычно откидывая голову, выдувает облачка дыма.

— Парни выпендрежниц не любят, — сказал шофер.

Гарриет выбралась из машины и, оставив дверь открытой, быстро зашагала в сторону похоронного бюро.

Дэнни промчался мимо похоронного бюро, затылок у него свело отчаянным, стеклянистым холодом. Воздушная, метамфетаминовая ясность отскакивала от него сразу в девять сотен сторон. Он часами искал эту девчонку, везде ее искал, прочесал весь город, объехал все жилые кварталы, бесконечно наматывал круг за кругом. И только он решил прекратить поиски, наплевать на Фаришевы приказы, и она — тут как тут.

И с кем, с Реверсом — вот ведь где самый ужас. Конечно, никогда не знаешь, где на Реверса наткнешься, у него дядя ведь — самый богатый человек в городе, и среди белых, и среди черных, ворочает огромной сетью всяких фирмочек — тут тебе и рытьё могил, и подрезка деревьев, и покраска домов, и корчевка пней, и укладка кровли, и подпольное букмекерство, и техсервисы разные, да еще с полдесятка разных контор. Реверса где угодно можно было встретить — то он в Ниггертауне для дядьки арендную плату собирает, то в суде окна намывает, стоя на стремянке, а то и за рулем сидит — такси или катафалка.

Но как тогда объяснить вот это — когда реальность сминается, будто паровоз из двадцати машин? А то уж очень какое-то удачное совпадение получается — что он наткнулся на девчонку (на девчонку, подумать только!) ровно тогда, когда она сидела в похоронном лимузине де Бьенвилей. Реверс знал, что они собирались отгружать большую партию товара, и уж как-то слишком невзначай интересовался, где это Дэнни с Фаришем товар хранят. Да-да, слишком уж назойливо он в последнее время лез к ним со своей болтовней, дважды без приглашения наведывался к ним "в гости", прикатывал в своем "гран-торино" с тонированными стеклами, за которыми его и разглядеть было трудно. Очень долго торчал в ванной, все громыхал чем-то, выкручивал краны до упора и как-то уж очень быстро вскочил, когда Дэнни вышел и увидел, как он заглядывает под "Транс АМ". Шина проколота, сказал он. Чувак, мне показалось, у тебя шина проколота. Нормально все было с шиной, и оба они это знали.

Нет, Реверс с девчонкой не самая большая его головная боль, думал он с неизбывной безнадежностью, пока трясся по гравийной дороге, которая вела к водонапорной башне, казалось, что его теперь всегда трясло — и в кровати, и во сне, он как будто по двадцать пять раз на дню подпрыгивал на одной и той же выбоине.

И это не потому, что он наркоты объелся, за ними и правда следили. После того как кто-то влез в дом к Юджину и напал на Гам, они все теперь без конца озирались и дергались от малейшего звука, но хуже всего дела обстояли с Фаришем, который накрутил себя так, будто еще немного — и взорвется.

Когда Гам была в больнице, Фаришу смысла не было притворяться, будто он лег спать. Поэтому он и не ложился, каждую ночь бодрствовал и Дэнни еще заставлял с ним сидеть — он расхаживал по комнате, строил планы, наглухо задернув занавески, чтоб не пробивалось в комнату утреннее солнце, крошил наркоту на зеркальце и разговаривал до хрипоты. Теперь несломленная Гам мужественно вернулась домой (она то и дело шаркала с безучастным, сонным видом мимо их двери, когда шла в туалет), но поведение Фариша не переменилось, только паранойя его приняла какие-то совсем невыносимые формы. На журнальном столике, рядом с зеркальцем и лезвиями, теперь лежал заряженный револьвер тридцать восьмого калибра. Люди — очень опасные люди — открыли на него охоту. Жизнь их бабки в опасности. Конечно, услышав кое-какие теории Фариша, Дэнни, бывало, только головой качал, но как знать? Дольфус Риз (который после случая с коброй стал персоной нон грата) не раз похвалялся своими связями с организованной преступностью. А организованная преступность, которая ведала распространением наркотиков, крутила шашни с ЦРУ еще со времен убийства Кеннеди.

— Не за себя, — сказал Фариш, откидываясь на спинку стула и зажимая нос, — ффух, не за себя я волнуюсь, а за несчастную нашу Гам. Вон с какими ублюдками дело иметь приходится. На свою жизнь мне насрать. Черт, да я с голыми пятками через джунгли драпал, в говняном рисовом поле неделю прятался, дышал через бамбуковую трубку. Хрен они мне что сделают. Понял? — Фариш указал раскладным ножом на снеживший экран телевизора. — Хрен ты мне что сделаешь!

Дэнни закинул ногу на ногу, чтоб унять дрожь в колене, и промолчал. Фариш все чаще и чаще вспоминал свои военные подвиги, и это Дэнни очень беспокоило, потому что Фариш почти всю вьетнамскую войну просидел в уитфилдской психлечебнице. Обычно вьетнамские байки Фариш приберегал для бильярдной. Дэнни считал их брехней. Вот только на днях Фариш рассказывал, будто представители властей по ночам вытаскивали из кроватей душевнобольных и заключенных — всяких насильников, психов, расходный, в общем, материал — и отправляли их на сверхсекретные военные задания, откуда те не должны были вернуться. На хлопковые поля вокруг тюрем по ночам садились черные вертолеты, вышки часовых пустели, порывы ветра гнули к земле сухие стебли. Мужчины в лыжных масках, с автоматами Калашникова наперевес.

— И знаешь что, — сказал Фариш, оглянувшись по сторонам, перед тем как сплюнуть в жестянку, которую он вечно таскал с собой, — не все они по-английски говорили.

Дэнни беспокоило, что мет так и лежит у них дома (хоть Фариш и лихорадочно перепрятывал его по нескольку раз на дню). Фариш утверждал, что надо "чуток с ним пересидеть", перед тем как толкать товар дальше, но Дэнни-то знал, что теперь толкнуть его и было сложнее всего, потому что Дольфус выбыл из игры. Реверс предложил свести их с кем-то, с каким-то там кузеном из Южной Луизианы, но это было до случая с "проколотой шиной", когда Фариш выскочил на него с ножом и пригрозил отхватить ему голову.

С тех пор Реверс мудро держался от их дома подальше и даже не звонил, но, к несчастью, паранойя Фариша на этом не закончилась. Он стал следить и за Дэнни и хотел, чтоб Дэнни об этом знал. То начнет полунамеками его обвинять, то вдруг хитро разоткровенничается, притворяясь, что посвящает Дэнни в выдуманные тайны, а еще, бывало, развалится на стуле с таким видом, будто до него что-то дошло и, расплывшись в улыбке, повторяет: "Ах, сукин ты сын. Сукин ты сын". А иногда просто вскакивал и безо всякого предупреждения начинал орать, обвиняя Дэнни во всевозможном вранье и предательствах. И чтоб Фариш окончательно не слетел с катушек и его не покалечил, Дэнни всякий раз нужно было сохранять полнейшее спокойствие, неважно, что там говорил или делал Фариш. Он терпеливо сносил все обвинения (не угадаешь, когда они начнутся, ни с того ни с сего, на ровном месте), отвечал медленно, осторожно, предельно вежливо — без выкрутасов, без резких движений, в общем, все равно что выходил из машины с поднятыми руками.

И вот, как-то утром, когда солнце еще не взошло и птички только-только зачирикали, Фариш вдруг вскочил с места. Заметался по комнате, бормоча себе что-то под нос и, сморкаясь в окровавленный платок, вытащил рюкзак и велел, чтоб Дэнни отвез его в город. Там он приказал Дэнни высадить его в центре, а потом ехать домой и дожидаться его звонка.

Но Дэнни (которого уже заколебали беспочвенные обвинения и оскорбления) его не послушался. Он заехал за угол, оставил машину на пустой стоянке за пресвитерианской церковью, а сам, стараясь держаться на приличном расстоянии, пошел за Фаришем, который со своим армейским рюкзаком разъяренно топал по дороге.

Он спрятал наркотики в старой водонапорной башне за железнодорожными путями. В этом Дэнни был почти уверен — сначала он потерял Фариша посреди заросшего сортировочного парка, но потом снова его заметил — огромный черный силуэт на фоне нелепо-розового рассветного неба, Фариш карабкался на башню по лестнице, лез все выше и выше, зажав рюкзак в зубах.

Тогда он развернулся, дошел до машины и поехал домой — внешне спокойный, а голова так и гудит. Так вот где все спрятано, в башне, так и лежит там: метамфетамина на пять тысяч долларов, все десять, если считать с наваром. Фаришевы денежки, не его. Он-то получит пару сотен — сколько там Фариш ему отстегнет после продажи. Но пары сотен долларов ему не хватит, чтоб перебраться в Шривепорт или в Батон-Руж, не хватит, чтоб обзавестись жильем и девчонкой, чтоб открыть контору по перевозке грузов на дальние расстояния. Слушать будет только хэви-метал, хватит с него кантри-музыки, он с ней завяжет сразу, как уберется из этой дыры. Огромный хромированный грузовик (с тонированными окнами, кондиционером в кабине) помчится по автостраде на запад. Подальше от Гам. Подальше от Кертиса и его первых, тоскливых прыщей. Подальше от своей выцветшей школьной фотографии, которая висела над телевизором у бабки в трейлере, где он тощий, с длинной темной челкой и вороватым взглядом.

Дэнни припарковался, уселся, закурил. Сам резервуар — деревянная бочка с остроконечной крышей — стоял на тонких металлических столбах футах в сорока пяти над землей. К крышке вела шаткая лесенка, а оттуда через люк можно было попасть внутрь резервуара.

Об этом рюкзаке Дэнни грезил и днем, и ночью, ни дать ни взять новогодний подарок, который спрятан на высокой полке, куда ему нельзя залезать. Стоило ему сесть в машину, и рюкзак волшебным магнитом тянул его к себе. Он уже дважды ездил к башне, просто посидеть, поглядеть, помечтать. Богатство. Путь к свободе.

Богатство, да не его. Он побаивался лезть за рюкзаком, боясь, что Фариш подпилил лестничное кольцо, или приладил к люку пружинное ружье, или еще какую ловушку в башне устроил — это ведь Фариш научил Дэнни мастерить бомбу из куска трубы, это Фариш окружил лабораторию самолично изготовленными капканами из досок и ржавых гвоздей и оплел кусты натяжной проволокой, это Фариш недавно увидел в журнале "Наемник" рекламу набора для домашней сборки пружинных баллистических ножей и выписал себе этот набор. "На эту красотку только наступи — и дзынь!" — с воодушевлением воскликнул он, вскакивая с заваленного деталями и запчастями пола, пока Дэнни с ужасом читал надпись на обороте картонной коробки: "Обезвреживает нападающих на расстоянии тридцати пяти футов".

Кто знает, каких ловушек он в башне понаставил? Он знал Фариша, его ловушки — если они там были — не убьют, только покалечат, но Дэнни не улыбалось остаться без пальца или без глаза. Неотвязный голосок, правда, все нашептывал ему, что Фариш мог и не расставить в башне ловушек. Всего двадцать минут назад, когда Дэнни ехал на почту, чтобы отослать оплаченный бабкин счет за электричество, на него накатил прилив безумного оптимизма, перед глазами вспыхнули картины беззаботной жизни, которая ждала его в Южной Луизиане, и он свернул на главную улицу, поехал к сортировочному парку, намереваясь залезть в башню, вытащить рюкзак, спрятать его в багажнике — в запаске — и уехать из города, не оглядываясь.

Но, когда он приехал на место, вылезать из машины ему расхотелось. Серебряные жилки-ниточки, похожие на проволоку, поблескивали в траве у подножия башни. Дэнни закурил — от прилива адреналина руки тряслись — и уставился на водонапорную башню. Если ему оторвет палец на руке или на ноге, это еще цветочки будут по сравнению с тем, что с ним Фариш сделает, если только заподозрит, что у Дэнни на уме.

И сам факт, что Фариш спрятал наркотики не где-нибудь, а в резервуаре с водой, говорил о многом: это чтобы лишний раз Дэнни в лицо плюнуть. Фариш знал, как Дэнни боится воды — с тех самых пор, когда отец хотел научить его плавать и сбросил его с мостков в озеро, ему тогда лет пять было. Фариш, Майк и все остальные его братья взяли и поплыли, когда он с ними такое проделал, а вот Дэнни пошел ко дну. Он отчетливо помнил, как ему было страшно, когда он тонул, как страшно было, когда он сначала захлебывался, а потом сплевывал коричневую воду пополам с илом, когда отец, взбесившись из-за того, что ему в одежде пришлось прыгать в воду, орал на него, поэтому после того, как Дэнни наконец убрался с тех расшатанных мостков, желания поплавать у него больше не возникало.

И Фариш тоже хорош, не подумал о том, как опасно хранить мет в такой сырой дыре. Дэнни был тогда в марте в лаборатории с Фаришем — шел дождь, и товар из-за влажности никак не хотел кристаллизоваться. Они много чего перепробовали, но все насмарку — порошок у них под пальцами скатывался в клейкие лепешечки и прилипал к зеркалу.

Дэнни, признав свое поражение, немножко закинулся, чтобы нервишки подуспокоить, выкинул сигарету в окно и завел мотор. Вернувшись в город, он уже позабыл о том, зачем ехал (отослать бабкин счет) и вместо этого снова прокатился мимо похоронного бюро. Реверс по-прежнему сидел в лимузине, но девчонки там уже не было, а на ступеньках толклось много народу.

“Сделаю-ка еще кружок по кварталу”, — подумал он.

Александрия, плоская и пустынная, круговорот одинаковых уличных вывесок, гигантская модель железной дороги. Спустя какое-то время тебя так и охватывало чувство нереальности. Безветренные улицы, бесцветные небеса. Пустые здания, сплошной картон и бутафория. “И если ехать долго-долго, — думал он, — то вернешься ровно туда, откуда выехал”.

Грейс Фонтейн подошла к дому Эди, заметно смущаясь, поднялась на крыльцо, вошла. Прошла мимо массивных книжных шкафов со стеклянными дверцами по узкому коридору в переполненную гостиную, откуда неслись голоса и праздничный перезвон бокалов. Шумел вентилятор. В гостиной было полно народу — дамы раскраснелись, мужчины сняли пиджаки. На покрытом кружевной скатертью столе — булочки с ветчиной, чаша с пуншем, серебряные вазочки с арахисом и засахаренным миндалем, стопки красных салфеток с инициалами Эди золотом (безвкусица, по мнению миссис Фонтейн).

Миссис Фонтейн, теребя в руках сумочку, стояла в дверях и ждала, пока ее заметят. Вообще-то у Эди дом (так, коттеджик скорее) был меньше, чем у нее, но миссис Фонтейн выросла в деревне — “в приличной христианской семье”, не уставала напоминать она, но все равно в деревне — и потому стушевалась, завидев чашу для пунша, занавеси из золотого шелка, огромный обеденный стол (за таким человек десять усадить можно, и откидной край поднимать не надо) и грозный портрет судьи Клива, нависавший над узенькой каминной полкой. По стенам стояли, вытянувшись в струнку, будто в танцевальной школе, двадцать четыре обеденных стула со спинками-лирами и гобеленовыми сиденьями, и хоть не стоило втискивать столько массивной темной мебели в комнату, где и места было маловато, и потолок низковат, миссис Фонтейн все равно почувствовала себя не в своей тарелке.

Эди — в кружевном белом фартуке поверх черного платья — заметила миссис Фонтейн, поставила на стол поднос с булочками и подошла к ней.

— Да это же Грейс! Спасибо, что заглянула.

На Эди были очки в тяжелой черной оправе — очки мужские, Портер, покойный муж миссис Фонтейн, такие же носил, а даму, подумала миссис Фонтейн, они не красят, да и к тому же Эди пила — в руках у нее был стакан для воды, обернутый намокшей новогодней салфеткой, где плескался виски со льдом, очень похоже на то.

Не сдержавшись, миссис Фонтейн заметила:

— Да у вас тут целый праздник, вон сколько народу после похорон собралось.

— Что ж теперь, лечь и помереть? — огрызнулась Эди. — Ты лучше иди-ка, съешь чего-нибудь, пока все не остыло.

Миссис Фонтейн сконфузилась, притихла, рассеянно зашарила взглядом по углам. Наконец, промямлив: “Спасибо”, она поковыляла к буфету.

Эди прижала холодный стакан к виску. До этого она и нетрезвой-то была за всю жизнь всего раз пять, и все пять раз, когда ей еще тридцати не было, да и при более веселых обстоятельствах.

— Эдит, дорогая, не нужно ли чем помочь? — спросила прихожанка баптистской церкви, круглолицая коротышка, которая добродушной суетливостью напоминала Винни-Пуха. Эди, хоть убей, не помнила, как ее зовут.

— Нет, спасибо! — она похлопала дамочку по плечу и вернулась к гостям.

От боли в ребрах у нее дыхание перехватывало, но за это она, впрочем, даже была благодарна, потому что боль помогала ей сосредоточиться — на гостях, на гостевой книге, на том, чтобы закуски не остывали и всем хватало чистых бокалов, чтобы не пустели подносы с крекерами, чтобы имбирный эль вовремя доливали в чашу с пуншем, и эти заботы отвлекали ее от смерти Либби, которая пока никак не укладывалась у нее в голове. За последние несколько дней — лихорадочное, опереточное мелькание докторов, цветов, гробовщиков, заезжих родственников и официальных бумажек — Эди ни слезинки не проронила и с головой ушла в организацию поминок (начистить столовое серебро, вытащить с чердака дребезжащие чашечки для пунша, перемыть их), старалась она во многом ради съехавшихся родственников, которые порой друг друга годами не видели. Поминки поминками, но теперь, конечно, всем хотелось обменяться новостями, и Эди была признательна за то, что ей нужно двигаться, улыбаться, подкладывать засахаренный миндаль в вазочки. Накануне вечером она, повязав на голову белый платок, металась по дому с совком, щетками и полиролью: до глубокой ночи она взбивала подушки, протирала зеркала, двигала мебель, перетряхивала ковры и намывала полы. Она расставила букеты, переставила тарелки в серванте с посудой. Потом пошла в сияющую чистотой кухню, набрала полную раковину мыльной воды и трясущимися от усталости руками перемыла сотню чашечек для пунша — одну пыльную, изящную чашечку за другой, и, когда наконец в три часа ночи Эди легла спать, то уснула сном праведников.

Цветик, кошечка с розовым носиком, которая раньше жила у Либби, а теперь стала новой жиличкой у Эди, в ужасе сбежала в спальню и забилась под кровать. На шкафу с книгами и парадной посудой сидели Эдины кошки, все пятеро — Клякса, Саламбо, Рамзес, Ганнибал и Кроха — они растянулись по всему шкафу, били хвостами, злобно таращились вниз желтыми колдовскими глазами. Эди и сама гостей любила не больше, чем ее коты, но сегодня эта толпа народу стала для нее спасением, хоть о собственной семье можно было не думать — все вели себя возмутительно, проку от них никакого, одна помеха. Как же она от всех от них устала — особенно от Адди, которая вышагивала под ручку с этим отвратительным стариком, мистером Самнером — с мистером Самнером, пустозвоном и дамским угодником, с мистером Самнером, которого презирал их отец-судья. Вы только на нее поглядите, строит ему глазки да теребит его за рукав, потягивая пунш, который она не помогала готовить, из чашечки, которую она не помогала мыть, это Адди-то, которая так боялась пожертвовать своим послеобеденным сном, что ни денечка с Либби в больнице не посидела. Она устала от Шарлотты, которая тоже в больнице и носа не показала, потому что была страшно занята — валялась в кровати с очередной надуманной хандрой, она устала от Тэтти, которая без конца наведывалась в больницу, но только чтоб лишний раз поучить Эди, как ей надо было избежать аварии да как реагировать на бессвязный звонок Эллисон, хоть никто Тэтти об этом не просил, и от детей она устала тоже, которые что в похоронном бюро, что на кладбище ревели в три ручья. До сих пор вон сидят на крыльце и надрываются, точь-в-точь как по мертвому коту, никакой разницы, с горечью думала Эди, никакой совсем. И от крокодильих слез кузины Деллы, которая Либби годами не проведывала, Эди тоже передергивало. "Как будто мама снова умерла", — сказала Тэтти, но для Эди Либби была и матерью, и сестрой. Более того, Либби была единственным человеком на всем белом свете — среди всех женщин и мужчин, умерших и ныне живущих, — чьим мнением Эди хоть сколько-то дорожила.

На двух обеденных стульях со спинками-лирами — старые товарищи по несчастью, которые жались к стенам тесной комнаты — шестьдесят с лишним лет тому назад стоял гроб с телом их матери в сумрачной гостиной "Напасти". Окружной священник — не баптист даже, а из Церкви Бога[1] — читал Библию, какой-то псалом,

1 Христианская пятидесятническая церковь, популярная в некоторых южных штатах США.

что-то там про золото и оникс, только у него выходило гнусаво: "воникс". Этот "воникс" потом стал семейной шуткой. Бедняжка Либби, совсем еще подросток, невзрачная, худенькая, в черном мамином парадном платье, подколотом снизу и под грудью, с бледным, фарфоровым личиком (естественно-бледным, какие были у всех блондинок до появления румян и лосьонов для загара), которое от горя и недосыпа стало болезненно-белым как мел. Отчетливее всего Эди помнила, какая влажная и горячая была у нее рука, которой она держалась за руку Либби, и как священник пытался поймать ее взгляд, а она так стеснялась, что глядела ему только под ноги, и даже теперь, полвека спустя, перед глазами у нее стояли растрескавшиеся кожаные ботинки и рыжеватый солнечный луч, рассекший отвороты черных брюк.

Зато, когда умер их отец, судья, все говорили — отмучился, и на похороны, которые прошли на удивление весело, съехалась целая толпа краснолицых старичков, "земляков" (как звали друг друга судья с друзьями — коллегами-юристами и приятелями-рыболовами), — они все толпились у камина в гостиной на первом этаже, пили виски и травили байки о детстве и юности Старого Забияки. "Старый Забияка", вот какое у него было прозвище. А потом, и полугода не прошло, и малыш Робин… но об этом и теперь вспоминать было невыносимо, такой маленький гробик, и пяти футов в длину не было, как она вообще пережила тот день? Пришлось вколоть компазин… горе было таким сильным, что валило ее с ног, будто рвота, будто пищевое отравление… ее рвало черным чаем, заварным яичным коктейлем[1]…

Она сморгнула пелену с глаз и вздрогнула всем телом, потому что по коридору крался очень похожий на Робина мальчишка в кедах и разлохмаченных джинсовых шортах, на несколько секунд она потеряла дар речи, но потом до нее дошло — это же юный Халл, друг Гарриет. Кто его только сюда пустил? Эди выскользнула в коридор, нагнала его. Когда она ухватила его за плечо, тот дернулся, вскрикнул — крик вышел тоненький, перепуганный, хриплый — и съежился, будто мышь в когтях у совы.

— И что тебе угодно?

— Гарриет… я…

1 Популярный в южных штатах напиток из теплого молока, яиц, сахара и ванили, часто — с добавлением алкоголя.

— Я не Гарриет. Гарриет — моя внучка.

Скрестив руки на груди, Эди с видимым удовольствием наблюдала за его паникой, Хили ее за это просто ненавидел. Хили снова открыл рот:

— Я… я…

— Ну, говори, не томи.

— Она здесь?

— Да, она здесь. А ты беги-ка домой, — она схватила его за плечи, развернула и подтолкнула к двери.

Мальчишка вывернулся у нее из рук:

— Она вернется в лагерь?

— Нашел время играть! — рявкнула Эди. Мать парня — нахальная вертихвостка, с самого детства такой была — на похороны Либби не пришла, даже прислать цветы или позвонить не удосужилась. — Давай беги, скажи матери, пусть тебя научит, что невежливо людей беспокоить, когда у них кто-то умер. Ну, брысь! — прикрикнула она, потому что он так и пялился на нее, разинув рот.

Она стояла в дверях, смотрела, как он спустился с крыльца, а потом — довольно неспешно, надо заметить — завернул за угол и скрылся из виду. Тогда Эди пошла в кухню, вытащила из шкафчика под раковиной бутылку виски, освежила свой тодди и вернулась к гостям. Народ постепенно расходился. Шарлотта (вся какая-то взъерошенная, взмокшая, раскрасневшаяся, будто тяжести таскала) стояла на своем посту возле чаши с пуншем и ошалело улыбалась похожей на мопса миссис Чаффин из цветочной лавки, которая очень приветливо с ней болтала, потягивая пунш.

— Мой вам совет, — говорила, а точнее, орала миссис Чаффин, которая, как и многие глухие люди, сама повышала голос вместо того, чтоб попросить собеседника говорить погромче. — Гнездышко не должно пустовать. Потерять ребенка — ужасная трагедия, но мне-то по работе много смертей перевидать пришлось, и лучше всего в таких случаях не терять времени и нарожать еще детишек.

Эди заметила, что у дочери на чулке сзади длиннющая зацепка. Разливать пунш — ума особого не надо, тут и Гарриет с Эллисон бы справились, и Эди поначалу хотела это кому-то из них и поручить, но потом решила, что Шарлотте не следует стоять где-нибудь в углу и трагично пялиться в одну точку.

— Но я же не знаю, что делать, — испуганно пискнула она, когда Эди подтащила ее к чаше с пуншем и всучила ей половник.
— Разливай пунш по чашкам, если попросят добавки — подливай.

Шарлотта растерянно взглянула на мать, как будто половник был разводным ключом, а чаша с пуншем — сложным механизмом. Несколько певших в хоре дам, нерешительно улыбаясь, вежливо топтались возле стоявших на столе чашек с блюдцами.

Эди выхватила половник, зачерпнула пуншу, налила его в чашку, поставила чашку на стол и опять вручила половник Шарлотте. Маленькая миссис Тигартен, стоявшая возле другого конца стола (вся в зеленом, будто прыткая древесная лягушечка — рот широкий, а глаза огромные и блестящие), обернулась и театрально прижала к груди веснушчатую ручку:
— Боже праведный! — вскричала она. — Это мне?
— Ну разумеется! — отозвалась Эди самым веселым тоном, на какой только была способна, и дамы, разулыбавшись, потянулись к столу.

Шарлотта настойчиво подергала мать за рукав:
— А что им говорить?
— Ах, до чего освежает! — громко сказала миссис Тигартен. — Это он с чем, с имбирным элем?
— Думаю, тебе вообще не нужно ничего говорить, — тихонько сказала Эди Шарлотте, а собравшимся дамам громко объявила: — Обычный безалкогольный пунш, без затей, мы такой на Рождество обычно делаем. Мэри Грейс! Кэтрин! Не налить ли вам чего-нибудь?
— Ой, Эдит… — теснились вокруг нее дамочки из хора. — Надо же, какая красота… И как ты только все успеваешь…
— Эдит — хозяйка что надо, за минуту все организовать может.

Это к ним промаршировала кузина Люсинда — руки в карманах.
— Конечно, Эдит легко, — раздался тоненький голосок Аделаиды, — у нее же есть морозилка.

На эту шпильку Эди даже отвечать не стала, представила всех, кто друг с другом был не знаком, и сбежала, оставив Шарлотту разливать пунш. Шарлотте нужно только объяснить, что делать, и она справится, главное, чтоб ей самой не пришлось думать и принимать решения. Со смертью Робина Эди понесла двойную утрату, потому что тогда же потеряла и дочь — хлопотливую, веселую дочь, которая изменилась самым трагическим образом, да что там, сгинула. Конечно, от такого удара нельзя оправиться, но ведь уже больше десяти лет прошло. Берут же люди себя как-то в руки, живут дальше. Эди вспомнила, как Шарлотта-подросток однажды заявила ей, что, когда вырастет, будет закупать модную одежду для большого универмага.

Миссис Чаффин поставила чашечку с пуншем на блюдечко, которое стояло у нее на левой ладони.

— Знаете, — сообщила она Шарлотте, — когда под Рождество хоронят, нет ничего лучше пуансеттий. В это время года в церквях очень темно бывает.

Эди наблюдала за ними, скрестив руки на груди. Хотела улучить верный момент, чтоб перемолвиться парой словечек с миссис Чаффин. Сам Дикс на похороны из Нэшвилла приехать не смог — мол, не успел бы доехать, так Шарлотта сказала, но вот венок, который он прислал, из роз "айсберг" и садового жасмина (чересчур красивый и элегантный, даже какой-то женский) привлек внимание Эди. Выглядел он куда изысканнее букетов, которые обычно составляла миссис Чаффин. В одном из залов похоронного бюро Эди застала миссис Хэтфилд Кин, которая помогала миссис Чаффин расставлять цветы, и услышала, как миссис Кин — сухо, будто ей сообщили какой-то непристойный секрет — ответила миссис Чаффин:

— Возможно, это была секретарша Диксона.

Миссис Чаффин поправила ветку гладиолусов, фыркнула и многозначительно склонила голову набок:

— Ну-у, к телефону подошла я, заказ тоже я принимала, — она попятилась, оглядела свою работу, — и, скажу тебе, секретарши так не разговаривают.

Хили не пошел домой, а просто завернул за угол, обежал дом и через боковую калитку попал на задний двор, где наконец-то нашел Гарриет, которая сидела на качелях. Он прошагал к ней и сразу спросил, не став ходить вокруг да около:

— Эй, ты когда приехала?

Он думал, что, завидев его, она сразу повеселеет, но не тут-то было, и Хили рассердился.

— Ты мое письмо получила? — спросил он.

— Получила, — ответила Гарриет. Она так наелась засахаренного миндаля, что ее подташнивало, а его вкус застрял у нее в горле. — Не надо было его посылать.

Хили уселся рядом с ней:

— Я перенервничал. Я…

Гарриет резко дернула головой, указав на крыльцо, где всего-то в двадцати футах от них на веранде стояли взрослые, человек пять, которые пили пунш и болтали.

Хили сделал глубокий вдох. Потом сказал потише:

— Тут жуть была просто. Он ездит по всему городу. Медленно-премедленно. Как будто нас ищет. Мы с мамой ехали в машине, и он тут как тут, припарковался под эстакадой, словно кого-то выслеживает.

Они сидели рядом, но на друга так ни разу и не взглянули — смотрели прямо перед собой, на стоявших на крыльце взрослых. Гарриет спросила:

— Ты ведь туда больше не ходил? За тележкой?

— Нет! — с негодованием воскликнул Хили. — Ты что думаешь, я придурок, что ли? Одно время он там каждый день торчал. Но теперь он постоянно таскается на сортировочный парк, туда, за железную дорогу.

— Зачем?

— А я знаю? Пару дней назад мне стало скучно, и я пошел к складу, покидаться мячиками. Слышу, машина едет, и хорошо я спрятался, потому что это он и ехал. Как я перепугался! Он остановил машину и сначала долго в ней сидел. Потом вылез, походил вокруг. Может, за мной следил, не знаю.

Гарриет потерла глаза и сказала:

— Я недавно видела, как он туда поехал. Сегодня.

— В сторону железной дороги?

— Ну вроде. Я еще подумала, куда это он собрался.

— Хорошо, что он меня не заметил, — сказал Хили. — Когда он из машины вылез, у меня чуть разрыв сердца не случился. Я час в кустах просидел — прятался.

— Надо устроить спецоперацию и проследить за ним.

Гарриет подумала, что перед словом "спецоперация" Хили устоять не сможет, и очень удивилась, когда он, не задумываясь, твердо ответил:

— Только без меня. Я туда больше не пойду. Ты не понимаешь…

Он резко повысил голос. Кто-то из взрослых обернулся, равнодушно глянул на них. Гарриет ткнула Хили в бок.

Он обиженно посмотрел на нее:

— Ты не понимаешь, — прошептал он. — Это видеть надо было. Если б он меня нашел, убил бы, по нему это видно было, когда он там рыскал.

Хили изобразил, как это выглядело — перекошенное лицо, блуждающий безумный взгляд.

— Рыскал? Он искал что-то?

— Не знаю. Короче, я с ним больше не связываюсь и тебе, Гарриет, не советую. Если он или кто-нибудь из его братьев узнает, что это мы змею кинули, нам крышка. Ты что, не читала статью, которую я тебе послал?

— Не успела.

— Так вот, это его бабушка была, — сухо сказал Хили. — Она чуть не умерла.

Скрипнула садовая калитка. Внезапно Гарриет вскочила.

— Одеан! — крикнула она.

Маленькая чернокожая старушка в соломенной шляпке и платье с пояском только покосилась на Гарриет, но ничего не ответила и даже головы в ее сторону не повернула. Губы у нее были плотно сжаты, лицо суровое. Она медленно проковыляла к крыльцу, поднялась по ступенькам, постучала.

— Мисс Эдит тут? — спросила она, прижав ладонь ко лбу, пытаясь разглядеть что-то сквозь сетку.

На мгновение замешкавшись, Гарриет плюхнулась обратно на качели — пораженная, с заполыхавшими от обиды щеками. Одеан была старая и ворчливая, и Гарриет редко удавалось с ней поладить, но ближе нее у Либби никого не было, и вели они себя точь-в-точь как старая семейная пара — так же ссорились (в основном, из-за кошки Либби, которую Одеан на дух не переносила) и так же, любя, по-приятельски сносили друг друга — поэтому, едва Гарриет ее увидела, как сердце у нее рванулось вон из груди.

После того как умерла Либби, Гарриет даже и не вспоминала об Одеан. Она жила в “Напасти” еще с незапамятных времен, когда они с Либби были еще совсем молоды. Куда же ей теперь идти, что ей теперь делать? Одеан была старенькая, дряхлая, больная, да еще (часто жаловалась Эди) по дому от нее особой помощи не было.

На веранде все засуетились.

— Вот она! — сказал кто-то и посторонился — наружу бочком протиснулась Тэт.

— Одеан! — воскликнула она. — Ты ведь помнишь меня? Я сестра Эдит.

— Почему никто мне не сказал про мисс Либби?

— О Господи… Ох, Одеан, — она обернулась, смущенно, пристыженно глянула на веранду. — Мне так жаль. Но ты заходи, заходи!

— Мэй Хелен, которая у мисс Маклемор работает, вот она мне пришла и сказала. За мной-то никто не приехал. А вы ее уж вон схоронили.

— Ох, Одеан! Мы подумали, у тебя ведь телефона нет…

В наступившей тишине раздалось громкое чириканье синицы — четыре звонких, прыгучих, приветливых трели.

— Могли бы и приехать за мной, — голос Одеан дрогнул. Красновато-коричневое личико осталось бесстрастным. — Домой ко мне приехать. Вы знаете, где я живу, я на Пайн-Хилл живу. Уж могли бы одолжение сделать…

— Одеан… Ох, господи, — беспомощно сказала Тэт. Она сделала глубокий вдох, оглянулась по сторонам. — Прошу тебя, зайди хоть на минутку, присядь.

— Нет, мэм, — сухо отозвалась Одеан. — Благодарствую.

— Одеан, прости, ради бога. Мы не подумали…

Одеан смахнула слезинку.

— Пятьдесят пять лет я проработала у мисс Либ, а мне никто и словечком обмолвился, что она в больнице.

На миг Тэт закрыла глаза.

— Одеан… — Ужасная тишина. — Какой кошмар. Нам нет прощения.

— Я, значит, целую неделю думаю, что вы себе в Южной Каролине и мне в понедельник на работу. А она уже вон в земле лежит.

— Прошу тебя, — Тэт положила руку Одеан на плечо. — Подожди здесь, а я сбегаю за Эдит. Подождешь? Всего минуточку?

Она упорхнула в дом. Гости на веранде снова начали негромко переговариваться. Одеан, не меняясь в лице, отвернулась и уставилась куда-то за горизонт. Кто-то — какой-то мужчина — сказал нарочито громким шепотом:

— Похоже, денег хочет.

Гарриет вспыхнула. Одеан даже глазом не моргнула, не шевельнулась, так и стояла с безучастным видом. На фоне больших белых людей в выходных костюмах она казалась очень маленькой и невзрачной: одинокая птичка-королек в стае скворцов. Хили слез с качелей и с откровенным интересом следил за происходящим.

Гарриет не знала, как поступить. Ей хотелось подбежать к Одеан, встать рядом — Либби бы это точно одобрила, но вид у Одеан был не слишком приветливый, не слишком дружелюбный и, по правде сказать, даже устрашающий — и Гарриет испугалась. Вдруг на веранде все задвигались, хлопнула дверь, и Эллисон безо всякого предупреждения кинулась Одеан на шею, да так, что старушке, которая выпучила глаза от такого внезапного натиска, пришлось хвататься за перила, чтобы через них не перевалиться.

Эллисон так захлебывалась в рыданиях, что даже Гарриет стало страшно. Одеан выглядывала у нее из-за плеча, но Эллисон в ответ так и не обняла, и объятьям явно была не рада.

Эди вышла на крыльцо.

— Эллисон, ну-ка, домой, — сказала она и, схватив ее за плечо, резко развернула к двери. — Живо!

Эллисон, пронзительно вскрикнув, вырвалась у нее из рук и выбежала во двор, промчалась мимо качелей, мимо Хили с Гарриет и нырнула в сарай. Послышался грохот, жестяной перестук, похоже, свалились со стены грабли, когда она хлопнула дверью.

Хили проследил за ней взглядом, сказал спокойно:

— У сестры твоей, подруга, крыша съехала.

С веранды доносился голос Эди — четкий и громкий, словно она выступала перед публикой — сдержанный голос, в котором, однако слышалось волнение и даже как будто паника.

— Одеан! Молодец, что пришла! Зайди хоть на минутку.

— Нет, мэм, уж не стану вам мешать.

— Глупости! Мы тебе очень рады!

Хили пнул Гарриет.

— Слушай, — спросил он, кивнув в сторону сарая, — а чего это она?

— Боже милосердный! — отчитывала Эди застывшую на пороге Одеан. — Ну хватит! Заходи сейчас же!

Гарриет не могла вымолвить ни слова. Из обветшалого сарая донесся один-единственный, жуткий всхрип, будто там кого-то душили. У Гарриет исказилось лицо — ее охватил не стыд, не отвращение, а какое-то незнакомое, пугающее чувство, да такое, что Хили даже отшатнулся от нее, будто она вдруг стала заразной.

— Фу, — бессердечно бросил он, задрал голову — облака, самолет ползет по небу. — Короче, мне пора.

Он ждал ответа, но Гарриет молчала, и тогда Хили зашагал к выходу — не засеменил, как обычно, а пошел медленно, неловко размахивая руками.

Хлопнула калитка. Гарриет буравила взглядом землю. Голоса на веранде вдруг стали громче, и Гарриет со щемящей болью поняла, о чем они говорят — о завещании Либби.

— Где оно? — повторяла Одеан.

— Не волнуйся, с этим все скоро уладится, — говорила Эди, держа Одеан под руку, будто собиралась вести ее в дом. — Завещание в банковском сейфе. В понедельник утром мы туда поедем вместе с юристом…

— Нет у меня веры юристам, — с чувством сказала Одеан. — Мисс Либ мне обещала. Она мне сказала, Одеан, говорит она, если что случится, загляни в мой сундук. Там для тебя конверт лежит. Ты его бери и никого не спрашивай.

— Одеан, мы у нее дома ничего не трогали. В понедельник…

— Господь всему свидетель, — надменно сказала Одеан. — Он — свидетель, и я — свидетель. Да, мэм, уж кому как не мне знать, что мне говорила мисс Либби.

— Ну ты же знаешь мистера Билли Уэнтворта, верно ведь? — Эди говорила шутливо, будто ребенка увещевала, но голос у нее то и дело срывался на хрип, и звучало это страшно. — Ну, только не говори, что не веришь мистеру Билли, Одеан! У них с зятем контора на площади.

— Мне нужно только то, что мне по праву причитается.

Садовые качели давно проржавели. Между растрескавшихся кирпичей набух бархатистый мох. Гарриет с отчаянием, будто цепляясь за последнюю соломинку, сосредоточила все внимание на видавшей виды ракушке, которая лежала на постаменте садового вазона.

Эди сказала:

— Одеан, я с этим не спорю. Ты получишь все, что тебе причитается по закону. Как только…
— Не знаю я ни про какие законы. Я знаю только про то, как оно правильно.

Ракушка от старости стала похожей на известняк, дождь и ветер превратили ее в гипсовое крошево, верхушка отломилась, а внутренняя губа угасла до перламутровой алости, до того же серовато-розового цвета, что и лепестки старинных Эдиных роз "Мейденс Блаш" — "Девичий румянец". Когда Гарриет еще не родилась, вся семья каждое лето выезжала к океану, но после смерти Робина они больше туда не ездили. Серые двустворчатые раковинки, собранные во время этих давних поездок, грустно пылились в банках, на самых дальних полках в чуланах у тетушек.

"Стоит им без воды полежать, и все волшебство пропадает", — говорила Либби. Она, бывало, набирала полный умывальник воды, высыпала туда ракушки и пододвигала скамеечку, на которую залезала Гарриет (ей было года три, совсем еще кроха, и каким же белым, каким огромным казался ей умывальник!). И с каким удивлением она глядела на то, как казенный серый цвет под водой делался ярким, блестящим, волшебным, разламывался на тысячу переливчатых оттенков: там багровел, там темнел, будто створка мидии, то раскрывался веером, то закручивался в тоненькие полихромные завитки — серебристые, стеклянно-голубые, коралловые, розовые и дымчато-зеленые! И какой холодной и прозрачной была вода, которая словно бы отсекала ее ладони — розовые, заледеневшие!

"Понюхай! — говорила Либби, втягивая воздух. — Вот так пахнет океан!" И Гарриет наклонялась к воде и вдыхала острую горечь океана, которого она никогда не видела, тот самый соленый запах, о каком говорил Джим Хокинс в "Острове сокровищ". Грохот прибоя, крики странных птиц и белые паруса "Испаньолы" — будто книжные белые страницы — полощутся на фоне безоблачного тропического неба.

Говорят, умереть, мол — причалить к счастливым берегам. На старых курортных фотографиях ее родные снова молодели, и Робин снова был с ними — яхты, белые платки, взмывают к солнцу чайки. Это был сон, в котором все спаслись.

Но то был сон о прошлом, не о грядущем. Настоящее — бурые листья магнолии, покрытые коркой лишайника вазоны, монотонное гудение пчел в жарком вечернем воздухе, безликое бормотание собравшихся на поминки гостей. Она пнула осколок кирпича — под ним грязь и склизкая трава. Гарриет изучала мерзкое пятно с таким интересом, будто во всем в мире, кроме него, не осталось ничего настоящего — да, впрочем, так оно и было.

Глава 7

Башня

Время дало трещину. Теперь Гарриет нечем было его измерять. Раньше Ида была планетой, чей ход отмечал часы, чье привычное, мерное движение (стирка по понедельникам, штопка по вторникам, сэндвичи летом и суп зимой) управляло каждой минутой жизни Гарриет. Одна неделя сменяла другую, каждый день — череда связных картинок. В четверг утром Ида вставала возле мойки, раскладывала гладильную доску и гладила белье громоздким утюгом, который плевался паром. В четверг после обеда — что зимой, что летом — она перетряхивала половики, выбивала их и вывешивала проветриться, и красный турецкий коврик, перекинутый через перила веранды, был флажком, который сигнализировал: "четверг". Бескрайние летние четверги, промозглые октябрьские четверги, темные четверги из далекого школьного прошлого, когда болевшая ангиной Гарриет беспокойно дремала под кипой нагретых одеял — в эти дни свист выбивалки, шипение и бульканье утюга были не только живой музыкой настоящего, но еще и звеньями цепи, которая разматывалась через всю жизнь Гарриет и терялась где-то в глухой тьме младенчества. День заканчивался в пять, когда Ида на веранде снимала фартук, день начинался со скрипа парадной двери и шагов Иды в коридоре. Из дальних комнат доносилось мирное гудение пылесоса, поскрипывали убаюкивающе — вверх-вниз по лестнице — Идины тапки на резиновой подошве, потрескивал ее сухой ведьминский смешок. Текли дни. Дверь откроется, дверь закроется, то съежатся, то вытянутся тени.

Гарриет мчится босиком к открытой двери, Ида взглядывает на нее — острое, восхитительное блаженство, безусловная любовь. Ида! Ее любимые кушанья (леденцы на палочке, ломоть кукурузной лепешки с патокой), ее "телепередачи". Шутки и увещевания, ложки сахару с горкой, которые, будто снег, медленно оседали на дне стакана с холодным чаем. Странные старинные печальные песни, что разносились с кухни ("Свидеться бы с матушкой, свидеться бы мне…") и ее перекличка с птицами за домом — посвист, трели, иить, иить, иить, хлопанье на ветру белых рубашек, нежный перезвон столового серебра в тазу с водой, многообразие и шум самой жизни.

А теперь все закончилось. Без Иды время рассыпалось, рухнуло в бездонную, сверкающую пустоту. Часы и дни, свет и тьма неприметно сменяли друг друга, завтрак больше не отличался от обеда, будний день — от дня воскресного, рассвет от заката, все они теперь словно жили в пещере с электрическим светом.

Вместе с Идой пропал и уют. А заодно — и сон. Сколько ночей Гарриет провела в слезах, лежа на грязных простынях в затхлом вигваме "Синичка", потому что только Ида умела застилать кровать так, чтобы ей было удобно, и Гарриет (в мотелях, а то и дома у Эди) зачастую допоздна не могла уснуть и лежала, уставившись в темноту, остро ощущая непривычные ткани, незнакомые запахи (духов, нафталина, другого стирального порошка, не того, каким Ида пользовалась), тоскуя по дому и более всего — по рукам Иды, которая одним прикосновением могла утешить Гарриет, когда ей было грустно или страшно, и теперь, когда Ида ушла, ей этого сильнее всего и недоставало.

Дом встретил Гарриет эхом и тишиной: зачарованный замок, окруженный колючим терновником. В спальне на стороне Гарриет (у Эллисон все было вверх дном) царил идеальный порядок, который навела перед уходом Ида: аккуратно заправленная кровать, белые оборочки, все припорошено пылью, будто инеем.

Таким все и осталось. Простыни под покрывалом были до сих пор крахмально-свежими. Их выстирали и выгладили руки Иды, это все, что от Иды осталось в их доме — и поэтому, как бы ни хотелось Гарриет забраться в кровать, зарыться лицом в чудесную мягкую подушку и натянуть одеяло на голову — она никак не могла разрушить последний островок рая, который у нее остался. Ночью сияющее, прозрачное отражение кровати плавало в черных окнах — воздушное белое безе, нежнейший свадебный торт. Но на этот пир Гарриет могла только глядеть — стоит ей залезть под одеяло, и о сне можно будет забыть навсегда.

Поэтому Гарриет спала поверх покрывала. Спала беспокойно. Комары зудели у нее над ухом и кусали ее за ноги. По утрам становилось прохладно, и Гарриет, бывало, подскакивала в полусне, тянула на себя фантомное одеяло, но потом, пошарив рукой в воздухе, падала — шлеп — обратно на покрывало и, подергивая ногами, будто спящий терьер, проваливалась в сон. Ей снилась черная топь, затянутая льдом, и проселочные тропинки, по которым она все бежала и бежала куда-то, занозив босые ноги, ей снилось, что она поднимается со дна черного озера и не может выплыть наружу, на воздух, потому что всякий раз путь ей преграждает лист железа и она упирается в него головой, ей снилось, что она прячется под кроватью у Эди дома от чего-то страшного, невидимого, что тихонько зовет ее: “Нет ли у вас чего, мисси? Нет ли чего для меня?” Спала она допоздна и просыпалась усталая, с глубокими красными рубчиками от покрывала на щеках. И, не успев еще открыть глаза, она уже боялась шевельнуться и замирала, не дыша, потому что понимала — пробуждение ничего хорошего не сулит.

Так оно и было. Дома было до ужаса тихо и мрачно. Когда она вылезла из кровати, прокралась на цыпочках к окну и отдернула занавеску, ей показалось, будто она — единственная, кто выжил после страшной катастрофы. Понедельник: белье не сушится. Какой же это понедельник, если не хлопают на ветру простыни и рубашки? На высохшей траве дрожат тени пустых бельевых веревок. Она тихонько спустилась вниз, прошла по полутемному коридору — Ида уехала, и некому теперь было раздвигать утром шторы (и варить кофе, и говорить: “Доброе утро, детка!”, и делать еще кучу приятных мелочей), и почти на весь день дом будто проваливался в подводную, мрачную муть.

За этой серой тишиной — такой ужасной, как будто наступил конец света и почти все умерли, — крылись мучительные мысли о том, что на соседней улице стоит пустой и закрытый на замок дом Либби. Двор зарос, клумбы побурели и ощетинились сорняками, а внутри — пустые пруды зеркал, в которых больше ничего не отражается, скользит равнодушно по комнатам то лунный, то солнечный свет. До чего хорошо помнила Гарриет дом Либби в каждый час, в любую погоду, во всякое время — зимнюю бесцветность, когда в коридоре вечно царил полумрак, а в газовом обогревателе огонек еле теплился, дождливые дни и ночи (ливень стекает по багровеющим стеклам, льются тени по противоположной стене), ясные осенние дни, когда усталая и унылая Гарриет приходила к Либби после школы и сидела у нее на кухоньке, расцветая от ее болтовни, согреваясь от ее добрых расспросов. Помнила она и все книжки, которые Либби читала ей вслух, по одной главе каждый день после школы: "Приключения Оливера Твиста", "Остров сокровищ", "Айвенго". Иногда за окнами вспыхивал до того чистый и до ужаса ослепительный октябрьский свет, что, казалось, его холодное сияние сулит что-то невыносимое, нечеловеческий жар старых воспоминаний, что приходят на смертном ложе, сплошные мечты да страшные прощания. Но всегда, даже в самые тихие, в самые угрюмые вечера (мрачно тикают каминные часы, валяется на диване недочитанная библиотечная книга) взъерошенная, как пион, Либби словно бы освещала мрачные комнаты прозрачным, ярким светом. Иногда она напевала что-нибудь себе под нос, и ее тонкий голосок так мило подрагивал в длинных тенях выложенной изразцами кухни, прорываясь сквозь басовитый гул холодильника:

Кот и Сова,
Молодая вдова,
Отправились по морю в шлюпке.
Взяв меду в дорогу
И денег немного[1].

Вот же она, сидит с вышиванием, а с шеи у нее на розовой ленточке свисают крохотные серебряные ножницы, вот она разгадывает кроссворд, читает биографию мадам де Помпадур, болтает со своей белой кошечкой… тип-тип-тип, Гарриет и теперь отчетливо слышала ее шаги, узнаваемый стук ее ботиночек третьего размера[2], тип-тип-тип, бежала она по коридору, ответить на телефонный звонок. Либби! Как же радовалась Либби звонкам Гарриет, даже поздно вечером, как будто во всем мире не было для нее голоса желаннее!

1 Стихотворение Эдварда Лира, перевод С. Маршака.
2 Очень маленький размер, примерно соответствует российскому 34-му.

"Ой, да это же моя душечка! — восклицала она. — Какая ты молодец, что позвонила своей старенькой тете", — и от ее веселого, теплого тона Гарриет разом оживала и, стоя на темной кухне возле висевшего на стене телефона, она зажмуривалась, опускала голову и отогревалась, и сияла, будто начищенный колокольчик. Хоть кто-нибудь так радовался звонкам Гарриет? Нет, никто. А теперь можно набирать этот номер, набирать его сколько влезет, набирать его хоть ежеминутно и до самого конца света — и все равно больше ей никогда не услышать в трубке восклицаний Либби: "Моя душечка! Дорогая моя!" Нет, теперь дома у нее пусто и тихо. В запертых комнатах пахнет кедром и ветивером. Вскоре вынесут и мебель, но пока там все было точно как в тот день, когда Либби отправилась в путешествие: кровати застелены, в сушилке стоят рядками вымытые чашки. Дни проносились по комнатам безликой чередой. Солнце вставало, и пузырчатое стеклянное пресс-папье на каминной полке снова вспыхивало, проживало свою крошечную лучистую трехчасовую жизнь и снова тонуло в темноте и дреме, когда в полдень его миновал наконец солнечный треугольник. Ковер с цветочными лозами — огромный лабиринт для игр маленькой Гарриет — затеплеет то тут, то там желтыми полосками света, которые ближе к вечеру потянутся из-под деревянных ставней. Длинными пальцами они проскользнут по стенам, лягут вытянутыми, косыми прядками на фотографии в рамках. На одной — маленькая Либби, тоненькая и перепуганная, держит за руку Эди, на другой, пожелтевшей от времени, хмурая, ветхая "Напасть" в предгрозовой атмосфере, придушенной лозами трагедии. Но и этот вечерний свет потускнеет и угаснет, и не останется совсем никакого света, один прохладный голубой отблеск уличных фонарей — его только и хватает, чтобы все разглядеть в темноте — будет ровно мерцать до самого рассвета. Шляпные картонки, дремлющие в комоде аккуратно сложенные перчатки. Висит в темных чуланах одежда, которой Либби больше никогда не коснется. Скоро их рассуют по коробкам и разошлют по баптистским миссиям в Китае и Африке, и, может быть, уже недалек тот час, когда крошечная китайская дамочка в разукрашенном домике, под сенью золотых деревьев и чужестранных небес будет вместе с миссионерами пить чай в каком-нибудь розовом выходном платьице Либби. И как только миру удавалось жить дальше? Люди сажали сады, играли в карты, ходили в воскресную школу, отсылали коробки со старой одеждой в китайские миссионерские организации, а сами все это время торопились к рухнувшему мосту, к пропасти.

И Гарриет тосковала. Она в одиночестве сидела на лестнице, или в коридоре, или за кухонным столом, обхватив голову руками, она сидела в спальне на подоконнике и глядела на улицу. Внутри нее кололись и царапались старые воспоминания: ее обиды, неблагодарность, все слова, которые теперь не возьмешь назад. Она снова и снова вспоминала, как однажды наловила в саду тараканов и насовала их в верхушку кокосового пирога, над которым Либби трудилась весь день. И как тогда Либби расплакалась, расплакалась, будто маленькая девочка, уткнувшись лицом в ладони. Либби расплакалась и когда Гарриет, разобидевшись, сообщила ей, что ей совсем не понравился подарок, который Либби сделала ей на восьмилетие — подвеска-сердечко для ее браслета. "Игрушку! Я хотела игрушку!" Потом мать отвела Гарриет в сторонку и рассказала, что подвеска стоит очень дорого и Либби такое не по карману. А хуже всего, в последний раз, когда она видела Либби, в самый распоследний раз, Гарриет просто вывернулась у нее из рук и помчалась по улице, даже не оглянувшись. Случалось, что посреди очередного полусонного дня (когда она часами валялась на диване, вяло листая "Британскую энциклопедию") эти мысли заново накатывали на Гарриет с такой силой, что она заползала в чулан, закрывала дверь и рыдала, рыдала, уткнувшись в тафтяные юбки старых материнских вечерних платьев, и к горлу у нее подкатывала уверенность в том, что дальше она будет чувствовать себя только хуже.

Учебный год начинался через две недели. Хили теперь участвовал в каких-то "репетициях оркестра", каждый день по удушливой жаре маршировал взад-вперед по футбольному полю. Когда же на поле выходила потренироваться футбольная команда, они все гуськом возвращались в спортзал, развалюху под жестяной крышей, садились там на складные стульчики и упражнялись со своими музыкальными инструментами. Потом дирижер разводил костер, они жарили хот-доги или играли в софтбол или устраивали импровизированный джем-сейшн со взрослыми ребятами. Иногда Хили возвращался домой рано, но тогда, говорил он, ему по вечерам надо было заниматься, играть на тромбоне.

Отчасти Гарриет была рада его отсутствию. Она стыдилась своей тоски, до того огромной, что ее было никак не скрыть, и того, какое у них дома запустение. После ухода Иды мать Гарриет стала поактивнее, но то была активность ночных зверьков из мемфисского зоопарка: хрупкие маленькие сумчатые животные с глазами-плошками, обманувшись светом ультрафиолетовых ламп, который озарял их аквариумы, садились, начинали прихорашиваться, изящно шнырять по своим лесным делам, думая, что надежно сокрыты в ночной темноте. За ночь появлялись тайные тропки, которые петляли по всему дому — тропки, отмеченные салфетками, ингаляторами, пузырьками с таблетками, лосьонами для рук, лаком для ногтей, стаканами с подтаявшим льдом, от которых на столешницах оставались белые круги. В самом загаженном и заваленном углу кухни вдруг возник переносной мольберт, а на нем — постепенно, день за днем — проступали какие-то водянистые багровые анютины глазки (хотя вазу мать так и не дорисовала, так и оставила карандашным наброском). Даже цвет ее волос изменился, стал отливать густой чернотой ("Шоколадный поцелуй" — было написано на измазанной клейкими черными потеками бутылке, которую Гарриет вытащила из плетеной мусорной корзины в ванной на втором этаже). Мать не волновали ни замусоренные половики, ни липкие полы, ни прокисшие полотенца в ванной, зато мелочам она уделяла невероятно много внимания. Однажды Гарриет увидела, как мать раздвигает в стороны кучи мусора, чтобы ей было удобнее встать на колени и начистить латунные дверные ручки специальной полиролью и специальной тряпочкой, в другой раз мать, не замечая ни крошек, ни капель застывшего жира, ни просыпанного на кухонной стойке сахара, ни грязных полотенец, ни горы грязных тарелок, которая, накренившись, торчала из холодной серой воды в раковине, и уж тем более не обращая никакого внимания на характерный сладковатый запашок тухлятины, который полз сразу и отовсюду и непонятно откуда, целый час лихорадочно намывала старый хромированный тостер, пока тот наконец не засверкал, как решетка радиатора на лимузине, а потом еще добрых десять минут стояла и любовалась своей работой.

— Мы справляемся, верно? — говорила она.

И:

— Ида никогда ничего не отмывала до конца, правда ведь, у нее так не получалось?

И:

— А скажите, ведь весело? Жить вот так, втроем?

Весело не было. Но она все равно старалась. Однажды, ближе к концу августа, она вылезла из кровати, приняла пенную ванну, оделась, накрасила губы и, усевшись на кухонную стремянку, принялась листать "Поваренную книгу Джеймса Берда", пока не отыскала рецепт чего-то под названием "Стейк «Диана»", а потом пошла в магазин и купила все нужные продукты. Вернувшись домой, она повязала поверх платья нарядный фартук с оборочками (рождественский подарок, ненадеванный), закурила и принялась готовить обед, потягивая кока-колу со льдом и капелькой бурбона. Потом они все, гуськом, держа тарелки над головой, протиснулись в столовую. Гарриет расчистила место на столе, Эллисон зажгла пару свечей, от которых по потолку заплясали вытянутые дрожащие тени. Гарриет давно так хорошо не ужинала, но с тех пор прошло три дня, а тарелки как были свалены в раковину, так и остались.

Оказалось, что от Иды была польза, о которой Гарриет ранее даже не подозревала, только сейчас — и, увы, слишком поздно — Гарриет поняла, до какой степени Ида сдерживала активность ее матери. Как часто Гарриет скучала по матери, как же ей хотелось, чтобы та встала с постели и вышла из спальни. И теперь, как по мановению волшебной палочки, ее желание исполнилось, но если раньше Гарриет тосковала и мялась под дверью спальни, которая всегда была заперта, то теперь нельзя было предугадать, когда мать выпорхнет наружу, чтобы мечтательно нависнуть над стулом, где сидела Гарриет, ожидая, видимо, что Гарриет сейчас что-то скажет и между ними все сразу наладится. И Гарриет бы с радостью помогла матери, если б та ей хоть намекнула, что от нее требуется. Эллисон умела подбодрить мать, не говоря ни слова, одним своим спокойствием, но с Гарриет все было по-другому, казалось, что она должна или что-то сделать, или что-то сказать, только она не знала, что именно, и под напором выжидающего взгляда матери теряла дар речи и тушевалась, а иногда, если мать никак не уходила и положение было совсем отчаянное, начинала раздражаться и злиться. После этого она нарочно принималась разглядывать свои руки, пол под ногами, стену, все что угодно, только б не видеть этой мольбы в материнских глазах.

О Либби мать Гарриет говорила редко — она и имя ее не могла произнести без слез, но думала она о Либби все время, и это было настолько заметно, что ей вслух можно было ничего и не говорить. Либби была повсюду. Любой разговор был о ней, даже если никто не произносил ее имени. Апельсины? Все помнили, что Либби любила класть в рождественский пунш нарезанные кружками апельсины и иногда пекла апельсиновый пирог (унылый десерт из поваренной книги времен Второй мировой и продовольственных карточек). Груши? Груши были тоже богаты ассоциациями: Либби варила грушевое варенье с имбирем, Либби иногда пела песенку про грушевое деревце, Либби нарисовала натюрморт с грушами, когда в начале века училась в женском художественном колледже. И как-то так выходило, что, если разговаривать только о разных предметах, можно было часами говорить о Либби, даже не называя ее имени. Невысказанные упоминания Либби проникали в каждую беседу, каждая страна и каждый цвет, каждый овощ и каждое дерево, каждая ложечка, дверная ручка и конфетница были окутаны и присыпаны воспоминаниями о ней, и хоть Гарриет не спорила с тем, что такая истовость оправдана, ей иногда делалось не по себе от того, что Либби словно превратилась из человека в какой-то сладенький вездесущий газ и лезет теперь изо всех щелей и замочных скважин.

Странный это был способ разговора, еще и потому, что мать сотней негласных способов, но очень ясно дала понять дочерям, что про Иду говорить нельзя. Даже если они вскользь упоминали Иду, у матери делалось недовольное лицо. А когда Гарриет, не подумав, в одной фразе с тоской вспомнила и Иду, и Либби, мать так и застыла, не донеся стакан до рта.

— Да как ты смеешь! — вскрикнула она, как будто Гарриет надругалась над памятью Либби и сказала что-то гадкое и непростительное, а потом добавила. — Не смотри на меня так!

Она схватила за руку изумленную Эллисон, потом отпустила ее и выбежала из комнаты.

Своим горем Гарриет было запрещено делиться, зато горе матери висело в воздухе немым укором, и Гарриет смутно казалось, будто это ее вина. Иногда — особенно по ночам — оно осязаемо густело и туманом расползалось по дому, мутной мглой повисало над склоненной головой матери, над ее сгорбленными плечами, стойкое, будто запах виски, которым разило от отца, когда он напивался. Прокравшись к двери, Гарриет тихонько наблюдала за матерью: та, обхватив голову руками, сидела за кухонным столом в желтоватом свете лампы, и между пальцев у нее тлела сигарета.

Но стоило ее матери поднять голову, улыбнуться, попытаться завязать беседу, и Гарриет убегала. Она терпеть не могла, когда мать, застенчиво жеманясь, принималась семенить по дому на цыпочках, выглядывать из-за углов и рыться в шкафчиках, словно Ида была каким-то тираном, от которого они наконец избавились. Едва мать с робкой улыбкой (когда она начинала так пугливо улыбаться, это значило — хочет "поговорить") подбиралась к Гарриет, та чувствовала, как у нее внутри все леденеет. Вот и сейчас она с каменным видом застыла на диване, когда мать уселась рядом и неловко похлопала ее по руке.

— У тебя вся жизнь впереди.

Говорила она слишком громко, будто на сцене выступала.

Гарриет молчала, угрюмо уставившись в лежавшую у нее на коленях "Британскую энциклопедию" — она была раскрыта на статье о семействе свинковых. К этому семейству южноамериканских грызунов относятся также и морские свинки.

— В общем… — мать рассмеялась, смех вышел хрипловатым, наигранным, — надеюсь, что тебе никогда в жизни не доведется испытать того, через что пришлось пройти мне.

Гарриет пристально разглядывала черно-белое фото капибары, самого крупного представителя семейства свинковых. Самый крупный грызун на земле.

— Ты еще так молода, деточка. Я так старалась оградить тебя от всего. Но я не хочу, чтобы ты повторяла мои ошибки.

Мать ждала. Мать сидела слишком близко. Гарриет стало не по себе, но она все равно не шевелилась и не отрывала взгляда от книги. Матери от нее только и нужен, что заинтересованный вид (а не искренний интерес), и Гарриет прекрасно знала, как ей угодить — отбросить энциклопедию, сложить руки на коленях и, сочувственно хмурясь, выслушать мать. Бедная, мол, мамочка. И этого хватит, больше ничего и не нужно.

И ведь она многого и не просила. Но Гарриет просто трясло от такой несправедливости. А когда ей хотелось поговорить, мать ее что, слушала? Поэтому она молчала, упрямо глядела в энциклопедию (как же трудно было не двигаться, не отвечать!) и вспоминала, как однажды, заливаясь слезами по Иде, забрела в спальню матери, а мать так вяло, царственно отмахнулась от нее одним пальчиком, одним пальцем…

Вдруг мать встала и уставилась на нее сверху вниз. Улыбка у нее стала колкой и тонкой, будто рыболовный крючок.

— Ну, не смею мешать твоему чтению, — сказала она.

Гарриет тотчас же пожалела о своем поведении.

— Что, мама? — она спихнула энциклопедию с колен.

— Ничего.

Мать отвела взгляд, затянула потуже поясок халата.

— Мама! — крикнула ей вслед Гарриет, мать закрыла за собой дверь спальни — пожалуй, даже слишком чинно. — Мама, прости…

Ну почему она такая злобная? Почему она не может вести себя так, чтобы все ей были довольны? Гарриет все ругала себя, и колючие, неприятные мысли крутились у нее в голове даже после того, как она встала с дивана и поплелась спать. Ей было стыдно и горько не только из-за матери и не только из-за того, что происходило с ней сейчас, она винила себя во многом, и мучительнее всего было думать об Иде. А что если с Идой случится удар? Или ее собьет машина? Теперь-то Гарриет знала, и такое бывает: люди умирают, вот просто так, берут и падают замертво. Известит ли их тогда дочь Иды? Или, что куда вероятнее, решит, что дома у Гарриет до Иды никому и дела нет?

Укрывшись кусачим вязаным пледом, Гарриет крутилась, вертелась, выкрикивала во сне приказы и обвинения. То и дело комнату озаряли голубые вспышки августовских молний. Никогда она не забудет, как ее мать обошлась с Идой, никогда не забудет, никогда-никогда не простит. Но хоть она и злилась на мать, остаться безучастной к саднящей тоске матери у нее — почти — не получалось.

А уж когда мать начинала притворяться, что все в порядке, Гарриет делалось совсем невмоготу. Она сновала по дому в пижаме, вела себя будто какая-то пустоголовая бэбиситтерша, запрыгивала с размаху на диван к дочерям, которые, что и сказать, не знали, предлагала "поразвлечься", как будто они все такие подружки, не разлей вода. На щеках у нее горел румянец, глаза сверкали, но за этим оживлением крылся какой-то до боли отчаянный надрыв, и Гарриет, глядя на нее, чуть не плакала. Мать предлагала поиграть в карты. Мать предлагала сварить ирисок — ирисок! Мать предлагала посмотреть телевизор. Предлагала поесть стейков в "Загородном клубе" — совершенно нелепая идея, тем более что ресторан при клубе по понедельникам и вовсе был закрыт, и придет же такое в голову. И она без конца приставала к Гарриет с пугающими расспросами. "Купить тебе бюстгальтер?" — спрашивала она. Или: "Может, пригласишь в гости подружку?" Или: "Хочешь, съездим к папе в Нэшвилл?"

— Давай устроим тебе праздник, — предложила она Гарриет.

— Праздник? — настороженно переспросила Гарриет.

— Ну да, маленький праздник — с кока-колой, мороженым, позовешь одноклассниц в гости.

Гарриет от ужаса потеряла дар речи.

— Тебе нужно... общаться с другими людьми. Со сверстниками. Приглашать их домой.

— Зачем?

Мать только отмахнулась:

— Ты уже почти старшеклассница, — сказала она. — Первый бал не за горами. Чирлидерство еще, конкурсы красоты.

"Конкурсы красоты?!" — изумилась Гарриет.

— У тебя сейчас начинается самая благодатная пора. Мне кажется, Гарриет, в старших классах ты наконец расцветешь.

Гарриет даже не знала, что на это ответить.

— Это все из-за того, как ты одеваешься, да? — мать умоляюще взглянула на Гарриет. — Ты поэтому не хочешь домой подружек звать?

— Нет!

— Давай съездим в Мемфис. Накупим тебе симпатичных платьиц. И пусть папа платит!

Даже Эллисон, похоже, устала от этих перепадов материнского настроения, потому что она постоянно, никому ничего не говоря, стала где-то пропадать вечерами. Телефон теперь звонил чаще. Уже второй раз за неделю Гарриет разговаривала с какой-то Труди, которая просила позвать Эллисон. Гарриет не спрашивала, кто такая эта Труди, да и знать ей не очень-то хотелось, но в окно проследила за тем, как Труди (темная фигурка в коричневом "крайслере") заехала за Эллисон, которая уже поджидала ее, стоя босиком возле обочины.

Заезжал за ней и Пем в своем небесно-голубом "кадиллаке" — с Гарриет они даже не здоровались и с собой не звали. "Кадиллак", взревев, отъезжал от дома, а Гарриет усаживалась на подоконник в темной спальне и разглядывала пасмурное небо над железнодорожными путями. Вдали светились огоньки — фонари на бейсбольном поле, вывеска "У Джамбо". Куда ехали Пембертон и Эллисон, когда машина исчезала в темноте, что такого могли они говорить друг другу? Улица еще не просохла после вечернего ливня, луна сияла сквозь дыру в грозовых облаках, рваные края которых были залиты мертвенно-белым, ослепительным светом. А там дальше — за разломом в небе — ясная высь: холодные звезды, бесконечные расстояния. Все равно что смотреть в чистое озерцо, на первый взгляд совсем мелкое, каких-нибудь пару дюймов глубиной, но бросишь монетку в зеркальную воду, и она все падает, падает — целую вечность — и все никак не долетит до дна.

— Какой у Иды адрес? — однажды утром спросила Гарриет. — Я хочу ей написать, рассказать про Либби.

Дома было жарко и тихо, грязное белье огромной неприглядной кучей лежало на стиральной машинке. Эллисон подняла взгляд от миски с хлопьями, безучастно посмотрела на Гарриет.

— Быть не может, — Гарриет отказывалась в это верить.

Эллисон отвернулась. Она теперь густо подводила глаза, и вид у нее от этого делался уклончивый, нелюдимый.

— Только не говори, что не взяла у нее адрес! Ты нормальная вообще?

— Она мне его не давала.

— А ты спрашивала?

Молчание.

— Спрашивала или нет? Ну почему ты такая?
— Она знает, где мы живем, — сказала Эллисон. — Захочет — напишет.
— Солнышко, — крикнула мать из соседней комнаты — услужливый, невыносимый голос. — Ты что-то потеряла?

После долгой паузы Эллисон опустила глаза, снова взялась за ложку. Она омерзительно громко хрустела хлопьями, звук выходил похожим на многократно усиленный хруст насекомого в познавательной передаче, которое жует какой-нибудь лист. Гарриет отодвинулась от стола, заозиралась в бессмысленной панике: о каком городе говорила Ида, о каком же городе, и какая у ее дочери фамилия по мужу? Впрочем, даже если бы она ее знала — что толку? В Александрии у Иды не было телефона. Всякий раз, когда им нужно было связаться с Идой, Эди приходилось ехать к ней домой, хотя какой там дом — покосившаяся бурая хибарка посреди вытоптанного двора, ни тебе травы, ни дороги рядом, одна сплошная грязь. Как-то перед Рождеством, вечером, Эди поехала к Иде — отвезти ей мандаринов и пудинг — и захватила с собой Гарриет. Из ржавой железной трубы на крыше шел дымок. У Гарриет внезапно до боли перехватило горло, когда она вспомнила, как Ида, вытирая руки о грязный фартук, появилась в дверях и фары высветили ее удивленное лицо. Ида не пригласила их зайти, но дверь была открыта, и Гарриет с тоской и смятением разглядывала старые жестянки из-под кофе, накрытый клеенкой стол и висевший на крючке потрепанный свитер — насквозь пропахший дымом мужской свитер, который Ида всегда носила зимой.

Оставшись одна, Гарриет разжала кулак и принялась разглядывать порез на ладони. Руку она порезала себе сама, перочинным ножом, на следующий день после похорон Либби. Дома было тихо и душно от горя, и, ткнув ножом себе в руку, Гарриет неожиданно громко вскрикнула. Нож с лязганьем шлепнулся на пол в ванной. Из глаз у Гарриет, которые и без того опухли и покраснели от рыданий, снова брызнули слезы. Гарриет сжала руку в кулак, прикусила губу — кровь черными монетками падала на полутемную плитку, а она все вертела и вертела головой, смотрела то в угол, то в потолок, будто бы ждала, что откуда-то сверху придет помощь. Странно, но боль принесла с собой облегчение — ледяное, отрезвляющее, она встряхнула ее, привела в чувство, помогла сосредоточиться. “Когда болеть перестанет, — сказала она себе, — когда заживет, я уже буду меньше тосковать по Либби”.

И порез заживал. Да и не болел почти, только иногда, если кулак сжать. В дырке на ладони вздулся бордовый шрам-рубчик, похожий на капельку розового клея, разглядывать его было занятно, потому что шрам напоминал ей о Лоуренсе Аравийском, который тушил спички пальцами. Так, похоже, и нужно воспитывать в себе стойкость. “Главное, — говорил он в фильме, — быть готовым к боли”. И Гарриет потихоньку начинала понимать, что хитроумным способам, которыми беда может тебя подловить, нет числа, а потому этот урок стоит хорошо усвоить.

Так прошел август. На похоронах Либби пастор читал псалом: “Я не сплю и сижу как одинокая птица на кровле”[1]. Он сказал, что время залечит все раны. Но когда?

Гарриет думала о Хили, который выходил на футбольное поле и играл на тромбоне под палящим солнцем, и опять вспоминала псалмы. “Хвалите Его со звуком трубным, хвалите Его на псалтири и гуслях”[2]. Хили не умел глубоко чувствовать, он жил в тихой солнечной заводи, где всегда было тепло и светло. Домработницы у них дома менялись одна за другой. И почему она так горюет по Либби, Хили не понимал тоже. Хили не любил стариков, Хили их боялся, он не любил даже бабушку с дедушкой, которые жили в другом городе.

А Гарриет скучала по бабке и теткам, которым теперь некогда было с ней разговаривать. Тэт разбирала вещи Либби: складывала постельное белье, начищала столовое серебро, скатывала коврики, ходила по дому со стремянкой и снимала занавески, ломала голову над тем, куда деть все вещи, которые скопились у Либби в шкафчиках, сундучках и чуланчиках.

— Милая, спасибо, ты просто ангел, — сказал Тэт, когда Гарриет позвонила ей и предложила помочь.

И Гарриет пошла к Либби, но войти в дом так и не смогла — до того разительно там все переменилось: сорняки на клумбах, кос-

1 Псалтирь, 101:8 (нумерация псалмов дается по Синодальному переводу).
2 Псалтирь, 150:3.

матая лужайка, трагическая нотка запустения. С окон, выходивших на улицу, сняли шторы — совершенно непривычное зрелище, было видно, что над каминной полкой в гостиной вместо зеркала теперь огромная проплешина.

Гарриет с ужасом застыла на тротуаре, потом развернулась и помчалась домой. Вечером, устыдившись своего поведения, она позвонила Тэт и извинилась.

— Надо же, — сказала Тэт не самым приветливым тоном, — я уж не знала, что и думать.

— Я... я...

— Милая моя, я с ног валюсь, — голос у Тэт был и вправду усталый. — Тебе что-то нужно?

— Дом теперь совсем другой.

— Да, совсем. Тяжело там находиться. Я вчера села за этот ее столик на кухне, а вокруг все забито коробками, и уж как я плакала, как плакала.

— Тэтти, я... — расплакалась и Гарриет.

— Милая моя. Ты молодец, что заботишься о Тэтти, но я одна быстрее управлюсь. Несчастный ты мой ангел, — теперь и Тэт плакала тоже. — А когда закончу, мы с тобой придумаем что-нибудь интересненькое, договорились?

Даже Эди — незыблемая и чеканная, будто профиль на монете — теперь стала другой. После смерти Либби у нее запали щеки, она исхудала и вся как будто съежилась. После похорон Гарриет ее почти и не видела. Почти каждый день Эди на своей новой машине ездила в центр города и встречалась с банкирами, поверенными и бухгалтерами. С наследством Либби была полная неразбериха, в основном из-за банкротства судьи Клива, который перед смертью довольно неумело пытался раздробить и утаить остатки своего состояния. Эта путаница во многом сказалась на крошечном наследстве — в основном ценных бумагах, — которое он оставил Либби. И вдобавок ко всему мистер Рикси, старичок, в чью машину Эди врезалась, подал на нее в суд, обвинив Эди в нанесении "физического и морального ущерба". Он и слышать не хотел о том, чтоб пойти на мировую, а значит, их ждали еще и судебные разбирательства. Эди держалась стоически и не жаловалась, но было видно, что она здорово расстроена.

— Дорогая, так ведь ты и вправду виновата, — говорила Аделаида.

После аварии, утверждала Аделаида, ее мучили головные боли, у нее не было сил “возиться с коробками Либби”, она сама не своя. По вечерам, проснувшись от послеобеденного сна (“Послеобеденного сна!” — восклицала Тэт, которая и сама была бы не прочь вздремнуть после обеда), Аделаида шла домой к Либби, пылесосила ковры и мебель (в чем не было никакой необходимости), переставляла с места на место коробки, которые Тэтти уже упаковала, но по большей части только сокрушалась насчет наследства Либби и постоянно задевала то Тэт, то Эди беззлобными, но довольно прозрачными намеками на то, что Эди, мол, со своими юристами пытается ее, Аделаиду, лишить, как она выражалась, ее “доли”. Каждый вечер она названивала Эди и с пристрастием допрашивала ее обо всем, что случилось за день в адвокатской конторе (юристы обходятся им очень дорого, жаловалась она, ее “доля” может целиком “уйти” на юридические издержки), а также передавала Эди наставления мистера Самнера в финансовых делах.

— Аделаида! — не то в пятый, не то в шестой раз восклицала Эди. — Прошу тебя, не выбалтывай ты этому старику все про наши дела.

— А почему нет? Он друг семьи.

— Мне он никакой не друг.

Аделаида заявила с ледяной веселостью:

— А мне приятно, что хоть кто-то радеет о моих интересах.

— А я, значит, о них не радею!

— Я этого не говорила.

— Говорила.

Впрочем, так оно было всегда. Эди с Аделаидой никогда не ладили, даже в детстве, но только теперь отношения между ними стали откровенно враждебными. Будь Либби жива, до этого бы не дошло, Либби давно бы их уже помирила, она бы уговорила Аделаиду потерпеть и быть посдержаннее, усмирила бы Эди привычными доводами (“Она же младшенькая… росла без матери… Папочка так избаловал Адди…”).

Но Либби умерла. Некому теперь было выступать посредником между Эди и Аделаидой, и разлад между ними с каждым днем становился все заметнее, все суровее, дошло до того, что и к Гарриет (которая все-таки была внучкой Эди) Аделаида стала относиться с неприятной прохладцей. Гарриет это казалось особенно нечестным еще и потому, что раньше, когда Адди и Эди ссорились, она всегда вставала на сторону Адди. Гарриет прекрасно знала, до чего Эди бесцеремонная. Но теперь и она начала понимать правоту Эди и что Эди имела в виду, когда называла Аделаиду "мелочной".

Мистер Самнер уехал к себе домой — в Южную Каролину или где он там жил, — но у них с Аделаидой завязалась оживленная переписка, и теперь Аделаида так и сновала туда-сюда с важным видом.

— Камелия-стрит, — сказала она, показав Гарриет конверт с обратным адресом мистера Самнера, — прелестное название, правда? Здесь никому и в голову не придет так улицу назвать. Вот бы и мне пожить по такому элегантному адресу.

Она держала конверт в вытянутой руке и любовалась им, сдвинув очки на нос.

— Правда ведь, для мужчины у него очень красивый почерк? — спросила она Гарриет. — Аккуратный. Да, именно такой, согласна? Ах, как же высоко папочка ценил мистера Самнера.

Гарриет промолчала. По словам Эди, судья считал мистера Самнера "вертопрахом", что бы это ни значило. Последнее слово было за Тэтти, но она о мистере Самнере вообще не заговаривала, хотя всем видом показывала, что ничего хорошего о нем сказать не может.

— Тебе с мистером Самнером уж точно было бы о чем поговорить, — сказала Аделаида. Она вытащила из конверта открытку и вертела ее в руках. — Он такой космополит. Ты знала, что он жил в Египте?

Она разглядывала открытку — снимок старого Чарльстона, Гарриет разобрала на обороте несколько фраз, написанных в старомодной вычурной манере, что-то вроде "значит для меня нечто большее" и "моя дражайшая леди".

— Ты ведь этим интересовалась, Гарриет, — Аделаида теперь, склонив голову набок, рассматривала открытку, — всякими старыми мумиями, кошками, всем таким?

— Вы с мистером Самнером поженитесь? — вырвалось у Гарриет.

Аделаида рассеянно затеребила сережку.

— Это тебе бабушка велела разузнать?

"Она что, думает, я идиотка?"

— Нет, мэм.

— Надеюсь, — с холодной улыбкой ответила Аделаида, — надеюсь, что я не кажусь тебе такой уж старой…

Она проводила Гарриет до двери, и у той дрогнуло сердце, когда она увидела, как Аделаида поглядела на свое отражение в окне.

Днем шум не смолкал. За три улицы было слышно, как ревет тяжелая техника — бульдозеры и бензопилы. Баптисты вырубали деревья и асфальтировали землю вокруг церкви, говорили, что им не хватает парковочных мест, и слушать этот дальний гул было невыносимо, казалось, будто на тихие улочки наступает вражеская армия, едут танки.

Библиотека была закрыта, в детском читальном зале трудились маляры. Они перекрашивали стены в желтый, в гладенький глянцевый желтый, в цвет такси. Хуже не придумаешь. Гарриет обожала солидные деревянные панели, они всегда там были, сколько она себя помнила, да как они могли закрасить такое прекрасное, темное старое дерево? Да еще и летние соревнования по чтению закончились, и Гарриет ничего не выиграла.

Говорить было не с кем, делать было нечего, а кроме бассейна некуда было и пойти. Туда она и ходила — каждый день, ровно в час, перекинув через плечо полотенце. Август подходил к концу, у футболистов и чирлидеров начались тренировки, даже дети и те снова пошли в детский сад, поэтому — если не считать пенсионеров на поле для гольфа и нескольких юных домохозяек, которые поджаривались на шезлонгах — в "Загородном клубе" не было ни души. Воздух почти весь день был горячий и неподвижный, как стекло. Только изредка на солнце набегала тучка, налетал раскаленный ветер, по воде бежала рябь, хлопал навес над киоском. Ныряя, Гарриет с наслаждением разбивала толщу воды, зачарованно глядела, как электрический свет отскакивает от стен бассейна высокими белыми дугами, будто кто-то врубил генератор в лаборатории Франкенштейна. Так она висела, в солнечных цепях и искрах, в десяти футах над скругленной прогалиной глубокого конца бассейна, и в таком забытьи могла проводить по нескольку минут, теряясь в волнах эха и тишине, в петлях голубого света.

Тянулись долгие, дремотные секунды, пока Гарриет качалась на воде лицом вниз и разглядывала собственную тень. Оказавшись под водой, Гудини выпутывался очень быстро, и пока полицейские поглядывали на часы и ослабляли тугие воротники, пока его помощник кричал, чтоб несли топор, а жена Гудини визжала и притворялась, будто теряет сознание, он сам, давно высвободившись, преспокойно плавал, не выныривая на поверхность.

И хотя бы с этим у Гарриет за лето стало получше. Теперь она легко задерживала дыхание больше, чем на минуту, а если не шевелиться, то могла и до двух дотянуть (уже не так легко). Иногда она считала секунды, но чаще всего забывала, потому что ее затягивал сам процесс, постепенное погружение в транс. Ее тень — в десяти футах под ней — дрожала темным пятном в глубоком конце бассейна, огромная, будто тень взрослого человека. Корабль пошел ко дну, сказала она себе — она воображала, будто потерпела кораблекрушение и теперь дрейфует в теплой, как кровь, безбрежности. Странно, но от этих мыслей на душе у нее делалось спокойнее. “Никто меня не спасет”.

Так она качалась на воде целую вечность, почти не двигаясь, только изредка поднимала голову, чтобы сделать вдох, и вдруг расслышала, как кто-то, будто издалека, зовет ее. Она ударила по воде руками, оттолкнулась и вынырнула в жару, слепящий свет и шумный гул кондиционера на стене клуба. Смаргивая воду, она увидела, как Пембертон (когда она пришла, дежурил не он) помахал ей со спасательной вышки и спрыгнул в воду.

Гарриет увернулась, чтобы ее не накрыло всплеском, а потом, поддавшись необъяснимой панике, кувыркнулась под водой и поплыла к лягушатнику, но Пембертон оказался быстрее и преградил ей путь.

— Эй! — крикнул он, когда она всплыла, и затряс головой так, что брызги разлетелись во все стороны. — Ну ты в лагере и натренировалась! А сколько ты можешь не дышать? Ну правда, — настаивал он, потому что Гарриет молчала, — давай я засеку время. У меня есть секундомер.

Гарриет почувствовала, что краснеет.

— Да ладно тебе. Не хочешь? Почему?

Гарриет и сама не знала почему. Внизу, на фоне глубокого синего дна, ее ноги, перечеркнутые бледно-голубыми подрагивающими полосками, казались очень белыми и вдвое толще обычного.

— Ну, как хочешь. — Пем привстал, чтобы откинуть волосы с лица, а потом снова окунулся в воду, так что головы у них оказались на одном уровне. — А тебе не скучно так просто лежать в воде? Крис слегка бесится.

— Крис? — спросила Гарриет, замешкавшись, испугавшись.

Услышав свой голос, она испугалась еще сильнее: он был хриплый, скрипучий, как будто она несколько дней рта не открывала.

— Когда я пришел его сменить, он мне все уши прожужжал: "Посмотри вон на ту малявку, лежит бревном и не двигается". Мамаши с малышней его насчет тебя донимают, как будто он вот так оставит мертвого ребенка весь день болтаться в бассейне.

Он рассмеялся и, не сумев заглянуть Гарриет в глаза, переплыл на другую сторону.

— Колу хочешь? — спросил он, и дружелюбная хрипотца в его голосе напомнила Гарриет о Хили. — Бесплатно. Крис мне ключи от холодильника оставил.

— Нет, спасибо.

— Слушай, а чего ты мне не сказала, что Эллисон была дома, когда я тогда звонил?

Гарриет поглядела на него так равнодушно, что Пембертон нахмурился, а потом пропрыгала по дну бассейна и поплыла в другую сторону. Верно, она сказала ему, что Эллисон нет дома, и повесила трубку, хотя Эллисон была в соседней комнате. Более того, она не знала, почему она так поступила, даже соврать ничего не могла.

Он запрыгал вслед за ней, она слышала позади плеск воды. "И чего он не отвяжется?" — с отчаянием думала она.

— Эй, — крикнул он, — слышал, Ида Рью от вас ушла.

Не успела она опомниться, как он скользнул прямо ей наперерез.

— Слушай, — начал он и вгляделся в ее лицо попристальнее, — ты что, плачешь?

Гарриет ушла под воду, хорошенько брызнув водой ему в лицо — и стрелой рванула от него: вжжжж! Вода в лягушатнике была горячей, будто в ванне.

— Гарриет! — услышала она его крик, когда всплыла возле лесенки.

Угрюмо, торопливо она вылезла из бассейна и, опустив голову, помчалась в раздевалку, оставляя позади себя неровную цепочку черных следов.

— Эй! — кричал он. — Ну, будет тебе. Да играй ты в утопленницу сколько влезет. Гарриет! — снова позвал он ее, но Гарриет скрылась за бетонной перегородкой и с полыхающими ушами вбежала в женскую раздевалку.

У Гарриет теперь осталась одна цель в жизни — Дэнни Рэтлифф. Мысли о нем не давали ей покоя. Снова и снова, с извращенным удовольствием, будто расшатывая гнилой зуб, Гарриет устраивала себе проверки, вспоминая о нем — и снова, и снова в ней, с болезненной предсказуемостью, вспыхивала ярость, сыпались искры из обнаженного нерва.

Лежа на ковре в полутемной спальне, она разглядывала тоненькую черно-белую фотографию, которую вырезала из школьного альбома. Поначалу ее удивляла небрежность, смазанность снимка, но удивление это давным-давно улетучилось, и теперь, глядя на фотографию, она видела не мальчика, даже не человека, а неприкрытое воплощение самого зла. Само его лицо казалось ей теперь ядовитым, и она теперь брала фотографию осторожно, за самые краешки. Воцарившийся у них дома разлад — его рук дело. Он заслужил смерть.

И от того, что они бросили змею в его бабку, ей легче не стало. Нужен-то ей был он. Увидев его мельком возле похоронного бюро, она уверилась: он ее узнал. Их взгляды встретились, сшиблись, и его налитые кровью глаза при виде нее вдруг так странно и дико вспыхнули, что у нее от одного воспоминания начинало колотиться сердце. Меж ними промелькнула какая-то роковая ясность, какое-то узнавание — что это было, Гарриет и сама не понимала, но у нее осталось занятное чувство, что и она накрепко засела в мыслях у Дэнни Рэтлиффа, точно так же, как он — в ее.

Гарриет с отвращением размышляла о том, что жизнь сломила всех взрослых, которых она знала, всех до единого. Их с каждым годом как будто что-то все сильнее и сильнее сковывало, заставляя усомниться в собственных силах. Лень? Рутина? Они обмякали, переставали сопротивляться, плыли по течению. "Такова жизнь". Только это и повторяли. "Такова жизнь, Гарриет, так оно все устроено, скоро сама поймешь".

Так вот — не собирается Гарриет ничего понимать. Она еще не старая, кандалы еще не врезались ей в плоть. Она много лет страшилась того дня, когда ей исполнится девять — Робину было девять, когда он умер, — но вот ей исполнилось девять, потом десять, и теперь она больше ничего не боялась. Все, что нужно сделать, она сделает. И удар она нанесет именно сейчас, пока у нее есть на то силы, пока у нее хватит на это нервов, пока ее дух не сломлен, и одно ее безграничное одиночество будет ей опорой.

Она перешла к более насущным проблемам. Зачем это Дэнни Рэтлиффу ходить к железнодорожным складам? Воровать там особо нечего. Почти все склады заколочены, а в окна тех, которые заколочены не были, Гарриет заглянула — пусто, только кое-где лежат лохматые тюки хлопка, стоят почерневшие от времени агрегаты да валяются по углам перевернутые пыльные бочки из-под пестицидов. Она выдвигала самые невероятные версии. В запертых вагонах томятся заключенные. Здесь спрятаны трупы, зарыты мешки с деньгами. Скелеты, орудия убийства, тайные сходки.

Есть только один способ узнать, что он там делает, решила она — пойти к складам и выведать все самой.

Она уже сто лет не разговаривала с Хили. Из-за того, что он был единственным семиклассником в оркестре, он теперь считал, что водиться с Гарриет — ниже его достоинства. И неважно, что его туда позвали только потому, что у духовых инструментов недоставало тромбонов. Когда они с Хили в последний раз общались — по телефону, и это она ему позвонила! — у него только и было разговоров, что об оркестре: он рассказывал ей сплетни про старшеклассников так, будто был лично с ними знаком, и звал по имени мажоретку и всех пижонов, которые солировали на духовых инструментах. Приветливо, но без особого воодушевления, как будто бы он разговаривал с учительницей или какой-нибудь подругой его родителей, Хили сообщил Гарриет много-премного технических подробностей их выступления между таймами: они сыграют попурри из песен "Битлз", а в конце, когда будут исполнять "Желтую подводную лодку", весь оркестр выстроится на поле так, чтобы получилась огромная подводная лодка (мажоретка будет вертеть жезлом, изображая гребной винт). Гарриет молча это все выслушала. И ни слова не сказала, когда Хили невнятно, но восторженно пытался рассказать ей о том, какие "чумовые" старшеклассники играют в оркестре.

— У футболистов не жизнь, а полная скукота. Им нужно вставать затемно и бегать круги по стадиону, и тренер Когвелл постоянно на них орет, как будто он их в национальную гвардию готовит или типа того. А вот Чак, Фрэнк и Расти, и все десятиклассники, которые на трубах играют... они просто безбашенные, куда уж там футболистам.

— Угу.

— Они целыми днями друг друга подкалывают, отмачивают мировые шутки, а солнечные очки не снимают никогда. Мистер Вуберн клевый, ему пофиг. Вот, например, вчера... погоди-ка, — сказал он Гарриет — в трубке было слышно, как кто-то сварливо брюзжит, и Хили крикнул: — Ну чего?

Разговор. Гарриет ждала. Вскоре Хили снова взял трубку.

— Извини, мне надо заниматься, — сказал он прилежным голоском. — Папа говорит, что я должен играть каждый день, потому что мой новый тромбон стоит кучу денег.

Гарриет повесила трубку — свет в коридоре был тусклый, приглушенный, — облокотилась на телефонный столик и задумалась. Он, что, забыл про Дэнни Рэтлиффа? Или ему просто на него наплевать? Удивительно, но она совсем не расстроилась из-за того, что Хили утратил к ней интерес, — только порадовалась тому, как мало горя ей это доставило.

Ночью шел дождь, и земля была сырая, но все равно было непонятно, проезжала ли недавно машина по широкой засыпанной гравием дороге (впрочем, это и не дорога была даже, а погрузочная зона для вагонов с хлопком), которая соединяла маневровый парк с сортировочной станцией, а от станции уже вела к реке. Гарриет с рюкзаком за спиной и оранжевым блокнотом под мышкой — вдруг понадобится зарисовать какие-нибудь улики — стояла перед бескрайней черной железнодорожной равниной и разглядывала развилки, петли, начала и концы путей, белые кресты предупреждающих знаков, разбитые сигнальные фонари, грузовые вагоны с проржавевшими замками и водонапорную башню на тощих подпорках, которая возвышалась над всем этим — огромный круглый бак с остроконечной крышей, похожей на шапку Железного Дровосека из “Волшебника страны Оз”. Возможно, как раз из-за этого сходства Гарриет в детстве необъяснимо влекло к башне: она казалась ей кем-то вроде безмолвного, дружелюбного стража, и перед сном Гарриет часто думала о том, как башня стоит там в темноте — одинокая, неприкаянная. А когда Гарриет было лет шесть, какие-то хулиганы в Хэллоуин залезли на башню и намалевали на ней страшную рожу, какие вырезают на тыквах — с глазками-щелочками и акульими зубами, и Гарриет потом много ночей не могла уснуть и вертелась, представляя себе, как ее верный соратник (теперь злой и клыкастый) скалится где-то там, за притихшими крышами.

Страшное лицо давно стерлось. Поверх него кто-то золотой краской из баллончика написал еще “Выпускники ‘70”, но и эта надпись тоже стерлась, выцвела от солнца, поблекла от дождей, которые заливали ее год за годом. Башня сверху донизу была разлинована унылыми черными потеками гнили, но, хоть дьявольская рожа давно исчезла, в памяти Гарриет она отпечаталась накрепко, будто световой оттиск, который еще долго стоит перед глазами, если войти в темную комнату.

Небо было белое, пустое. “С Хили, — думала она, — хоть поговорить можно было”. Забредал ли сюда Робин, вглядывался ли в даль за железнодорожными путями, привстав на педалях? Гарриет представила, будто смотрит на все его глазами. Вряд ли тут много чего переменилось: ну разве что телеграфные провода сильнее провисли да вьюнок гуще обвился вокруг деревьев. Интересно, как тут все будет выглядеть через сто лет, когда и она умрет?

Она зашагала в сторону леса прямиком через сортировочную станцию, напевая и прыгая через пути. В тишине ее голос звучал очень громко, раньше она на эти пустыри одна никогда не забиралась. “А что если, — думала она, — случится какая-нибудь эпидемия и в Александрии умрут все, кроме меня?”

“Тогда я буду жить в библиотеке”, — решила она. Думать об этом было приятно. Гарриет представила, как она читает при свечах, а на потолке, над лабиринтом книжных полок, пляшут тени. Соберет дома чемодан — крекеры, арахисовое масло, запасную одежду — сдвинет два огромных кресла в читальном зале и будет на них спать…

Когда она ступила на тропинку, ведущую в тенистый лес (пышная растительность опутала развалины ее мертвого города, пробивается сквозь тротуары и заползает в дома), переход от жары к прохладе был настолько резким, будто она, плавая в озере, вдруг наткнулась на бьющие со дна холодные ключи. Воздушные облачка комаров закружились вокруг нее водоворотом, прыснули в разные стороны от ее резких движений, будто головастики в стоячей зеленой воде. В темноте тропинка казалась ей совсем другой — не такой узкой и заросшей. Торчали пучками колючие колоски лисохвоста и мятлика, выбоины в глинистой почве были затянуты зеленой ряской.

Над головой у нее раздался сиплый вскрик, Гарриет вздрогнула, оказалось — ворона. Тяжелые плети кудзу цепями и гирляндами стекали с деревьев, которые возвышались по обе стороны тропинки, будто заросшие тиной морские чудища. Гарриет, разглядывая темную листву над головой, шла медленно и не обращала внимания на громкое жужжание мух, которое становилось все громче, и опустила голову, только когда почуяла неприятный запах. На тропинке лежала блестящая зеленая змея фута в три длиной — не ядовитая, потому что рыльце у нее было не заостренное, но все равно, таких змей Гарриет раньше не видела. Змея была мертвая. Кто-то передавил ее ровно посередине, так что во все стороны брызнули густые, темные сгустки кишок, но какого же удивительного она была цвета — искристого горчично-зеленого, с радужными чешуйками, как на картинке из сказки о змеином короле, которую Гарриет читала, когда была еще совсем маленькой. *"Хорошо, — ответил змеиный король честному пастуху, — три раза плюну я тебе в рот, и станут тебе понятны речи всех зверей. Но смотри, не выдавай никому этой тайны, иначе обозлятся на тебя люди и убьют тебя"*.

В грязи возле тропинки отпечатался рифленый след ботинка, огромного ботинка, и едва Гарриет его заметила, как к горлу у нее подкатила трупная змеиная вонь, и она со всех ног бросилась бежать, сердце выскакивало у нее из груди, но она бежала так, будто сам черт наступал ей на пятки, бежала и не знала, куда и почему она бежит. Страницы блокнота громко хлопали в тишине. С вьющихся стеблей срывались капли воды, звучно шлепались на землю, из жесткого кустарника то и дело выскакивали кряжистые сросшиеся айланты (все разной высоты, будто сталагмиты, растущие со дна пещер), их бледные, кривые стволы поблескивали в полумраке, будто шкурка у ящериц.

Выбежав из лесу на солнце, она вдруг почувствовала, что рядом кто-то есть, и резко остановилась. Среди сумаха заходились визгливым стрекотом кузнечики, она прикрыла глаза блокнотом, оглядела выжженную желтую пустошь...

Уголком глаза Гарриет уловила резкую серебристую вспышку, ей показалось, сверкнуло что-то на небе, но тут она, вздрогнув, заметила на башне, всего в каких-нибудь шестидесяти футах от нее, темную фигуру — кто-то лез наверх, цепляясь за железные скобы. Снова вспышка — это часы с металлическим браслетом поблескивают, будто сигнальное зеркало.

Сердце у нее заколотилось, Гарриет отступила в лес и, прищурившись, стала разглядывать башню сквозь сетку влажных листьев. Это он. Черные волосы. Тощий. Футболка в обтяжку, на спине что-то написано, отсюда не разобрать. Гарриет так и задрожала от волнения, но была еще и другая Гарриет, более хладнокровная, которая смотрела на все свысока, дивясь, до чего мелким и незначительным кажется ей все происходящее. “Это же он, — твердила она себе (подстегивая себя этой мыслью, стараясь хорошенько распалиться), — это он, это он...”

Гарриет мешала ветка, она пригнулась, чтобы получше его разглядеть. Он добрался уже до самых верхних скоб. Взобрался на крышу, встал на узкий мостик, опустил голову, упер кулаки в бедра, застыл на фоне ослепительного безоблачного неба. Затем, резко оглянувшись назад, пригнулся, ухватился рукой за железные перильца (они были очень низкие, ему пришлось наклоняться) и, держась за них, быстро заковылял влево и скрылся с глаз Гарриет.

Гарриет выжидала. Через несколько секунд он показался на другой стороне. И тут ей прямо в лицо скакнул кузнечик, она отшатнулась, зашелестела листвой. Под ногой треснула ветка. Дэнни Рэтлифф (это был он, она его профиль четко видела, даже несмотря на то, что он крался по мостику весь подобравшись, будто зверь)

тотчас же глянул в ее сторону. Не мож
шал, звук был тихий, да и стояла она оче
невероятным образом ее услышал, пот
странный взгляд застыл, задержался на н

Гарриет замерла. Сверху свисал тонен
подрагивая в такт ее дыханию. Дэнни, огл
лодно скользнул по ней взглядом, и в глаза
мые странные, мутноватые бельма-блики,
на старых снимках солдат-конфедератов: заг
чишки с точечками света вместо глаз смотрят ... самое
сердце великой пустоты.

Тут он отвернулся. И Гарриет с ужасом увидела, что он стал карабкаться вниз — очень быстро, то и дело оглядываясь через плечо.

Только когда он добрался до середины лестницы, Гарриет очнулась и со всех ног кинулась наутек, обратно — по чавкающей, гудящей тропке. Она уронила блокнот, метнулась за ним. Зеленая змея крючком лежала поперек дороги, посверкивая в полумраке. Гарриет перепрыгнула через змею и, размахивая обеими руками, чтобы отогнать жужжащих мух от лица, помчалась дальше.

Она выскочила на пустырь, где стоял хлопковый склад — жестяная крыша, окна заколочены, вид заброшенный. Она услышала за спиной треск сучьев, запаниковала, на секунду застыла, отчаянно размышляя, что же делать. Она знала, что на складе было много укромных мест — кипы тюков с хлопком, пустые тележки, но поймай он ее там, и ей оттуда не выбраться.

Вдалеке послышался его крик. Хватая ртом воздух, держась за ноющий бок, Гарриет обежала склад (выцветшие жестяные вывески: “Пурина”, “Дженерал Миллс”) и помчалась по щебенке: дорога была широкая (машина проедет) с огромными проплешинами, залатанными рваной тенью от высоких смоковниц. Сквозь красную глину загогулинами проступал черный и белый песок. Кровь стучала у нее в висках, голова была похожа на копилку, в которой вместо монет вертелись и позвякивали мысли, ноги отяжелели, как будто бы она тащилась сквозь грязь или патоку, как бывает в кошмарных снах, и никак не могла двигаться быстрее, не могла понять, то ли ветки шуршат и трещат у нее под ногами (неестественно громко, как выстрелы), то ли под ногами у ее преследователя.

…о пошла под гору. Все быстрее и быстрее, она бежа… …рее и быстрее, боясь упасть и боясь остановиться, ноги …е вперед, как будто были вовсе и не ее ногами, а каким-то …стеньким механизмом, катившим ее по дороге, которая вдруг …снова резко взмыла вверх, к высокой земляной насыпи — к берегу реки.

Река, река! Гарриет замедлила бег — тише, еще тише, вскарабкалась на середину отвесного склона, потом, задыхаясь от усталости, рухнула на траву и на четвереньках вползла наверх.

Шум воды она услышала даже раньше, чем увидела реку… Гарриет выпрямилась, колени у нее тряслись, прохладный ветерок обдул ее мокрое от пота лицо, и тут она наконец увидела поток желтой воды, который несся меж обрывистых берегов. А на реке везде — люди. Люди белые и черные, старые и молодые, люди, которые болтали, жевали сэндвичи и ловили рыбу. Вдалеке урчали моторные лодки.

— А мне, знаешь, какой понравился, — раздался визгливый деревенский голос — точно мужской, — тот, у которого фамилия испанская, вот у него проповедь отменная была.

— Доктор Марди? Марди ж не испанская фамилия.

— Ну или кто он там. Вот он, доложу тебе, лучше всех был.

Воздух был свежий, пахло илом. Гарриет дрожала, голова у нее кружилась, она засунула блокнот в рюкзак и спустилась с насыпи к четверке рыбаков, которые сидели прямо под ней (и теперь обсуждали Марди Гра — мол, французский ли это праздник или испанский), на трясущихся ногах добрела до берега, миновав парочку бородавчатых стариканов (по виду — братья, у обоих шорты натянуты на круглые, как у Шалтая-Болтая, брюшки), миновав дамочку с кричаще-розовой помадой на губах и таким же платком на голове, которая загорала, развалившись черепахой на раскладном стуле, миновав семейство с транзистором и сумкой-холодильником, набитой рыбой, и еще толпы грязных детей с разбитыми коленками, которые возились в песке, дрались, носились туда-сюда, подзадоривали друг друга — слабо сунуть руку в ведро с наживкой? — визжали и снова убегали…

Она шла дальше. Она заметила, что, стоит ей приблизиться, и все умолкают, хотя, может, у нее просто воображение разыгралось. Здесь-то он точно ей ничего не сделает, слишком много народу, но тут у нее закололо шею, как будто кто-то смотрит ей вслед. Она нервно обернулась и так и застыла, увидев совсем рядом тощего паренька в джинсах и с длинными темными волосами. Но это был не Дэнни Рэтлифф, просто похожий на него мальчишка.

И все вокруг — все эти люди, сумки-холодильники, вопли детей — вдруг показалось ей угрожающим. Гарриет ускорила шаг. На другом берегу сидел упитанный дядька (за омерзительно оттопыренную губу заложен жевательный табак), в зеркальных стеклах его темных очков сверкало солнце. Лицо у него абсолютно ничего не выражало, но Гарриет все равно быстро отвела взгляд, как будто он скорчил ей рожу.

Опасность теперь везде. Что, если он подкараулит ее где-нибудь в городе? А ведь он так и поступит, если голова на плечах есть: вернется обратно, покружит по окрестностям да и выпрыгнет на нее откуда-нибудь из-за дерева или машины. Домой-то ей идти надо, так? Придется быть настороже, возвращаться людными улицами, не сворачивать в пустынные закоулки, чтобы срезать путь. Плохо, очень плохо — в старой части города много таких пустынных закоулков. А возле баптистской церкви так грохочут бульдозеры, что закричи она на Натчез-стрит, кто ее услышит? В таком шуме — да никто. Кто слышал Робина? А ведь он был у себя во дворе, и не один, а с сестрами.

Берег сузился, стал каменистым, людей тут теперь было заметно меньше. Гарриет так крепко задумалась, что, взбираясь по ступенькам, которые вели на улицу (из трещин в камнях трава торчала пухлыми подушечками), чуть не споткнулась о грязного ребенка, у которого на коленках сидел не менее грязный младенец. На ступеньке, будто скатерть для пикника, была расстелена старая мужская рубаха, а возле нее скрючилась Лашарон Одум, которая старательно раскладывала разломанную на квадратики плитку шоколада на огромном ворсистом лопухе. Тут же стояли три пластмассовых стаканчика с желтоватой водой — воду, похоже, зачерпнули прямо из речки. Дети были с ног до головы в царапинах и комариных укусах, но Гарриет ничего не видела, кроме красных перчаток — ее перчаток, перчаток, которые ей подарила Ида, грязных и изодранных перчаток — у Лашарон на руках.

Не успела растерянно заморгавшая Лашарон сказать и слова, как Гарриет выбила лист у нее из рук, так что квадратики шоколада разлетелись во все стороны, и повалила ее наземь. Перчатки были Лашарон велики, пальцы болтались, поэтому левую Гарриет сорвала с нее без труда, но как только Лашарон поняла, за чем охотится Гарриет, начала отбиваться.

— А ну отдай! Это мое! — взревела Гарриет, Лашарон зажмурилась и замотала головой, и тогда Гарриет вцепилась ей в волосы.

Лашарон заорала, потянулась к голове, и Гарриет тотчас же содрала с ее руки вторую перчатку и сунула в карман.

— Это мое! — прошипела она. — Воровка!

— Нет, мое! — завизжала Лашарон — растерянно, возмущенно. — Она мне их отдала!

Отдала? Гарриет опешила. Она уже открыла было рот, чтоб спросить, кто это отдал ей перчатки (Эллисон? мать?), но передумала. Ребенок с младенцем таращились на Гарриет огромными, круглыми перепуганными глазами.

— Она ОТДАЛА их...

— Заткнись! — завопила Гарриет. Теперь ей даже стало немного стыдно, что она так разбушевалась. — И чтоб больше не ходила к нам побираться!

Все растерянно замерли, а Гарриет развернулась и с колотящимся сердцем помчалась вверх по ступенькам. Она так разнервничалась, что даже ненадолго забыла про Дэнни Рэтлиффа. "По крайней мере, — сказала себе она, отпрыгнув на обочину, чтобы увернуться от пролетевшего мимо грузовичка, потому что смотреть по сторонам надо, — по крайней мере, я нашла перчатки. Мои перчатки". Все, что осталось у нее от Иды.

Впрочем, гордости за случившееся Гарриет не испытывала — одну злость и пожалуй что смущение. Солнце било ей прямо в глаза. Она шагнула было на дорогу, опять не поглядев по сторонам, но вовремя опомнилась и, приложив козырьком ладонь ко лбу, посмотрела направо, налево и только после этого перебежала на другую сторону.

— О-о-о-о, за что душу продашь? — напевал Фариш, тыча отверткой в ручку электрического консервного ножа Гам.

Он был в превосходном настроении. Зато у Дэнни оно было не очень — страх, нервяк и дурные предчувствия так и пробирали его до печенок. Он сидел в дверях своего трейлера, на алюминиевой лесенке, и ковырял окровавленный заусенец, а Фариш, раскидав вокруг себя посверкивающие цилиндрики, шайбы и металлические колечки, все мурлыкал что-то, с головой уйдя в работу. В этом своем коричневом комбинезоне он смахивал на безумного сантехника. Фариш методично прочесал бабкин трейлер, гараж и все сараи, пооткрывал все распределительные шкафы, расковырял полы и, пыхтя и ликующе посапывая, разломал каждый попавший ему под руку приборчик — все искал, нет ли где перерезанных проводов, недостающих деталей, спрятанных радиоламп, в общем, доказательств того, что кто-нибудь пытался вывести из строя их электронную аппаратуру.

— Щас! — отмахиваясь, огрызался он. — Сказал же, щас! — орал он, всякий раз, когда к нему подбиралась Гам, будто собираясь сказать что-то. — Как только время будет!

Впрочем, времени у него ни на что не было, и весь двор был так густо завален болтами, трубами, штепселями, проводами, выключателями, платами, металлическими обломками и обрезками всех размеров, что, казалось, будто тут разорвалась бомба и ее начинку разметало футов на тридцать.

В пыли валялось цифровое табло, выдранное из радиочасов — два белых нолика на черном фоне таращились на Дэнни, будто два выпученных мультяшных глаза. Фариш вертел и крутил консервный нож, что-то там считал и высчитывал, сидя в куче мусора, словно бы и вовсе ни о чем не думал, словно бы и не поглядывал на Дэнни с очень странной улыбочкой на лице. Нет, на Фариша не надо обращать внимания, к черту эти его тонкие намеки и сложные наркоманские загоны, но все равно — Фариш ведь точно что-то обмозговывал, и Дэнни очень нервничал, потому что не знал, что же именно. Потому что Дэнни подозревал, что вся эта бурная деятельность по поиску шпионов — сплошная показуха, только чтоб его, Дэнни, с толку сбить.

Он уставился на брата. “Я ничего такого не сделал, — твердил он себе, — просто посмотрел и все. Брать ничего не брал”.

“Но ведь хотел, и он это знает”. Да и этим дело не ограничивалось. За ним кто-то следил. Внизу, за башней, кто-то сидел в зарослях сумаха и кудзу. Там мелькнуло что-то белое, будто лицо. Маленькое такое личико. На склизкой, грязной глинистой тропинке остались отпечатки детских ног, они были глубокие, да еще и разбегались в разные стороны — от одного этого рехнуться можно было, так мало того, чуть дальше — возле валявшейся на тропинке мертвой змеи — он нашел свою черно-белую фотографию. Свою фотографию! Малюсенький школьный портрет, вырезанный из альбома, времен еще средней школы. Он поднял снимок и вылупился на него, не веря своим глазам. Все застарелые страхи, все прежние воспоминания всколыхнулись в нем, смешались с пятнистыми тенями, с красной глиной и вонью от дохлой змеи… Он чуть в обморок не грохнулся, до того дико было увидеть, как он — только помладше и в новой рубашке — улыбается сам себе с земли, с такой надеждой, с какой на деревенском кладбище со свежих, утопающих в грязи могил улыбаются с фотографий покойники.

И фотография-то была настоящая, она ему не привиделась, вот она, лежит у него в бумажнике, он уже раз двадцать, а то и тридцать вытаскивал ее, чтоб в очередной раз изумленно на нее поглазеть. Мог ли ее там оставить Фариш? Чтоб его припугнуть? Или это такая извращенная шутка, чтобы Дэнни заистерил да и угодил прямиком в ловушку, которая бы ему все пальцы на ногах перебила, или наткнулся бы на рыболовный крючок, который висит где-нибудь тихонько, ровнехонько на уровне глаз?

До того это все было жутко, что никак не шло у него из головы. Мысли у него в голове так и вертелись бесконечной мертвой петлей (как дверная ручка у него в спальне, которую можно было вертеть, вертеть, сколько угодно можно было ее вертеть, а дверь так и не открывалась), и только потому, что рядом был Фариш, он не вытаскивал фото из бумажника.

Дэнни уставился вдаль невидящим взглядом, застыл, грезил наяву (такое теперь часто случалось, спать-то он перестал). Ему привиделось, будто ветер метет по земле, будто снег или песок, а вдалеке виднеется чья-то размытая фигура. Он подумал, что это девчонка, и пошел к ней — шел, шел, но потом понял, что это не она, что на самом деле там никого нет, одна пустота. Да кто ж она такая, эта чертова девка? Вот только вчера у бабки на кухонном столе стояла разноцветная коробка кукурузных хлопьев, детские какие-то, Кертис их любит, а Дэнни просто мимо проходил, в ванную шел — да так и замер, как вкопанный, потому что на коробке была нарисована она. Она! Бледная, черные волосы шапочкой, склонилась над миской хлопьев, а оттуда сияет ей прямо в лицо колдовской свет. И вокруг головы — звездочки да феи. Он рванулся к столу, схватил коробку и, опешив, понял, что это совсем не она (больше не она), а какая-то другая девчонка, эту девчонку он вроде как в телевизоре видел.

В уголках глаз у него заискрили крошечные фейерверки, захлопали вспышки. Он очнулся — вздрогнув всем телом, обмякнув от испарины на ступеньках трейлера — и вдруг вспомнил, что перед тем, как девчонка выползла из другого измерения и забралась ему в голову, он вроде как видел открытую дверь, в которой будто бы вихрилось что-то яркое. Точечки света, сверкающие пылинки, словно живые существа под микроскопом — "амфетаминные жучки"[1], вот оно, научное объяснение, потому что все прыщики и все пупырышки, все крошечки и соринки, мельтешившие перед твоими старыми, утомленными глазами были все равно что самые настоящие насекомые. Но, даже когда знаешь, как оно все по науке, ничего никуда не исчезает. И вот уже насекомые ползали всюду, оставляя на шероховатых досках долгие следы-загогулины. Жучки бегали по телу, и никак их не стряхнешь, хоть всю кожу с себя сдери. В тарелке — жучки. В легких — жучки, в глазах — жучки, трепыхается сердце в груди — так они и туда добрались. Фариш теперь прикрывал стакан салфеткой и протыкал салфетку соломинкой — это чтобы ему в чай со льдом не попадала невидимая мошкара, которую он то и дело стряхивал с лица и волос.

Дэнни тоже видел жучков — правда, ему, слава богу, достались не те жучки, что ползают по телу и вгрызаются в кожу, не черви и термиты, что выедают душу, а светлячки. Вот и теперь, среди бела дня он краем глаза видел, как они мерцают. Проворные пылинки, будто заводные хлопушки, вспыхивают — дзынь, дзынь! Химия поработила его, химия одержала над ним верх, одна чистейшая, железная, точная химия, вскипая, просачивалась наружу и говорила за него, думала за него, а теперь за него еще и его глазами глядела.

"Вот потому я и думаю, как химик", — решил он и поразился: простая мысль, а такая логичная.

1 Состояние, при котором наркоману кажется, что у него под кожей по всему телу ползают насекомые.

Он нежился под снегопадом искр, который обрушился на него после этакого откровения, как вдруг, вздрогнув, понял, что с ним разговаривает Фариш — и разговаривает уже довольно давно.

— Чего? — виновато дернулся он.

— Спрашиваю, знаешь, что "д" в слове "радар" означает? — спросил Фариш.

Он улыбался, но лицо у него было кирпично-красное, налившееся кровью.

От этого странного вопроса, от глубоко засевшего в нем ужаса, без которого не обходился даже самый безобидный разговор с братом, Дэнни машинально подскочил, рывком отодвинулся подальше и зашарил в пустом кармане, безуспешно пытаясь отыскать сигареты.

— "Детектор". Радар — это радиодетектор, — Фариш открутил у консервного ножа ручку, посмотрел ее на свет и отшвырнул. — И как же так вышло, что таким сложнейшим средством наблюдения оснащены транспортные средства всех правоохранительных органов? Если кто говорит, что полицейским они, мол, нужны, чтобы нарушителей на дорогах ловить, ты их не слушай, это все брехня.

"Детектор? — думал Дэнни. — На что это он намекает?"

— Радары в войну изобрели, секретная разработка, строго для военных целей — а теперь, значит, каждый гребаный полицейский участок в этой стране при помощи радаров может отслеживать передвижения американских граждан в мирное время. А расходы? А обучение? И все только ради того, чтоб узнать, кто на пять миль скорость превысил? — Фариш фыркнул. — Чушь собачья.

Ему кажется или Фариш как-то уж очень многозначительно на него поглядел? Хочет мне голову задурить, думал Дэнни. Проверяет, что я отвечу. Но хуже всего было то, что он хотел рассказать Фаришу про девчонку, но не мог признаться, что был возле башни. Как он объяснит, зачем туда ходил? Но его все равно так и подмывало завести разговор про девчонку, хотя Дэнни и знал — не стоит, Фариш мигом насторожится, даже если он ее вскользь упомянет.

Нет, рот надо держать на замке. Вдруг Фариш знал, что он хочет украсть наркотики? Вдруг — тут у Дэнни, правда, концы не сходились — но все-таки, вдруг и девчонка там оказалась только потому, что это как-то Фариш подстроил?

— Короткие эти волны разлетаются… — Фариш растопырил пальцы, — а потом отскакивают обратно, сообщают твои точные координаты. Собирают о тебе информацию.

"Проверяет!" — лихорадочно думал Дэнни.

Фариш всегда так делал. Последние пару дней он оставлял без присмотра в лаборатории огромные кучи дури и пачки денег, которые Дэнни, конечно, и пальцем не тронул. Ну а что, если это все — часть куда более хитроумной проверки? Неужто совпадение, что девчонка заявилась в миссию ровно в тот вечер, когда их туда затащил Фариш, когда змей кто-то выпустил? Там с самого начала во всей этой истории, когда она к ним постучалась, было что-то неладное. А вот Фариш как раз и внимания на девчонку особого не обратил, не обратил ведь?

— Я вот о чем, — шумно задышал Фариш — из консервного ножа, звякая, посыпалась металлическая начинка, — если они в нас этими волнами целят, значит, кто-то же должен их направлять. Верно?

К его взмокшим усам прилипла горошинка амфетамина.

— Вся эта информация ни гроша не стоит, если ее не обрабатывает специально обученный, натасканный на это дело человек. Так? Или не так?

— Так, — помолчав, ответил Дэнни, изо всех сил стараясь подделаться под его тон и все-таки слегка сфальшивив.

На что это Фариш намекает, чего это у него пластинку заело про шпионов и наблюдение — разве что он этими разговорами от своих истинных подозрений его отвлекает?

"Да ну, не знает он ничего, — в панике убеждал себя Дэнни. — Не может такого быть. Фариш даже водить не умеет".

Фариш с хрустом покрутил шеей, с хитрецой произнес:

— Черт, да знаешь ты все.

— Что? — заозирался Дэнни.

Он испугался, что, сам того не понимая, говорил вслух, и уже было рванулся, чтоб вскочить и все отрицать, но тут Фариш опустил голову, забегал кругами.

— Простые американцы не знают о том, что эти волны используются в военных целях, — сказал он. — И вот еще какая херня. Даже в сраном Пентагоне не очень понимают, что такое эти волны. Ну да, ну да, они эти волны рассылают, они их отслеживают, —

Фариш резко, визгливо хохотнул, — но они ни хера не врубаются, что это за штука такая.

"Нет, с этим говном пора завязывать". Всего-то и нужно, думал Дэнни — всем телом ощущая, как у него над ухом нудно, на одной ноте жужжит муха, будто зажевало кассету в каком-то сраном бесконечном кошмаре, — всего-то и нужно, не рассиживаясь, завязать с дурью, денек-другой проспаться. "Я могу стырить наркоту и свалить из города, пока он тут сидит на голом полу, бубнит что-то про радиоволны да потрошит тостеры отверткой..."

— Электроны разрушают мозг, — сказал Фариш.

С этим словами он так зыркнул на Дэнни, как будто подозревал, что Дэнни с ним не по всем пунктам согласен.

У Дэнни кружилась голова. Он каждый час закидывался, а тут уж сколько времени прошло. Очень скоро без дозы его срубит, затрепыхается перегруженное сердце, ниточка пульса будет еле прощупываться, и Дэнни опять чуть не чокнется от страха, что пульс возьмет и пропадет совсем, потому что перестаешь спать, и сон — это уже не сон, тогда его не одолеешь, он прорвет все заслоны, нахлынет и вышибет из тебя дух, встанет черной стеной, и будет казаться, что не сон это, а смерть.

— А что такое радиоволны? — спросил Фариш.

Это они с Фаришем уже проходили.

— Электроны.

— Вот именно, дурья твоя башка! — Фариш глядел на него безумными глазами Чарли Мэнсона, он подался к Дэнни, с неожиданной яростью застучал себе по голове. — Электроны! Электроны!

Блеснула отвертка, и вдруг — бум! — на Дэнни будто холодным ветром из будущего повеяло, он словно кино смотрел на огромном экране... увидел, как лежит на своей промокшей от пота узкой кроватке, в полной отключке, слабый и беззащитный. Тикают часы, подрагивают занавески. И тут — скрип — медленно-медленно отворяется дверь трейлера, и Фариш тихонько крадется к кровати, а в руке у него — тесак...

— Нет! — вскрикнул он, открыл глаза и увидел, что Фариш сверлит его зрячим глазом не хуже дрели.

Они уставились друг на друга — странный, затянувшийся миг. Наконец Фариш рявкнул:

— На руку глянь! Ты чего наделал?

Дэнни затрясся, растерянно вскинул обе руки и увидел, что большой палец залит кровью — он содрал заусенец.

— Ты, брат, береги себя, — сказал Фариш.

Утром одетая в строгий синий костюм Эди заехала за матерью Гарриет, чтобы везти ее завтракать, ей еще потом к десяти нужно было успеть на встречу с бухгалтером. О завтраке этом Эди с Шарлоттой договаривалась еще три дня назад, тогда Гарриет позвала мать к телефону, но свою трубку положила не сразу, поэтому часть разговора ей удалось подслушать. Эди сказала, что у нее к Шарлотте очень личный разговор, что это очень важно и по телефону она это обсуждать не хочет. Теперь Эди стояла в коридоре, отказывалась присесть и все поглядывала то на часы, то на лестницу.

— Так и завтрак подавать перестанут, пока мы туда доберемся, — сказала она, сложила руки на груди и нетерпеливо прищелкнула языком — тцк, тцк, тцк.

Лицо у нее было бледное, напудренное, а губы (бантик, резко очерченный восковой алой помадой, которую Эди обычно приберегала для церкви) и вовсе казались не женскими, а напоминали скорее тоненький, поджатый ротик Лемуана д'Ибервилля с гравюры из учебника Гарриет по истории Миссисипи. На Эди был приталенный пиджак с рукавами три четверти — очень строгий, но, впрочем, по-старомодному элегантный, Эди в нем (говорила Либби) походила на миссис Симпсон, которая вышла замуж за английского короля.

Гарриет, которая растянулась у подножья лестницы и, надувшись, разглядывала ковер, вскинула голову, выпалила:

— Ну ПОЧЕМУ вы меня с собой не берете?

— Потому что, — ответила Эди, — нам с твоей матерью нужно коечто обсудить.

— Я буду тихо сидеть!

— Наедине. Только нам двоим. — Эди свирепо глянула на Гарриет ясными ледяными глазами. — Да и нельзя никуда идти в таком виде. Полезай-ка в ванну, помойся.

— А если я помоюсь, ты мне блинчиков принесешь?

— Ой, мама, — Шарлотта — в мятом платье, с мокрыми волосами — сбежала вниз по ступенькам. — Прости, пожалуйста. Я…

— Ничего, все нормально, — сказала Эди, хотя по голосу было слышно — нет тут ничего нормального, совсем ничего.

Они уехали. Гарриет, окончательно разобидевшись, провожала их взглядом сквозь пыльные кисейные занавески.

Эллисон еще не спускалась, спала. Она вчера поздно вернулась. Дома было тихо, как в подводной лодке, звуки издавали только разные приборы — тикали часы, пыхтел старенький вентилятор, гудел водонагреватель.

На кухонной стойке лежала коробка соленых крекеров, которые купили еще до того, как уехала Ида и умерла Либби. Гарриет свернулась клубочком в Идином кресле, сжевала несколько крекеров. Если закрыть глаза и вдохнуть поглубже, еще можно было учуять запах Иды, но если слишком сильно принюхиваться, запах тотчас же пропадал, ускользал. Сегодня Гарриет впервые с того самого утра, когда она уехала в лагерь на озере Селби, проснувшись, не плакала и даже не хотела плакать, но хоть глаза у нее были сухие, а голова — ясная, места она себе не находила, и дом затих, будто ждал, пока что-нибудь случится.

Гарриет доела крекеры, отряхнула руки, залезла на кресло и, привстав на цыпочки, принялась разглядывать пистолеты, которые в шкафчике с оружием лежали на самой верхней полке. Среди диковинок, которые носили при себе карточные шулера (дерринджеров с перламутровыми рукоятками и щегольских дуэльных пистолетов), Гарриет выбрала самый большой и самый безобразный пистолет — самовзводный кольт, он был больше всего похож на оружие полицейских из телевизора.

Она спрыгнула с кресла, закрыла шкафчик и, аккуратно, двумя руками положив пистолет на пол (он оказался довольно тяжелым), побежала в столовую и вытащила из книжного шкафа том “Британской энциклопедии”.

Пистолет. *См.:* Огнестрельное оружие

Она притащила нужный том в гостиную, прижала страницы револьвером и, усевшись на ковре по-турецки, озадаченно уставилась на схемы и колонки текста. Обилие терминов сбивало ее с толку, промучившись с полчаса, она сходила за словарем, но и с ним легче не стало.

Встав на четвереньки, она изо всех сил вглядывалась в схему. *Предохранительная скоба. Откидной барабан*… а в какую сторону он откидывается? Револьвер на картинке был совсем другой, не такой, как у нее. *Замок откидного барабана, извлечение крана барабана, стержневой выбрасыватель*…

Что-то щелкнуло, барабан вывалился — пусто. Она попробовала вставить пули — одни не пролезли, другие тоже не пролезли, но наконец в коробке отыскались несколько пуль, которые подошли по размеру.

Но не успела она зарядить револьвер, как хлопнула парадная дверь — вернулась мать. Гарриет молниеносно, одним движением, затолкала все под кресло Иды — пули, револьвер, энциклопедию, все разом — и вскочила.

— Блинчики принесла? — крикнула она.

Тишина. Судя по звукам, мать пошла наверх. Гарриет насторожилась (что-то слишком быстро они позавтракали), прислушалась, и вдруг до нее донеслись какие-то икающие всхлипы, как будто мать задыхалась или плакала.

Гарриет — нахмурившись, уперев руки в боки — замерла, вслушалась. Но больше ничего разобрать не удалось, тогда она осторожно выглянула в коридор и услышала, что у матери в спальне хлопнула дверь.

Казалось, будто целая вечность прошла. Гарриет разглядывала уголок энциклопедии, который выпирал из-под накидки на кресле. Тикали часы в коридоре, все было тихо, и наконец Гарриет вытащила энциклопедию, улеглась на ковер и, подперев голову руками, снова перечла статью об огнестрельном оружии.

Минуты тянулись одна за другой. Гарриет прижалась щекой к ковру, приподняла накидку и заглянула под кресло — в темноте виднелись очертания пистолета, рядом с ним лежала себе спокойно коробка с пулями. В доме было по-прежнему тихо, и Гарриет, осмелев, вытащила все из-под кресла. Она так увлеклась, что не слышала, как мать вышла из спальни — вдруг из коридора, совсем рядом, донесся ее голос:

— Солнышко!

Гарриет подскочила. Пули высыпались из коробки. Гарриет сгребла их дрожащими руками, рассовала по карманам.

— Ты где?

Гарриет едва-едва успела запихнуть все под кресло и вскочить, как в гостиную вошла мать. Лицо у нее опять блестело, нос покраснел, в глазах стояли слезы, и Гарриет с удивлением увидела, что в руках она держит мягкую атласную вешалку, на которой болтается черный птичий костюмчик Робина — такой черный, такой крохотный и потрепанный, будто тень Питера Пэна, которую он пытался мылом приклеить к пяткам.

Мать хотела что-то сказать, но передумала и с любопытством уставилась на Гарриет.

— Чем занимаешься? — спросила она.

Гарриет с тревогой глядела на костюмчик.

— А зачем?.. — начала было она, но, не сумев договорить, просто кивнула в его сторону.

Мать Гарриет, вздрогнув, посмотрела на костюм так, будто только сейчас его заметила.

— А, это, — она промокнула глаза салфеткой. — Эди сказала, что Том Френч просил его одолжить для ребенка. У них завтра матч, команда называется "Вóроны" или как-то так, жена Тома подумала, что будет здорово, если ребенок наденет этот костюм и выбежит на поле вместе с чирлидерами.

— Если не хочешь его отдавать, так и скажи, что не дашь.

Мать даже слегка удивилась. На долгий, странный миг их взгляды встретились.

Мать прокашлялась.

— Когда мы с тобой поедем в Мемфис покупать одежду к школе? — спросила она.

— А подшивать ее кто будет?

— Что-что?

— Все школьные платья мне Ида подшивала.

Мать Гарриет явно хотела что-то сказать, но потом покачала головой, будто отгоняя неприятные мысли.

— И когда только ты это все из головы выкинешь?

Гарриет сердито уставилась себе под ноги.

"Никогда", — думала она.

— Солнышко… Я знаю, как ты любила Иду, правда, я, может быть, не догадывалась, насколько сильно…

Молчание.

— Но… моя дорогая, Ида сама захотела уйти.

— Она бы осталась, если б ты ее попросила.

Мать Гарриет снова прокашлялась:

— Малыш мой, я и сама из-за этого расстроилась, но Ида не хотела оставаться. Твой папа постоянно на нее жаловался, говорил, что она мало работает. Знаешь, мы с ним из-за этого все время ругались по телефону. — Она подняла глаза к потолку. — Он считал, что за те деньги, которые мы ей платили, она могла бы и получше работать…

— Вы ей гроши платили!

— Гарриет, по-моему, Иде у нас было плохо уже… уже очень давно. Она найдет другое место, где ей будут платить получше… Да и вы с Эллисон выросли, у меня больше нет в ней надобности…

Ледяное молчание.

— Ида так долго у нас проработала, что я, похоже, просто-напросто внушила себе, будто не обойдусь без нее, но… мы же справляемся, верно?

Гарриет закусила верхнюю губу, упрямо уставилась в угол — везде беспорядок, столик в углу завален авторучками, конвертами, подставками и грязными носовыми платками, на стопке журналов стоит доверху набитая пепельница.

— Верно ведь? Справляемся же? — мать беспомощно огляделась по сторонам. — Ну, как ты не поймешь, Ида меня просто подавляла!

Еще одна долгая пауза, Гарриет уголком глаза заметила, что проглядела одну пулю и она валяется на ковре под столом.

— Не пойми меня неправильно. С вами маленькими я бы без Иды не справилась. Она мне здорово помогла. Особенно с… — мать вздохнула. — Но в последнее время ей тут было ничем не угодить. К вам-то, я думаю, она хорошо относилась, но вот ко мне… До чего же она меня презирала, встанет, руки сложит и смотрит так осуждающе…

Гарриет не отрывала взгляда от пули. Она заскучала, уже не особенно вслушиваясь в то, что говорила мать, разглядывала ковер под ногами и вскоре уже грезила наяву на излюбленную тему. Машина времени вот-вот отправится, она едет на Северный полюс, везет припасы для экспедиции капитана Скотта, только она может всех спасти. Он так готовился, так готовился и все равно взял с собой все не то. Но они будут стоять намертво, до самой последней галеты... Она им поможет, она доставит им вещи из будущего: растворимый какао, растворимый витамин С в таблетках, банки сухого спирта, арахисовое масло, бензин для саней, свежие овощи из огорода и фонари на батарейках...

Внезапно голос матери стал как будто тише и Гарриет очнулась. Подняла голову. Мать стояла в дверях.

— Я все делаю не так, да? — сказала она.

Она вышла из комнаты. Еще и десяти утра не было. В гостиной еще стоял прохладный полумрак, коридор за дверью темнел унылым туннелем. В пыльном воздухе висел слабенький фруктовый аромат материнских духов.

В шкафу с верхней одеждой зашелестели, зазвякали вешалки. Гарриет не двинулась с места, но прошло несколько минут, а мать все скреблась где-то внизу, и тогда Гарриет прокралась к лежавшей под столом пуле и ногой затолкала ее под диван. Присела на краешек Идиного кресла, подождала. Наконец, когда прошло довольно много времени, она осмелилась спуститься вниз и увидела, что мать стоит возле раскрытого шкафа и заново складывает — не слишком аккуратно — простыни, которые она вытащила с верхней полки.

Мать улыбнулась, будто бы ничего и не случилось. Потешно вздохнув, она отошла от разгромленного шкафа и сказала:

— Господи боже. Мне иногда кажется, что нам просто надо запрыгнуть в машину и уехать жить к твоему отцу.

Она скосила глаза на Гарриет.

— Ну? — весело спросила она, будто на праздник ее звала. — И что ты об этом думаешь?

"Она все равно поступит по-своему, — с отчаянием думала Гарриет. — Неважно, что я скажу".

— Не знаю, как ты, — мать снова принялась складывать простыни, — а я думаю, нам уже пора вспомнить о том, что мы — одна семья, и вести себя соответственно.

— Зачем? — спросила Гарриет, растерянно помолчав.

Услышав от матери про семью, она насторожилась. Обычно отец Гарриет, перед тем как выдвинуть очередное нелепое требование, заводил: "Не забывайте, что мы все тут — одна семья".

— Ну, тяжело все-таки, — сонно протянула мать, — двух девочек одной воспитывать.

Гарриет поднялась к себе в спальню, уселась на подоконник и стала глядеть в окно. На улице было жарко, пусто. По небу целый день проносились облачка. Вечером, в четыре часа Гарриет отправилась к Эди, уселась у нее на парадном крыльце, подперев кулаком подбородок, и так и сидела до тех пор, пока часов около пяти не вернулась Эди.

Гарриет кинулась к машине. Эди побарабанила по оконному стеклу, улыбнулась. Ее темно-синий костюм уже не казался таким строгим и поизмялся от жары, да вылезла Эди из машины медленно, с трудом разогнувшись. Пока Эди шла к двери, Гарриет скакала вокруг нее и, захлебываясь, рассказывала о том, как мать предложила им перебраться в Нэшвилл, но, к ее превеликому удивлению, Эди, услышав это, только глубоко вздохнула и покачала головой.

— Что ж, — сказала она, — может, так оно и лучше будет.

Гарриет молчала, ждала, что она еще скажет.

— Если твоя мать хочет остаться замужней женщиной, уж ничего не поделаешь, ей придется к этому хоть какие-то усилия прилагать. — Эди остановилась, вздохнула, потом отперла дверь. — Так больше продолжаться не может.

— Но почему-у? — провыла Гарриет.

Эди остановилась, прикрыла глаза — будто у нее голова разболелась.

— Гарриет, он твой отец.

— Но я его не люблю!

— А я люблю, что ли? — огрызнулась Эди. — Но если они хотят и дальше быть мужем и женой, то неплохо бы им и жить хотя бы в одном штате, как думаешь?

Ужаснувшись, Гарриет замолчала, потом сказала:

— Папе все равно. Его все устраивает.

Эди фыркнула:

— Конечно, устраивает.

— А разве ты не будешь по мне скучать? Если мы переедем?

— Не все в жизни получается так, как нам бы того хотелось, — сказала Эди, будто сообщая ей какой-то утешительный, но малоизвестный факт. — Когда ты пойдешь в школу…

“Где? — думала Гарриет. — Здесь или в Теннесси?”

— …поднажми на учебу. Это тебя отвлечет.

"Она скоро умрет", — думала Гарриет, разглядывая руки Эди — с распухшими костяшками, испещренные темно-коричневыми пятнышками, будто птичьи яйца. У Либби руки были схожей формы, но белее, изящнее, с голубыми венками на тыльной стороне ладоней.

Она встряхнулась, подняла голову и, вздрогнув, увидела, что Эди пристально смотрит на нее холодным, оценивающим взглядом.

— Зря ты бросила уроки фортепиано, — сказала она.

— Это Эллисон была! — Гарриет страшно возмущало, когда Эди вот так их путала. — Я не ходила на фортепиано!

— А надо бы. Вот в чем твоя беда, Гарриет, у тебя слишком много свободного времени. Я в твоем возрасте, — продолжала Эди, — ездила верхом, играла на скрипке и сама себе всю одежду шила. Научись ты шить, глядишь, и своему внешнему виду станешь уделять побольше внимания.

— Отвезешь меня к "Напасти"? — вдруг спросила Гарриет.

Эди изумленно на нее взглянула:

— Да там и смотреть не на что.

— Ну, на то место, где он стоял. Пожалуйста! Покажешь, где это?

Эди молчала. Она глядела куда-то поверх головы Гарриет отсутствующим взглядом. На дороге, сорвавшись с места, взревела машина, Гарриет оглянулась и увидела, как она, серебристо полыхнув на солнце, исчезла за углом.

— Ошиблись домом, — сказала Эди и чихнула — ап-чхи! — Слава богу. Нет, — она заморгала, вытащила из кармана салфетку, — там, возле "Напасти", и смотреть больше не на что. Нынешний владелец — фермер, кур разводит, он нас, наверное, даже к тому месту, где дом стоял, не подпустит.

— Почему?

— Потому что он жирный старый мерзавец. Там ничегошеньки не осталось, — она рассеянно похлопала Гарриет по спине. — Ну а теперь беги-ка домой, Эди страсть как хочется поскорее снять каблуки.

— А если они переедут в Нэшвилл, можно я останусь у тебя жить?

— Гарриет! — воскликнула Эди после изумленной паузы. — Ты что же, не хочешь жить с мамой и Эллисон?

— Нет, мэм, — Гарриет внимательно глядела на Эди.

Но Эди только брови вскинула, как будто ее это все позабавило. В своей отвратительно бодрой манере сказала:

— Ох, да пройдет неделя-другая, и ты передумаешь.

У Гарриет в глазах вскипели слезы.

— Не передумаю! — завопила она, обиженно, недовольно помолчав. — Ты всегда так говоришь! Почему? Я знаю, чего я хочу, я никогда не…

— Вот поживем и увидим, — сказала Эди. — Знаешь, я тут недавно читала, как Томас Джефферсон, уже состарившись, писал Джону Адамсу о том, что многое из того, чего он всю жизнь страшился, так и не случилось. “Сколько же горя приносят нам воображаемые беды”. Или что-то в этом роде, — она глянула на часы. — Если тебя это хоть сколько утешит, то, как по мне, твою мать из этого дома торпедой не вышибешь, но это только мое мнение. Ну все, беги-беги, — поторопила она Гарриет, которая сердито глядела на нее покрасневшими глазами.

Едва они завернули за угол, как Дэнни притормозил — возле пресвитерианской церкви.

— Ухтыбожемой, — сказал Фариш. Он шумно задышал. — Это она была?

Дэнни был под таким мощным кайфом, что и слова сказать не мог, кивнул только. Ему отовсюду слышались тихенькие, пугающие звуки: дышали деревья, пели провода, похрустывая, росла трава.

Фариш развернулся, глянул в заднее окно.

— Черт, я ж тебе говорил, отыщи девчонку. Хочешь сказать, что раньше она тебе не глаза не попадалась?

— Нет, — резко ответил Дэнни.

Его аж затрясло от того, как внезапно эта девчонка на них выскочила, он ее и углядел как-то вскользь, краем глаза, как тогда, возле водонапорной башни (хотя про башню он Фаришу сказать не мог, нечего ему было делать возле башни). И вот теперь они петляли по городу без особой цели (меняй маршрут, твердил ему Фариш, всегда выезжай в разное время, поглядывай в зеркало), он завернул за угол и кого же увидел? Девчонку, которая стояла на крыльце.

Отзвуки разного эхо. Дыхание свет движение. На верхушках деревьев поблескивает тысяча зеркал. А старуха кто такая? Когда он сбавил скорость, их взгляды встретились — вспышкой, с растерянным любопытством — она поглядела на него в упор, и глаза у нее были точь-в-точь как у девчонки… На миг все вокруг исчезло.

— Поехали! — Фариш хлопнул по приборной доске, но когда они свернули за угол, Дэнни пришлось остановиться, потому что от кайфа его как-то уж слишком сильно забирало, потому что творилась какая-то чертовщина, какая-то выносящая мозг многоуровневая скоростная экстрасенсорика (эскалаторы ездили вверх-вниз, на каждом этаже крутились диско-шары), и они оба это чувствовали, им и говорить ничего не надо было, Дэнни на Фариша даже взглянуть не мог, потому что знал: оба они думают об одной и той же до ужаса странной штуке, которая с ними приключилась нынче утром, часов в шесть, когда Фариш (который всю ночь не ложился) вошел в комнату в одних трусах и с пакетом молока в руках, и ровно в эту же секунду в телевизоре появился мультяшный бородач в трусах и с пакетом молока.

Фариш остановился — и бородач остановился.

Видишь? спросил Фариш.

Вижу, ответил Дэнни.

Он весь взмок. Они с Фаришем переглянулись. Когда они снова посмотрели в телевизор, там уже была другая картинка.

Они сидели в душной машине, и сердца у них колотились так, что казалось вот-вот — и будет слышен стук.

— Заметил, — вдруг спросил Фариш, — что все грузовики, которые мы по пути сюда видели, были черными?

— Чего?

— Они что-то перевозят. Вот только не знаю, что именно.

Дэнни молчал. С одной стороны, он понимал, что все это чушь собачья, что Фариш просто параноит, но, с другой стороны, что-то в этом было. Вчера ночью звонил телефон — три раза, с интервалом ровно в час, но трубку вешали, не говоря ни слова. Потом Фариш нашел стреляную гильзу на подоконнике в лаборатории. Это вообще как понимать?

А теперь еще и это — девчонка, снова девчонка. Влажная, буйная трава на газоне возле пресвитерианской церкви отливала зеленоватой синевой в тени декоративных елей, извилистые дорожки выложены кирпичом, самшитовые кусты подстрижены, все такое аккуратненькое и блестящее, будто игрушечная железная дорога.

— Я только вот чего понять не могу, кто ж она, черт подери, такая? — спросил Фариш, нашаривая в кармане дозу. — Не надо было тебе ее отпускать.

— Ее Юджин отпустил, не я.

Дэнни пожевал губу. Нет, ему не показалось — после несчастья с Гам девчонка как сквозь землю провалилась, он неделями ее искал, ездил по всему городу. А теперь стоит о ней подумать, стоит о ней только заговорить, как она тут как тут, вспыхивает на горизонте — черные, остриженные, как у китайца, волосы, злобные глаза.

Они оба нюхнули, чуток подуспокоились.

— Кто-то, — Дэнни сделал глубокий вдох, — кто-то поручил этой девчонке за нами шпионить.

Он хоть и под кайфом был, но тотчас же пожалел, что это сказал.

Фариш нахмурился.

— Что-о? Да если кто-то, — прорычал он, вытирая нос тыльной стороной ладони, — если кто-то этой соплячке велел за мной шпионить, я ее разорву на части.

— Она что-то знает, — сказал Дэнни.

Почему он так решил? *Потому что она поглядела на него из окна катафалка. Потому что она проникла в его сны. Потому что она преследовала его, охотилась за ним, всю голову ему задурила.*

— Да и мне бы хотелось знать, что она тогда делала возле дома Юджина. Ну, если эта сучка мне фары побила…

Как-то уж очень театрально он это сказал, Дэнни насторожился.

— Если она фары побила, — сказал он, старательно не глядя Фаришу в глаза, — как думаешь, зачем она тогда к нам постучалась и рассказала?

Фариш пожал плечами. Он ковырял какое-то засохшее пятно на штанине, вдруг ни с того ни с сего страшно им заинтересовался, и Дэнни — разом — уверился, что Фариш про девчонку (да и про все происходящее) знает куда больше, чем говорит.

Да нет, глупости, и все равно — что-то тут неладно. Вдалеке слышался собачий лай.

— Кто-то, — вдруг сказал Фариш, заерзав, — кто-то, значит, к Юджину влез и змей всех повыпускал. Окна все закрыты были, кроме того, которое в ванной. А туда только ребенок пролезть мог.

— Я с ней потолкую, — сказал Дэнни.

Мне у нее много чего узнать надо. Почему, например, я тебя в жизни раньше не видел, а теперь ты повсюду? Почему, например, ты мелькаешь у меня за окном и бьешься в стекло, будто та бабочка, "мертвая голова"?

Он так долго не спал, что, стоило ему закрыть глаза, как он уносился куда-то к водорослям, темным озерам и прохудившимся плоскодонкам, которые покачивались в тинистой воде. И там, во влажном полумраке, среди стрекота цикад была она — пыльцевато-белое личико, черные перья волос, — она что-то шептала, и он даже вроде понимал что, но никак не мог…

Я тебя не слышу, сказал он.

— Чего ты не слышишь?

Дзынь: черная приборная доска, голубые пресвитерианские ели, на пассажирском сиденье сидит Фариш, глядит на него.

— Чего не слышишь? — повторил он.

Дэнни моргнул, вытер пот со лба.

— Неважно, — ответил он.

Он был весь в испарине.

— До чего опасные паршивки были девчонки-минерши во Вьетнаме, — весело сказал Фариш. — Сорвут чеку с гранаты, бегут с ней, все им игрушки. Ребенка можно на такие фокусы подбить, за какие ни один взрослый не возьмется, если только он не чокнутый.

— Точняк, — согласился Дэнни.

Это у Фариша была любимая теория. Когда Дэнни был маленький, Фариш только ей и следовал, заставляя Дэнни, Юджина, Майка или Рики Ли делать за него всю грязную работу, лазить, например, в чужие окна, пока сам Фариш сидел в машине, жевал пышки и нюхал наркоту.

— А поймают ребенка? И что? В детскую колонию отправят? Хех, — рассмеялся Фариш, — да я вас с ранних лет на это натаскивал. Рики вон по окнам лазал, едва выучился у меня на плечах стоять. А придет коп…

— Господи боже, — Дэнни вдруг протрезвел, подскочил — в зеркале заднего вида он только что заметил девчонку, она завернула за угол, и с ней никого не было.

Гарриет, опустив голову, нахмурившись, шла мимо пресвитерианской церкви (ее угрюмый дом был в трех кварталах отсюда), как вдруг у стоявшей впереди машины распахнулись двери.

Это был "Транс АМ". Даже не успев ничего подумать, Гарриет развернулась, нырнула в промозглый, заросший мхом церковный двор и побежала.

От церкви боковой дворик вел прямиком в сад миссис Клейборн (кусты гортензии, низенькие теплицы), а оттуда можно было пробраться к Эди на задний двор, но путь ей отрезал деревянный забор в шесть футов высотой. Гарриет помчалась по темному проходу между садами (с одной стороны — забор Эди, с другой — соседские туи, колючие и непролазные) и налетела на еще один забор — сетчатый, возле дома миссис Давенпорт. Запаниковав, Гарриет полезла через него, зацепилась шортами за колючую проволоку, извернувшись всем телом, кое-как высвободилась и, тяжело дыша, спрыгнула вниз.

За спиной у нее зашумела листва, кто-то ломился через проход. Во дворе у миссис Давенпорт прятаться было негде, Гарриет беспомощно заозиралась, потом кинулась к калитке и выскочила на дорогу. Она думала обежать дом и вернуться к Эди, но, выскочив на тротуар, резко остановилась (а откуда шаги раздавались?) и, на секунду замешкавшись, помчалась вперед, к дому О'Брайантов. Но, добежав до середины улицы, с ужасом увидела, как из-за угла вырулил "Транс АМ".

Значит, они разделились. Умно. Гарриет помчалась дальше, забежала за высокий ряд сосен, прошлепала по сосновым иглам, которыми был густо усыпан тенистый двор О'Брайантов — прямиком к маленькому домику на задворках, где мистер О'Брайант держал бильярдный стол. Подергала за ручку — заперто. Задыхаясь, Гарриет уставилась на желтоватые стены, обшитые сосновыми панелями, на пустые книжные полки, где валялись одни старые школьные альбомы из Александрийской академии, на стеклянную лампу с надписью "Кока-кола", которая болталась на цепочке над темным столом — и метнулась вправо.

И тут забор. В соседнем дворе залаяла собака. Если не выбегать на улицу, то мужику в "Транс АМе" ее точно не поймать, но тогда нужно спрятаться от того, который без машины, чтобы он не загнал ее в угол и не заставил выскочить на дорогу.

Она резко свернула налево — сердце у нее колотилось, легкие горели. Сзади послышалось шумное сопенье, тяжелый топот. Она побежала вперед, зигзагами, продираясь сквозь лабиринты кустов, петляя, виляя, сворачивая то в одну, то в другую сторону, когда упиралась в тупик, она бежала незнакомыми садами, перелезала через заборы, сваливалась на лужайки и дворики, расчерченные каменными плитами, мчалась мимо качелей, столбов с бельевыми веревками, грилей для барбекю, мимо младенца в манеже, который уставился на нее округлившимися от ужаса глазами и с размаху шлепнулся на попу. Еще дальше — и сидевший на веранде безобразный старик с бульдожьей мордой привскочил с кресла и заорал: “А ну пошла вон!”, когда Гарриет с облегчением (наконец-то ей встретился взрослый!) слегка притормозила, чтобы перевести дух.

Его окрик был как пощечина, Гарриет хоть и испугалась, но от неожиданности все равно замерла на миг, заморгала удивленно, глядя в налитые кровью и пышущие злобой глаза, на веснушчатый, морщинистый и пухлый кулак, которым он на нее замахнулся.

— Я тебе говорю! — орал он. — Пошла вон отсюда!

Гарриет кинулась наутек. Она знала, кто живет на этой улице (Райты, Мотли, мистер и миссис Прайс), но знала их только в лицо, и никак не могла, задыхаясь, вбежать к кому-нибудь из них во двор и начать барабанить в дверь. Ну почему она позволила им загнать себя сюда, в незнакомые ей места? Думай, думай, твердила она себе. Перед тем как натолкнуться на того старика, который на нее кулаком замахнулся, она пробегала мимо накрытого полиэтиленовыми чехлами “шевроле эль камино”, рядом с которым стояли банки с краской — вот уж где можно было бы отлично спрятаться.

Она спряталась за газовым баллоном и, согнувшись, уперев руки в колени, хватала ртом воздух. Оторвалась? Нет — с новой силой заистерил, загавкал эрдель, сидевший в конуре в самом конце квартала, он тоже кидался на забор, когда она пробегала мимо.

Она развернулась и, не разбирая дороги, помчалась дальше. Она с треском продралась сквозь кусты бирючины и чуть не рухнула прямо на ошарашенного Честера — он, стоя на коленях, возился со шлангом от поливалки, который торчал из засыпанной компостом цветочной клумбы.

Он вскинул руки, будто защищаясь от взрыва.

— Осторожнее! — Честер где только не подрабатывал, но Гарриет не знала, что и здесь тоже. — Ты чего ж это…

— Где здесь можно спрятаться?

— Спрятаться? Нельзя тут играть, — он сглотнул, помахал перепачканной рукой. — Давай-ка. Брысь отсюда.

Гарриет перепуганно огляделась: стеклянная кормушка для колибри, застекленная веранда, безупречно чистый стол для пикника. На другой стороне двора вместо забора — заросли остролиста, да через задний двор не убежишь — там плотно насажены розовые кусты.

— Брысь, кому говорю. Глянь, какую дыру вон проделала в изгороди.

Вымощенная камнями дорожка с бордюром из маргариток вела к похожему на кукольный домик сарайчику с зеленой дверкой нараспашку. Он был вычурный, глазурный, будто пряник, миниатюрная копия хозяйского дома. Гарриет промчалась по дорожке, влетела в сарайчик ("Эй!" — крикнул Честер) и заползла в дырку между кучей дров и толстым рулоном стекловаты.

В сарае было душно, пыльно. Гарриет зажала нос. Она лежала в полумраке — дышится тяжело, кожу на голове, будто иголочками, покалывает — и разглядывала старый, ободранный воланчик для бадминтона, он валялся возле дров, рядом с разноцветными металлическими банками, на которых было написано "Бензин", "Масло для трансмиссий", "Престон".

Голоса, мужские. Гарриет оцепенела. Прошло так много времени, что ей уже начало казаться, будто кроме банок с надписями "Бензин", "Масло для трансмиссий", "Престон" во всей Вселенной больше ничего не осталось. "Ну что они мне могут сделать? — лихорадочно размышляла она. — При Честере-то?" Она изо всех сил вслушивалась, но ничего не слышала за собственным хриплым дыханием. Тогда кричи, твердила она себе, кричи, вырывайся, кричи и убегай… Больше всего она отчего-то боялась машины. Почему, она точно не знала, но чувствовала, что, если они затащат ее в машину, ей конец.

Честер, конечно, не даст им ее увезти. Но их было двое, а Честер — один. А что стоит слово Честера против двух белых мужчин?

Шли минуты. Что они там говорят, о чем так долго разговаривают? Гарриет не отводила глаз от высохшего куска пчелиных сот, который лежал под верстаком. И вдруг поняла, что к сараю кто-то идет.

Дверь скрипнула, открылась. На грязный пол упал треугольник прозрачного света. У Гарриет вся кровь отхлынула от головы, на миг ей показалось, будто она вот-вот упадет в обморок, но это был Честер, это был Честер, который сказал:

— Ну все, вылазь давай.

И как будто рухнула стеклянная стена. На нее вновь нахлынули звуки: зачирикали птицы, пронзительно заверещал сверчок где-то на полу, за банкой с маслом.

— Ты там?

Гарриет сглотнула, а когда заговорила, то смогла только слабенько проскрипеть:

— Они ушли?

— Чего ты им сделала? — Свет бил ему в спину, и Гарриет не видела его лица, но это точно был Честер, его сиплый голос, его сутулая фигура. — Они уж так себя вели, будто ты их обворовала.

— Они ушли?

— Ушли, ушли, — нетерпеливо сказал Честер. — Вылезай.

Гарриет высунулась из-за рулона стекловаты, вытерла лоб тыльной стороной ладони. Она была вся в пыли, к щеке прилипла паутина.

— Ты там ничего не повалила, нет? — Честер заглянул в сарай, потом поглядел на нее. — Ох, ну и видок у тебя! — Он открыл перед ней дверь. — Зачем они за тобой гнались?

Гарриет, которая никак не могла отдышаться, помотала головой.

— Таким, как они, нечего за детьми гоняться, — сказал Честер.

Он оглянулся, вытащил из нагрудного кармана сигарету.

— Чего ты натворила? Камнем им в машину кинула?

Гарриет вытянула шею, стараясь хоть что-то разглядеть за его спиной. Сквозь густую изгородь (остролист, бирючина) улицы было не видно.

— Я тебе вот что скажу, — Честер резко выдохнул дым через ноздри, — повезло тебе, что я сегодня тут работал. Кабы миссис Малверхилл не была на хоре, она б живо полицию вызвала из-за того, что ты сюда влезла. На прошлой неделе она велела мне окатить водой из шланга какую-то несчастную старую псину, которая к ней во двор забрела.

Он затянулся сигаретой. У Гарриет в ушах до сих пор отдавался стук сердца.

— Ну а ты чего творишь, — спросил Честер, — зачем людям кусты ломаешь? Вот пожалуюсь твоей бабушке.

— Что они тебе сказали?

— Сказали? Ничего они мне не сказали. Остановились вон там, на дороге, один вылез из машины. А второй просунул голову меж кустов, вон там, и давай пялиться, что твой электрик на счетчик. — Честер раздвинул воображаемые ветки и, дико вращая глазами, показал, как он это делал. — И еще он в комбинезоне был, как эти из "Электроэнергии Миссисипи".

Над головами у них хрустнула ветка — оказалось, белка, но Гарриет вздрогнула всем телом.

— Ну что ж, не расскажешь, почему от них убегала?

— Я... я...

— Чего?

— Я играла, — наконец выдавила Гарриет.

— Ты уж поспокойнее как-нибудь играй, — Честер пристально глядел на нее сквозь облачко дыма. — А куда это ты все глядишь пугливо? Проводить тебя до дому?

— Нет, — ответила Гарриет, но когда Честер рассмеялся, до нее дошло, что, говоря это, она кивала головой — да, мол, да.

Честер положил руку ей на плечо.

— Голова твоя бедовая, — он произнес это весело, но вид у него был встревоженный. — Мы вот как сделаем. Я домой пойду мимо твоего дома. Погоди минутку, я сейчас ополоснусь под колонкой и уж тебя провожу.

— Черные грузовики, — вдруг сказал Фариш, когда они выехали на шоссе и свернули в сторону дома. Он был здорово заряжен и дышал, как астматик, с громкими присвистами. — В жизни не видал столько черных грузовиков.

Дэнни что-то неразборчиво хмыкнул в ответ, провел рукой по лицу. Его до сих пор потряхивало, все мышцы дрожали. Что б они сделали с девчонкой, если б поймали?

— Черт, — сказал он, — а ведь кто-нибудь мог и копов вызвать.

С ним теперь это все чаще и чаще случалось — и вот, опять накатило чувство, как будто он очнулся посреди выполнения какого-то идиотского трюка под куполом цирка. С ума они сошли, что ли? Днем гнались за ребенком, да еще по жилому кварталу? В Миссисипи за похищение детей — смертная казнь.

— Бред какой-то, — сказал он.

Но Фариш взволнованно тыкал пальцем в окно, его огромные массивные перстни (на мизинце — колечко в виде игральной кости) причудливо поблескивали в лучах закатного солнца.

— Вон, — говорил он. — И вон еще.

— Что? — спрашивал Дэнни. — Что там?

Повсюду машины, свет с хлопковых полей льется такой яркий, будто от воды отражается.

— Черные грузовики.

— Где?

Машины проносились мимо так быстро, что ему все казалось, будто он то ли забыл что-то, то ли потерял что-то очень нужное.

— Гляди, гляди, гляди!

— Этот грузовик — зеленый.

— Нет, не зеленый — вон еще! — торжествующе воскликнул Фариш. — Смотри, еще один!

У Дэнни колотилось сердце, башку сдавливало, ему хотелось огрызнуться — ну и хер ли с того, но он побоялся взбесить Фариша и потому промолчал. Прыгать через заборы, носиться по чистеньким дворикам, где стоят грили для барбекю — до чего же нелепо. От такой дикости у него голова шла кругом. Вот она, точка, после которой нужно прийти в себя, проспаться, сказать себе стоп, развернуть тачку, изменить жизнь — круто и навсегда, но вот в это Дэнни как раз всегда слабо верил.

— Смотри, — Фариш с размаху шлепнул рукой по приборной доске — Дэнни чуть из штанов не выскочил. — А вот тот и ты заметил, я же вижу. Мобилизуются грузовики-то. Готовятся к наступлению.

Везде свет, так много света. Черные точки, мельтешение. Он перестал понимать, что такое машина.

— Мне нужно остановиться, — сказал Дэнни.

— Чего? — спросил Фариш.

— Я не умею водить.

Говорил он теперь визгливо, истерично, мимо со свистом проносились машины, разноцветными сгустками энергии, многолюдными снами.

Они остановились на парковке возле "Белой кухни", Дэнни уткнулся лбом в руль и старался дышать поглубже, а Фариш, изо всех сил молотя кулаком по раскрытой ладони, объяснял ему, что слабеешь-то не от мета, слабеешь от того, что ничего не ешь. Вот Фариш поэтому-то и не тощает. Хочет он есть, не хочет он есть, а питается он регулярно.

— Но ты, ты прямо как Гам, — говорил он, ощупывая бицепс Дэнни. — Ты про еду забываешь. Поэтому и худой, как соломинка.

Дэнни уставился на приборную доску. Выхлопные газы, тошнота. Не очень-то весело было думать о том, что у них с Гам есть хоть что-то общее, но ведь и правда — он такой же смуглый и скуластый, такой же худощавый и угловатый, из всех внуков он один на нее и похож. Раньше это ему в голову не приходило.

— Ну-ка, — сказал Фариш, приподняв зад, проворно вытащив бумажник — рад помочь, рад научить. — Я знаю, что тебе нужно. Кока-колы да горячий сэндвич с ветчиной. Сразу полегчает.

Он задергал ручку двери, кое-как выбрался наружу (бодро покачиваясь на затекших ногах, будто старый морской волк) и пошел в кафе за кока-колой и горячим сэндвичем с ветчиной.

Дэнни остался сидеть в тишине. В нагретой машине было некуда деться от духовитого, крепкого запаха Фариша. Меньше всего Дэнни сейчас хотелось жевать горячий сэндвич с ветчиной, но придется, видать, съесть через силу. Перед глазами у него так и стояла девчонка, мельтешила черным отсветом, самолетной дорожкой — темноголовое пятно, движущаяся цель. Но вот чего он никак не мог забыть, так это лица старой дамы, которая стояла на крыльце. Когда он проезжал мимо того дома (мимо ее дома?), казалось, будто вокруг все замедлилось, старуха скользнула по нему невидящим взглядом (а глаза у нее властные, полные света), и на Дэнни так и нахлынуло, так и свело живот от узнавания. Потому что он знал эту старуху — знал хорошо, но помнил плохо, будто давно позабытый сон.

Фариша было хорошо видно в окне забегаловки, он навалился на стойку, трепался с худышкой-официанткой, которая ему нравилась. Официантки в "Белой кухне" почтительно выслушивали дикие байки Фариша, может, потому что его боялись, а может, потому что боялись потерять клиента, а может, просто по доброте душевной, но их, казалось, ничуть не раздражали ни его космы, ни его бельмо, ни его утомительное всезнайство. Даже когда он повышал голос и начинал взбудораженно размахивать руками, подчас смахивая со стола кофе, они всегда вели себя вежливо и невозмутимо. Фариш в свою очередь старался не сквернословить в их присутствии, даже если торчал так, что у него мозги из ушей лезли, а на Валентинов день даже принес им букет цветов.

То и дело поглядывая на брата, Дэнни вылез из машины и обошел ресторан — за высохшими кустами стояла телефонная будка. Половина страниц в справочнике была выдрана, ему повезло, что ближе к концу, и Дэнни трясущимся пальцем принялся водить по списку фамилий на букву "К". На почтовом ящике было написано — "Клив". И точно, вот оно, черным по белому: Марджин-стрит, Э. Клив.

Странно, но тут-то картинка и сложилась. Дэнни стоял в душной телефонной будке, и в голове у него все потихоньку выстраивалось. Они с этой старухой были знакомы, но так давно, что казалось, это все было когда-то в прошлой жизни. Ее в округе хорошо знали, потому что отец у нее был какой-то местный политикан и большая шишка и потому что у них была большая усадьба, которая называлась "Напасть". Дом, конечно, был знатный, но его уж сколько лет нет, одно название и осталось. На автостраде, недалеко от того места, где стоял дом, одно время работала дешевая забегаловка (на вывеске — дом с белыми колоннами), которая называлась "Стейк-хаус «Напасть»". Вывеска никуда не делась, но забегаловка теперь стояла заброшенная и заколоченная, таблички "Вход воспрещен" размалеваны граффити, а из стоявших возле входа кадок с растениями теперь торчали сорняки, как будто сама почва высосала из здания всю его новизну и мгновенно его состарила.

Когда он был маленьким (в каком точно классе, он не помнил, все школьные годы слились в одно унылое пятно), его пригласили в "Напасть" на праздник, день рождения. Это он крепко запомнил: огромные комнаты, жутковатые сумрачные комнаты с историей, с выцветшими обоями и тяжелыми люстрами. Старая дама — хозяйка дома — была бабушкой Робина, а Робин учился с Дэнни в одном классе. Робин был городской, и Дэнни, который часто слонялся по улицам, пока Фариш торчал в бильярдной, как-то раз, ветреным осенним вечером, увидел, что Робин играет возле дома. Сначала они просто стояли и смотрели друг на друга — Дэнни на дороге, Робин у себя во дворе, — настороженно, будто зверьки. Потом Робин сказал: “Мне нравится Бэтман”.

“Мне тоже нравится Бэтман”, — ответил Дэнни. И они побежали играть на улицу и разошлись по домам уже затемно.

Робин пригласил на праздник всех своих одноклассников (поднял руку, попросил разрешения и пошел по рядам, раздавая каждому конвертики с приглашениями), и поэтому Дэнни нашел, с кем добраться до дома Робина так, чтобы ни отец, ни Гам об этом не узнали. Такие ребята, как Дэнни, дни рождения не праздновали, и отец не хотел, чтоб Дэнни куда-то ходил, даже когда его приглашали (впрочем, его и не приглашали), потому что нечего его парням деньги тратить на всякие безделки, на подарки детишкам богатеев. Не было у Джимми Джорджа Рэтлиффа денег на такую ерунду. Бабка находила свои причины. Если Дэнни пойдет на праздник, то он потом окажется в долгу перед хозяевами, будет им “обязан”. Зачем принимать приглашения от городских, которые, небось, звали Дэнни только затем, чтоб над ним посмеяться — над его обносками, над его деревенскими манерами. У них семья бедная, он, Дэнни, “из простых”. Праздничные наряды да дорогущие торты — это не для них. Об этом бабка внукам напоминала без устали, нечего и бояться было, что кто-нибудь расслабится да забудет.

Дэнни думал, что праздник будет дома у Робина (уже достаточно шикарно), и обомлел, когда их под завязку набитый микроавтобус, за рулем которого сидела мать какой-то незнакомой ему девчонки, выехал из города, проехал мимо хлопковых полей, потом — по длинной аллее и вырулил к дому с колоннами. Не стоило ему приезжать. Хуже того, он и приехал без подарка. В школе он попытался было завернуть найденную машинку в тетрадный лист, но у него не было ленточки, и сверток был ни капли не похож на подарок, просто скомканный листок с домашкой.

Но никто как будто и не заметил, что он заявился без подарка, по крайней мере замечаний ему никто не сделал. Да и оказалось, что вблизи дом совсем не выглядит таким уж роскошным — так-то он вообще разваливался на части, ковры проела моль, штукатурка облупилась, и потолок был весь в трещинах. Хозяйничала на празднике бабушка Робина — тоже высокая, церемонная и грозная старая дама. Когда она отворила парадную дверь и нависла над ним, Дэнни до смерти испугался того, как прямо она держалась, какое черное и явно дорогое на ней было платье и как она хмурила брови. Говорила она резко и двигалась так же, по комнатам разносилось эхо от стука ее каблуков, такого хлесткого, ведьминского, что стоило ей появиться, и все дети умолкали. Но она вручила ему красивейший кусок белого торта на стеклянной тарелке, кусок с жирной кремовой розочкой и еще с буквой, с огромной розовой С из "С ДНЕМ РОЖДЕНИЯ". Она обвела глазами детей, которые столпились вокруг прекрасного стола, за которым она сидела, и протянула Дэнни (который мялся где-то в задних рядах) — в обход всех остальных — самый особенный кусок, с алой розой, как будто этот кусок она для Дэнни специально и приберегла.

Так значит, это и была та старая дама. Э. Клив. Сколько лет он ее не видел, сколько лет о ней не вспоминал. Когда загорелась "Напасть" — а в ночном небе пожар был виден на мили вокруг, — его мать с отцом мрачно, но втайне с удовлетворением покачали головами, как будто знали, что такому дому только и судьба, что сгореть. Они не могли не радоваться тому, когда богатые "получали по шапке", а уж Гам и вовсе хозяев "Напасти" терпеть не могла, потому что девчонкой собирала хлопок на их полях. Бывают такие спесивые белые — предатели собственной расы, говорил отец Дэнни, которые свысока смотрят на тех белых, которые оказались на мели, и для них они не лучше, чем побирушки-ниггеры.

Да, старая дама "получила по шапке", и от того, что в жизни вообще возможно упасть с таких высот, Дэнни делалось грустно, дико и неуютно. Семье Дэнни падать было особо и некуда. И Робин (щедрый, дружелюбный парнишка) умер, умер уже давным-давно, его убил то ли какой-то захожий извращенец, то ли какой-то вонючий бродяга, который прибрел в город по железной дороге, точно никто не знал. Тогда в понедельник в школе их учительница миссис Мартер (подлая толстозадая баба с бабеттой на голове, которая однажды заставила Дэнни целую неделю ходить в женском парике с желтыми волосами, наказала его за что-то, а за что, он и не помнил уже) перешептывалась с другими учителями в коридоре, и глаза у нее были красные, как будто она плакала. А после звонка она уселась за стол и сказала: “Класс, у меня для вас очень печальное известие”.

Почти все городские ребята уже обо всем знали, но Дэнни — еще нет. Поначалу он решил, что миссис Мартер просто наврала им с три короба, но когда она попросила их достать карандаши и цветной картон и нарисовать открытки для семьи Робина, он понял, что она не врет. На своей открытке он старательно нарисовал Бэтмана, Человека-Паука и Невероятного Халка — они все выстроились перед домом Робина. Он хотел нарисовать их в действии, чтоб они спасали Робина и крошили плохих парней, но художник он был никудышный, поэтому пришлось нарисовать их всех просто в анфас и выстроить рядком. Потом, подумав, он дорисовал еще и себя, сбоку. Ему казалось, что он подвел Робина. Их домработницы по воскресеньям обычно дома не было, но в тот день — была. Если б она не прогнала его тогда днем, глядишь, и Робин был бы жив.

Да и сам Дэнни боялся, что и ему недолго осталось. Отец частенько забывал про них с Кертисом, и они могли долго, до самой темноты слоняться по городу, да и некуда им было бы бежать, если б за ними погнался какой-нибудь извращенец, у них считай что не было ни дома, ни добрых соседей. Кертис прятался охотно, но не понимал, почему нельзя разговаривать, и его вечно приходилось затыкать. Хотя Дэнни все равно был рад, что они вдвоем, даже когда Кертис пугался и начинал захлебываться в кашле. Но хуже всего Дэнни приходилось по вечерам, когда оставался один. Он прятался в чужих сараях и кустах, сидел там как мышка, хватая ртом воздух и задыхаясь, и так досиживал до полуночи, когда бильярдная закрывалась. Тогда он выползал из своего укрытия и мчался по темным улочкам к ярко освещенной бильярдной, то и дело оглядываясь, стоило ему заслышать малейший шорох. И когда, побегав ночами по улицам, он так и не встретил никого очень уж страшного, он начал бояться еще сильнее, как будто убийца Робина был невидимкой или обладал скрытыми силами. Ему начали сниться кошмары про Бэтмана, они с ним стояли в какой-то пустой комнате, и вдруг Бэтман разворачивался и быстро-быстро, с горящими злыми глазами, несся прямо на него.

Плаксой Дэнни не был, отец такого не позволял даже Кертису, но однажды Дэнни не выдержал и разревелся прямо на глазах у всей семьи, удивив этим не только их, но и себя самого. Он никак не мог остановиться, и тогда отец грубо ухватил его за руку и предложил дать ему повод, чтоб было из-за чего плакать. А когда он выпорол его ремнем, Рики Ли зажал Дэнни в узком коридорчике трейлера. "Что, он твой любовник был?"

"Что, небось, жалеешь, что вместо него не помер?" — ласково спросила бабушка.

На следующий же день Дэнни в школе стал выдумывать себе всякие подвиги и ими хвастаться и таким странным способом попытался спасти свою репутацию. Сам-то он ничего не боялся, нет, он не трус — но все равно ему как-то тошно делалось от того, что его печаль превратилась в ложь и похвальбу и что в чем-то он Робину даже завидовал, хотя, можно подумать, у Робина в жизни были одни праздники, торты да подарки. А так, конечно, Дэнни в жизни нелегко приходилось, но он хоть был жив.

Звякнул колокольчик над дверью, Фариш вышел на парковку, держа в руках промасленный бумажный пакет. Увидев пустую машину, он остановился как вкопанный.

Дэнни осторожно вышел из будки — никаких резких движений. Фариш в последнее время вел себя так непредсказуемо, что Дэнни уже начало казаться, будто тот взял его в заложники.

Фариш повернулся к Дэнни, глянул остекленевшими глазами.

— Ты что там делаешь? — спросил он.

— А, да все в порядке, просто справочник листал, — сказал Дэнни и быстро пошел к машине, стараясь сохранять на лице спокойное приветливое выражение.

Теперь Фариш мог сорваться с катушек от всякой мелочи, вот только вчера вечером он увидел что-то по телевизору и так расстроился, что шарахнул по столу стаканом молока и разбил его вдребезги. Фариш агрессивно уставился на Дэнни, проводил его взглядом.

— Ты не мой брат.

Дэнни замер, взявшись за ручку двери.

— Что?

Безо всякого предупреждения Фариш накинулся на него и ударом свалил с ног.

Когда Гарриет вернулась домой, мать была наверху, разговаривала с отцом по телефону. Чем это может обернуться, Гарриет не знала, но вряд ли чем-то хорошим. Подперев подбородок ладонями, она уселась на лестнице и стала ждать. Так она просидела долго — с полчаса или около того, но мать так и не вышла, и тогда Гарриет, отталкиваясь от ступеней пятками, вползла повыше, потом еще выше и наконец добралась до самого верха лестницы, так что полоска света из-под двери материнской спальни оказалась у нее ровно за спиной. Замерев, она изо всех сил старалась подслушать разговор. Голос матери (хрипловатый шепоток) она вполне слышала, но слов ей разобрать не удалось.

В конце концов она сдалась и спустилась на кухню. Она до сих пор задыхалась, а в груди то и дело что-то болезненно дергалось. Сквозь окно над мойкой в кухню лился багрово-красный ошеломительный закат, каким он всегда бывает в конце лета, когда на смену ему приходят осенние бури. "Слава богу, что я не побежала обратно к Эди", — думала Гарриет, растерянно хлопая глазами. Она так запаниковала, что чуть не привела их прямо к Эди на порог. Эди, конечно, ничем не напугаешь, но все равно — она старая, и ребра у нее сломаны.

Замки у них дома все старые, с защелками, их взломать легче легкого. На парадной двери и на двери черного хода сверху были еще шпингалеты, но от них и вовсе не было толку. Шпингалет на двери черного хода Гарриет сломала сама, ей за это влетело. Она подумала, что замок заело, и навалилась на дверь всем телом, а теперь, уж сколько времени прошло, а он так и болтался на прогнившей раме и держался на одном-единственном гвозде.

Окно было открыто, дул зябкий ветерок. И наверху, и внизу — все окна открыты, подперты вентиляторами, окна открыты чуть ли не в каждой комнате. Стоило об этом подумать, и Гарриет будто в кошмарном сне очутилась — почувствовала себя голой, незащищенной. Кто ему помешает к ним залезть? Да и не станет он возиться с окнами, когда тут какую хочешь дверь вскрыть можно.

В кухню вбежала босая Эллисон, схватила телефон, как будто собралась кому-то звонить — пару секунд послушала, странно нахмурившись, потом нажала на рычаг и аккуратно положила трубку на место.

— С кем она разговаривает? — спросила Гарриет.

— С папой.

— До сих пор?

Эллисон пожала плечами, но было видно, что она встревожилась. Она опустила голову и выбежала из кухни. Гарриет нахмурилась, выждала еще минуту, а потом подошла к телефону и тихонько сняла трубку.

Было слышно, что работает телевизор.

— ...не должна тебя винить, — раздраженно говорила мать.

— Не глупи, — даже по тому, как отец дышал, было слышно, до чего ему скучно, до чего ему это все осточертело. — Не веришь — приезжай, сама убедишься.

— Я не хочу тебя ни к чему принуждать.

Гарриет тихонько нажала на рычаг и положила трубку. Она боялась, что они о ней разговаривают, но все обстояло куда хуже. И так было плохо, когда отец к ним приезжал — дома стоял шум, крик, и всех потряхивало от одного его присутствия, но его хотя бы чужое мнение волновало, и в присутствии Эди с тетушками он вел себя получше. Гарриет было спокойнее, когда она знала, что они тут, рядом, всего в паре кварталов. Да и дом у них был большой, всегда можно осторожно прокрасться мимо и потом почти весь день не попадаться ему на глаза. Но в Нэшвилле у него была маленькая квартира — всего пять комнат. Там от него не спрячешься.

Тут, словно в ответ на ее мысли, за спиной у нее раздался грохот — бабах! — и Гарриет так и подскочила, вскинув ладонь к горлу. Окно с грохотом захлопнулось, куча вещей (журналы, красная герань в глиняном горшке) свалилась на пол. Несколько жутких, как будто бы безвоздушных секунд (занавески не шелохнутся, ветерка нет и в помине) Гарриет глядела на разбитый горшок, на разлетевшиеся по линолеуму комья земли, потом подняла голову, боязливо оглядела темные углы. Отблеск заката на потолке был кровавым, страшным.

— Эй? — наконец прошептала она, обращаясь к влетевшему в комнату духу (доброму или злому, это уж как знать).

Ей казалось, будто кто-то за ней наблюдает. Но все было тихо, и, выждав еще несколько секунд, Гарриет развернулась и со всех ног бросилась вон из комнаты, как будто за ней гнался сам черт.

Юджин в купленных в аптеке очках для чтения тихонько сидел у Гам на кухне. При свете летних сумерек он читал замусоленную брошюрку под названием "Домашний сад: плодовые и декоративные растения", которую распространяла местная организация по развитию сельского хозяйства. С руки, которую укусила змея, бинты давно сняли, но вид у нее все равно был какой-то бесполезный — пальцы не гнулись и прижимали книжку к столу, будто пресс-папье.

Из больницы Юджин вернулся другим человеком. На него снизошло озарение, когда он лежал без сна и слушал, как разносится по коридору дурацкий смех из телевизора — блестящие шахматные клетки пола, все линии устремлены к белым двойным дверям, которые распахиваются вовнутрь, в вечность. Он молился ночи напролет, до самого рассвета, глядя на ледяные струнки света на потолке, дрожа в антисептической атмосфере смерти: гудение рентгена, механический писк кардиомониторов, каучуковые, крадущиеся шаги медсестер, всхрипы больного на соседней кровати.

Озарение на Юджина снизошло тройное. Во-первых, поскольку он был духовно не готов к тому, чтобы служить со змеями и не был на то помазан Господом, то Господь, милосердным своим возданием, поразил его и покарал. Во-вторых, не каждому — не каждому верующему, не каждому христианину — дано проповедовать Его слово, и Юджин заблуждался, полагая, что проповедничество (к которому он не был никоим образом пригоден) было единственной лестницей, по которой праведник мог взойти на небо. Похоже, что у Господа на Юджина были другие планы с самого начала — потому что Юджин не был оратором, у него не было ни образования, ни дара красноречия, ни той легкости, с какой многие его коллеги сходились с людьми, да и куда ему нести Слово Божие с такой метиной на лице, если люди вздрагивали и отшатывались от него при виде столь заметного свидетельства гнева Живого Господа.

Но если Джину не дано ни пророчествовать, ни проповедовать Писание, тогда что ему делать? Подай мне знак, молился он, лежа без сна на больничной койке, среди прохладных серых теней. Он молился и все чаще и чаще поглядывал на красные гвоздики, которые стояли в ребристой вазочке у постели его соседа, очень тучного, очень смуглого, очень морщинистого старика, который хватал воздух ртом, будто попавшаяся на крючок рыба. Ссохшимися руками, такими смуглыми, что казалось, будто они покрыты коричневой глазурью, он отчаянно теребил простенькое покрывало, и смотреть на это было невыносимо.

В их палате цветы были единственным пятнышком цвета. Когда Гам попала в больницу, Юджин специально заглянул к своему несчастному соседу, с которым он тогда даже и словом не перемолвился. Кровать была пустая, но цветы по-прежнему полыхали на тумбочке, будто вторя глубокой, красной, басовитой боли, которая пульсировала в его укушенной руке, и вдруг — пелена упала с его глаз, и Юджину открылось, что цветы и были тем знаком, о котором он молил. Господь сотворил эти крошечные живые создания, живые — как его сердце: хрупкую, тоненькую красоту с жилками и сосудами, которые посасывали воду из уродливой вазы, которые даже в темноте долины смерти источали милый слабенький гвоздичный аромат. И пока он размышлял обо всем этом, сам Господь заговорил с Юджином, в вечерней тишине раздался Его голос: "Насади сады мои".

И это было третье озарение. Тем же вечером Юджин перебрал все пакетики семян на заднем крыльце и посадил два рядка — капусты и репы — на влажном тенистом пятачке земли, где раньше груда старых тракторных покрышек стояла на куске черной пластиковой пленки. На распродаже в сельскохозяйственном магазине он купил два куста роз и посадил их посреди чахлой травы перед входом в бабкин трейлер. Гам, разумеется, к этому отнеслась настороженно, как будто, посадив эти розы, Юджин решил как-то заковыристо над ней подшутить. Несколько раз он видел, как бабка стоит во дворе и разглядывает жалкие кустики с таким видом, будто перед ней опасные лазутчики, паразиты и нахлебники, которые вот-вот оберут их до нитки.

— Ты мне скажи, — приговаривала она, таскаясь вслед за Юджином, пока он поливал розы и опрыскивал их от вредителей, — кто за ними доглядывать будет? Кто будет платить за эти дорогие брызгалки да удобрения? Кто их будет поливать, обтирать, кто за ними будет, не разгибая спины, ухаживать?

Она с видом мученицы глядела на Юджина подслеповатыми старческими глазками, как будто намекая, что уж, конечно, и это тяжкое бремя падет на ее плечи.

Скрипнула дверь трейлера, так громко, что Юджин аж подпрыгнул, и притащился Дэнни — грязный, небритый, с запавшими глазами и такой обезвоженный на вид, будто он много дней скитался по пустыне. Он так отощал, что джинсы висели у него на бедрах.

Юджин сказал:

— Выглядишь ты ужасно.

Дэнни резко глянул на него, потом плюхнулся за стол, обхватил голову руками.

— Ты сам виноват. Надо просто прекратить эту дрянь принимать.

Дэнни поднял голову. Пугающая пустота во взгляде. Внезапно он заговорил:

— Помнишь ту черноволосую девчонку, которая приходила в миссию, когда тебя змея ужалила?

— Ну да, — ответил Юджин, закрыв брошюрку и заложив страницу пальцем. — Помню. Фариш может направо и налево рассказывать какой угодно бред, ему и слова никто не скажет, но…

— Так, значит, помнишь.

— Да. И, кстати, раз уж ты об этом заговорил, — Юджин помолчал, думая с чего бы начать. — Девчонка от меня сбежала, — сказал он, — еще до того, как Фариш змею из окна выкинул. Мы когда с ней там стояли, она нервничала, и едва вопль раздался, ее и след простыл. — Юджин отложил брошюрку. — И вот еще что, дверь я закрыть не забыл. И наплевать, что там Фарш говорит. Когда мы вернулись, дверь была открыта, но…

Он отшатнулся, заморгал, разглядывая маленькую фотографию, которую Дэнни вдруг сунул ему прямо под нос.

— Ой, да это ж ты, — сказал он.

— Я… — Дэнни вздрогнул, уставился в потолок красными, воспаленными глазами.

— Где ты ее взял?

— Она подкинула.

— Куда подкинула? — спросил Юджин. — Это что за шум?

Снаружи кто-то громко завывал.

— Это кто там, Кертис? — Юджин вскочил.

— Нет… — Дэнни глубоко, судорожно вздохнул. — Фариш.

— Фариш?

Дэнни с грохотом оттолкнул стул, вскочил, дикими глазами оглядел кухню. Рыдания были надрывными, горловыми и такими горькими, будто плакал ребенок, только куда громче, как будто Фариш, всхлипывая, давился собственным сердцем.

— Боже мой, — выдохнул Юджин. — Ничего себе.

— Мне от него сейчас досталось, на парковке возле "Белой кухни", — сказал Дэнни.

Он показал Юджину грязные, ободранные ладони.

— Что случилось? — спросил Юджин. Он выглянул в окно. — А где Кертис?

У Кертиса были больные бронхи, дышать ему было тяжело, и его часто скручивало от затяжных приступов кашля, когда или он из-за чего-то расстраивался, или когда расстраивался кто-нибудь другой, из-за чего Кертис расстраивался еще больше.

Дэнни покачал головой.

— Не знаю, — ответил он, голос из-за наркотиков у него сделался хриплый, надсаженный. — До чертиков надоело бояться.

Юджин с изумлением увидел, что Дэнни вытащил из-за голенища грозного вида нож с крючковатым лезвием. Шумно брякнув его на стол, Дэнни многозначительно поглядел на Юджина мутными от передоза глазами.

— Вот моя защита, — сказал он. — От него.

Он завращал глазами — как кальмар, так что аж белки показались — и Юджин догадался, что Дэнни изображает Фариша.

Жуткие рыдания стихли. Юджин отошел от окна, уселся рядом с Дэнни.

— Ты себя губишь, — сказал он. — Тебе поспать надо.

— Поспать, — повторил Дэнни.

Он встал, будто собирался произнести речь, потом сел на место.

— Когда я была маленькая, — сказала Гам, вползая на кухню с ходунками, перекатывая их дюйм за дюймом, стук-стук-стук, — папа мой говорил, что если, мол, мужик сидит да книжку читает, что-то с ним неладно.

Она сказала это с доброй такой нежностью, как будто эта недалекая мудрость делала ее отцу честь. Брошюрка лежала на столе. Она взяла ее трясущейся старческой ручкой. Отставила подальше, оглядела обложку, перевернула, посмотрела, что написано сзади.

— Помогай тебе Господь, Джин.

Юджин глянул на нее поверх очков.

— Что такое?

— Ох, — ответила Гам, снисходительно помолчав. — Что же. Жаль мне тебя, что ты уж так размечтался. Уж как несправедлив мир к таким, как мы. И думать не хочу, сколько молодых-то профессоров из колледжей впереди тебя на бирже труда стоят, работы ищут.

— Ба, я что, просто почитать не могу?

Конечно, бабка не желала ему зла, она просто несчастная, сломленная старая женщина, которая всю жизнь трудилась не покладая рук и ничего не заработала, и у нее и надежды-то заработать не было, она и не знала, что это такое — надежда. Но почему она при этом думала, что и у ее внуков нет никакой надежды добиться хоть чего-то, Юджин не очень понимал.

— Я ее в конторе взял, ба, по сельскому хозяйству, — сказал он. — Бесплатно. Да и тебе б не помешало туда сходить, хоть разок. У них там есть книжки про то, как вырастить все что хочешь — хоть дерево, хоть овощ какой, хоть злак.

Дэнни все это время сидел тихонько, глядя перед собой застывшим взглядом, и вдруг вскочил. Его пошатывало, глаза остекленели. Юджин с Гам уставились на него. Он сделал шаг назад.

— Тебе очень идут эти очки, — сообщил он Юджину.

— Спасибо, — Юджин смущенно поправил очки.

— Очень идут, — сказал Дэнни. Глаза у него подернулись нездоровым возбуждением. — Вот так всегда и ходи.

Дэнни повернулся, колени у него подогнулись, и он рухнул на пол.

Сны, которым Дэнни сопротивлялся две недели подряд, одним махом обрушились на него, будто прорвавший плотину водопад, а вместе с ним в Дэнни полетел градом весь мусор, все обломки разных лет его жизни — так что Дэнни было снова тринадцать, и он лежал на койке в первую свою ночь в колонии для несовершеннолетних (бурые бетонные стены, огромный вентилятор покачивается на каменном полу, будто вот-вот взлетит), и в то же время ему было пять и он ходил в первый класс, ему было девять и мать лежала в больнице, он страшно по ней скучал и боялся, что она умрет, боялся пьяного отца в соседней комнате и, пока лежал без сна и трясся от ужаса, выучил названия всех специй, которые были нарисованы на занавесках, висевших у него тогда в спальне. Занавески были старые, кухонные, Дэнни до сих пор не знал, что такое кориандр или мацис, но коричневые буквы, прыгавшие по горчично-желтой хлопковой ткани, до сих пор стояли у него перед глазами (*мускатный орех, мацис, кориандр, гвоздика*), стоило произнести их как стишок, и у постели Дэнни возникал осклабившийся Кошмар в высоком цилиндре…

Дэнни метался на кровати — ему сразу было и пять, и девять, и тринадцать, и в то же время он был собой нынешним, двадцатилетним наркоманом с судимостью, с призрачным богатством в виде наркотиков брата, которые так и взывали к нему из тайника над городом — пронзительно, жутко, и водонапорная башня ему то и дело казалась деревом, с которого он как-то в детстве скинул щенка охотничьей собаки, чтобы посмотреть, что будет (щенок умер), а вина за то, что он хочет обокрасть Фариша, перечеркивалась, мешалась с постыдной ребяческой ложью о том, как он якобы разъезжал на гоночных машинах, как избивал и убивал людей, с воспоминаниями о школе, судах, тюрьме и гитаре, на которой отец запретил ему играть, потому что, мол, времени на это слишком много уходит (где эта гитара? Нужно ее найти, там его ждут, в машине, скорее-скорее, не то они уедут без него). Разные места, разные времена тянули его во все стороны, и он в замешательстве вертел головой туда-сюда. Он видел, как мать — мать! — заглядывает к нему в окно, и у Дэнни слезы наворачивались, когда он читал беспокойство на ее добром, оплывшем лице, но были и лица, от которых он в ужасе отшатывался. Как же отличить живых от мертвых? Кто-то глядел на него приветливо, кто-то — нет. И все они переговаривались с ним и друг с другом, хотя при жизни и знакомы не были, они входили и уходили огромными делегациями, трудно было понять, кто с кем пришел и что они все делают у него в комнате, где им не место, и их голоса мешались с дождем, барабанившим по жестяной крыше трейлера, и сами они были серыми и бесформенными, как дождь.

Юджин в странных дешевых очках, которые придавали ему ученый вид, дежурил у его постели. Иногда комнату озаряли всполохи молнии, и Дэнни видел, что посреди переменчивой людской круговерти с места не двигались только Юджин и его кресло. А иногда ему казалось, что в комнате никого нет, и тогда Дэнни подскакивал в кровати, боясь, что он умирает, что пульс остановился, что у него холодеет кровь и даже призраки его покинули…

— Лежи, лежи, — говорил Юджин.

Юджин. Винтиков у него в голове не хватает, но зато он — если не считать Кертиса — самый добрый из братьев. Фариш, тот перенял папашину злобу, которой в нем, правда, поубавилось с тех пор, как он себе башку прострелил. После этого он присмирел. А что до злобы, так больше всего ее досталось Рики Ли. Но уж в Анголе она ему, наверное, пригодилась.

На их отца, у которого были желтые козлиные глаза и побуревшие от табака зубы, Юджин был мало похож, зато он во многом напоминал их несчастную алкоголичку-мать, которая перед смертью бредила о том, что якобы Ангел Господень стоит босой у них на печной трубе. Красавицей она, царствие ей небесное, не была, и Юджин — тоже невесть какой красавец, с близко посаженными глазками и простецким носом картошкой — был весь в нее. Но очки эти как-то скрашивали его уродливый шрам.

Бу-ум — молния осветила его сзади голубым светом, под очками над левым глазом красной звездой засиял ожог.

— Видишь ли, — говорил он, зажав руки между коленей, — я не понимал, что нельзя отделить змея-искусителя от всего творения. А если кому это и удастся, о-о-о, того он укусит.

Дэнни изумленно глазел на него. Очки придавали ему умный, отстраненный вид, как у учителя, который тебе снится. После тюрьмы у Юджина появилась привычка говорить долгими, бессвязными пассажами (как будто он сидит в четырех стенах, говорит и никто его не слушает), и этим он тоже походил на мать, которая, бывало, каталась по кровати и разговаривала с людьми, которых только она и видела, и давала слово Элеанор Рузвельт, Исайе и Иисусу.

— Понимаешь, — говорил Юджин, — этот змей — слуга Господа, Он тоже его создал, понимаешь? Ной взял его на ковчег вместе с прочими тварями. Нельзя вот так взять и сказать, гремучая гадюка, мол, зло, потому что ее тоже сотворил Господь. Все есть добро. Он собственной рукой привел в этот мир и змея, и агнца.

Юджин скосил глаза в угол, куда свет не дотягивался, и Дэнни в ужасе засунул себе кулак в рот, чтобы не заорать, потому что там, под ногами у Юджина ползало, подергиваясь и извиваясь, черное, мертвящее существо из его давнего кошмара... впрочем, теперь тут и смотреть было не на что, существо казалось скорее жалким, чем страшным, но застарелый, тухлый, переменчивый привкус этого кошмара нес Дэнни неописуемый ужас, страшнее смерти — черные дрозды, черные мужчины, женщины и дети карабкаются наверх, к спасительному берегу, ужас и взрывы, мерзкий масляный вкус у него во рту и такой озноб, как будто у него все тело вот-вот развалится на куски, и сведенные судорогой мышцы и порванные сухожилия распадутся на черные перья и выбеленные кости.

Тем же утром, едва начало светать, Гарриет в панике вскочила с кровати. Что ее напугало, что за сон она видела, она уже и не помнила. За окном только-только забрезжил рассвет. Дождь перестал, в спальне было тихо и сумрачно. На кровати Эллисон горой свалены плюшевые медведи, из сугроба одеял таращится косоглазый кенгуру, но самой Эллисон не видно, одна длинная прядка подрагивает, трепещет на подушке, будто волосы утопленницы, которую вынесло к берегу.

В комоде кончились чистые футболки. Гарриет тихонько выдвинула ящик Эллисон и обрадовалась — в куче грязной одежды отыскалась отглаженная и аккуратно сложенная футболка, старая, герлскаутская. Гарриет поднесла ее к лицу, мечтательно понюхала — еще можно было различить слабый аромат Идиной стирки.

Гарриет надела ботинки, на цыпочках спустилась вниз. Тишина, только тикают часы, а грязь и беспорядок даже не кажутся такими уж гадкими в утреннем свете, который щедро сияет на перилах и пыльной столешнице красного дерева. С лестницы ослепительно улыбался школьный портрет матери: розовые губы, белые зубы, огромные сверкающие глаза, в удивленно расширенных зрачках вспыхивают — дзынь! — светлые звездочки. Гарриет прокралась мимо портрета, будто грабитель мимо датчиков движения — согнувшись, скрючившись, вбежала в гостиную и вытащила из-под кресла Иды пистолет.

Пистолет нужно было куда-то положить, и, порывшись в чулане, Гарриет отыскала плотный целлофановый мешок на завязках. Но оказалось, что в таком мешке пистолет все равно виден. Тогда она вытащила пистолет, плотно обернула его газетами и перебросила узел через плечо, точь-в-точь как в сказке про Дика Уиттингтона, который отправился в Лондон счастья пытать.

Едва она вышла за порог, как запела птица — нежная, звонкая, переливистая трель грянула у нее прямо над ухом, стихла и снова взметнулась ввысь. Август выдался жарким, но в утреннем воздухе ощущалось что-то прохладное, пыльное, похожее на осень, циннии у миссис Фонтейн во дворе — красные, жарко-оранжевые и золотые шутихи — клонились к земле, на встрепанных головках увядали, бурели лепестки.

На улице было пустынно и тихо, одни птицы надрывались с полоумным оптимизмом, но так, будто заодно и звали на помощь. На пустом газоне жужжала поливалка, освещенные веранды уходили вдаль долгой перспективой, и казалось, что даже жалкий стук ее ботинок разносится эхом на многие мили вокруг.

Роса на траве, тянутся черные и широкие мокрые улицы, и кажется, что нет им конца. Чем ближе она подходила к железнодорожным складам, тем меньше становились газоны, дома делались все беднее и все теснее жались друг к другу. В паре улиц от нее с ревом промчалась машина — куда-то в сторону итальянского квартала. Скоро неподалеку начнутся тренировки у чирлидеров, в тенистом парке возле старой больницы. В последнее время по утрам Гарриет часто слышала, как они там кричат и горланят.

Дальше, за Натчез-стрит, тротуары были бугристые, растрескавшиеся и очень узкие, от силы в фут шириной. Гарриет шла мимо заколоченных домов с просевшими ступеньками, мимо дворов с проржавевшими газовыми баллонами, мимо давно не стриженных газонов. Рыжая чау-чау наскакивала на дребезжащий сетчатый забор, шерсть у нее свалялась и торчала колтунами, в сизой пасти белели зубы: ам, ам! Собака злобилась, но Гарриет было ее все равно жаль. Вид у нее был такой, будто ее в жизни ни разу не мыли, а зимой хозяева выставляли ее на улицу с одной алюминиевой плошкой замерзшей воды.

Дальше — за конторой, где выдавали продуктовые талоны, за сгоревшей бакалеей (в нее ударила молния, заново отстраивать не стали), Гарриет свернула на тропинку, которая вела к железнодорожным складам и водонапорной башне. Она еще не очень понимала, зачем она туда идет и что будет делать — лучше сейчас и не думать об этом. Гарриет старательно глядела себе под ноги, мокрый гравий был усыпан черными палками и сломанными ветками, которые нанесло сюда вчерашней бурей.

Когда-то давно из водонапорной башни качали воду для паровозов, но был ли от нее теперь какой-нибудь прок, Гарриет даже и не знала. Пару лет назад она залезала на башню — вместе с мальчишкой по имени Дик Пиллоу, чтобы посмотреть, далеко ли оттуда видно, оказалось — далеко, почти до самой федеральной трассы. От вида у нее дух захватило: на веревках полощется белье, островерхие крыши похожи на целое поле корабликов оригами, зеленые крыши и красные крыши, крыши черные и серебристые, черепичные, медные, просмоленные, жестяные — раскинулись у них под ногами, в прозрачной сонной дали. Они как будто в чужой край заглянули. Вид был игрушечный, невсамделишный, Гарриет он напомнил картинки с видами восточных стран — Китая, Японии. За крышами ползла речка, посверкивая рябыми желтыми водами, и расстояния казались такими огромными, что легко верилось — там, внизу, за горизонтом, за грязной речкой, свившейся драконьим хвостом, жужжит, пощелкивает, позвякивает миллионом колокольцев заводная, блестящая Азия.

Вид так захватил ее, что на бак она почти и не смотрела. А теперь, как ни силилась, не могла припомнить, что там наверху и как этот бак устроен — вроде бы он деревянный, а дверь врезана в крышу. Ей смутно помнилось, что там был какой-то квадрат фута в два, с петлями и ручкой, какие бывают на кухонных шкафчиках. Конечно, воображение у нее было такое живое, что Гарриет никогда точно не знала, что она запомнила, а что — додумала сама, но чем больше Гарриет размышляла о Дэнни Рэтлиффе (как настороженно он себя вел, как беспокойно озирался по сторонам), тем больше она убеждалась — он или прятал там что-то или хотел спрятаться сам. Но чаще всего она вспоминала, с каким рассеянным, расфокусированным волнением он глянул на нее и как его взгляд тотчас же вспыхнул, будто ударивший в сигнальное зеркальце луч солнца, запрыгал, будто отсылая закодированное сообщение: распознание, тревога. Неизвестно как, но он узнал, что она там, она попала в его поле сознания, и странно, конечно (у Гарриет мурашки по коже побежали, когда она это поняла), но Дэнни Рэтлифф оказался единственным человеком, кто, впервые за долгое время, по-настоящему внимательно на нее поглядел.

Залитые солнцем рельсы переливались, как темная ртуть, высовывались серебристыми артериями из стрелочных крестовин, старые телеграфные столбы обросли кудзу и диким виноградом, за ними высилась выбеленная солнцем водонапорная башня. Гарриет осторожно пошла к ней по заросшей травой площадке. Она все кружила в футах десяти от башни, вокруг ее ржавых металлических подпорок.

Наконец, нервно оглянувшись (машин нет и вдали их тоже не слышно, все тихо, только птицы кричат), она подошла к башне и оглядела лестницу. Нижняя скоба оказалась выше, чем она предполагала. Очень высокому мужчине, наверное, не пришлось бы подпрыгивать, а вот всем остальным без этого никак. Два года назад, когда они тут были с Диком, Гарриет первой залезла на лестницу, встав ему на плечи, а Дику, чтобы дотянуться до скобы, пришлось балансировать на сиденье велосипеда.

Сквозь щебенку пробивались одуванчики и пучки пожухлой травы, сверчки заходились от стрекота — они как будто знали: лету конец, им скоро умирать, и надрывались так, что утренний воздух будто рябил, дрожал как в лихорадке. Гарриет осмотрела подпорки: металлические двутавровые балки, через каждые два фута — овальные отверстия, которые кверху слегка сужались. Выше начинались дополнительные опоры — скрещенные металлические брусья. Если она сумеет вскарабкаться по передней балке до нижней опоры (лезть надо было высоко, но прикидывать расстояния на глаз Гарриет никогда не умела), то, может, и получится проползти по ней до лестницы.

Она храбро полезла наверх. Порез на левой руке зажил, но она все равно побаливала, поэтому Гарриет пришлось перенести упор на правую. Отверстия были небольшими, но ей удавалось, хоть и с трудом, просунуть в них пальцы или поставить ногу.

Пыхтя и задыхаясь, Гарриет лезла вверх. Продвигалась она медленно. Балка была покрыта толстым слоем ржавчины, от которой на руках у нее оставались кирпично-красные полосы. Она не боялась высоты и любила забраться повыше, ощущая только лихую радость, но тут держаться было особо не за что, и каждый дюйм давался ей с огромным трудом.

“Даже если упаду, — думала она, — насмерть не разобьюсь”. Гарриет, случалось прыгать (и падать) с большой высоты — с крыши сарая, с толстой ветки пеканового дерева у Эди во дворе, с лесов на пресвитерианской церкви — и она ни разу себе ничего даже не сломала. Но теперь она залезла так высоко, что ее было издалека видно, и Гарриет вздрагивала от каждого шороха снизу, от любого треска и птичьего крика, отводила взгляд от проржавевшей балки и озиралась по сторонам. В балку она почти упиралась носом, и с такого расстояния она казалась ей целым миром, пустынной поверхностью ржаво-красной планеты…

У нее начали неметь руки. Иногда, когда Гарриет играла в перетягивание каната, или, например, забиралась по канату в спортзале, или свисала с высокого турника, на нее вдруг накатывало странное желание разжать руки, рухнуть наземь, и теперь оно снова на нее нахлынуло. Но она карабкалась все выше и выше, стиснув зубы, изо всех сил цепляясь за балку саднящими кончиками пальцев, а в голове у нее вертелся и перекатывался старинный — детский — стишок:

Мистер Чэнь, китаец чинный,
На голове носил корзину,
Палочками тыкал в плошку,
Ножницами ел как ложкой…

И — последний рывок, она ухватилась за нижнюю перекладину, подтянулась, вскарабкалась на нее. Мистер Чэнь! Он был нарисован в книжке со стишками — остроконечная китайская шапочка, усы-ниточки, узкие, коварные азиатские глаза. Гарриет в детстве страшно его боялась, в основном из-за того, как угрожающе он держал на картинке длинные ножницы, как насмешливо улыбался тонкогубым ртом…

Гарриет замерла, оценивая ситуацию. Теперь самое опасное — развернуться на такой высоте, перелезть на соседнюю перекладину. Глубоко вздохнув, она приподнялась, перебросила ногу через железный брус.

Земля накренилась, резко качнулась в ее сторону, и на миг Гарриет показалось, что она все-таки свалилась. Но оказалось — нет, сидит верхом на перекладине, обхватив ее руками и ногами, будто ленивец. Вот теперь она высоко залезла, вот теперь если упадет — точно шею сломает, и Гарриет закрыла глаза, передохнула немного, прижавшись щекой к шершавому железу.

Мистер Чэнь, китаец чинный,
На голове носил корзину,
Палочками тыкал в плошку…

Гарриет медленно открыла глаза, села, держась за перекладину. Ну и высоко же она забралась! Помнится, вот так она и сидела, верхом на ветке — шорты грязные, ноги в муравьиных укусах, — когда как-то раз залезла на дерево и не смогла слезть. Это было летом, после первого класса. Она тогда сбежала — из летней библейской школы, что ли? Сбежала и бесстрашно вскарабкалась на дерево, "что твоя белка!", воскликнул старик, который услышал, как Гарриет, сгорая со стыда, тихонечко зовет с высоты на помощь.

Гарриет медленно встала, хватаясь за перекладину, коленки у нее тряслись. Уцепившись за балку над головой, перехватывая ее руками, она медленно пошла по перекладине. Старика того она до сих пор помнила — горбатый, лицо плоское, покрытое полопавшимися сосудами, помнила, как он, вскинув голову, пытался разглядеть ее в густой листве. "Ты чья ж будешь?" — хрипло крикнул он ей. Он жил возле баптистской церкви, этот старик, в сером доме с лепниной, жил там совсем один. Теперь уж он давно умер, а от пеканового дерева у него во дворе остался один пенек. Как же он испугался, заслышав ее очень сдержанные крики ("Помогите… Помогите…"), которые неслись будто бы из ниоткуда, как заозирался, завертел головой, словно призрак его по плечу похлопал!

Она дошла почти до середины, где скрещивались опорные балки: стоять тут можно было только согнувшись. Гарриет снова оседлала перекладину, потянулась, ухватилась за балки с соседней стороны, там, где они снова расширялись. Пришлось скрючиться, да и руки у нее уже здорово затекли, поэтому, когда Гарриет, держась за балки дрожащими от усталости пальцами, соскользнула с перекладины, повисла в воздухе, рывком перебралась на другую сторону, сердце у нее бешено закувыркалось в груди…

Уф, удачно. Она поползла вниз, по нижней левой части огромного металлического креста, как будто дома скатывалась по перилам. Тот старик умер в страшных мучениях, об этом Гарриет даже вспоминать не хотелось. Его жестоко избили бейсбольными битами грабители, вломившиеся к нему в дом, а когда соседи наконец забеспокоились и решили его проведать, то он уже лежал мертвый, в луже крови.

Она добралась до соседней подпорки и остановилась передохнуть, отсюда уже можно было перебраться на лестницу. До нее можно было легко дотянуться, но Гарриет устала и ослабила бдительность. Она ухватилась за скобу — и тут ее ожгло ужасом, потому что нога соскользнула с перекладины и Гарриет только чудом удержалась на лестнице. И все. Гарриет еще и не поняла толком, что она в опасности, как опасность уже миновала.

Она зажмурилась, крепко вцепилась в лестницу, отдышалась. А когда открыла глаза, словно очутилась на веревочной лестнице, которая болтается под корзиной воздушного шара. Ей казалось, что вся земля огромной панорамой распростерлась прямо под ней, точь-в-точь вид из окон замка, как на обложке ее детской книжки со стихами, которая называлась "С высоких башен":

На стены замка лег закат,
Над ними горы в яркой сини;
Блистая, скачет водопад,
Лучится озеро в долине.[1]

Но сейчас не время было витать в облаках. Вдалеке прошумел самолет-опыливатель — Гарриет поначалу приняла его гул за рев автомобильного мотора и вздрогнула от страха. Она подняла голову и стала быстро-быстро карабкаться наверх.

Дэнни лежал не двигаясь, уставившись в потолок. Свет слепил, резал глаза, слабость была такая, будто его только-только отпустила лихорадка. Дэнни вдруг понял, что уже долгое время таращится на один и тот же лучик света. Откуда-то снаружи доносилось пение Кертиса, он все повторял нараспев какое-то слово, "мармелад",

1 Из поэмы Альфреда Теннисона "Принцесса" (1847), перевод Г. Кружкова.

что ли, а где-то совсем рядом раздавались странные ритмичные шлепки, как будто возле кровати чесалась собака.

Дэнни приподнялся на локтях — и вжался в стену, увидев, что в кресле Юджина сидит Фариш (руки сложены на груди, барабанит ногой по полу) и смотрит на него цепким, вдумчивым взглядом. Колено у него ходило ходуном, борода вокруг рта намокла, словно он или пил, захлебываясь, или жевал губы, так что слюна капала.

Какая-то птичка — синенькая такая, птичка-невеличка, каких по телику показывают — чирикала себе за окном. Дэнни повернулся и хотел было встать, но Фариш кинулся на него и толкнул в грудь.

— Э нет, — Дэнни обдало его жарким и гнилостным амфетаминовым дыханием. — Ты у меня щас попляшешь.

— Да хватит тебе, — устало отозвался Дэнни и отвернулся, — дай встану.

Фариш отпрянул — и на какую-то долю секунды их отец восстал из ада в языках пламени и, презрительно сложив на груди руки, уставился на Дэнни глазами Фариша.

— Закрой пасть, — прошипел Фариш и толкнул Дэнни, так что тот рухнул на подушки. — Помалкивай и слушай меня. Докладывать теперь будешь только мне.

Дэнни растерялся, замер.

— Бывал я на допросах, — сказал Фариш, — видал, какой дрянью там людей накачивают. Небрежность. Вот что нас погубит. Волны сна — это магнитные волны, — он постучал себя по лбу двумя пальцами, — понимаешь? Понимаешь? Они тебе весь мозг подчистую стереть могут. Ты подставляешься электромагнитному излучению, от которого у тебя всю систему ценностей перекосит на хер.

"Да он рехнулся", — подумал Дэнни. Фариш, часто-часто задышав, провел рукой по волосам — поморщился и затряс растопыренной ладонью, будто стряхивал что-то гадкое, склизкое.

— Ты мне тут не умничай! — взревел он, когда заметил, что Дэнни на него смотрит.

Дэнни опустил глаза и увидел Кертиса, тот заглядывал в трейлер с улицы, подбородком почти касался порога. Рот у него был вымазан чем-то оранжевым, как будто он играл с бабкиной помадой, а лицо — лукавое, довольное.

Обрадовавшись, что можно сменить тему, Дэнни улыбнулся Кертису.

— Привет, аллигатор, — сказал он и хотел было спросить, чем это у него рот перепачкан, но Фариш крутанулся на каблуках, вскинул руку — будто истеричный русский бородатый дирижер — и завизжал:

— Пошел вон пошел вон пошел вон!

Кертис тотчас же исчез — бум-бум-бум, скатился по металлической лесенке. Дэнни привстал, попытался незаметно выползти из кровати, но тут Фариш развернулся, наставил на Дэнни палец.

— Я тебе встать разрешал? Разрешал? — Лицо у него побагровело. — Дай-ка я тебе кое-что разъясню.

Дэнни послушно уселся обратно.

— Мы перешли на военное положение. Понял? Понял?

— Вас понял, — ответил Дэнни, догадавшись, что нужно говорить.

— Отлично. В системе есть четыре уровня, — Фариш принялся загибать пальцы. — Зеленый код. Желтый код. Оранжевый код. Красный код. Так, — Фариш воздел к потолку трясущийся палец, — что такое "зеленый код", ты можешь догадаться, исходя из своего опыта управления транспортным средством.

— Ехать? — наконец предположил Дэнни после странной, долгой, сонной паузы.

— Так точно. Так точно. "Движение разрешено по всем постам". Зеленый код — значит, все тихо, ты спокоен, внешние угрозы отсутствуют. А теперь слушай, — процедил Фариш, скрипя зубами. — Нет никакого зеленого кода. Зеленого кода не существует.

Дэнни разглядывал черные и оранжевые шнуры, лежавшие на полу спутанным комом.

— Забудь вообще про зеленый код и вот почему. Два раза я тебе повторять не собираюсь, — Фариш принялся нервно расхаживать по комнате, дурной знак. — Если объявлен код зеленый и на тебя нападут, от тебя мокрого места не останется.

Краешком глаза Дэнни заметил, как в раскрытое окно просунулась пухлая лапка Кертиса и на подоконнике появился пакетик конфет. Дэнни молча подвинулся, забрал подарок. Кертис радостно помахал в ответ, и рука тихонько исчезла.

— В настоящее время наш код — оранжевый, — сказал Фариш. — Оранжевый код означает — опасность установлена и находится в непосредственной близости, все внимание — на опасность, круглосуточно. Повторяю: круглосуточно!

Дэнни засунул конфеты под подушку.

— Чувак, да расслабься, — сказал он, — ты себя накручиваешь.

Он хотел сказать это как-то… ну да, полегче, но что-то ничего у него не вышло, и Фариш резко обернулся. Лицо у него сморщилось, скривилось от ярости, заалело, запульсировало, забагровело кровью.

— А знаешь что, — вдруг сказал он. — Поедем-ка мы с тобой прокатимся. Я твои мысли читаю, кретин! — заорал Фариш, что было сил стуча кулаком по виску. Дэнни глядел на него с ужасом. — Хер ты меня проведешь!

Дэнни на секунду зажмурился, снова открыл глаза. Ссать хотелось так, что моча в глазах стояла.

— Да ладно тебе, чувак, — умоляюще сказал он Фаришу, который кусал нижнюю губу, злобно уставившись в пол, — давай чуток полегче. Спокойно! — вскинул руки Дэнни, когда Фариш поглядел на него — расслабляться рано, слишком резко он поднял голову, слишком мутным и дерганым был его взгляд.

Дэнни толком и понять не успел, что случилось, как Фариш схватил его за воротник, врезал кулаком по зубам.

— Ишь ты! — прошипел он и, снова вцепившись в рубашку Дэнни, рывком поставил его на ноги. — Я тебя знаю как облупленного. Сучонок.

— Фариш…

У Дэнни в глазах потемнело от боли, он ощупал челюсть, подвигал ей туда-сюда. Хуже нет, когда доходит до такого. У Фариша было весовое преимущество фунтов в сто.

Фариш швырнул его на кровать.

— Обувайся. За руль ты сядешь.

— Ладно, — ответил Дэнни, потирая челюсть, — и куда едем?

Ну, если это у него вышло обиженно (а так оно и было), так это все потому, что куда они ни едут, так он всегда за рулем.

— Поумничай мне еще! — Фариш отвесил ему звонкую оплеуху. — Если я хотя бы унции товара недосчитаюсь… А ну сядь, я что, разрешал вставать?

Дэнни молча сел, натянул на липкие от пота босые ноги тяжелые ботинки.

— Молодец. И головы не поднимай, смотри под ноги.

В трейлере у Гам скрипнула дверь, Дэнни услышал, как она загребает тапками по гравию.

— Фариш! — позвала она внука тоненьким, сухим голоском. — Ты как там? Фариш?

Ну, как всегда, думал Дэнни, как всегда, если она о ком волнуется, так это о Фарише.

— Встал! — сказал Фариш.

Он ухватил Дэнни за локоть, подтащил к двери и вышвырнул его на улицу.

Дэнни полетел вниз головой со ступеней, приземлился лицом в грязь. Пока он вставал, отряхивался, у Гам ни один мускул на лице не дрогнул — стояла там, как ящерица, в тоненьком своем халате, одни кости да дубленая кожа. Потом медленно-премедленно повернула голову. Спросила Фариша:

— Что это на него такое нашло?

Стоявший в дверях Фариш как будто на дыбы вскинулся:

— Да уж вот такое! — проорал он. — Она тоже все видит! А-а, думал, сумеешь меня одурачить... — Фариш натужно, визгливо захохотал, — но ты даже бабку собственную, и ту одурачить не можешь!

Гам сначала оглядела Фариша, потом Дэнни — из-за укуса змеи глаза у нее теперь были вечно полуприкрыты, как будто ее в сон клонит. Она как будто невзначай ухватила Дэнни за руку, ущипнула его, до боли закрутила кожу пальцами, при этом совершенно не изменившись в лице.

— Ох, Фариш, — сказала она, — уж больно ты к нему строг, — но сказала она это так, будто на самом деле хотела намекнуть Фаришу, чтоб тот был с Дэнни построже, еще как построже.

— Ха! — завопил Фариш. — Это все они! — орал он, будто обращаясь к спрятанным на деревьях камерам. — Они и до него добрались! До родного моего брата!

— Да что ты такое говоришь? — нарушил Дэнни недобрую, напряженную тишину и сам поразился тому, до чего вяло и неискренне он это сказал.

Он растерянно попятился, потому что Гам, еле-еле шевелясь, принялась подыматься по ступенькам к Фаришу, который так и стоял в дверях, злобно зыркая и шумно сопя. Вонючие, жаркие, частые выдохи. Дэнни даже отвернулся, на бабку глядеть было тошно, потому что ясно видел, до чего злит Фариша ее медлительность, видел, как он бесится, как пучит глаза и кипятится, как нетерпеливо постукивает ногой — черт подери, да что ж она еле тащится-то?! Всем было ясно (всем, кроме Фариша), что стоит даже оказаться с ней в одной комнате (шорх… шорх…), как тут же прямо зудеть от раздражения начинаешь, с катушек слетаешь, стервенеешь, звереешь, но куда там, Фариш на Гам никогда не злился, он на других злобу свою вымещал.

Когда она наконец доползла до верхней ступеньки, Фариш уже побагровел и трясся, как паровой агрегат, который вот-вот взорвется. Бабка угодливо потянулась к Фаришу, тихонечко-тихонечко потрепала его по плечу.

— И неужто оно того стоит? — спросила она добреньким голоском, но вроде как намекая: стоит, конечно, стоит.

— А то! — взревел Фариш. — Пусть знает — нельзя за мной шпионить! Нельзя у меня воровать! И врать мне нельзя — не-е-ет, нет, — и он задергал головой, отмахиваясь от прикосновений ее легонькой, будто обтянутой пергаментом клешни.

— Ох, ох. Уж как бабушке жаль, что вы поладить меж собой не можете, — но, говоря это, она глядела на Дэнни.

— Меня не жалей! — провизжал Фариш. Он театрально закрыл Гам своим телом, как будто Дэнни сейчас на них накинется и всех поубивает. — Лучше его пожалей!

— Да никого я не жалею, — она протиснулась мимо Фариша, прошмыгнула в трейлер.

— Гам, не надо, — с отчаянием принялся умолять ее Дэнни, он, вытягивая шею, боязливо затоптался возле трейлера, глядя, как выцветший розовый подол ее халата исчезает в темной комнате, — Гам, пожалуйста, не ходи туда.

— Доброй ночи, — прошелестела она, — дай-ка постель тебе постелю…

— Да забудь ты про постель! — рявкнул Фариш, злобно поглядев на Дэнни так, будто это он был во всем виноват.

Дэнни кинулся в трейлер.

— Гам, не надо, — заметался он, — ну, пожалуйста.

Ну все, пиши пропало, верный способ довести Фариша до белого каления — это если бабка решала “прибраться” за Дэнни или Джином, хоть никто ее об этом и не просил. Как-то раз, давным-давно (вот уж чего Дэнни никогда не забудет), он заходит в трейлер, а там бабка методично опрыскивает его подушку и постельное белье средством от насекомых “Рейд”...

— Господи, а шторки-то какие грязные, — сказала Гам, прошаркав к Дэнни в спальню.

От двери наискосок протянулась длинная тень.

— Я с тобой разговариваю, — тихим, жутким голосом сказал Фариш. — А ну двигай сюда и слушай, что я тебе говорю.

Он резко ухватил Дэнни сзади за воротник, спустил его по ступенькам, швырнул лицом в пыль посреди замусоренного двора (колченогие плетеные стулья, пустые банки из-под пива, газировки, аэрозоли *WD*-40, земля так и усеяна шурупами, транзисторами, шестеренками, деталями от каких-то механизмов), и не успел Дэнни встать на ноги, как Фариш спрыгнул с лесенки и с размаху врезал ему по ребрам.

— Ну и куда это ты ездить повадился? — провизжал он. — А? А?

У Дэнни сердце ушло в пятки. Он что, во сне разговаривал?

— Сказал, значит, что поедешь счета отошлешь. А сам не отослал. Они еще потом два дня в машине валялись, а ты сам где-то шлялся и приехал, вон все шины в грязи до ободов, это ты по городу так ездил? На почту? Да?

Он снова пнул Дэнни. Дэнни перекатился на бок, сжался, прижал колени к животу.

— Реверс с тобой в доле?

Дэнни помотал головой. Рот у него наполнился кровью.

— Потому что я. Потому что я прикончу этого ниггера. Обоих вас порешу, — Фариш распахнул дверь “Транс АМа” с пассажирской стороны, затащил туда Дэнни.

— Ты поведешь! — проорал он.

Не очень понимая, как это он будет вести машину, сидя не за рулем, Дэнни принялся ощупывать расквашенный нос. “Слава тебе господи, что я не под кайфом, — думал он, утирая тыльной стороной ладони кровь, которая лилась отовсюду — изо рта, из разбитой губы, — слава богу, что я не под кайфом, а то б я сорвался, не выдержал бы...”

— Кататься? — радостно спросил Кертис.

Он прошлепал к машине, пробулькал, сложив трубочкой перемазанные оранжевые губы, — дрррр, дрррр! Увидел окровавленное лицо Дэнни, отшатнулся.

— Нет, малыш, — сказал Дэнни, — тебя мы не берем.

Но у Кертиса тотчас же исказилось лицо, и он, задыхаясь, кинулся наутек, едва Фариш распахнул водительскую дверь — щелк!

Свист.

— Ап, — сказал он, и не успел Дэнни опомниться, как на заднее сиденье вспрыгнули две немецкие овчарки Фариша.

Та, у которой кличка была Ван Зант, шумно задышала Дэнни прямо в ухо, дыхание у него было горячее, из пасти несло тухлым мясом.

У Дэнни свело живот. Плохи его дела. Собаки были дрессированными убийцами. Сука однажды сделала подкоп под конурой и накинулась на Кертиса, прокусила ему ногу через джинсы, да так, что потом пришлось везти его в больницу и швы накладывать.

— Фариш, не надо, — сказал Дэнни.

Фариш поднял спинку кресла, уселся за руль.

— Закрой пасть, — Фариш уставился в одну точку до ужаса неживыми глазами. — Собаки поедут с нами.

Дэнни принялся демонстративно охлопывать себя по карманам.

— Тогда мне бумажник мой нужен, если хочешь, чтоб я вел, — на самом деле ему нужно было оружие, хоть нож какой-нибудь.

В машине было жарко, как в печке. Дэнни сглотнул.

— Фариш, — сказал он. — Если хочешь, чтоб я вел, мне права взять надо. Дай я домой схожу, за правами.

Фариш откинулся на спинку сиденья, на секунду прикрыл глаза — замер, только веки подрагивают, как будто чувствует, что его вот-вот сердечный приступ хватит. Внезапно он подскочил, заорал:

— Юджин!

— Эй! — Дэнни пытался перекричать оглушительный лай, который несся с задних сидений. — Да не нужно его звать, давай я сам за ними схожу, ладно?

Он взялся за ручку двери.

— Эй, я все видел! — крикнул Фариш.

— Фариш…

— И это я тоже видел! — молниеносным движением Фариш сунул руку за голенище.

"У него там нож, что ли? — подумал Дэнни. — Супер".

Дэнни притих, задумался. От жары у него перехватывало горло, все тело саднило от боли. Что бы такого придумать, чтоб Фариш снова на него не набросился?

— Я не смогу отсюда вести машину, — наконец сказал он. — Я сейчас выйду, схожу за бумажником, а потом мы поменяемся местами.

Дэнни внимательно следил за братом. Но Фариш на мгновение отвлекся, задумался о чем-то другом. Он развернулся, и овчарки теперь облизывали ему лицо.

— Вот эти псы, — угрожающе сказал он, уворачиваясь от бурных проявлений их любви, — эти псы мне роднее любого человека. Этих вот собак я больше всех на свете люблю.

Дэнни выжидал. Фариш лизался и обнимался с собаками, сюсюкал что-то неразборчивое. Прошла минута-другая (никакого шику, конечно, в форменном почтовом комбинезоне нет, но есть у него и свои плюсы — спрятать пистолет, например, Фариш в таком наряде никуда не мог), Дэнни открыл дверь, вылез из машины и пошел к трейлеру.

Чпокнула дверь бабкиного трейлера, будто холодильник открылся. Юджин высунул голову наружу:

— Скажи ему, чтоб не разговаривал со мной таким тоном.

Взревел клаксон, овчарки вскинулись, захлебываясь лаем. Юджин приспустил очки на кончик носа, покосился в сторону машины.

— А вот собак в машину ты зря пустил, — сказал он.

Фариш вскинул голову, проорал:

— А ну вернись! Живо!

Юджин вздохнул, потер затылок. Еле шевеля губами, произнес:

— Если не засадить его снова в Уитфилд, он точно кого-нибудь убьет. Он утром грозился меня сжечь заживо.

— Чего?

— Ты спал, — Юджин со страхом взглянул за спину Дэнни, туда, где стоял "Транс АМ", — уж неизвестно, что там в машине вытворял Фариш, но Юджин, увидев это, здорово занервничал. — Вытащил зажигалку, сказал, что теперь до конца мне лицо выжжет. Не надо с ним никуда ехать. Только не с собаками. От него не знаешь, чего ждать.

Фариш все орал из машины:

— Дождешься, я сам за тобой приду!

— Слушай, — Дэнни нервно оглянулся на “Транс АМ”, — позаботься о Кертисе. Обещаешь?

— Почему? А ты куда собрался? — Юджин пристально поглядел на него. Потом отвернулся.

— Нет, — заморгал он, — нет, не говори ничего, не надо…

— Считаю до трех, — провизжал Фариш.

— Обещаешь?

— Обещаю, Богом клянусь.

— Раз!

— Гам не слушай, — сказал Дэнни, стараясь перекричать вой клаксона. — От нее проку никакого, она от чего хочешь охоту отобьет.

— Два!

Дэнни положил руку Юджину на плечо. Быстро оглянулся в сторону машины (увидел только собак, которые молотили хвостами по стеклам), сказал:

— Будь другом. Постой тут минутку, не пускай его.

Он юркнул в трейлер, схватил с полки за телевизором маленький бабкин револьвер 22-го калибра, задрал штанину и засунул его, дулом вперед, себе за голенище. Револьвер Гам обычно держала заряженным — Дэнни, по крайней мере, очень на это надеялся, некогда ему было сейчас возиться с пулями.

Снаружи послышались тяжелые, поспешные шаги. Юджин сказал испуганным фальцетом:

— Не смей поднимать на меня руку!

Дэнни расправил штанину, открыл дверь. Начал было оправдываться (“мой бумажник”, мол), но Фариш схватил его за воротник.

— От меня не убежишь, сынок, даже не пытайся.

Он вытащил Дэнни из трейлера, поволок к машине. На полпути к ним подбежал Кертис, попытался обнять Дэнни за талию. Кертис плакал — точнее, кашлял и захлебывался, хватая ртом воздух, у него это всегда начиналось, когда он расстраивался. Дэнни, который, спотыкаясь, бежал за Фаришем, изловчился, вытянул руку, погладил его по голове.

— Беги домой, малыш, — крикнул он ему. — Веди себя хорошо…

Юджин стоял в дверях трейлера, провожал их тревожным взглядом, бедняга Кертис теперь рыдал в голос, аж надсаживался. Дэнни заметил, что рука у него теперь тоже перепачкана чем-то оранжевым, там, где Кертис пытался ее целовать.

Цвет был вульгарный, броский, на миг Дэнни аж обмер. "Не смогу, устал очень, — думал он, — уж очень я устал". Но не успел он и опомниться, как Фариш уже затолкал его на водительское сиденье "Транс АМа".

— Поехали, — сказал он.

Башня здорово обветшала с тех пор, как Гарриет была тут в прошлый раз, из посеревших, пыльных досок торчали гвозди, а там, где дерево усохло и растрескалось, — темные прогалины. И повсюду — толстенькими белыми крючками и загогулинами — был щедро рассыпан птичий помет.

Стоя на лестнице, Гарриет внимательно оглядела крышу башни. Осторожно перелезла на нее, стала карабкаться наверх, и тут — у нее сердце в груди оборвалось — одна доска со скрежетом резко провалилась у нее под ногой, будто клавиша пианино.

Очень, очень осторожно Гарриет сделала огромный шаг назад. Скрипнув, доска встала на место. С колотящимся сердцем Гарриет сползла к самому краю бака, там, возле перил, доски казались поплотнее. И отчего тут такой странный, такой разреженный воздух? Это все высотная болезнь, которая мучила летчиков и альпинистов. Гарриет не знала, что именно значат эти два слова, но чувства ее они описывали очень точно: желудок у нее сжимался, а перед глазами мельтешили искорки. Вдали блестели в жарком мареве жестяные крыши. С другой стороны тянулся густой зеленый лес, где они с Хили так часто играли в войнушку, закидывая друг друга бомбочками из красной глины, — буйные, звенящие джунгли, маленький лиановый Вьетнам, куда они высадились.

Она дважды обошла бак. Двери не нашла. Подумала было, что ее тут и нет, но в конце концов разглядела — дождь и ветер так сгладили дверь, что она почти полностью слилась с крышей бака, только на ручке кое-где еще не до конца облупилась серебристая краска.

Гарриет опустилась на колени. Резко распахнула дверь (рукой, будто автомобильным дворником, пришлось очертить широкую дугу, петли заскрипели, как в фильме ужасов) и с грохотом ее уронила, так что доски под ногами затряслись.

За дверью — темнота, вонь. В затхлом воздухе висел тонкий комариный зуд. Солнечные лучи тоненькими — не толще карандаша — штырьками просовывались сквозь дыры в крыше, перекрещивались на пыльных балках, таких мохнатых, пыльцеватых, что в темноте они были похожи на стебли желтоцвета. Внизу — вода цвета моторного масла, густая, как чернила. У дальней стены смутно виднелся плававший на боку раздутый трупик какого-то животного.

Вниз вела шаткая железная лесенка, наполовину изъеденная ржавчиной, футов в шесть длиной — до воды она не доходила всего чуть-чуть. Когда глаза у Гарриет привыкли к темноте, по телу у нее от волнения побежали мурашки — к верхней скобе лестницы был прилеплен изолентой какой-то сверток, что-то было замотано в черный пакет для мусора.

Гарриет попинала сверток носком ботинка. Немного поколебавшись, улеглась на живот, просунула вниз руку, пощупала пакет. Внутри было что-то мягкое, но плотное — не деньги, не пачки чего-нибудь, никаких острых углов или ровных линий, содержимое легко продавливалось пальцами, будто песок.

Пакет был обмотан толстым слоем изоленты. Гарриет и тянула за него, и дергала, вцепившись в сверток обеими руками, потом пыталась ногтями сковырнуть изоленту. Но наконец сдалась и просто-напросто разодрала пакет.

В пакете — что-то скользкое, холодное, на ощупь — неживое. Гарриет быстро отдернула руку. Из пакета посыпалась какая-то пыль, легла на воду перламутровой пленочкой. Гарриет уставилась на ломкие радужные круги (от яда? взрывчатки?), которые пошли по присыпанной порошком воде. Про наркотики она все знала (спасибо телевизору и цветным иллюстрациям в ее учебнике "Здоровье человека"), но там они были такие заметные, такие понятные: сигареты-самокрутки, шприцы, разноцветные таблетки. А может, это такая приманка, как в сериале "Облава", а по-настоящему ценный сверток спрятан где-нибудь еще, а это просто плотно обернутый пакет с… с чем?

В разорванном пакете поблескивало что-то гладкое, светлое. Гарриет осторожно раздвинула целлофан и увидела кучку загадочных белых мешочков, похожих на яйца, которые отложили огромные насекомые. Один пакетик шлепнулся в воду — Гарриет быстро отдернула руку — и теперь болтался там медузой, наполовину уйдя под воду.

На миг она даже перепугалась, решив, что мешочки — живые. В дрожащем водянистом свете, отражавшемся от стен бака, они как будто слегка пульсировали. Но потом Гарриет поняла, что это просто самые обычные целлофановые пакетики, набитые белым порошком.

Гарриет осторожно потрогала один пакетик (сверху четко виднелась синяя полосочка застежки), потом вытащила его, взвесила в руке. Порошок был белым — вроде соли или сахара — но совсем другой консистенции, будто кристаллизованное крошево, да и весил на удивление немного. Гарриет открыла пакетик, понюхала. Ничем не пахнет, разве что-то слегка — свежестью, чем-то похоже на чистящее средство "Комет", которым Ида отмывала ванну.

Да и какая разница, что это такое, главное, что это — его. Она с размаху швырнула пакетик в воду. Он закачался на воде. Гарриет посмотрела на него, а потом, даже не слишком раздумывая, что она такое делает и почему, залезла в черный пакет (горка белых мешочков, будто семена в коробочке), вытащила их наружу и лениво, по три-четыре штуки за раз — побросала все в черную воду.

Но стоило им тронуться с места, и Фариш позабыл о том, что его гложет — так, по крайней мере, казалось. Машина ехала по хлопковым полям, утренний воздух вокруг дрожал от зноя и пестицидов, и Дэнни то и дело нервно взглядывал на Фариша, который развалился на пассажирском сиденье и, мурлыкая, подпевал радио. Они еще даже на шоссе не вырулили, как Фариша перестало трясти от ярости и он заметно повеселел. Он закрыл глаза, глубоко и с наслаждением вздохнул, когда его обдуло прохладным воздухом из кондиционера, и вот теперь они летели по шоссе в город, слушая "Утреннее шоу" с Бетти Браунелл и Кейси Макмастерсом на БС-радио (Фариш частенько повторял, что название радио расшифровывается как “Бред Собачий”). На БС-радио гоняли только попсу, которую Фариш на дух не переносил. А теперь, поди ж ты, все ему нравилось, и он кивал головой, отстукивал ритм пальцами по колену, по подлокотнику, по приборной доске.

Да вот только стучал он слегка чересчур громко. И Дэнни нервничал. Чем старше становился Фариш, тем больше он делался похожим на отца — так же улыбался перед тем, как сказать какую-нибудь гадость, так же ненормально оживлялся — сыпал словами, лез с дружбой — ровно перед тем, как сорваться с катушек.

*Непосл*ух! *Непосл*ух! Однажды Дэнни произнес это слово в школе, *непослух*, любимое словечко его отца, а учитель сказал, что нет, мол, такого слова. Но у Дэнни в ушах до сих пор стоял безумный, дребезжащий отцовский голос: *непосл*ух! — ремень ударяет со свистом на ух!, а Дэнни не сводит глаз со своих рук: веснушчатые, пористые, иссеченные шрамами, с побелевшими костяшками, потому что он изо всех сил вцепился в столешницу. Дэнни очень хорошо изучил свои руки, очень — как что дурное с ним приключится, он принимался глядеть в них, будто в книгу. Они были его билетом в прошлое — к поркам, смертям, похоронам и неудачам, к издевательствам в песочнице и судебному приговору, к воспоминаниям, которые были куда реальнее, чем руль, чем улица.

Они выехали на окраину города. Проехали мимо тенистого парка возле старой больницы, где какие-то школьницы-чирлидерши, выстроившись буквой *V*, разом подпрыгивали: хэй! Они были без формы, даже футболки на них и те были разные, и поэтому, хоть двигались они слаженно и синхронно, все равно казалось, что вразнобой. Взлетают руки, будто семафоры, кулаки рубят воздух.

В любой другой день — в любой другой — Дэнни припарковался бы за старой аптекой да понаблюдал за ними в приватной обстановке. Он медленно ехал сквозь рваные тени, которые отбрасывали деревья, где-то на заднем плане мелькали стянутые в тугие хвосты волосы и загорелые руки и ноги, и вдруг его прошиб холодный пот. Впереди неожиданно возникло какое-то сгорбленное существо, одетое в черное и с мегафоном в руке, которое застыло посреди мокрой, хлюпающей тропинки и уставилось на него.

Существо было похоже на маленького черного гоблина — фута три, не выше, оранжевый клюв, оранжевые лапы — и почему-то казалось еще, будто оно вымокло до нитки. Когда они проехали мимо, существо вдруг порывисто обернулось и расправило черные крылья, как летучая мышь… и у Дэнни мурашки побежали по телу, потому что он уже видел где-то это существо, не то черного дрозда, не то гнома, не то дитя сатаны, потому что (хотя такого, конечно, быть никак не могло) он его помнил. А что самое странное — и существо помнило Дэнни. Он глянул в зеркало заднего вида и снова его увидел: черная фигурка с черными крыльями смотрит вслед машине, будто незваный посланник из преисподней.

Границы стираются. У Дэнни закололо кожу на голове. Тенистая дорога вдруг превратилась в конвейер из кошмарного сна, с обеих сторон их стала теснить слепящая темная зелень.

Он взглянул в зеркало. Существо исчезло.

И наркотики тут ни при чем, пока он спал, они все через пот вытекли, нет, просто река вышла из берегов, и вместе с ней всплыли со дна, поднялись на свет божий всякие отбросы и безобразный мусор, и сны, воспоминания, невысказанные страхи захлестнули его мир, будто в фильме-катастрофе. Дэнни (уже не в первый раз) охватило чувство, что этот день ему уже снился и что сейчас он едет по Натчез-стрит по направлению к тому, что уже однажды случилось.

Он потер рот. Надо отлить. После того как Фариш его отделал, у него все ребра ныли и болела голова, но думать он мог только о том, до чего же ему хочется ссать. А поскольку он еще и без дозы, то во рту у него стоял муторный, химический привкус.

Он украдкой поглядел на Фариша. Тот по-прежнему наслаждался музыкой — головой кивает, поет что-то себе под нос, барабанит костяшками по подлокотнику. Но сука-ищейка на заднем сиденье так вылупилась на Дэнни, будто знала, что у него на уме.

Он попробовал себя подбодрить. Юджин, конечно, проповедник хренов, но за Кертисом уж приглядит. Да и Гам с ними. От одного ее имени на Дэнни лавиной обрушились виноватые мысли, но хоть он изо всех сил старался отыскать в себе хоть капельку любви к бабке, все равно ничего к ней не чувствовал. Иногда, особенно если он слышал, как Гам кашляет у себя в трейлере посреди ночи, у него вставал в горле сентиментальный ком, и он начинал думать о том, сколько трудностей выпало на ее долю — и бедность, и тяжкий труд, и рак, и язвы, и артрит, и все остальное, но любовь к бабке просыпалась в нем только когда Гам была рядом, да и то изредка, а чтоб в ее отсутствие — нет, такого не бывало.

Да и какая разница? Дэнни так хотелось отлить, что казалось, у него сейчас глаза вытекут, он крепко зажмурился, снова открыл глаза. “Буду посылать домой деньги. Как только эту херь вывезу и обустроюсь…”

Есть ли у него другой путь? Нет. Никакого кроме задуманного, и путь этот лежит к домику на берегу реки в другом штате. Ему нужно сосредоточиться на этом будущем, вглядеться в него по-настоящему, переместиться в него плавно, без остановки.

Они проехали мимо старого отеля “Александрия”, у которого просело крыльцо и прогнили все ставни — поговаривали, что там привидения водятся, да и не удивительно, если учесть, сколько народу там померло, от него так и пышет, от отеля, этими стародавними смертями. И Дэнни хотелось вызвериться на всю Вселенную, которая забросила его сюда, в эту богом забытую дыру, в этот нищий штат, в котором денег не видали со времен Гражданской войны. Свою первую судимость Дэнни схлопотал даже не по своей вине, это все отец, который послал его своровать дорогущую электропилу *Stihl* из мастерской богатого фермера, старого немца, который неусыпно охранял свою собственность с оружием в руках. Ну и жалок же он был тогда, все ждал — прямо не мог дождаться, когда ж его из тюрьмы выпустят, считал денечки до возвращения домой, потому что не понимал тогда (и потому был куда счастливее), что раз попал в тюрьму — никогда из нее не выйдешь. Люди начинали относиться к тебе совсем по-другому, а у тебя то и дело случались рецидивы — как бывают, например, рецидивы малярии или запойного алкоголизма. И выход был только один — уехать куда-то, где тебя никто не знает, где никто не знает, из какой ты семьи, и пытаться начать жизнь с чистого листа.

Одинаковые дорожные знаки, одинаковые надписи. *Натчез, Натчез, Натчез*. Торговая палата, АЛЕКСАНДРИЯ — ВСЕ ТАК, КАК НАДО! “Нет, не как надо, — с горечью думал Дэнни, — все, черт подери, как не надо”.

Он резко свернул к железнодорожным складам. Фариш вцепился в приборную доску, с каким-то даже удивлением на него глянул.

— Ты куда едешь?

— Куда ты мне сказал, — ответил Дэнни, стараясь говорить как можно спокойнее.
— Я сказал?

Дэнни понял, что ему надо что-то ответить, но не знал, что сказать. Говорил ли Фариш про башню? Дэнни вдруг засомневался.
— Ты сказал, что хочешь меня проверить, — осторожно начал он — так, забросил удочку, просто чтоб поглядеть, что будет.

Фариш пожал плечами и, к удивлению Дэнни, снова откинулся на спинку сиденья, стал глядеть в окно. Когда они вот так в машине разъезжали, настроение у Фариша всегда улучшалось. Дэнни по-прежнему помнил, как Фариш тихонько присвистнул, когда Дэнни подкатил к нему на "Транс АМе". До чего же он любил водить машину, просто вот запрыгиваешь и — едешь! Первые пару месяцев они так до Индианы вдвоем катались, а однажды доехали до самого Западного Техаса — никаких дел у них там не было, да и смотреть в тех краях было не на что, одни ясные просторы да дорожные знаки проносятся над головами, а они тычут в радиоприемник, пытаются поймать какую-нибудь песню.
— Знаешь что, поедем-ка позавтракаем, — сказал Фариш.

Дэнни чуть было не отказался от своей затеи. Ему очень хотелось есть. Но тут он вспомнил, какой у него план. Он все обдумал, он все решил, другого выхода нет. Черные крылья помахали ему вслед, провожая за поворот, в будущее, которого он пока не видел.

Он не развернулся, не остановился. Машину обступали деревья. Они забрались так далеко от нормальной заасфальтированной дороги, что это уже даже и не дорога была, один щебень с выбоинами.
— Ищу где развернуться, — пояснил он и сам понял, какую чушь сказал.

Наконец он затормозил. До башни еще было идти порядком (дорога плохая, трава высокая, на машине туда соваться не стоит, а то и застрять можно). Собаки залаяли как бешеные, запрыгали, пытаясь перескочить на передние сиденья. Дэнни развернулся, как будто хотел вылезти из машины.
— Приехали, — глупо сказал он.

Он быстро вытащил пистолетик из ботинка и наставил его на Фариша.

Но Фариш на него даже не смотрел. Он отвернулся от него, привалившись брюхом к двери.

— А ну сидеть, — говорил он суке, которую звали Ван Зант, — сидеть, кому говорю.

Он вскинул ладонь, собака сжалась.

— На меня гавкаешь? На меня, значит, гавкаешь, непослух?

Ни на Дэнни, ни на пистолет он даже не взглянул. Чтобы привлечь его внимание, Дэнни покашлял.

Фариш вскинул грязную красную лапу.

— Притормози, — сказал он, даже не обернувшись, — погоди. Мне тут пса приструнить надо. Ты у меня в печенках уже сидишь, — хлоп ее по башке, — сука ты тупая, будешь мне тут выдрючиваться.

Они с собакой злобно уставились друг на друга. Сука прижала уши, глядела, не мигая, горящим желтым взглядом.

— Ну давай. Попробуй. Я тебя так отлуплю... Нет, ты погоди, — он опять отмахнулся от Дэнни и, слегка развернувшись в его сторону, нацелил на него бельмо. — Сейчас я эту сучку проучу, — слепой глаз казался холодным, синеватым, будто устрица. — Ну, давай, — сказал Фариш собаке. — Попробуй. И это будет первый и последний раз, когда ты...

Дэнни взвел курок и выстрелил Фаришу в голову. Вот так вот, просто и быстро: бах. Голова у Фариша дернулась, упала на грудь, челюсть отвисла. Он на удивление проворно потянулся к приборной доске, оперся на нее — и повернулся к Дэнни, здоровый глаз полуприкрыт, зато слепой — широко распахнут. Изо рта с хлюпаньем, кровавыми пузырьками, потекла слюна, Фариш был прямо как рыба, как сом на крючке — хлюп, хлюп.

Дэнни снова в него выстрелил, на этот раз попал в шею и в наступившей тишине, которая звенела и расходилась вокруг него гудящими кругами, выскочил из машины и захлопнул дверь. Все, дело сделано, назад дороги нет. Кровь брызнула ему на рубашку, Дэнни дотронулся до щеки, посмотрел на ржаво-красное пятно на пальцах. Фариш упал лицом на приборную доску, от шеи у него почти ничего не осталось, зато рот, из которого лилась кровь, еще шевелился. Соболь, тот пес, что поменьше, уперся передними лапами в спинку пассажирского кресла, а задними изо всех сил скреб по полу, пытаясь забраться хозяину на голову. Вторая же псина, паскудная сука по кличке Ван Зант, уже перебралась вперед. Опустив морду, она раза два крутанулась на месте, потом развернулась в другую сторону и шлепнулась на водительское сиденье, выставила черные уши, будто черт — рога. Поглядела на Дэнни волчьими глазами и начала гавкать. Лай был резкий, отрывистый, звонкий, и слышно его было по всей округе.

Сука била тревогу, считай "Пожар! Пожар!" орала. Дэнни отошел на шаг. Когда захлопали выстрелы, стайка птиц шрапнелью разлетелась в стороны. Теперь они снова потихоньку рассаживались на земле, на деревьях. Внутри машина была вся в крови, кровь была на лобовом стекле, на приборной доске, на окне с пассажирской стороны.

"Надо было позавтракать, — думал он в истерике. — Когда я ел в последний раз?"

Тут он понял, что на самом деле больше всего на свете ему нужно отлить, что ему с самого утра, с тех самых пор, как он проснулся, до ужаса хотелось только этого.

Невероятное облегчение навалилось на него, просочилось в кровь. "Все нормально", — думал он, застегивая ширинку, и тут…

Его красавица, его машина. Всего несколько минут назад она была как конфетка, хоть завтра на выставку, а теперь превратилась в место преступления из "Настоящего детектива"[1]. Внутри метались собаки. Фариш лежал, уткнувшись лбом в приборную доску. Выглядел он как-то очень естественно, даже расслабленно — как будто, например, уронил ключи и нагнулся за ними, только вот из головы у него хлестала кровь и на пол уже натекла огромная лужа. Все лобовое стекло было забрызгано кровью, кровь налипла маслянистыми, блестящими каплями, букетом остролиста от щедрой цветочницы. Соболь вертелся на заднем сиденье, молотил хвостом по окнам. Ван Зант уселась возле хозяина и все наскакивала на него — потычется ему носом в щеку, потом отскочит и снова напрыгнет — и все лаяла, лаяла, отрывисто, пронзительно, как будто… черт, она же собака, но все равно ни с чем не спутаешь эти настойчивые, тревожные звуки, один в один — крики о помощи.

Потирая подбородок, Дэнни в панике заозирался. Порыв, который заставил его спустить курок, вдруг испарился, а проблемы множились, вставали черной стеной, так что света белого уже

1 Американский журнал, посвященный обзорам кровавых, громких нераскрытых преступлений, издавался с 1924 года до 1990-х годов.

было не видно. За каким же хреном он застрелил Фариша в машине? Подождал бы пару секунд, так нет же, ему надо было побыстрее с этим разделаться, и он как идиот давай жать на спусковой крючок, вместо того чтоб дождаться подходящего момента.

Дэнни согнулся, уперся в колени руками. Он покрылся холодной испариной, его тошнило, сердце выскакивало из груди, он уже сколько недель питался кое-как, всякой дрянью — заливал "Севен-Апом" мороженое с печеньем, поэтому адреналиновый бодряк улетучился, а вместе с ним — и остатки сил, и теперь ему только и хотелось, что улечься на нагретую зеленую траву и закрыть глаза.

Он был как под гипнозом, не мог оторвать взгляда от травы, но наконец встряхнулся, распрямился. Ему бы чуток закинуться, и он будет как новенький — закинуться, господи ты боже мой, у него от одной мысли об этом слезы на глаза навернулись, — но он уехал с пустыми карманами, а теперь ему уж точно не хотелось открывать дверь и обшаривать труп Фариша, расстегивать-застегивать молнии на этом сраном старом комбинезоне.

Он, прихрамывая, подошел к капоту. Ван Зант рванулась к нему, с треском влетела мордой в лобовое стекло — Дэнни так и попятился.

Она снова зашлась лаем, а Дэнни на миг замер, закрыл глаза, постарался успокоиться, дышать поровнее. Не хотел он в это ввязываться, да ввязался. Поэтому теперь придется поостыть и все как следует обдумать, шажок за шажком.

Гарриет напугали птицы, которые вдруг подняли оглушительный гам. Они разом взвились, заметались вокруг нее, и Гарриет съежилась, закрыла глаза рукой. Штук пять ворон уселись совсем рядом, уцепившись когтями за ограждение вокруг бака. Они покосились на нее, потом ворона, которая сидела к ней ближе других, захлопала крыльями и улетела. Снизу доносился какой-то шум, как будто собаки гавкают, лают, аж заходятся. Но перед этим она как будто слышала какой-то другой звук, вроде как хлопок, еле различимый в дрожащей от ветра, белой от жары дали.

Гарриет, которая сидела на лестнице, свесив ноги в бак, замерла. Растерянно оглядываясь, она заметила другую ворону — вид у нее был разбитной, вредный, как у мультяшной птицы, ворона наклонила голову, ну прямо как будто собиралась что-то сказать, но тут снизу раздался еще один хлопок, и птица встрепенулась и улетела.

Гарриет прислушалась. Она встала на лестницу, высунувшись из бака по пояс, оперлась на край бака рукой и вздрогнула, потому что лестница заскрипела под ее весом. Она быстро выбралась обратно на крышу бака, на четвереньках подползла к самому краю и вытянула шею, стараясь получше все рассмотреть.

Внизу, на другом конце пустыря, ближе к лесу, толком и не разглядишь — стоял "Транс АМ". Птицы вернулись к просеке, стали пикировать вниз, снова запестрели на ветках, в кустах, на земле. Неподалеку от машины стоял Дэнни Рэтлифф. Стоял он к ней спиной, зажав уши руками, как будто кто-то на него кричал.

Гарриет пригнулась — он застыл в такой напряженной позе, что ей стало страшно, но тут до нее дошло, что она увидела, и она снова медленно подняла голову.

Так и есть, красные пятна. Капли брызгами разлетелись по лобовому стеклу, такие яркие, такие приметные, что они даже с такого расстояния в глаза бросались. За окном, в машине, за полупрозрачной сеткой капель угадывалось какое-то жуткое движение, там что-то билось, металось, вертелось. Но что бы это ни было, а Дэнни Рэтлифф тоже, похоже, боялся этой черной круговерти. Он медленно, рывками, как робот, отступал, пятился назад, будто в фильме, когда ковбоя подстрелили и он вот-вот упадет.

На Гарриет вдруг навалилась странная апатия, вялость. Она забралась так высоко, что отсюда все казалось каким-то незначительным, мелким, даже несущественным. Безжалостно светило белое солнце, и голова у нее кружилась от все той же воздушной легкости, из-за которой ей уже однажды хотелось разжать пальцы и камнем полететь вниз.

"Я влипла, — подумала она, — влипла здорово". Что верно, то верно, но прочувствовать это ей никак не удавалось.

Вдали, в лучах яркого солнца Дэнни Рэтлифф нагнулся и поднял с травы что-то блестящее, и у Гарриет сердце вдруг подкатило к горлу, потому что она поняла — не увидела, а просто поняла из-за того, как он эту штуку держал, что в руках у него пистолет.

Стояла такая жуткая тишина, что на какой-то миг Гарриет даже вообразила, будто слышит слабенькое уханье тромбонов, что это где-то далеко-далеко на востоке играет оркестрик Хили, и когда она глянула в ту сторону, ей даже почудилось, что там, в рябившей от зноя дали сверкнула золотая искорка, словно солнце ударило в литавры.

Птицы, везде эти птицы, черные каркающие воронки взрывов, словно шрапнель, словно радиоактивный ливень. Птицы — это дурной знак, это слова и сны, и законы, и цифры, вихри информации у него в голове, которая летает, кружится неразборчивыми загогулинами. Дэнни зажал уши и глядел на свое кривое отражение в забрызганном кровью окне, в засохшем водовороте красного Млечного Пути, и над головой у него тоненькой пленочкой теснились облака. Его мутило, он еле держался на ногах, ему бы в душ залезть и поесть нормально, ему бы домой, поспать. Сдалось ему это говно. Я брата пристрелил, а зачем? Потому что так ссать хотелось, что головой думать не мог. То-то Фариш бы поржал. Он вечно выискивал в газетах такую вот бредятину и гоготал, аж захлебывался — про алкаша, который ссал с эстакады, свалился на шоссе и разбился насмерть, про кретина, который посреди ночи проснулся от звонка телефона, схватил с тумбочки вместо трубки пистолет да и продырявил себе башку.

Револьвер валялся в траве у него под ногами. Дэнни с трудом нагнулся, поднял его. Соболь обнюхивал щеку и шею Фариша, толкаясь в него носом, будто ввинчиваясь — от чего Дэнни только сильнее замутило, а Ван Зант не сводила с Дэнни ярко-желтых глаз. Он только шагнул к машине, как она вскинулась и залаяла еще громче прежнего. Ну, рискни, открой дверь, как будто говорила она. Давай, рискни, открой-ка эту гребаную дверь, увидишь, что будет. Дэнни вспомнил, как Фариш тренировал псов на заднем дворе, как он обматывал руки одеялами и мешковиной и орал: “Фас! Фас!”, а по двору разлетались белые комочки ваты.

У Дэнни подгибались колени. Он потер рот, постарался взять себя в руки. Потом навел пистолет на желтый глаз Ван Зант, прицелился и выстрелил. В окне с хрустом распустилась дыра размером с серебряный доллар. Из машины послышались визг, вой, грохот, но Дэнни сжал зубы, нагнулся, просунул в дыру пистолет и выстрелил в суку еще раз, а потом, чуть вывернув руку, так чтобы целиться было сподручнее, пристрелил и второго пса. Выдернул руку и отшвырнул револьвер подальше.

Он стоял под жарким утренним солнцем и хватал ртом воздух так, будто только что милю пробежал. Хуже звуков, чем те, что сейчас неслись из машины, он в жизни не слыхивал: нечеловеческий визг, будто скрежет сломанных шестеренок, лязгающие всхлипы, которые звенели без передышки, и от этих звуков Дэнни всего корежило, казалось, если они прямо сейчас не заткнутся, он просто палки себе в уши воткнет…

Но они не затыкались, и так, пока Дэнни ждал, отвернувшись от машины, прошло как-то невероятно много времени. Наконец Дэнни доковылял до того места, куда он выбросил револьвер — собачий вой звенел у него в ушах. Угрюмо опустившись на колени, он принялся раздвигать жиденькие сорняки, спиной чувствуя резкие, настойчивые вскрики.

Но заряд кончился, пуль больше не было. Дэнни начисто обтер револьвер футболкой и забросил его подальше в чащу. Пока он набирался духу, чтоб вернуться к машине, тишина вдруг навалилась на него мощными волнами — и у каждой волны был свой гребень, своя крутизна, как и у криков, что им предшествовали.

“Она бы теперь несла нам кофе, — думал он, потирая рот. — Если б только я поехал в «Белую кухню», если б не свернул сюда”. Тощая официанточка по имени Трейси, та, у которой сережки-висюльки и крохотный плоский зад, всегда сразу, ничего не спрашивая, выносила им кофе. Он представлял, как развалился бы в кресле Фариш, важно выпятив огромное брюхо, как завел бы вечную свою бодягу про яичницу (пить яйца он не собирается, поэтому пусть скажет повару, чтоб тот уж как следует их поджарил), а Дэнни сидел бы напротив него, глядел бы на его спутанные космы, похожие на черные водоросли, и думал бы — а я ведь чуть тебя не убил.

Видение исчезло, он таращился на разбитую бутылку, которая валялась в траве. Дэнни разжал один кулак, потом другой. Ладони были потные, холодные. “Надо валить отсюда”, — на него вдруг накатила паника.

Но он так и не двинулся с места. Чувство было такое, будто у него где-то внутри перегорел какой-то проводок, который соединял его тело с мозгом. В оконном стекле была дыра, собаки наконец перестали выть и визжать, и Дэнни теперь слышал, как из радиоприемника несется слабая музыка. Могли ли себе представить люди, которые пели какую-то херь про звездную пыль в волосах, могли ли они хоть на минутку вообразить, что кто-то будет слушать эту песню, стоя в пыли возле заброшенной железной дороги с лежащим на радиоприемнике трупом? Не-ет, эти люди просто катались по Лос-Анджелесу, по Голливуду в белых костюмчиках с блестками, не снимая очков от солнца (стекла снизу прозрачные, сверху — затонированные), хлебали шампанское да нюхали кокаин с серебряных подносов. Им и в голову не могло прийти, пока они, обмотавшись блестящими шарфами и попивая модные коктейли, сидели у себя в студиях за огромными роялями — и в голову не могло прийти, что какой-нибудь бедняга из Миссисипи будет стоять на разбитой дороге и решать настоящие проблемы, пока они будут заливаться по радио о том, как в день чьего-то там рождения ангелы повстречались на небесах...[1]

Им не приходится в жизни принимать непростых решений, тупо думал он, глядя на свою заляпанную кровью машину. Не приходится говном руки марать. Им все на блюдечке подают, будто ключи от новенькой машины.

Он шагнул к машине, всего один шажок. Колени у него тряслись, хруст щебня под ногами пугал до смерти. Шевелись! — твердил он себе с настоящей такой, до визга, истерикой, бешено мотая головой (глянул налево, направо, вверх, на небо), вытянув руку, чтоб за что-нибудь схватиться, если упадет. Садись в машину — и в путь! Что делать, ему было ясно, вопрос был только в том, как это сделать, потому что факт оставался фактом — он скорее себе руку отпилит, чем до трупа брата дотронется.

На приборной доске — довольно расслабленно — лежала загрубелая красная рука Фариша с пожелтевшими от табака пальцами, на мизинце — перстень в виде игральной кости. Дэнни таращился на перстень, пытаясь собраться с мыслями. Ему нужно закинуться, чтобы прочистить мозг, завести сердце, задвигаться. Наверху

1 Дэнни слушает песню *"Close To You"* группы *The Carpenters* (1970).

в башне много товара, товара там завались, а чем дольше он тут будет стоять, тем дольше и “Транс АМ”, в котором истекают кровью три трупа — человека и двух полицейских овчарок, — будет стоять на этом пустыре.

Гарриет лежала на животе, вцепившись в перила обеими руками, и даже вздохнуть боялась. Ноги у нее были выше головы, поэтому вся кровь прилила к лицу, а стук сердца отдавался в висках. Крики, несшиеся из машины, наконец стихли — пронзительный, визгливый вой, который, казалось, не смолкнет никогда, но теперь даже наступившая тишина казалась какой-то просевшей, перекошенной от этих нечеловеческих воплей.

Дэнни Рэтлифф все не двигался с места и с высоты казался маленькой точкой посреди тихого пустыря. Все замерло, будто на картинке. Казалось, будто кто-то пригладил, зачесал и навощил каждый стебелек, каждый листик на каждом дереве.

Локти у Гарриет заныли. Лежать было неудобно, поэтому она заерзала. Она толком не поняла, что видела — она была слишком далеко, но вот выстрелы и вой слышала очень отчетливо, и эхо криков до сих пор звенело у нее в ушах: тоненькое, режущее, невыносимое. В машине тоже все затихло, жертвы Дэнни (какие-то темные фигуры, вроде бы две) больше не шевелились.

Вдруг он развернулся, и у Гарриет болезненно сжалось сердце. “Пожалуйста, Господи, пожалуйста, — молилась она, — только не сюда”.

Но он пошел в сторону леса. Оглянувшись, быстро присел возле просеки. Футболка выбилась из джинсов, показалась полоска желтовато-белой кожи — совсем не такой, как на его дочерна загорелых руках. Он переломил ствол пистолета, заглянул внутрь, обтер его футболкой. Потом закинул пистолет в лес, и над травой промелькнула темная тень.

Гарриет глядела на все это, уткнувшись носом в руку, и боролась с желанием отвернуться. Ей отчаянно хотелось понять, что это он там делает, но в то же время неотрывно смотреть в яркую даль оказалось нелегко, и Гарриет то и дело встряхивала головой, чтобы разогнать туман перед глазами. С ней такое и в школе бывало: если долго смотреть на доску, то на цифры начинала наползать чернота.

Дэнни пошел к машине. Гарриет видела его мускулистую взмокшую спину, он застыл там, опустив голову, прижав руки к бокам. На гравии растянулась его тень, черная полоска, которая указывала на два часа. Солнце светило так ярко, что на прохладную тень было приятно смотреть — глаза отдыхали. Но тут тень ускользнула, пропала, потому что Дэнни развернулся и зашагал к башне.

У Гарриет в животе все как будто оборвалось. Но сразу же опомнившись, она дрожащими пальцами нашарила пистолет, принялась его разворачивать. Старый пистолет, из которого она даже стрелять не умела (она даже толком не знала, получилось ли у нее его зарядить), вдруг показался ей слишком хлипкой защитой от Дэнни Рэтлиффа, особенно в таком опасном месте.

Она огляделась по сторонам. Где лучше залечь? Здесь? Или с другой стороны и немного пониже? И тут внизу лязгнули скобы лестницы.

Гарриет запаниковала, завертела головой. Она ни разу в жизни не стреляла из пистолета. Даже если она в него попадет, вряд ли он вот так сразу свалится, а на шаткой крыше бака и спрятаться негде.

Бам… бам… бам…

Гарриет, на миг ощутив, как это страшно, когда все тело разом теряет равновесие и кренится в сторону, кое-как вскарабкалась на ноги, но только она решилась прыгнуть вместе с пистолетом в воду, как что-то ее остановило. Неуклюже размахивая руками, она выпрямилась, еле-еле устояла на ногах. Из бака выхода нет. Страшно, что им придется встретиться лицом к лицу, но если она упадет туда, считай — пропала.

Бам… бам…

Пистолет был тяжелый, холодный. Неловко зажав его в руке, Гарриет сползла вниз, потом улеглась на живот, ухватив пистолет покрепче, и на локтях проползла вперед еще немножко, до края крыши, но так, чтобы голова не торчала наружу. Перед глазами у нее все как будто сжалось, затемнилось, сузилось до прорези для глаз, какая бывает на забралах рыцарских шлемов, и Гарриет выглядывала наружу с любопытной отстраненностью, все казалось ей далеким и нереальным, кроме одного только отчаянного желания швырнуть всю жизнь одним махом, одним хлопком, будто шутиху, прямо в лицо Дэнни Рэтлиффу.

Бам... Бам...

Она проползла еще чуть дальше, держа пистолет дрожащими руками — теперь можно было заглянуть за край крыши. Она вытянула шею и увидела его макушку внизу, футах в пятнадцати от нее.

"Только голову не поднимай", — лихорадочно думала Гарриет. Она оперлась на локти, подняла пистолет, прижала его к переносице и — глядя поверх дула, стараясь изо всех сил получше прицелиться — зажмурилась и нажала на спусковой крючок.

Бабах. Пистолет с громким щелчком стукнул ее по носу, она вскрикнула, перекатилась на спину и зажала нос обеими руками. В черноте под зажмуренными веками затрещали оранжевые искры. Краем сознания она отметила, что пистолет с грохотом полетел вниз, с гулким железным звоном пересчитывая лестничные скобы, как будто кто-то стучал палкой по прутьям клеток в зоопарке, но нос у нее ожгло такой болью, какой она и припомнить не могла. Между пальцев хлестала кровь, липкая и горячая, кровью были перемазаны все ладони, привкус крови был у нее во рту, и когда она посмотрела на свои окровавленные руки, то сразу и не вспомнила, где она и что она тут делает.

Выстрел так перепугал Дэнни, что он чуть с лестницы не свалился. Что-то тяжелое брякнуло о верхнюю скобу и с размаху ударило его по голове.

На миг Дэнни почудилось, будто он падает и не знает даже, за что хвататься, но потом вздрогнул, словно проснувшись, и понял, что по-прежнему держится за скобу обеими руками. Боль расходилась в стороны огромными, плоскими волнами, волнами, которые повисали в воздухе и все никак не растворялись.

Он услышал, как что-то упало, стукнулось о щебенку. Дэнни коснулся головы — там набухала шишка, потом, насколько сумел, извернулся и глянул вниз, чтобы понять, чем же его ударило. Солнце било ему в глаза, и он видел только вытянутую тень от бака да собственную тень, такую же вытянутую, которая пугалом торчала на лестнице.

Отсюда окна "Транс АМа" казались зеркальными, непрозрачными. Неужто Фариш понаставил в башне ловушек? Дэнни в этом сомневался, но теперь до него дошло, что наверняка-то он и не знает.

А он взял и полез на башню. Он поднялся еще на ступеньку, остановился. Подумал, не слезть ли ему, не поискать ли эту штуку, которой его ударило, но потом решил не тратить времени зря. Там, внизу, он все дела закончил, теперь ему надо лезть дальше, его цель — забраться наверх. Не хотелось бы, конечно, взлететь на воздух, с отчаянием думал он, глядя вниз, на окровавленную машину, но случись оно так, то и хер бы с ним.

Делать нечего, надо двигаться. Дэнни потер шишку на голове, сделал глубокий вдох и снова начал карабкаться вверх.

Щелчок, и Гарриет снова очутилась в своем теле, вот она лежит на боку и чувство такое, будто она заглядывает в знакомое окно, только теперь — в другую створку. Рука у нее была в крови. Она тупо уставилась на нее, не совсем понимая, что это вообще такое.

И тут она разом все вспомнила, вздрогнула, резко села. Он идет, нельзя терять ни секунды. Пошатываясь, она встала. Вдруг снизу протянулась рука, ухватила ее за лодыжку, и Гарриет вскрикнула, задергала ногой и, сама того не ожидая, высвободилась. Она рванулась к двери люка, и тут у нее за спиной на лестнице, будто вылезая из бассейна, вырос Дэнни Рэтлифф с разбитым лицом и в окровавленной футболке.

Он был страшный, вонючий, огромный. Гарриет, задыхаясь, чуть не плача от ужаса, с грохотом полезла вниз по лестнице. Его тень упала на открытый люк, закрыла свет. Дзинь — тяжелый ботинок звякнул о лестницу. Дэнни полез вниз, за ней, дзинь, дзинь, дзинь, дзинь.

Гарриет повернулась, прыгнула. Она вошла в воду ногами. Полетела вниз, в холод и тьму, ударилась о дно. Задыхаясь, сплевывая грязную воду, взмахнула руками и мощным рывком выплыла на поверхность.

Не успела она всплыть, как сильная рука вцепилась ей в запястье, вытащила ее из воды. Он стоял в воде по грудь, держась за лестницу, изогнувшись, чтоб до нее дотянуться, и его серебристые глаза, которые так и горели на смуглом лице, пронзили ее будто иглы.

Гарриет брыкалась, выворачивалась и вырывалась с такой силой, которой она у себя даже и не подозревала, но хоть ей и удалось поднять фонтаны брызг, все было без толку. Он вытащил ее из воды — одежда у Гарриет промокла насквозь, стала тяжелой, она чувствовала, как его мышцы дрожат от напряжения, когда она молотила по вонючей воде, стараясь плеснуть ему в лицо.

— Ты кто? — проорал он. Губа у него была разбита, а щеки сальные, небритые. — Тебе чего от меня надо?

Гарриет придушенно пискнула. От боли в плече у нее аж дух перехватывало. На бицепсе у него извивалась синяя татуировка: расплывшиеся очертания осьминога, размытый готический шрифт, надписи не разобрать.

— Ты чего тут делаешь? А ну говори!

Гарриет закричала, потому что он принялся что было сил трясти ее за руку, зашарила ногами в воде, пытаясь найти хоть какую-нибудь опору. Но тут он молниеносным движением прижал ее ногу коленом и, визгливо, по-бабьи, хохотнув, схватил ее за волосы. Он проворно окунул ее голову в грязную воду, резко вытащил — по лицу у нее стекала вода. Он трясся как в ознобе.

— А ну отвечай, сучка! — крикнул он.

По правде сказать, Дэнни трясло не столько от злости, сколько от неожиданности. Все произошло так быстро, что он и обдумать ничего толком не успел, девчонка попалась, а верилось в это с трудом.

У девчонки был расквашен нос, по лицу, перемазанному грязью и ржавчиной, бежали рябые, водянистые пятна света. Она злобно таращилась на него, надувшись, что твоя сова-сипуха.

— Кому сказал, говори! — крикнул он. — Живо!

Его голос метался по баку гулким эхом. Солнечные лучи пробивались сквозь ветхую крышу, подрагивая, падали на тесные стены — свет был слабенький, далекий, будто они сидели в шахте или в колодце.

В полумраке лицо у девчонки дрожало над водой, будто белая луна. Он услышал, как она тихонько, часто дышит.

— Отвечай! — заорал он. — Ты чего тут делаешь? — И он затряс ее снова, затряс что было сил, подавшись к воде, крепко держась за лестницу, он тряс ее за горло до тех пор, пока она не завизжала, и тогда-то, несмотря на всю его усталость, на весь его страх, Дэнни захлестнуло таким мощным приливом ярости, что он взревел, будто зверь, перекрывая ее вопли, и лицо у нее тотчас же застыло, а крики замерли на губах.

У него болела голова. Думай, твердил он себе, думай. Так, девку он поймал, ну и что с ней делать? Место тут было опасное. Дэнни всегда верил, что если уж припрет, то по-собачьи он всегда побултыхаться сумеет, но теперь (он стоял в воде по грудь, держался за хлипкую лесенку) ему в это не очень верилось. Ну разве это сложно, плавать? Коровы умеют плавать, умеют плавать даже кошки — а он-то чем хуже?

Тут он заметил, что девчонка начала ловко выворачиваться из его хватки. Он резко подхватил ее, впился пальцами ей в горло, да посильнее, так что она заскулила.

— Слушай, ты, цаца, — сказал он. — Живо говори, кто ты такая, и тогда, может, я тебя и не утоплю.

Вранье, да и сказал он это так, что ясно было — врет. Лицо у нее посерело, видно было: она это тоже поняла. Ему сделалось тошно, она ж все-таки еще маленькая, но другого выхода не было.

— Я тебя отпущу, — сказал он вроде как убедительно.

Но мерзкая девка только щеки раздула и еще больше замкнулась. Он рывком вытащил ее на свет, чтоб лучше ее видеть, и луч света упал на ее белый лоб влажной полоской. Было тепло, но она уже как будто заледенела, он, кажется, слышал даже, как стучат ее зубы.

Он снова встряхнул ее, да так, что у самого плечо заныло, но хоть по лицу у нее и катились слезы, она плотно сжала губы и не издала ни звука. И тут внезапно Дэнни уголком глаза увидел, что в воде плавает что-то светлое, какие-то маленькие белые шарики, слипшись по две, по три штуки, слегка просев, покачиваются на воде у него возле груди.

Он отшатнулся — лягушачьи яйца, что ли? — и тотчас же закричал, и сам поразился своему крику, который выжег ему все кишки и обжег горло.

— Господи Иисусе!

Он глядел и не верил своим глазам, потом посмотрел наверх, туда, где с верхней ступеньки свисали ленточками обрывки черного целлофана. Нет, ему просто снится кошмар, это все не взаправду — наркотики испорчены, пропали его денежки. Он Фариша убил ни за что. Если его поймают — преднамеренное убийство влепят. Господи боже.

— Это ты сделала? Ты?

У девчонки шевельнулись губы.

Дэнни заметил наполовину затопленный пузырь черного целлофана, который качался на воде, и из глотки у него вырвался такой вой, будто он руку в огонь сунул.

— Что это? Что это? — завопил он, пригибая ее голову к воде.

Полузадушенный ответ, ее первые слова:

— Мешок для мусора.

— Ты что с ним сделала? А? А?

Он сжал шею Гарриет. Быстрым, резким движением сунул ее голову под воду.

Гарриет едва успела набрать воздуху, когда он ее окунул (очутившись в темной воде, она с ужасом заморгала). Перед ней лопались белые пузырьки. Она сопротивлялась, бесшумно, посреди фосфоресцирующего света, пистолетных выстрелов и эха. Она воображала себе запертый чемодан, который прыгает по речному дну — бух, бух, бух, бух, его несет течением, и он катится, катится по гладким, покрытым тиной камням. Сердце Гарриет превратилось в нажатую клавишу пианино, в басовую ноту, которая ухала резко, тревожно, а под закрытыми веками у нее вспыхивала шершавая сера, с чирканьем загоралась в темноте белая спичка…

Голову Гарриет обожгло болью, когда он — буль! — вытащил ее за волосы из воды. Она чуть не оглохла от кашля, чуть не спятила от свиста в ушах и громкого эха, он что-то орал, но что — она не могла разобрать, лицо у него побагровело, набрякло от ярости, стало очень страшным. Отплевываясь, задыхаясь, она молотила руками по воде, дергала ногами, ища хоть какую-то опору, и когда задела большим пальцем стену бака, то наконец-то глубоко, с наслаждением вздохнула. Облегчение было просто райское, неописуемое (волшебное созвучие, гармония сфер), и она все дышала, дышала, пока он, завизжав, не окунул ее снова и в ушах у нее опять не загрохотала вода.

Дэнни, сжав зубы, держал ее под водой. Все мышцы в плечах словно перекрутились от боли, а от того, что ему пришлось и держаться что было сил за лестницу, и надсаживать глотку, его прошиб пот. Под его рукой ее голова казалась легкой, неустойчивой, шариком, который в любой момент может выскользнуть, а от того, как она билась и брыкалась, его начало подташнивать, будто он плыл на лодке. Он и так и сяк старался во что-нибудь упереться, уцепиться покрепче, но держался с трудом и свисал с лестницы, не имея под ногами никакой солидной опоры, он бил ногами по воде, стараясь встать на землю, которой не было. Сколько времени нужно топить человека? Гадкая работенка, вдвойне гадкая из-за того, что приходилось ее делать одной рукой.

Над ухом невыносимо зудел комар. Дэнни мотал головой, пытаясь его отогнать, но сучонок как чувствовал, что у него руки заняты и прихлопнуть его он не сможет.

Комары везде, везде. Теперь они его нашли, поняли, что двинуться он не может. Они раздражающе, с оттяжечкой впивались ему в подбородок, в шею, в дрожащие мускулы на руках.

“Давай, давай, надо с этим разделаться”, — твердил он себе. Он держал ее голову правой рукой — она была посильнее, но сам глядел на левую, которой он держался за лестницу. Она уже здорово онемела, и теперь ему только и оставалось, что смотреть на нее, чтобы убедиться, что он не разжал пальцы.

К тому же он боялся воды: если туда глядеть, так и отключиться можно. Тонущий ребенок может утянуть за собой взрослого мужика — профессионального пловца, спасателя. Знает он такие истории…

Вдруг он как-то разом понял, что она перестала трепыхаться. Он замер на миг, подождал. Голова ее была такой мягкой на ощупь. Он слегка разжал хватку. Потом обернулся, чтобы посмотреть (надо же было проверить, не то чтобы ему, конечно, хотелось проверять), и с облегчением увидел, что ее тело обмякло и покачивается на зеленой воде.

Он осторожно отнял руку. Она не двигалась. Затекшие, ноющие мышцы закололо иголочками, он развернулся, схватился за лестницу другой рукой, прихлопнул комаров на лице. Еще немножко посмотрел на девчонку — искоса, краешком глаза, будто на жертву дорожной аварии.

И тут вдруг руки у него так затряслись, что он с трудом удержался на лестнице. Он вытер пот со лба, сплюнул полный рот кислятины. Дрожа всем телом, он схватился за скобу повыше, распрямил локти, подтянулся и влез на лестницу под громкий скрежет проржавевшего железа. Он устал, он до смерти хотел убраться от воды подальше, но все равно заставил себя обернуться и напоследок окинуть ее тело долгим взглядом. Он потыкал ее ногой и смотрел, как она, завертевшись, уплывает от него в тень, неподвижная, как бревно.

Гарриет больше было не страшно. С ней случилось что-то странное. Цепи лопнули, сломались замки, отпустило земное притяжение, она летела вверх, вверх и вверх, зависнув в безвоздушной ночи, раскинув руки, будто космонавт — невесомая. За ней кильватерным следом пенилась темнота, сплетенные кольца вздувались и расходились, как круги от дождя по лужам.

Необыкновенное величие. В ушах у нее шумело, и она почти чувствовала, как солнце жарко светит ей в спину, пока она летела над пепельно-серыми просторами, над огромными пустошами. *Я знаю, каково это — умирать*. Если она откроет глаза, то увидит собственную тень (руки раскинуты, как у рождественского ангела), которая переливается на бирюзовом дне бассейна.

Вода плескала Гарриет в живот, накатывала на нее утешительно, почти в такт дыханию. Как будто вода — вокруг ее тела — дышала за нее. Само дыхание стало позабытой песней, песней ангелов. Вдох — гармония. Выдох — экстаз, торжество, утраченные райские песнопения. Она уже так долго задерживала дыхание, что сможет не дышать еще немножко.

Еще немножко. Еще немножко. Вдруг Гарриет в плечо уперлась нога и она почувствовала, что кружится, уплывает к дальней стене бака. Нежно искры полетели. Она в холод уплыла. Дзинь — и звездочки сгорели, внизу зажглись огни, засияли города в темной дали. Легкие обжигало назойливой болью, которая с каждой секундой становилась все сильнее, но *еще немножко*, повторяла она, *еще немножко, нужно продержаться до конца*...

Она стукнулась головой о противоположную стену бака. От удара Гарриет отнесло назад, и в тот же миг вода всего на какую-то долю секунды схлынула с ее лица, и ей удалось урвать крошечный глоточек воздуха перед тем, как она снова погрузилась в воду.

Снова темнота. Темнота, которая еще *темнее*, если только такое возможно, темнота, которая высасывает из глаз последние искорки света. Гарриет висела в воде и выжидала, и вместе с ней мягко покачивалась ее одежда.

Она была у стены, куда солнце не дотягивалось. Она надеялась, что тени и плеск воды скрыли ее вдох (легонький, одними губами), воздуха все равно не хватало, чтоб унять жуткую боль в груди, но достаточно, чтобы продержаться еще немножко.

Еще немножко. Где-то тикал секундомер. Это просто такая игра, и она отлично умеет в нее играть. *Птичка поет — и я так могу, рыбка плывет — и я так могу*. Кожу на голове и на руках закололо иголочками, будто ледяным дождем. *Нагретый бетон и запах хлорки, полосатые пляжные мячи и детские надувные круги, пойду куплю мороженое "Сникерс" или фруктовый лед…*

Еще немножко. Еще немножко. Она все глубже и глубже увязала в безвоздушности, и легкие у нее пылали от боли. Она — маленькая белая луна, которая плывет над нехожеными пустынями.

Дэнни, тяжело дыша, вцепился в лестницу. Из-за того что пришлось топить девчонку, он ненадолго даже про наркотики позабыл, но теперь все случившееся навалилось на него с новой силой, и ему хотелось выть в голос, рожу себе хотелось расцарапать. Как, черт дери, он смоется из города на окровавленной машине и без денег? Он же рассчитывал на то, что у него будет мет, что он сможет его толкать в барах, да хоть на улицах, если б на то пошло. При себе у него было долларов сорок (это он продумал, когда сюда ехал, с заправщиком в "Тексако" метамфетамином не станешь же расплачиваться), и не стоит забывать про Лучшего Друга Фариша, пухлый бумажник, который Фариш всегда носил в боковом кармане. Фариш, бывало, любил его вытащить, чтоб порисоваться за покерным столом или в бильярдной, но Дэнни точно не знал, сколько у него там денег. Если повезет, если ему повезет по-крупному, то с тысячу долларов там будет.

Значит так, цацки Фариша ("Южный крест" — дешевка, а вот кольца кой-чего стоят) плюс бумажник. Дэнни провел рукой по лицу. На деньгах из бумажника он продержится месяц-другой. Но потом...

Может, получится раздобыть фальшивые документы? А может, найти работу, где документов вообще не спрашивают, собирать вместе с иммигрантами табак или апельсины. Но это дрянная награда за его труды, дрянное будущее — по сравнению с тем кушем, который он намеревался отхватить.

А когда найдут труп, Дэнни начнут искать. Револьвер так и валялся в траве, он его начисто вытер. Прямо как мафиози. По-хорошему, его надо бы в реку выбросить, но теперь, раз наркотики пропали, у него, кроме револьвера, почти ничего и не осталось. Он напряженно перебирал в голове разные варианты, но их было немного, и один другого дерьмовее.

Он оглянулся, посмотрел на фигурку, качавшуюся на воде. Зачем она утопила наркотики? Зачем? Девчонки он суеверно побаивался — как тени, как дурного глаза, но теперь, когда она умерла, он начал думать, а вдруг она и удачу ему приносила. Похоже, он совершил большую ошибку, самую серьезную ошибку в жизни, убив ее, но помоги же ты мне, обратился он к плававшей внизу фигурке — и не смог договорить. С того самого дня, как он увидел ее возле бильярдной, ему все казалось, что они с ней как-то связаны, только вот он понять не мог как, и загадка эта не давала ему покоя. Будь они на суше, он из нее бы все ответы выбил, а теперь уж поздно.

Он выловил из вонючей воды пакетик со спидами. Порошок слипся, размок, но как знать, вдруг его уварить можно будет — и ширнуться. Он вытащил еще с полдесятка мокрых пакетиков. Колоться он никогда не кололся, но, похоже, самое время начать.

Он оглянулся напоследок и полез наверх. Проржавевшие чуть ли не до самого основания скобы скрипели и проседали под его весом, лестница тряслась, ходила ходуном — это ему совсем не нравилось, — и он с радостью выскочил из затхлого тесного бака к яркому, жаркому солнцу. Встал на ноги — колени у него тряслись. Все тело ныло, ныли мышцы — будто его нокаутировали, а впрочем, если вдуматься, так оно и было. Над рекой собиралась гроза. На востоке небо было солнечное, голубое, но на западе над водой клубились, сгущались черные, пороховые облака. Темные пятнышки проплывали над низкими городскими крышами.

Дэнни потянулся, потер поясницу. Он промок насквозь, с него лилась вода, на руках длинными нитями налипла зеленая слизь, но несмотря на все это, чувствовал он себя до абсурдного неплохо — так хорошо было вылезти из темной сырой дыры. Воздух был влажный, но дул легкий ветерок и дышалось легко. Он спустился вниз по крыше, к краю бака, и колени у него подкосились от облегчения, когда он увидел, что машина так и стоит себе, нетронутая, и от нее сквозь высокую траву уходит всего одна цепочка следов.

Он радостно рванулся к лестнице, но его еще слегка пошатывало, и не успел он опомниться, как — хрясь! — под ним провалилась гнилая доска. Мир вдруг покосился: диагональный крен серых досок, голубое небо. Дэнни, бешено размахивая руками, попытался было восстановить равновесие, но доски в ответ затрещали еще сильнее и Дэнни провалился по пояс.

Плававшую лицом вниз Гарриет вдруг затрясло. Она все пыталась украдкой повернуть голову, так чтобы можно хоть капельку дышать носом, но ничего не получалось. Легкие не выдержали, безудержно задергались, требуя воздуха, а если не воздуха, так хоть воды, и когда у нее сам собой вдруг раскрылся рот, Гарриет, сотрясаясь от дрожи, вынырнула на поверхность и задышала — вдох вдох вдох.

На нее навалилось такое огромное облегчение, что она чуть снова не ушла под воду. Одной рукой она кое-как уперлась в осклизлую стену — и хватала, хватала, хватала ртом воздух, восхитительный воздух, чистейший, сочный воздух, воздух, который лился в нее, будто песня. Она не знала, где Дэнни Рэтлифф, не знала, видит ли он ее, и ей было на него наплевать, теперь важнее всего на свете было дышать, и даже если это ее последний вздох, то и ладно.

Над головой раздался громкий треск. Гарриет сразу вспомнила о пистолете, но даже не шевельнулась. “Да пусть он меня пристрелит”, — думала она, задыхаясь, чуть не плача от счастья, все лучше, чем утонуть.

На темную воду упал луч света — ярко-зеленый, бархатный, Гарриет вскинула голову и увидела дыру в крыше, из которой торчали ноги.

Щелк — и доска переломилась.

Вода стремительно надвигалась на Дэнни, и его замутило от страха. В голове промелькнул какой-то давний совет отца: мол, надо задержать дыхание и рта не раскрывать. Но тут вода хлынула ему в уши, и он зашелся в беззвучном крике, с ужасом глядя в зеленую воду.

Дэнни тонул. Наконец — о чудо — его ноги коснулись дна. Дэнни подпрыгнул, размахивая руками, отплевываясь, карабкаясь сквозь воду, и торпедой выскочил на поверхность. Подпрыгнул он высоко, поэтому успел глотнуть воздуха, но тотчас же снова ушел на дно.

Мутный мрак, тишина. Казалось, что над головой у него воды всего с фут, не больше. Она сияла над ним ярким зеленым светом, и он подпрыгнул снова, прорезал слои зелени, которые становились все бледнее и бледнее, и шумно выскочил обратно к свету. Прыгалось вроде получше, когда он прижимал руки к бокам, а не бил ими по воде, как пловцы делают.

Он прыгал, дышал и пытался сориентироваться. Бак был залит солнцем. Свет струился сквозь пролом в крыше, илистые, зеленые стены выглядели омерзительно, жутко. Прыгнув еще раза два-три, он наконец увидел лестницу — она была слева.

Сумеет ли он до нее добраться, думал Дэнни, снова уходя под воду. Может, как-нибудь допрыгать, ну а что? Придется рискнуть, другого выхода нет.

Он снова вынырнул. И тут — его от ужаса будто ударило под дых, так резко, что он даже вдохнул не вовремя — он увидел девчонку. Он висела на нижней скобе лестницы, вцепившись в нее обеими руками.

Померещилось, что ли, думал Дэнни, снова погрузившись в воду — он захлебывался, перед глазами у него струились пузырьки воздуха. Девчонку он сначала даже не узнал, на миг ему почудилось даже, что это вовсе не она, а старуха — *Э. Клив*.

Кашляя и задыхаясь, он снова выпрыгнул наружу. Нет, это точно девчонка, не померла, значит — осунулась, вид, как у утопленницы, на больном, белом лице темнеют глаза. Дэнни снова провалился в темную воду, зажмурился, и ее лицо загорелось перед ним ярким оттиском.

Разбрызгивая воду фонтаном, он выпрыгнул наверх. Девчонка изо всех сил хваталась за лестницу, подтягивалась наверх, упершись в скобу коленкой. Вспенив воду, Дэнни рванулся, пытаясь поймать ее за лодыжку, но промахнулся, и вода снова накрыла его с головой.

Он снова прыгнул и достал до нижней скобы, но она была такой ржавой и скользкой, что выскользнула у него из пальцев. Он прыгнул еще раз, подняв обе руки, и на этот раз ему удалось за нее ухватиться. Девчонка лезла вверх, карабкалась что было сил, будто обезьянка. С нее ручьями лилась вода — прямо ему в лицо. Ярость придала Дэнни сил, и он рывком влез на нижнюю скобу, так что ржавое железо застонало под его весом, словно живое существо. Наверху девчонка уперлась ногой в скобу — и скоба прогнулась, Дэнни увидел, как девчонка оступилась, вцепилась в боковые перекладины, зашарила ногой в воздухе. “Лестница ее не выдерживает, — изумленно подумал Дэнни, наблюдая за тем, как она, нашарив опору и восстановив равновесие, добралась до верха и перекинула одну ногу через край люка, — а если лестница не выдерживает ее, то она не выдержит и…”

Скоба, которую Дэнни сжимал обоими кулаками, переломилась. И он, бреющим молниеносным движением — будто сухой лист, который ободрали с цветочного стебля — полетел вниз, сквозь проржавевшие скобы, и шлепнулся в воду.

Гарриет уперлась в край люка порыжевшими от ржавчины руками, выбралась наружу и, задыхаясь, рухнула на горячие доски. В далекой синей дали рокотал гром. Солнце скрылось за облаками, неугомонный ветерок затряс верхушки деревьев, и Гарриет зябко поежилась. Участок крыши от люка до лестницы частично просел, посреди прогнувшихся досок зияла огромная дыра. Гарриет дышала, захлебываясь, хрипло и шумно, и от этих панических звуков ее замутило, а когда она встала на четвереньки, бок у нее закололо острой болью.

Внизу в баке шумно заплескалась вода. Тяжело дыша, Гарриет легла на живот и поползла по крыше, огибая дыру. Сердце у нее то и дело сжималось, потому что доски опасно трещали и проседали под ее весом.

Она отползала к краю, все дальше и дальше — и как раз вовремя, потому что прямо под ней кусок доски отломился и плюхнулся в воду. И тут из дыры взметнулся целый фонтан брызг, вода разлетелась в разные стороны, капли попали Гарриет на лицо и руки.

Снизу взвился полузадушенный вой — булькающий, всхлипывающий. Помертвев от ужаса, Гарриет встала на четвереньки и проползла немного вперед. Когда она заглянула в дыру, голова у нее закружилась, но она не могла отвести взгляда. Сквозь прохудившуюся крышу в бак лился яркий свет, внутри все стало буйного изумрудного цвета, цвета трясин и джунглей, цвета заброшенных городов Маугли. Травянисто-зеленая ряска пошла трещинами, будто дрейфующая льдина, на матовой поверхности воды вздулись черные вены.

Буль! Из воды выпрыгнул Дэнни Рэтлифф, лицо у него побелело, он задыхался, волосы темными полосами прилипли ко лбу. Он вскидывал руки, пытаясь дотянуться, ухватиться за лестницу, но Гарриет, заморгав, увидела, что не было больше никакой лестницы. Она сломалась футах в пяти над водой, и теперь он никак не мог до нее допрыгнуть.

Гарриет с ужасом глядела, как он исчезает под водой — последней скрылась хватавшаяся за воздух рука с обломанными ногтями. Потом он высунул голову, но не полностью — веки у него вздрагивали, с губ срывался жуткий хлюпающий хрип.

Он видел ее наверху, он пытался что-то сказать. Он барахтался и трепыхался в воде, будто бескрылая птица, и, глядя, как он там изо всех сил бьется, Гарриет почувствовала что-то, чего не могла выразить словами. Вместо слов изо рта у него вырывалось неразборчивое бормотание, он размахивал руками и наконец скрылся под водой и исчез, так что сверху виднелись только волосы, похожие на пучок водорослей, да белые пузырьки, которые клубились на илистой воде.

Тишина, булькают пузырьки. Но вот он снова выпрыгнул из воды — лицо как будто бы оплавилось, вместо рта — черная дыра. Он хватался за обломки досок, но они не выдерживали его веса, и, когда он снова ушел под воду, в самую последнюю секунду их взгляды встретились. Он глядел на нее широко раскрытыми глазами, беспомощно, укоризненно — то были глаза скатившейся с гильотины головы, которую палач показывает толпе. Он шевелил губами, он пытался что-то сказать, вымолвить какое-то неразборчивое, клокочущее, хриплое слово, которое исчезло под водой вместе с ним.

От сильного ветра задрожали листья на деревьях, руки у Гарриет покрылись гусиной кожей, и моментально, одним мигом, небо потемнело и стало асфальтово-серым. Ливень накатил стремительным порывом, капли воды с грохотом раскатились по крыше, будто кто-то просыпал на нее гальку.

Дождь был теплый, проливной, как будто тропический, такие ливни в сезон ураганов приносило с океанского побережья. Он загрохотал по сломанной крыше, но даже этот грохот не мог заглушить бульканье и всплески, доносившиеся снизу. Капли дождя крохотными серебристыми рыбками скакали по поверхности воды.

Гарриет скрутило в приступе кашля. Она нахлебалась воды, и казалось, что пропиталась ее мерзким вкусом до самых костей. Теперь дождь хлестал в лицо, и Гарриет сплюнула воду на доски, перевернулась на спину, замотала головой: жуткие звуки, которые эхом метались по баку, сводили ее с ума — она вдруг подумала, что, наверное, эти звуки мало чем отличаются от тех, что издавал Робин, когда его душили. Раньше она верила, что все произошло быстро, чисто, никакого трепыханья, никакого мерзкого бульканья: просто кто-то хлопнул в ладоши — и все заволокло дымом. Она поразилась, до чего же это приятная мысль, до чего же прекрасно — исчезнуть с лица земли, исчезнуть прямо сейчас: пуфф, облачком дыма — мечта да и только. С лязганьем упадут наземь цепи.

От нагретой зеленой земли поднимался пар. Вдалеке, в зарослях сорняков сгорбился "Транс АМ", застыл таинственно и зловеще, на крыше машины тонкой белой дымкой переливались капли дождя, казалось, будто там внутри уединилась парочка влюбленных. И через много лет Гарриет будет часто видеть эту картинку — затаившийся, непроницаемый, матовый автомобиль стоит где-то вдалеке, на прозрачных, безмолвных границах ее снов.

На часах было два пополудни, когда Гарриет, которая поначалу долго подслушивала под дверью черного хода (путь свободен!), наконец пробралась домой. За исключением миссис Годфри (которая, похоже, ее не узнала) и миссис Фонтейн, которая сидела у себя на веранде и очень странно на нее покосилась, (потому что Гарриет была вся полосатая из-за присохших нитей тины), она даже никого и не встретила. Осторожно поглядев в обе стороны, Гарриет прошмыгнула по коридору в ванную и заперлась там. Во рту у нее все пылало и горело от невыносимого, гнилостного привкуса. Она содрала с себя одежду (вонь была жуткая, когда Гарриет стаскивала через голову герлскаутскую футболку, ее чуть не вырвало), швырнула ее в ванну и пустила воду.

Эди часто рассказывала, как однажды чуть не умерла, отравившись устрицей на свадьбе в Новом Орлеане. "Так худо мне еще никогда не было". Она поняла, что устрица испорченная, едва положила ее на язык и тотчас же сплюнула ее в салфетку, но буквально через пару часов Эди так скрутило, что пришлось ехать в Баптистскую больницу. Вот и Гарриет, едва ощутив вкус воды в баке, поняла — ей будет плохо. Гниль просочилась в ее плоть. Ее ничем оттуда не вычистишь. Она вымыла руки и рот, глотнула "Листерину", прополоскала им горло, сплюнула, она пила, пила, пила холодную воду из-под крана, сложив руки ковшиком, но вонь забивала все, даже вкус чистой воды. Вонь подымалась от грязной одежды в ванне, ядреную, теплую вонь источали поры на ее коже. Гарриет вылила в ванну полбанки пены "Мистер Баббл" и выкрутила кран с горячей водой так, что пена вспучилась огромной шапкой. Но даже после полоскания "Листерином", от которого у нее онемел рот, гадкий вкус — грязное пятно на языке — все равно никуда не делся, и теперь она очень живо припомнила раздувшегося зверька, который покачивался в тени на воде у дальней стены бака.

Стук в дверь.

— Гарриет, — раздался голос матери, — это ты там?

Гарриет никогда не мылась в ванне на первом этаже.

— Да, мэм, — через секунду откликнулась Гарриет, перекрикивая шум воды.

— Беспорядок там устроила?

— Нет, мэм, — ответила Гарриет, уныло глядя на беспорядок в ванной.

— Я же тебя просила не принимать здесь ванну.

Гарриет не смогла ей ничего ответить. Желудок у нее вдруг свело от дикой рези. Она сидела на краю ванны, уставившись на закрытую дверь, и, зажав рот обеими руками, покачивалась из стороны в сторону.

— После тебя там должно быть чисто, — крикнула мать.

Вся холодная вода, которую Гарриет выпила, теперь рвалась наружу. Косясь на дверь, Гарриет вылезла из ванны и, переломившись пополам от боли в животе, тихонько, на цыпочках прокралась к унитазу. Едва она отняла руки ото рта, как — вжжжих! — из нее хлынул мощный поток смрадной воды, и пахла она точно так же, как и та стоячая вода, в которой утонул Дэнни Рэтлифф.

Гарриет попила еще холодной воды из-под крана, выстирала одежду и вымылась. Она спустила воду из ванны и отчистила ее с “Кометом”, смыла тину и песок, а затем снова залезла в ванну и помылась еще раз. Но она насквозь пропиталась темным запахом гнилья и, даже изведя столько воды и мыла, Гарриет все равно чувствовала, что промариновалась этой дрянью, что вся сочится ей, что она изгадила Гарриет, обесцветила ее, покрыла с головой, будто перепачканного нефтью пингвина, фотографию которого Гарриет видела в “Нэшнл Джеографик” у Эди дома: пингвин жалко топтался в ведре с водой, расставив в стороны крохотные скользкие плавнички, чтобы ненароком не коснуться ими измаранного тела.

Гарриет снова слила воду, снова отчистила ванну, выжала одежду и повесила ее сушиться. Она облилась “Лизолом”, облилась одеколоном из пыльной зеленой бутылки, на этикетке которого была нарисована танцовщица фламенко. Теперь Гарриет была чистая, розовая, и от жары у нее кружилась голова, но под запахом парфюма во влажном паре угадывалось все то же гниение, тот же ядреный привкус, который пристал к языку.

Надо еще раз рот прополоскать, подумала она, и тут внезапно ее снова вырвало, изо рта гротескным водопадом хлынула чистая вода.

Когда рвота прекратилась, Гарриет сползла на холодный пол, прижалась щекой к бирюзовым плиткам. А когда сумела встать на ноги, то дотащилась до раковины и протерла ее тряпкой. Потом, завернувшись в полотенце, тихонько прокралась к себе в спальню.

У Гарриет все плыло перед глазами, ей было плохо, она устала, и поэтому, даже не соображая, что делает, она улеглась в кровать, забравшись под одеяло, под которым не спала уже несколько недель. Но такое это было блаженство, что Гарриет, несмотря на спазмы в животе, тотчас же забылась тяжелым сном.

Разбудила ее мать. За окном смеркалось. У Гарриет болел живот, а глаза чесались, как в тот раз, когда у нее был конъюнктивит.

— Что? — спросила она, с трудом приподнявшись с кровати.

— Ты не заболела, спрашиваю?

— Не знаю.

Мать нагнулась, пощупала ее лоб, нахмурилась.

— А чем это пахнет?

Гарриет молчала, поэтому мать снова склонилась над ней и с подозрением понюхала ее шею.

— Ты, что ли, тем зеленым одеколоном надушилась? — спросила она.

— Нет, мэм.

Вранье переросло в привычку, теперь, если не знаешь, что отвечать, лучше все отрицай.

— У него скверный запах. — Этот ядовито-зеленый одеколон с танцовщицей фламенко на этикетке отец подарил матери на Рождество, Гарриет его помнила с самого детства, потому что он годами стоял в ванной и никто им не пользовался. — Если тебе нужны духи, давай я куплю тебе маленький флакончик "Шанели № 5". Или "Норелл" — их мама любит. Мне, правда, "Норелл" не нравятся — резковаты…

Гарриет закрыла глаза. Когда она села, живот у нее скрутило сильнее прежнего. Но не успела она улечься, как вернулась мать, на этот раз с аспирином и стаканом воды.

— Может, тебе бульону подогреть? — спросила мать. — Сейчас позвоню маме, узнаю, нет ли у нее лишней банки супа.

Когда она ушла, Гарриет вылезла из кровати и, завернувшись в кусачее вязаное покрывало, поплелась в туалет. Пол был холодный, сиденье на унитазе — тоже. Рвота (очень легкая) сменилась диареей (очень тяжелой). Потом, умываясь, она взглянула в зеркало на дверце шкафчика и вздрогнула, увидев, до чего красные у нее глаза.

Дрожа от озноба, Гарриет прокралась обратно в постель. Одеяла так и придавливали ее к кровати, но согреться она никак не могла.

Снова мать, теперь она встряхивала градусник.

— Так, — сказала она, — открой-ка рот, — и засунула ей в рот градусник.

Гарриет разглядывала потолок. В животе у нее бурлило, вкус тинистой воды до сих пор стоял во рту. Она уснула, и ей приснилась медсестра, которая выглядела точь-в-точь как миссис Дорьер из санитарной службы, она объясняла, что Гарриет укусил ядовитый паук и ее жизнь в опасности, поэтому нужно сделать переливание крови.

Это я, сказала Гарриет. Я его убила.

С помощью каких-то людей миссис Дорьер установила приборы для переливания крови. Кто-то сказал: можно начинать.

Не хочу, сказала Гарриет. Уходите.

Хорошо, ответила миссис Дорьер и ушла. Гарриет сделалось не по себе. В комнате толпились еще какие-то женщины, они улыбались, перешептывались, но никто не предложил ей помочь, никто не спросил Гарриет, почему это она решила умереть, хоть ей — самую малость, конечно — и хотелось, чтобы ее об этом спросили.

— Гарриет, — сказала мать, и Гарриет подскочила, села в кровати. В комнате было темно, градусник изо рта вынули.

— Ну-ка, — говорила мать.

От чашки подымался мясной запах, густой и тошнотворный.

Гарриет закрылась рукой:

— Не хочу.

— Ну, милая, ну, пожалуйста.

Мать наседала на нее с чашкой для пунша. Чашка была рубинового стекла, и Гарриет очень ее любила, Либби однажды просто вытащила чашку из серванта, завернула в газету и велела Гарриет забрать ее домой — она ведь видела, до чего Гарриет эта чашка нравится. Теперь в сумрачной комнате чашка казалась черной, только в самой серединке вспыхивала зловещая темно-красная искорка.

— Нет!

Мать все совала чашку ей под нос, и Гарриет вертела головой — нет, нет.

— Гарриет! — В матери словно проснулась юная девочка-выпускница, ранимая и капризная, которая начинала обижаться, если ей возражали.

И опять чашка у нее под носом. Ничего не поделаешь, Гарриет села, взяла ее. Быстро проглотила мясную тошнотворную жидкость, с трудом сдерживая рвотные позывы. Она допила, вытерла рот салфеткой, которую ей протянула мать, но тут бульон резко подкатил у нее к горлу, и — хлюп! — все оказалось на покрывале: и веточки петрушки, и все остальное.

Мать взвизгнула. Странно, но стоило ей рассердиться, и она помолодела, стала похожей на надутую бэбиситтершу, у которой вечер не задался.

— Прости, — жалко сказала Гарриет.

Рвота пахла болотной водой, в которую подмешали куриного бульона.

— Ох, солнышко, ну ты и перемазалась. Нет, так не надо... — у Шарлотты в голосе зазвучала истеричная нотка, когда Гарриет, на которую навалилась страшная усталость, хотела было лечь обратно, прямо в рвоту.

И тут случилось что-то очень странное и очень неожиданное. Откуда-то сверху Гарриет в лицо ударил яркий луч света. Оказалось — из хрустальной люстры на потолке. Гарриет с изумлением поняла, что лежит не у себя в кровати и даже не у себя в спальне, а на полу, в коридоре на втором этаже, в узком проходе между стопками газет. А страннее всего, что возле нее на коленях стоит Эди, лицо у нее бледное, мрачное, и губы не накрашены.

Гарриет, совершенно растерявшись, вытянула руку, повертела туда-сюда головой, и стоило ей пошевелиться, как к ней с громкими рыданиями бросилась мать. Эди вскинула руку, не пустила ее:

— Ей нужен воздух!

Гарриет, лежа на жестком полу, только диву давалась. Во-первых, и шея, и голова у нее болели — и болели очень сильно, а кроме этого, она каким-то сверхъестественным образом перенеслась в другое место. Во-вторых, Эди на второй этаж обычно не поднималась. Гарриет и не помнила даже, когда Эди вообще была у них дома:

она не проходила дальше передней, в которой на случай, если вдруг кто зайдет, поддерживали относительный порядок.

Как я сюда попала? — спросила она Эди, но фраза ей не совсем удалась (да и мысли у нее все сбились и спутались), поэтому она сглотнула и попробовала спросить еще раз.

Но Эди велела ей молчать. Она помогла Гарриет сесть, Гарриет оглядела себя, и по спине у нее побежал странный холодок, потому что одежда на ней была другая.

Почему у меня одежда другая, хотела спросить она, и опять вышло что-то не то. Но Гарриет стойко промямлила фразу до конца.

— Шшшш, — Эди приложила палец к губам Гарриет.

Она спросила у матери, которая рыдала где-то на заднем плане (из-за ее плеча пугливо выглядывала Эллисон, грызла ногти):

— Сколько времени он длился?

— Не знаю, — мать прижала пальцы к вискам.

— Шарлотта, это важно. У нее был припадок!

Приемный покой дрожал и переливался, будто во сне. Все было чересчур ярким — кажется, что так и сверкает чистотой, но приглядишься и видишь, что стулья потертые и заляпанные. Эллисон читала потрепанный детский журнал, напротив нее сидел понурившийся старик, с которым безуспешно пытались разговаривать две официального вида женщины с бейджиками на одежде. Старик, будто пьяный, завалился вперед и таращился в пол, зажав руки между коленями, а его щегольская, похожая на тирольскую шляпа съехала ему на один глаз.

— Она и слушать никого не станет, — повторял он, покачивая головой, — она себя совсем не бережет.

Женщины переглянулись. Одна уселась рядом со стариком.

Потом вдруг стало темно, и Гарриет шагала в одиночестве по странному городу с высокими зданиями. Нужно было успеть до закрытия сдать книги в библиотеку, но улицы становились все уже и уже, и вскоре, когда они стали в фут шириной, Гарриет остановилась перед огромной кучей камней. Нужно найти телефон, думала она.

— Гарриет!

Эди. Она теперь стояла, а не склонялась над ней. Из вращающихся дверей вышла медсестра, которая везла кресло-каталку.

Медсестра была молодая, пухленькая и симпатичная: черная тушь, на веках — жирные черные стрелки вразлет, и много-премного румян, которые, заезжая на внешний уголок глаза, розовым полумесяцем тянулись от щек до висков и (думала Гарриет) делали ее похожей на певиц из пекинской оперы. Дождливыми вечерами Гарриет, бывало, лежала на полу у Тэтти дома и разглядывала картинки в "Японском театре кабуки" или иллюстрированное издание "Путешествий Марко Поло" 1880 года. Кубла-хан в расписном паланкине, маски и драконы, страницы с золотым обрезом и папиросная бумага, вся Япония, весь Китай уместились в узеньком "миссионерском"[1] книжном шкафу, который стоял у подножия лестницы.

Они поплыли по ярко освещенному коридору. И водонапорная башня, и плававшее в воде тело уже превратились в какой-то полузабытый сон, и теперь от него почти ничего не осталось, кроме колик в животе (которые то и дело накатывали колючими спазмами) и невыносимой головной боли. Тошнило ее от того, что она наглоталась воды, и Гарриет знала, что должна им об этом сказать, им нужно это знать, чтобы ее вылечить, но нет, говорить нельзя, думала она, ни за что.

Приняв решение молчать, она мигом успокоилась, захотела спать. Медсестра, которая везла Гарриет по сверкающему космическому коридору, нагнулась и потрепала ее по щеке, и Гарриет, больная, присмиревшая, молча это стерпела. Рука была мягкая, прохладная, в золотых кольцах.

— Все хорошо? — спросила медсестра, вкатила коляску в узкий, наполовину отгороженный коридорчик (Эди торопливо шла за ними следом, цокала каблуками по плиткам) и задвинула ширму.

Гарриет пришлось влезть в больничную пижаму, лечь на хрустящую бумажную простыню и подождать, пока медсестра измерит ей температуру…

боже правый

да, девочка ваша приболела

1 Миссионерский стиль (в мебели и архитектуре) — возник в США в конце XIX века.

...и возьмет у нее кровь. Потом она села и послушно выпила крохотный стаканчик какого-то лекарства, по вкусу похожего на известь: медсестра сказала, что это для желудка. Эди сидела напротив, возле стеклянного шкафчика с лекарствами и весов с металлической кареткой. Когда медсестра отдернула ширму и куда-то ушла, они с Гарриет остались вдвоем, и Эди что-то у нее спросила, но Гарриет, начав отвечать, не договорила, потому что она не только сидела в больнице, чувствуя во рту привкус извести, но и плавала в холодной реке, вода в которой неприятно, серебристо лоснилась, будто была покрыта нефтяной пленкой, светила луна, и подводное течение дернуло ее за ноги, утащило за собой, и какой-то жуткий старик в мокрой меховой шапке бежал по берегу и кричал что-то, чего она никак не могла разобрать...

— Так. Сядь, пожалуйста.

Гарриет уставилась на незнакомца в белом халате. Он не был американцем, он был индиец из Индии: иссиня-черные волосы, печальный полусонный взгляд. Он спросил ее, знает ли она, как ее зовут и где она находится, посветил фонариком ей в лицо, осмотрел ее глаза, нос и уши, холодными пальцами пощупал живот и подмышки, от чего Гарриет передернуло.

— ...первый припадок?

Опять это слово.

— Да.

— Ты не ела, не нюхала ничего странного? — спросил доктор у Гарриет.

Он глядел на нее внимательными темными глазами, и Гарриет сделалось не по себе. Она помотала головой — нет, мол.

Врач осторожно, одним пальцем, приподнял ее подбородок. Гарриет заметила, как у него дрогнули ноздри.

— Горло болит? — спросил он бархатным голосом.

Откуда-то издалека раздался испуганный голос Эди:

— Господи боже, что это у нее на шее такое?

— Нарушение пигментации, — ответил доктор, провел по ее шее пальцем, потом с силой на нее надавил. — Вот так — больно?

Гарриет что-то промычала в ответ. Болело у нее даже не горло, а шея. И к носу, по которому попало пистолетом, было даже больно прикоснуться, но на ее нос никто почему-то внимания не обращал, хотя Гарриет казалось, будто его раздуло.

Врач послушал Гарриет, попросил высунуть язык. Посветил в горло фонариком, присмотрелся. Сидеть с открытым ртом было трудно, челюсть ныла. Гарриет скосила глаза — рядом на столике стояли контейнер с ватными палочками и банка с антисептиком.

— Ну ладно, — вздохнул врач и вытащил деревянный шпатель у нее изо рта.

Гарриет улеглась. Живот резко, болезненно скрутило. Под закрытыми веками запульсировал оранжевый свет.

Врач разговаривал с Эди.

— Невролог принимает раз в две недели, — объяснял он. — Но, может быть, он сумеет выбраться из Джексона завтра или послезавтра…

Он все говорил и говорил что-то монотонным голосом. У Гарриет снова скрутило желудок, и спазм был до того болезненный, что она свернулась клубочком, прижала руки к животу. Наконец отпустило. Так, думала Гарриет, обмякнув от облегчения, все-все, теперь все…

— Гарриет, — громко сказала Эди, очень громко, и Гарриет поняла, что заснула, ну или засыпала, — посмотри на меня.

Гарриет послушно открыла глаза, свет был до боли ярким.

— Видите, какие у нее глаза. Видите, какие красные? Это какая-то инфекция.

— Симптомы неочевидные. Надо дождаться результатов анализов.

И снова дикая резь в животе, Гарриет отвернулась от света, перекатилась на живот. Она знала, почему у нее глаза красные, в них попала отравленная вода.

— А диарея? А температура? Господи, да посмотрите, какие у нее черные пятна на шее. Как будто ее кто-то душил. Я вам так скажу…

— Возможно, отчасти дело в инфекции, но судороги у нее не фебрильные. Фебрильные, то есть…

— Я знаю, что это такое, я была медсестрой, — резко перебила его Эди.

— Тогда вы должны знать, что в первую очередь мы должны исключить расстройство нервной системы, — так же резко ответил врач.

— Но все остальные симптомы…

— Неочевидные. Как я и сказал. Назначим антибиотики, начнем инфузионную терапию. Завтра к вечеру электролиты и кровь должны прийти в норму.

Теперь Гарриет внимательно слушала их разговор, ждала, когда можно будет вставить слово. Наконец ждать больше не было сил, и она выпалила:

— Мне нужно выйти.

Эди с врачом взглянули на нее.

— Ну ладно, иди, — сказал врач, величественно, по-иноземному помахав рукой, и покивал ей, будто махараджа. Гарриет спрыгнула со стола, услышала, как он позвал медсестру.

Но за ширмой никого не было, медсестра так и не пришла, и Гарриет в отчаянии выскочила в коридор. Другая медсестра, глазки у которой были маленькие и блестящие, будто у слона, вышла из-за стойки, прошаркала к ней.

— Заблудилась? — спросила она.

Она медленно, неуклюже нагнулась к Гарриет, протянула ей руку.

Но увидев, до чего она неповоротливая, Гарриет запаниковала, замотала головой и помчалась дальше. Она неслась по коридору, где не было ни единого окна, не замечая ничего, кроме двери в самом его конце, на которой была нарисована женская фигурка. И поэтому, пробегая мимо ряда стульев, стоявших в боковом коридорчике, Гарриет даже не остановилась, услышав что-то вроде:

— Гат!

Но Кертис внезапно вырос у нее на пути. За ним, положив руку Кертису на плечо, стоял проповедник (громы, молнии и гремучие змеи), он был весь в черном, а кроваво-красная метина у него на лице выделялась, будто яблочко мишени.

Гарриет уставилась на них. Потом развернулась и помчалась обратно, по яркому стерильному коридору. Но скользкий пол ушел у нее из-под ног, и она споткнулась, растянулась на полу, перекатилась на спину, закрыла глаза руками.

Чьи-то быстрые шаги — закрякали по плиткам резиновые подошвы, и над Гарриет склонилась та, первая медсестра (молодая, с кольцами и разноцветным макияжем). На бейджике у нее было написано: “Бонни Фентон”.

— Оп-шлеп! — жизнерадостно сказала она. — Ушиблась?

Повиснув у медсестры на руке, Гарриет не сводила взгляда с ее раскрашенного лица. Бонни Фентон, повторяла она, словно имя было защитным магическим заклинанием. *Бонни Фентон, Бонни Фентон, Бонни Фентон, медсестра…*

— Вот поэтому нам нельзя бегать по коридорам! — сказала медсестра.

Говорила она слегка наигранно и обращалась не к Гарриет, а к кому-то еще, и тут Гарриет увидела, как из отгороженного ширмой закутка выходят Эди и врач. Гарриет вскочила, чувствуя, что проповедник так и буравит взглядом ей спину, подбежала к Эди и прижалась к ней.

— Эди, — закричала она, — забери меня домой, забери меня домой!

— Гарриет! Да что с тобой такое?

— Если ты уедешь домой, — сказал доктор, — как же мы тогда узнаем, что с тобой стряслось?

Он старался говорить приветливо, но лицо у него было угрюмое, а подглазья — восковые, будто оплывшие, и внезапно он показался Гарриет очень страшным. Гарриет заплакала.

Эди невозмутимо похлопала ее по спине, и от этого движения — очень бодрого, очень деловитого, очень типичного для Эди — Гарриет зарыдала еще громче.

— Она сама не своя.

— Обычно после припадка их клонит в сон. Но если она переволновалась, мы ей можем дать какое-нибудь легкое успокоительное.

Гарриет боязливо оглянулась. Но в коридоре никого не было. Она потрогала коленку, которую ушибла во время падения. Она от кого-то убегала, упала и ударилась — это все произошло на самом деле, это ей не приснилось.

Медсестра Бонни отцепила Гарриет от Эди. Медсестра Бонни увела Гарриет обратно за ширму… Медсестра Бонни отперла шкафчик, набрала в шприц лекарство из маленькой бутылочки…

— Эди! — завизжала Гарриет.

— Гарриет, — Эди просунула голову за ширму, — ну, не глупи, это обычный укол.

Услышав ее слова, Гарриет только сильнее зашлась в рыданиях.

— Эди, — умоляла она, — Эди, забери меня домой. Мне страшно. Не оставляй меня тут. Они за мной гонятся. Я…

Она отвернулась, дернулась, когда медсестра сделала укол. Хотела было сползти с кушетки, но медсестра ухватила ее за руку:

— Погоди, зайчик, это еще не все.

— Эди! Я… Нет, не хочу! — Она отшатнулась от медсестры Бонни, которая зашла с другой стороны и теперь надвигалась на нее с новым шприцом.

Медсестра рассмеялась — вежливо, но без особого веселья — и умоляюще взглянула на Эди.

— Не хочу спать. Не хочу спать! — закричала Гарриет, которую вдруг все разом окружили, и принялась отталкивать Эди, вырываться из мягкой, настойчивой хватки медсестры Бонни и ее золотых колец. — Я боюсь! Я…

— Такой маленькой иголочки? — Ласковая медсестра Бонни вдруг заговорила сухо и слегка угрожающе. — Не глупи. Всего один крохотный укольчик и…

Эди сказала:

— Ну, я тогда поеду домой…

— ЭДИ!

— Давай-ка потише, лапуля, — сказала медсестра, засадила иголку Гарриет в руку и нажала на поршень.

— Эди! Нет! Они здесь! Не уходи! Не…

— Я вернусь… Выслушай меня, — Эди вскинула голову, умело оборвала истеричные причитания Гарриет. — Мне нужно отвезти Эллисон домой, а потом я заскочу к себе, соберу кое-какие вещи, — она обернулась к медсестре. — Поставите у нее в палате еще одну койку?

— Конечно, мэм.

Гарриет потерла след от укола. *Койка*. Слово это звучало так по-детски, так успокаивающе — как *покой*, или *кот*, или как детское прозвище Гарриет — *Готтентот*. Она будто вертела это слово на языке, округлое, милое слово — гладкое, твердое, темное, будто комочек сухого солодового молока.

Вокруг все улыбались, и она заулыбалась в ответ.

— А кто-то у нас хочет баиньки, — услышала она голос медсестры Бонни.

Где же Эди? Глаза у Гарриет закрывались сами собой. На нее навалилось громадное небо, облака несутся в сказочную темноту. Гарриет закрыла глаза, увидела дрожащие ветви деревьев и моментально уснула.

Заложив руки за спину, Юджин слонялся по прохладным коридорам. Когда медбрат наконец выкатил девочку из смотровой, Юджин, стараясь не подходить слишком близко и делая вид, что просто прогуливается, пошел за ними, чтобы посмотреть, куда ее повезут.

Медбрат остановился, вызвал лифт. Юджин развернулся, решив пойти по лестнице. Гулко протопав по ней, он спустился на второй этаж и услышал звон — металлические двери лифта открылись, медбрат вывез каталку.

Он покатил девочку по коридору. Юджин тихонько прикрыл тяжелую дверь и, щелкая каблуками по плиткам, проследовал за ними. Держась на безопасном расстоянии, запомнил, в какую палату ее отвезли. Потом он вразвалочку вернулся обратно к лифту и внимательно изучил все детские рисунки, пришпиленные к доске объявлений, и подсвеченные сладости в гудящем автомате.

Говорят, собаки всегда воют перед землетрясением. Что ж, в последнее время как что плохое случалось, так всегда где-нибудь поблизости оказывалась эта черноволосая девчонка. И девчонка была та самая, никаких сомнений. Он ее хорошенько рассмотрел тем вечером, возле миссии, когда его змея ужалила.

И вот — снова она. Юджин со скучающим видом прошелся мимо ее палаты, дверь была открыта. Юджин скосил глаза — тускло горела потолочная лампа, свет постепенно сгущался, темнел. На кровати ничего и не разглядишь, так, холмик под одеялами. Над ним, поближе к свету, распластавшейся в стоячей воде медузой висел прозрачный пакет капельницы и тянул вниз длинное щупальце.

Юджин дошел до питьевого фонтанчика, сделал несколько глотков, поразглядывал информационный стенд благотворительного фонда по борьбе с полиомиелитом. Заметил, что в палату зашла и вышла медсестра. Но когда Юджин, пошатавшись по коридору, снова заглянул в палату, оказалось, что девочка там не одна. В палате хлопотал чернокожий санитар — он возился с раскладной койкой и на вопросы Юджина не отвечал.

Юджин околачивался возле палаты, стараясь не привлекать к себе внимания (что сделать было не так-то просто, потому что в коридоре больше никого не было), и когда наконец вернулась медсестра с охапкой простыней, он остановил ее у двери:

— А чей это ребенок? — спросил он, стараясь говорить как можно приветливее.

— Гарриет ее звать. Фамилия — Дюфрен.

— А-а, — странно, но имя показалось ему знакомым. Юджин заглянул в палату. — И что ж, она одна тут?

— Родителей я не видала, только бабку.

Медсестра отвернулась, дав понять, что разговор окончен.

— Эх, бедняжечка, — прекращать разговор Юджину не хотелось, и он просунул голову в дверь, — а чем же она болеет?

Но медсестра так на него посмотрела, что Юджин понял — он уже перегнул палку.

— Простите, мне запрещено разглашать эту информацию.

Юджин улыбнулся — как он надеялся, обаятельно.

— Знаете, — сказал он, — я и сам знаю, что меня не красит это пятно на лице. Но это ж не делает меня дурным человеком.

Обычно, когда он заговаривал о своем изъяне, женщины оттаивали, но медсестра одарила его таким взглядом, будто он обратился к ней по-испански.

— Да я просто спросил, — вежливо сказал Юджин, вскинув руку. — Простите, мэм, что побеспокоил.

Он прошел вслед за ней в палату. Но медсестра принялась возиться с простынями. Юджин хотел было предложить свою помощь, но она так подчеркнуто развернулась к нему спиной, что он понял — не стоит искушать судьбу.

Юджин побрел обратно к автомату со сладостями. Дюфрен. И откуда он знает это имя? Об этом, конечно, хорошо было бы Фариша спросить. Фариш всех в городе знал, Фариш помнил все адреса, все дрязги, помнил, кто кому родня, все помнил. Но Фариш лежал в коме, здесь, на первом этаже, и врачи говорили, что до утра он не доживет.

Юджин остановился напротив лифта, возле сестринского поста — там никого не было. Он облокотился на стойку и притворился, что рассматривает фотоколлаж и цветок-паучник в подарочном горшке. Юджин ждал. Еще до разговора с медсестрой, когда он увидел девчонку в коридоре (и тем более старуху, которая была такая накрахмаленная, что от нее за версту несло деньгами и баптистским вероисповеданием), Юджин понял, что это никакая не дочка Одума. Плохо, конечно, потому что, будь она его дочкой, картинка сложилась бы и оправдались бы кое-какие его подозрения. У Одума были как раз все причины злиться на Фариша с Дэнни.

Наконец сестра вышла из палаты, где лежала девочка, и, проходя мимо Юджина, так и зыркнула на него. Девица-то симпатичная, да только размалевана до ушей помадой да румянами, как прошмандовка. Юджин непринужденно обернулся, непринужденно помахал ей рукой и зашагал вразвалочку по коридору. Спустился по лестнице, прошел мимо ночной сестры (лицо у нее было жутковато подсвечено настольной лампой) и прошел в приемный покой реанимации, где на диванчике спали Гам с Кертисом. Тут не было ни единого окна, и тусклые лампы под абажурами горели круглосуточно. Не было толку ошиваться наверху и привлекать к себе внимание. Вот как у этой шлюшки разукрашенной закончится смена, тогда он снова наверх и подымется.

Эллисон лежала у себя в спальне и глядела на луну. Опустевшей кровати Гарриет она как будто и не замечала — перепачканные рвотой простыни сняли и свалили кучей на полу. Мысленно она что-то напевала — даже не песенку, а просто импровизированную череду низких ноток, которую она монотонно повторяла на разный лад снова, снова и снова, будто печальные трели какой-то неведомой ночной птицы. Здесь ли Гарриет, нет ее — для Эллисон не было никакой разницы, но теперь на другой половине комнаты было так тихо, что Эллисон, осмелев, принялась напевать вслух, и беспорядочные обрывки мелодий, кружась, улетали во тьму.

Она никак не могла уснуть и не понимала почему. Сон был прибежищем Эллисон, стоило ей улечься, и сон встречал ее с распростертыми объятиями. А теперь она безмятежно свернулась в кровати, но не могла сомкнуть глаз и в темноте напевала что-то себе под нос, а сон превратился в зыбкую, беспамятную даль, он клубился дымком на заброшенных чердаках и шумел, будто море в перламутровых ракушках.

Эди спала на раскладной койке возле кровати Гарриет и проснулась от того, что свет бил ей прямо в лицо. Было уже поздно (она взглянула на наручные часы — 8.15), а у нее встреча с бухгалтером в девять. Она встала, прошла в ванную и на миг застыла, увидев в зеркале, до чего она устала и осунулась, это, конечно, все из-за больничного освещения, но все-таки…

Она почистила зубы и недрогнувшей рукой принялась рисовать лицо: подкрасила карандашом брови, подмазала губы. Врачам Эди не доверяла. Она по опыту знала — они тебя ни за что не послушают, только и умеют, что важно расхаживать, притворяясь, будто знают ответы на все вопросы. Делают скоропалительные выводы, игнорируют все, что не вписывается в их теории. И вдобавок ко всему им достался врач-иностранец. Едва этот доктор Дагу или как его там услышал слово “припадок”, и все — до остальных симптомов у ребенка ему и дела нет, они, видите ли, “неочевидные”. Неочевидные, думала Эди, выйдя из ванной и поглядев на спящую внучку (с живым любопытством, словно Гарриет была пожухлым садовым кустом или внезапно зачахшим фикусом), потому что нет у нее никакой эпилепсии.

Она практически с научным интересом рассматривала Гарриет еще несколько минут, а потом вернулась в ванную, принялась одеваться. Гарриет — девочка крепкая, Эди, конечно, за нее волновалась, но так, чтобы уж очень переживать — не переживала. А вот из-за чего переживать стоило (почему Эди и проворочалась полночи без сна на больничной койке), так это из-за того, какое запустение царило дома у дочери. Эди задумалась и поняла, что к ним на второй этаж не заходила с тех самых пор, когда Гарриет была совсем крошкой. Шарлотта и так всегда барахло копила, и Эди знала, что после смерти Робина дочь почти ничего не выкидывала, но когда вчера увидела, что творится у них дома, была потрясена до глубины души. Одно слово — свинарник. Неудивительно, что ребенок заболел, когда там мусор везде валяется, чудо, что они еще все втроем в больнице не оказались.

Эди закусила губу, застегивая молнию на спине. Грязная посуда, стопки газет — просто горы! — там уж точно жучки заведутся. А запах? Вот где самый ужас. Ворочаясь на бугристой больничной койке, Эди прокручивала в голове самые разные гипотезы, одна не лучше другой. Ребенок отравился, ребенок подхватил гепатит, ребенка во сне укусила крыса. Эди было до того страшно, до того стыдно, что она не смогла поделиться своими подозрениями с незнакомым врачом — да и теперь не сможет, даже по трезвому размышлению. Что тут скажешь? "Ах да, кстати, знаете, доктор, моя дочь развела дома жуткую грязь"?

Там у нее и тараканы, наверное, водятся, а то и кто похуже. И с этим нужно что-то делать, пока Грейс Фонтейн или еще какая-нибудь не в меру любопытная соседка не позвонила в службу здравоохранения. Шарлотту ругать — нет смысла, от нее ничего не добьешься, кроме слез да отговорок. Обращаться к ее неверному мужу — рискованно, захоти Дикс развестись (а он может и захотеть), ему в суде только на руку будет то, какой у них дома свинарник. И зачем только Шарлотта рассчитала эту их негритянку?

Эди заколола волосы в пучок, проглотила пару таблеток аспирина (после ночи в больнице ребра у нее разболелись) и снова вышла в палату. Все дороги ведут в больницу, думала она. С тех пор как умерла Либби, Эди каждую ночь во сне видела больницу — бродила по коридорам, ездила вверх-вниз на лифте, искала несуществующие этажи и палаты, — а теперь вот белый день на дворе, и она снова в больнице, в комнате, очень похожей на ту, где умерла Либби.

Гарриет все никак не просыпалась, но это было нормально. Врач сказал, что она почти весь день проспит. А Эди, после того как она потратит впустую очередное утро, пытаясь расшифровать бухгалтерские книги судьи Клива, еще придется встречаться с юристом. С мерзким мистером Рикси нужно договариваться, настаивал он. Это все, конечно, хорошо, да только "разумный компромисс", который он предлагал, ее по миру пустит. Крепко задумавшись (мистер Рикси даже на "разумный компромисс" не соглашался, сегодня она узнает, удалось ли его уговорить), Эди бросила напоследок взгляд в зеркало, взяла сумочку и вышла из палаты, даже не заметив, что в другом конце коридора околачивается проповедник.

Лежать в прохладной постели было одно удовольствие. Гарриет проснулась утром, но глаз все не открывала. Ей снились каменные ступени на ярко-зеленом поле, ступени, которые никуда не вели, которые так истерлись от времени, что казалось, это просто булыжники попадали, увязли посреди луга. В сгибе локтя у нее отвратительно подергивалась иголка — холодная, серебристая, и прицепленный к ней громоздкий аппарат тянулся вверх, протыкал потолок, исчезал в белых небесах сна.

Еще несколько минут она то просыпалась, то снова засыпала. Послышались чьи-то шаги (по холодным коридорам гулкое эхо разносится, будто по дворцовым залам), и Гарриет замерла, надеясь, что какой-нибудь добрый врач зайдет к ней в палату и заметит ее — маленькую Гарриет, бледную, больную.

Шаги приблизились к кровати, остановились. Гарриет почувствовала, как кто-то склонился над ней. Пока ее осматривали, она не двигалась — только веки подрагивали. Наконец она открыла глаза и вжалась в подушки от ужаса, потому что прямо перед ее носом маячило лицо проповедника. Полыхал шрам, ярко-красный, будто борода индюка, под оползшей бровью посверкивал влажный злобный глаз.

— Давай тихо, — сказал он, склонив голову набок, будто попугай. Голос у него был высокий, певучий, и от него мурашки бежали по коже. — Шуметь мы не будем, правда?

Гарриет бы с радостью пошумела — еще как пошумела бы. От ужаса и смятения она оцепенела, уставилась ему в глаза.

— Я тебя знаю, — говорил он, еле двигая губами. — Это ты тогда в миссии была.

Гарриет скосила глаза в сторону двери. Боль током прострелила виски.

Проповедник нахмурил лоб, склонился еще ниже.

— Со змеями — это все ты устроила. Это ж ты их и выпустила, а то нет? — сказал он своим странным, повизгивающим голоском. Волосы у него были напомажены и пахли сиренью. — И за братом моим, за Дэнни, ты следила, да?

Гарриет вытаращилась на него. Он знал про башню?

— Чего ты от меня тогда в коридоре убежала?

Не знал. Гарриет изо всех сил старалась не шевелиться. Когда они в школе играли в гляделки, Гарриет никто не мог победить.

В голове у нее еле слышно загрохотали колокола. Ей было плохо, ей хотелось провести рукой по глазам, начать утро заново. Ее лицо было как-то не совсем правильно расположено относительно лица проповедника, что-то тут не сходилось, и поэтому ей казалось, что он — это ее отражение, но только отражаться он должен немного под другим углом.

Проповедник прищурился:

— Ишь, какая ты наглая, — сказал он. — Тебе палец в рот не клади.

На Гарриет навалилась слабость, голова закружилась. Он не знает, яростно твердила она себе, он ничего не знает… Рядом с кроватью была кнопка вызова медсестры, Гарриет очень хотелось посмотреть на кнопку, но она сдержалась.

Он внимательно ее разглядывал. Белизна стен у него за спиной расплылась, стала прозрачной, и от этой пустоты Гарриет замутило так же, как тогда в тесном и темном баке.

— Ну, слушай, — он придвинулся еще ближе. — Чего ты боишься? Тебя и пальцем никто не тронул.

Застыв, Гарриет глядела ему в лицо и взгляда не отводила.

— А может, ты натворила чего и поэтому теперь боишься? Мне надо знать, зачем ты вокруг моего дома рыскала. А если не скажешь, так я все равно узнаю.

В дверях вдруг раздался чей-то бодрый голос:

— Тук-тук!

Проповедник подскочил, торопливо обернулся. Рой Дайал, нагруженный религиозными брошюрками и конфетами, махал им ручкой.

— Надеюсь, я не помешал, — сказал мистер Дайал и вошел, нисколечко не смутившись. Уроки в воскресной школе он всегда вел в костюме с галстуком, но теперь приоделся помоднее — на нем были парусиновые туфли, полотняные штаны цвета хаки, этакий турист, который собрался во флоридский океанариум. — Да это же Юджин! А ты что здесь делаешь?

— Мистер Дайал! — проповедник кинулся жать ему руку.

Голос у него сразу изменился, он заговорил совершенно иным тоном, и, несмотря на боль и страх, Гарриет это заметила. Он боится, подумала она.

— Ах да, — мистер Дайал глянул на Юджина. — Ведь, по-моему, вчера в больницу привезли какого-то Рэтлиффа? В газетах что-то…

— Да, сэр! Моего брата Фариша. Его… — Видно было, что Юджин изо всех сил старается говорить помедленнее. — В него, сэр, стреляли.

Стреляли? У Гарриет голова шла кругом.

— Ему, сэр, в шею выстрелили. Его вчера вечером нашли. Он…

— Ну надо же! — бодренько воскликнул мистер Дайал, так насмешливо покачав головой, что было ясно, ему и дела нет до родственников Юджина. — Боже правый! Вот так история! Я обязательно навещу его, когда ему станет получше. Я…

Не дав Юджину объяснить, что Фаришу лучше не станет, мистер Дайал воздел руки к небу, будто говоря: ну что ты будешь делать, и поставил коробку конфет на тумбочку.

— Боюсь, Гарриет, это не для тебя, — повернувшись к Гарриет дельфиньим профилем, мистер Дайал по-свойски склонился над ней, уставился левым глазом. — Я заскочил сюда перед работой, навестить дражайшую Агнес Апчерч (мисс Апчерч была дряхлая и больная старушка-баптистка, вдова банкира, строительный фонд мистера Дайала очень на нее рассчитывал), — и надо же такому случиться, столкнулся внизу с твоей бабушкой! Боже мой, говорю я. Мисс Эдит! Я…

Гарриет заметила, что проповедник, пятясь, отступает к двери. Мистер Дайал заметил, что она на него смотрит, и обернулся.

— А вы с этой юной леди разве знакомы?

Проповедник застыл на месте, попытался выкрутиться:

— Да, сэр, — он почесал в затылке, подошел поближе к мистеру Дайалу, как будто к нему и шел, — значит, сэр, я тут был, когда ее вчера вечером привезли. Она на ногах не держалась. Совсем была плохая, чистая правда, — он так это сказал, будто точку ставил, будто других объяснений и не требовалось.

— И ты, значит, просто… — казалось, что у мистера Дайала язык не поворачивается такое сказать, — … проведать ее решил?

Юджин прокашлялся, отвел глаза.

— Раз тут мой брат лежит, — сказал он, — и раз уж я тут, я подумал, что надо бы постараться и проведать всех, кто нуждается в утешении. И особенно радостно насадить его драгоценные семена среди малых детей.

Мистер Дайал вопросительно поглядел на Гарриет, мол, *он тебе надоедает*?

— Тут многого не надо, колени да Библия. Знаете, — Юджин кивнул в сторону телевизора, — это вот величайшая преграда на пути к спасению детской души. Ящик с грехами, вот как я его называю.

— Мистер Дайал, — вдруг сказала Гарриет, голос у нее был слабый, еле слышный, — где моя бабушка?

— Внизу, наверное, — ответил мистер Дайал, уставившись на нее ледяными дельфиньими глазами. — Говорит по телефону. А что такое?

— Мне нехорошо, — честно ответила Гарриет.

Она заметила, что проповедник осторожно крадется к выходу. Когда он увидел, что Гарриет на него смотрит, то многозначительно поглядел на нее в ответ и выскользнул из палаты.

— Что случилось? — Мистер Дайал склонился над ней, и ее захлестнуло резким фруктовым запахом его лосьона после бритья. — Хочешь попить? Что-то скушать? Живот болит?

— Я… я…

Гарриет попыталась приподняться. Она не могла прямо сказать, чего ей хотелось. Ей было страшно оставаться одной, но она не могла придумать, как бы так сказать об этом мистеру Дайалу, чтобы не пришлось объяснять, кого она боится и почему.

И тут зазвонил телефон на тумбочке.

— Погоди, я возьму, — мистер Дайал схватил трубку и передал ее Гарриет.

— Мама? — прошептала Гарриет.

— Поздравляю! Блестящий ход!

Это был Хили. Он захлебывался от восторга, но голос у него был дребезжащий, далекий. По шипению в трубке Гарриет догадалась, что он звонит из своего телефона-шлема.

— Гарриет! Ха! Подруга, ты с ним покончила! Он попался!

— Я…

Гарриет лихорадочно соображала, что бы сказать — и никак не могла придумать. Связь была плохая, но из трубки неслись такие громкие, победные вопли, что Гарриет боялась, как бы их не услышал мистер Дайал.

— Так держать! — От возбуждения он с грохотом уронил телефон, потом его голос, оглушительный, задыхающийся, снова зашумел в трубке. — В газетах писали…

— Что?

— Я знал, что это все ты. А почему ты в больнице? Что случилось? Ты пострадала? В тебя стреляли?

Гарриет по-особенному прокашлялась — подала условленный сигнал, который означал, что она сейчас не может говорить.

— А, да, — сказал Хили, мигом поостыв. — Прости.

Мистер Дайал забрал конфеты, одними губами произнес: мне пора бежать!

— Нет, пожалуйста, — запаниковала Гарриет, но мистер Дайал уже пятился к двери.

Еще увидимся! — бурно жестикулировал и говорил одними губами мистер Дайал. — *Машины меня заждались!*

— Тогда отвечай только: да или нет, — говорил Хили. — Ты влипла?

Гарриет со страхом глядела на открытую дверь. Мистера Дайала, конечно, не назовешь добрым и понимающим человеком, но он хотя бы был толковый: весь такой высокоморальный и несгибаемый, прямо честь и совесть нации. Был бы он рядом, никто ее бы и пальцем не посмел тронуть.

— Тебя арестуют? Полицейский палату охраняет?

— Хили, ты можешь кое-что для меня сделать?

— Конечно! — ответил он, сразу посерьезнев, будто терьер, который почуял след.

Гарриет, поглядывая на дверь, сказала:

— Поклянись.

Говорила она полушепотом, но в ледяной тишине, в комнате, где кругом были одни гладкие пластмассовые поверхности, ее голос разносился слишком далеко.

— Чего? Не слышу.

— Сначала поклянись.

— Гарриет, да ладно тебе, говори уже!

— Возле водонапорной башни, — Гарриет сделала глубокий вдох, ничего не поделаешь, надо говорить все как есть, — на земле валяется пистолет. Мне нужно, чтобы ты…

— Пистолет?!

— …чтобы ты нашел его и выбросил, — уныло договорила она.

Да что толку шептать? Как знать, кто их может подслушивать — у него дома или здесь. Вот только что мимо палаты прошла медсестра, а теперь — другая, да еще с любопытством к ней заглянула.

— Черт, Гарриет!

— Хили, я сама не могу туда пойти, — Гарриет чуть не плакала.

— Но у меня репетиция. Мы сегодня допоздна.

Репетиция. У Гарриет сердце упало. Ну и что же теперь делать?

— Или, — тем временем говорил Хили, — я могу сбегать прямо сейчас. По-быстрому. Мама повезет меня на репетицию только через полчаса.

Гарриет вымученно улыбнулась медсестре, которая заглянула в палату. А впрочем, какая разница, чем все закончится? Или отцовский пистолет останется возле башни, где его найдет полиция, или пистолет заберет Хили — и уже к обеду растрезвонит о нем всему оркестру.

— И что мне с ним делать? — спрашивал Хили. — Закопать во дворе?

— Нет! — ответила Гарриет так резко, что медсестра вскинула брови. — Выбрось его… — черт, подумала она, зажмурившись, да говори ты уже, не мямли… — Выбрось его…

— В реку? — услужливо подсказал Хили.

— Угу, — ответила Гарриет, повернувшись, когда медсестра (высокая, угловатая женщина с большими руками и слипшимися от лака седыми волосами) нагнулась, чтобы взбить ей подушку.

— А если он не потонет?

Гарриет даже не сразу поняла, о чем он говорит. Медсестра забрала висевшую на спинке кровати медкарту Гарриет и ушла вразвалку, тяжело ступая. Хили повторил вопрос.

— Он же… металлический, — сказала Гарриет.

Она с ужасом поняла, что Хили там не один и разговаривает с кем-то еще.

Он быстро сказал:

— Ладно! Мне пора!

Щелчок. Растерявшись, Гарриет так и сидела, прижав трубку к уху, пока не раздался длинный гудок. Только тогда она боязливо положила ее на рычаг (потому что все это время она глядела на дверь, ни на секундочку глаз не отвела), снова откинулась на подушки и со страхом посмотрела по сторонам.

Время тянулось еле-еле — безысходно, белым по белому. Почитать было нечего, и голова у Гарриет ужасно болела, но засыпать она боялась. Мистер Дайал оставил на тумбочке религиозную брошюрку, которая называлась “Малышовые чтения”. На обложке был нарисован розовощекий младенец в старомодной панамке, который толкал тележку с цветами, и в конце концов Гарриет от отчаяния принялась ее листать. Брошюрка была написана для матерей с маленькими детьми, и Гарриет от нее затошнило в считаные секунды.

Но она все равно, превозмогая отвращение, прочла тоненькую брошюрку от корки до корки, а потом просто сидела без дела. Сидела и сидела. В палате не было часов, не было никаких картин, не за что было даже взглядом зацепиться, и поэтому все ее мысли, все ее страхи беспрепятственно роились у нее в голове, да боль то и дело волнами вскипала в желудке. Схлынет боль, и Гарриет лежит, хватает ртом воздух, будто ее на миг омыло чистой водой, вынесло на берег, но вскоре в нее с новой силой впивалась тревога. Хили в общем-то ничего ей не обещал. Заберет он пистолет или нет? А если заберет, хватит ли у него мозгов его выкинуть? Она представила, как Хили похваляется перед ребятами из оркестра пистолетом ее отца. “Эй, Дейв, гляди, что у меня есть!” Гарриет поежилась, еще сильнее вжалась в подушку. Пистолет принадлежит ее отцу. И он весь в ее отпечатках. А таких трепачей, как Хили, еще поискать надо. Но, с другой стороны, кого, кроме Хили, можно было попросить о помощи? Никого. Никого.

Время шло. Наконец в палату снова, переваливаясь с ноги на ногу, зашла медсестра (толстая резиновая подошва на ее тапках с внешней стороны вся поистерлась), чтобы сделать Гарриет укол. Гарриет, которая металась на подушке и то и дело принималась разговаривать сама с собой, усилием воли попыталась отвлечься от своих переживаний. Она принялась разглядывать медсестру. У той было улыбчивое, обветренное лицо, морщинистые щеки, толстые лодыжки и неровная походка враскачку. Не будь на ней больничного халата, и ее можно было бы принять за морского капитана, который прохаживается по палубе. На бейджике у нее было написано “Глэдис Кутс”.

— Я быстренько, ты и глазом моргнуть не успеешь, — говорила она.

Гарриет до того ослабла и переволновалась, что даже сопротивляться не стала, перекатилась на живот и поморщилась, когда иголка впилась ей в ягодицу. Уколы она терпеть не могла, когда была маленькая, вечно вопила, рыдала и вырывалась, да так, что Эди (которая умела ставить уколы), пару раз сама засучивала рукава и выхватывала у врача шприц.

— А где моя бабушка? — спросила Гарриет, перевернувшись обратно на спину, потирая зад.

— Ой, господи! А тебе что, и не сказал никто?

— О чем? — закричала Гарриет, засучив ногами и руками, будто краб, пытаясь сесть, подняться. — Что случилось? Где бабушка?

— Шшшшш. Тихо, тихо! — медсестра принялась энергично взбивать подушки. — Она в город ненадолго уехала, только и всего. Только и всего, — повторила она, увидев, как недоверчиво Гарриет на нее смотрит. — А теперь ложись-ка поудобнее.

Это был самый-самый долгий день в жизни Гарриет. Боль безжалостно вертелась и вспыхивала у нее в висках, солнечный свет замер на стене блестящим параллелограммом. Сестра Кутс, шаркавшая туда-сюда вразвалочку с горшком в руках, была редким явлением — белым слоном, который выходил к людям примерно раз в сто лет, и приближение его было слышно за версту. За одно бесконечное утро она взяла у Гарриет кровь на анализ, закапала ей что-то в глаза, принесла воды со льдом, имбирного лимонаду, какую-то зеленую студенистую еду, которую Гарриет оттолкнула, едва попробовав, с грохотом швырнув ложку на яркий пластмассовый поднос.

Ежась от страха, она сидела в кровати, прислушивалась. Коридор был гамаком, в котором раскачивалось безмятежное эхо: болтовня за конторкой, взрывы смеха, постукивание костылей, скрип ходунков — это ковыляли взад-вперед по коридору бледные пациенты из отделения физиотерапии, которые шли на поправку. То и дело оживал селектор, и женский голос выкрикивал какие-то цифры и непонятные приказы… Карла, спустись в вестибюль, санитары, на второй, санитары, на второй…

Гарриет, будто решая примеры по арифметике, загибала пальцы, пытаясь свести воедино все, что ей известно, бормотала что-то себе под нос, и даже если вид у нее при этом был безумный, ей было наплевать. Проповедник ничего не знал о башне. Он не сказал ни слова о том, что Дэнни там был (или о том, что он утонул). Конечно, все может вмиг перемениться, если доктор все-таки догадается, что Гарриет заболела, наглотавшись отравленной воды. "Транс АМ" стоял довольно далеко от башни, скорее всего, никому и в голову не пришло обыскивать бак, а если его не обыскали до сих пор, то, как знать, может туда и вовсе никто не сунется.

А может, и сунется. Да еще этот пистолет. Ну как она могла о нем забыть, почему не забрала? Она, конечно, никого не убила, но ведь из пистолета стреляли, в полиции это сразу определят, ну а раз он валялся возле башни, то кто-нибудь точно решит осмотреть и бак.

Да еще Хили с этими его беззаботными расспросами. Арестовали ли ее? Охраняет ли ее полицейский? То-то Хили будет потеха, если ее арестуют — от этого Гарриет тоже легче не становилось.

Тут ей в голову пришла ужасная мысль. А что, если полицейские следят за "Транс АМом"? Ведь машина — это место преступления, ну, как по телевизору показывают. Его всегда охраняют полицейские, и там собирается куча фотографов. Конечно, машина стояла очень далеко от башни, но сообразит ли Хили, что к полицейским даже приближаться нельзя? Сумеет ли он вообще подобраться к башне? "Транс АМ" был припаркован возле складов, поэтому полиция, наверное, в первую очередь будет обыскивать их. Но потом ведь начнут прочесывать периметр, тогда дойдут и до башни. Гарриет злилась на себя: ну почему она не предупредила Хили, чтоб тот был поосторожнее? А если там много народу, он и сделать ничего не сможет — просто развернется и уйдет.

Ближе к обеду к ней зашел врач, прервав ее тревожные метания. Он был лечащим врачом Гарриет, ее отводили к нему всякий раз, когда она простужалась или подхватывала ангину, но Гарриет он не нравился. Вроде молодой, а щеки уже обвисли брылями, лицо желтое, одутловатое, невыразительное, да и разговаривал он с ней всегда холодно и саркастично. Фамилия его была Бридлав, но Эди — в основном из-за того, какую цену он заламывал за свои визиты — прозвала его "доктор Хап" (и среди его пациентов прозвище прижилось). Поговаривали, это, мол, из-за дурного характера он не может найти себе работу поприличнее, в каком-нибудь большом городе. Впрочем, именно потому, что он был таким грубияном, Гарриет и вела себя с ним не так, как с остальными взрослыми, которым ей приходилось натужно, приветливо улыбаться, и за это даже отчасти его уважала.

Доктор Хап обошел ее кровать. Друг на друга они с Гарриет даже не глядели, будто два враждующих кота. Он безучастно осмотрел ее. Почитал ее медкарту. И наконец спросил:

— Салат-латук часто ешь?

— Да, — ответила Гарриет, которая никогда его не ела.

— А соленой водой его промываешь?

— Нет, — Гарриет догадалась, что именно такого ответа он от нее и ждал.

Он пробормотал что-то про дизентерию, про немытый салат, который везут из Мексики, угрюмо помолчал, а потом с грохотом прицепил медкарту обратно на спинку кровати и ушел.

Внезапно зазвонил телефон. Гарриет, позабыв о том, что у нее в вене капельница, рванулась к нему и схватила трубку еще до того, как отзвенел первый звонок.

— Здорово!

Это был Хили. В трубке слышалось эхо, какое бывает в спортзале. Оркестр старшеклассников репетировал, сидя на складных стульчиках в баскетбольном зале. Они настраивали инструменты, и в трубку неслась дикая какофония звуков: гудки, трескотня, писк кларнетов, блеянье труб.

— Стой, — прервала его Гарриет, едва он начал, захлебываясь, что-то говорить, — стой, погоди секунду.

Возле телефона-автомата в школьном спортзале всегда вертелось много народу, ничего секретного не скажешь.

— Отвечай только: да или нет. Ты его нашел?

— Да, сэр! — Голос его был совсем не похож на голос Джеймса Бонда, но Гарриет сразу догадалась, что именно Бонда он и изображает. — Оружие у меня.

— Выбросил, куда сказала?

Хили зашелся ликующим смехом.

— Кью! — воскликнул он. — Разве я тебя когда-нибудь подводил?

За этим последовала короткая неловкая пауза, и Гарриет услышала в трубке странный шум, какую-то возню и перешептывания.

— Хили, — Гарриет резко выпрямилась, — ты с кем там?

— Ни с кем, — поспешно — слишком поспешно — ответил Хили.

Но Гарриет услышала, как дернулся у него голос, как будто он подтолкнул кого-то локтем.

Шепот. Вдруг кто-то захихикал — девчонка! Гарриет дернулась от гнева, будто ее током ударило.

— Хили, — сказала она, — тебе же хуже будет, если ты там не один, нет-нет, — перебила она Хили, который принялся горячо отнекиваться, — послушай. Потому что…

— Эй! — Он что, смеялся? — Да чего ты завелась?

— …потому что, — тут она набралась духу и постаралась говорить погромче, — на пистолете твои отпечатки.

Гробовое молчание — слышно было только, как настраивается оркестр и как толкаются, перешептываются дети.

— Хили?

Наконец в трубке раздался его голос — дрожащий, тихий.

— Я… Да отвали ты! — сердито бросил он кому-то, кто стоял рядом с телефоном и посмеивался. Какая-то возня. Трубка с грохотом ударилась о стену. Через несколько секунд снова послышался голос Хили.

— Я сейчас, подождешь? — сказал он.

Ба-бах, снова закачалась трубка. Гарриет прислушалась. Взволнованные перешептывания.

— Нет, ты… — раздался чей-то голос.

Снова какая-то возня. Гарриет выжидала. Шаги, кто-то убегает, неразборчивые крики. Когда Хили снова взял трубку, дышал он тяжело.

— Черт, — сказал он трагическим шепотом, — ты меня подставила.

Гарриет, которая теперь и сама тяжело дышала, ничего ему не ответила. На пистолете были и ее отпечатки, хотя напоминать об этом Хили сейчас не стоило.

— Кому ты сказал? — спросила она, выдержав ледяную паузу.

— Никому. Ну… только Грегу с Антоном. И Джессике.

Джессике? думала Гарриет. *Джессике Диз?*

— Да ладно тебе, Гарриет, — заныл он. — Ну не злись. Я же сделал все, как ты просила.

— Я тебя не просила ничего говорить Джессике Диз.

Хили сердито фыркнул.

— Ты сам во всем виноват. Не надо было никому говорить. А теперь ты здорово влип, и я ничем не могу тебе помочь.

— Но… — Хили растерялся, замолчал. — Но так нечестно! — наконец сказал он. — Я никому не сказал, что это ты.

— Что я — что?

— Ну, не знаю, что ты там сделала.

— А почему ты думаешь, что я вообще что-то сделала?

— Ну, все ясно.

— Ты с кем ходил к башне?

— Ни с кем. Ну, то есть… — жалко запнулся Хили, слишком поздно осознав свою ошибку.

— Значит, ни с кем.

Молчание.

— Ну, тогда, — сказала Гарриет (Джессика Диз! Крыша у него, что ли съехала?), — это твой пистолет. Ты ни за что не докажешь, что это я тебя попросила.

— А вот и докажу!

— Да-а? И как же?

— Докажу, — запальчиво, но неубедительно сказал он. — Возьму и докажу. Потому что…

Гарриет молчала.

— Потому что…

— Ничего ты не докажешь, — сказала Гарриет. — И там везде твои отпечатки, сам знаешь где. Так что давай-ка, пошевели мозгами, придумай, что бы такого наврать Джессике, Грегу и Антону, если, конечно, не хочешь попасть в тюрьму и умереть на электрическом стуле.

Гарриет поначалу подумала, что последняя фраза — перебор даже для легковерного Хили, но он так испуганно замолчал, что оказалось — нет, не перебор.

— Ладно, Хил, — наконец сжалилась она над Хили. — Я никому не скажу.

— Не скажешь? — пролепетал он.

— Нет! Все останется между нами. Если ты никому не скажешь, никто и не узнает.

— Не узнает?

— Слушай, просто скажи Грегу и всем остальным, что ты их разыграл, — сказала Гарриет, помахав рукой сестре Кутс, которая, уходя со смены, заглянула к ней попрощаться. — Уж не знаю, что ты там им наговорил, но скажи, что все выдумал.

— А если его кто-то найдет? — с отчаянием спросил Хили. — Что тогда?

— Ты видел кого-нибудь возле башни?

— Нет.
— Машину видел?
— Не-ет, — ответил Хили, на миг растерявшись, — какую машину?
Отлично, подумала Гарриет. Значит, он пришел другим путем и держался подальше от дороги.
— Какую машину, Гарриет? Это ты о чем?
— Ни о чем. Ты его куда выбросил? Там глубоко?
— Да. Сбросил в реку с железнодорожного моста.
— Молодец. — Лезть туда, конечно, было опасно, но место Хили выбрал правильное — самое безлюдное. — И тебя никто не видел? Точно?
— Нет. Но они ведь могут и реку прочесать. — Пауза. — Понимаешь, — сказал он. — А там мои отпечатки.
Гарриет не стала его разубеждать.
— Слушай, — сказала она. Хили надо было просто подолгу вдалбливать одно и то же, чтобы до него наконец дошло. — Если Джессика и все остальные никому ничего не расскажут, то никто и не узнает, что надо искать… некий предмет.
Молчание.
— Что именно ты им сказал?
— Ну, я не сказал им, как оно все на самом деле было.
Что правда, то правда, подумала Гарриет. Как оно все на самом деле было, Хили и не знал.
— А что тогда?
— Ну, в целом — примерно то же, что в утренних газетах писали. Что Фариша Рэтлиффа подстрелили. Там не было никаких подробностей, сказано только, что его прошлой ночью нашел мужик из службы по отлову бродячих собак, он как раз погнался за бешеным псом, который убежал в лес и помчался к старому хлопкозаводу. Правда, про мужика и собаку я говорить не стал. Я все рассказал так, чтобы было больше похоже…
Гарриет молчала, выжидала.
— … на шпионский детектив.
— Так придумай еще чего-нибудь подетективнее! — предложила Гарриет. — Скажи им…
— Точно! — Хили снова воспрянул духом. — Клевая идея! Можно придумать, как в том фильме, "Из России с любовью". Ну, там где был чемодан…

— …который стреляет пулями и слезоточивым газом.
— Пулями и слезоточивым газом! И туфли! Еще туфли! — У агента Клебб в носках туфель были спрятаны пружинные ножи.
— Да, круто. Хили…
— А помнишь кастет, ну там, когда они на острове, и она как ударит того здоровенного блондина прямо в живот?
— Хили, я бы на твоем месте слишком много всего не придумывала.
— Не, я немножко. Но чтобы было, как в кино, — с восторгом настаивал он.
— Точно, — сказала Гарриет. — Как в кино.

— Вы Лоренс Юджин Рэтлифф?
Незнакомец остановил Юджина возле лестницы. Крупный, добродушный на вид мужчина, со светлыми усами щеточкой и пронзительными серыми глазами навыкате.
— Вы куда идете?
— Я…
Юджин уставился на свои руки. Шел он опять к девчонке в палату, хотел попробовать еще что-нибудь из нее вытянуть, но этого он, конечно, сказать не мог.
— Не возражаете, если я с вами пройдусь?
— Нет, что вы! — откликнулся Юджин приветливым тоном, который ему пока что не сослужил хорошей службы.
По коридору запрыгало гулкое эхо, они прошли мимо лестницы, дошли до конца выстуженного коридора, до двери с надписью “Выход”.
— Вы уж простите за беспокойство, — сказал мужчина и толкнул дверь, — тем более в такую трудную для вас минуту, но можно вас на пару слов, вы не против?
Они вышли на улицу, из стерильного полумрака — к обжигающему солнцу.
— Чем могу служить? — спросил Юджин, отбросив волосы со лба.
Он устал и двигался с трудом, потому что всю ночь просидел на стуле, но хоть он в последнее время что-то зачастил по больницам, жариться на полуденном солнце ему хотелось и того меньше.
Незнакомец уселся на бетонную скамейку, жестом велел Юджину присесть рядом.

— Я разыскиваю вашего брата Дэнни.

Юджин сел на скамейку, но ничего не ответил. Он в свое время с полицией наобщался, знал, как себя с ними вести — помалкивать нужно, да и все.

Коп хлопнул в ладоши.

— Ох, ну и жарища! — сказал он. Он порылся в карманах, вытащил пачку сигарет, неторопливо закурил. — Ваш брат Дэнни дружен с неким Альфонсом де Бьенвилем, — продолжил он, выдохнув струйку дыма из уголка рта. — Знаете его?

— Слыхал про такого.

Альфонсом звали Реверса.

— Вот у кого, похоже, дел невпроворот, — коп доверительно понизил голос, — и без кого ни одна афера в городе не обходится, правда ведь?

— Чего не знаю, того не знаю.

Юджин старался с Реверсом дел не иметь. В присутствии развязного, нахального Реверса Юджину всегда делалось не по себе: он стеснялся, никогда не знал, что ему отвечать, только мямлил что-то и чувствовал: стоит ему отвернуться, и Реверс начинает его передразнивать.

— И какое же он отношение имеет к вашему скромному семейному промыслу?

Юджин, внутренне похолодев, зажал ладони между коленей и постарался сохранять спокойствие.

Коп подавил зевок, вытянул руку, положил ее на спинку скамьи. Он то и дело нервно похлопывал себя по животу, как будто недавно сбросил вес, а теперь проверяет — не округлилось ли у него снова брюшко.

— Короче, Юджин, нам все известно, — сказал он, — знаем мы все про ваши делишки. Сейчас полдесятка моих людей обыскивают дом вашей бабки. Так что давайте не тратить время попусту, выкладывайте все как есть.

— Говорю как на духу, — Юджин повернулся и посмотрел ему прямо в глаза. — К тому, что там в сарае, я никакого отношения не имею.

— Ага, то есть про лабораторию вы знали. Говорите, где наркотики.

— Сэр, вам о них известно поболе моего, и это чистая правда.

— Ну тогда я вам кое-что еще расскажу. Один из наших людей ранен, попался в эту вашу ловушку, которых у вас вокруг дома тьма тьмущая. Нам еще повезло, что он сразу свалился и заорал, и поэтому никто не наступил на растяжку и не подорвал там все к чертям.

— У Фарша были проблемы с психикой, — сказал, растерянно помолчав, Юджин. Солнце било ему прямо в глаза, чувствовал он себя паршиво. — Он лечился.

— Да, и еще в тюрьме сидел.

Он не сводил глаз с Юджина.

— Слушайте, — Юджин засучил ногами. — Я знаю, о чем вы думаете. Не скрою, со мной не все было гладко, но теперь это дело прошлое. Я испросил у Господа прощения и вынесенное мне государством наказание исполнил. Теперь моя жизнь принадлежит Иисусу Христу.

— Угу, — коп немного помолчал. — Тогда скажите вот что. Какое отношение ко всему этому имеет ваш брат Дэнни?

— Они с Фаршем вместе уехали вчера утром. А больше я ничего не знаю.

— Ваша бабушка говорит, они ссорились.

— Я бы так прямо не сказал, что ссорились, — ответил Юджин, задумчиво помолчав.

У Дэнни, похоже, и без того проблем хватало, не стоило все усложнять. Если это не Дэнни застрелил Фариша — ну, тогда он и сам все объяснит. А если это Дэнни (как Юджин и подозревал), так все равно, что там Юджин скажет, ему уже ничем не помочь.

— Ваша бабушка утверждает, что они чуть не подрались. Что Дэнни чем-то разозлил Фариша.

— Я ничего такого не видел.

От Гам он ничего другого и не ожидал. Фариш бабку к полицейским и близко не подпускал. Она до того пристрастно относилась к внукам, что с нее сталось бы наябедничать на Дэнни с Юджином, обвинить их во всех смертных грехах, а Фариша тем временем превознести до небес.

— Ну тогда ладно, — коп затушил сигарету. — Чтоб вы понимали, Юджин. Я с вами сейчас просто беседую, это не допрос. Мне незачем тащить вас в участок и зачитывать вам ваши права, пока в этом нет серьезной необходимости, вам ясно?

— Ясно, сэр, — ответил Юджин, глянув ему в лицо и быстро отведя взгляд. — Я вам, сэр, очень признателен.

— И раз уж мы с вами говорим тут с глазу на глаз, как вы думаете, где ваш брат Дэнни?

— Не знаю.

— Мне тут сказали, вы с ним были не разлей вода, — продолжил коп все тем же доверительным тоном. — Как-то не верится, что он вот так взял и уехал, а вам ни словечка не сказал. Может, вы каких его друзей знаете? Есть ли у него связи в других штатах? Один он не мог далеко сбежать, тем более пешком, значит, кто-то ему помог.

— А с чего вы взяли, что он сбежал? Откуда знаете, что он тоже не лежит где-нибудь мертвый или раненый, вон как Фариш?

Коп обхватил колено.

— Занятный вопрос вы задали. Знаете, мы как раз сегодня утром арестовали Альфонса де Бьенвиля и спросили его ровно о том же самом.

Юджин призадумался над новым поворотом событий.

— Думаете, это Реверс?

— Что — Реверс? — непринужденно спросил коп.

— Брата моего застрелил.

— Хм-м, — коп уставился вдаль, помолчал минутку. — Реверс — человек весьма предприимчивый. Он сразу понял, как за ваш счет можно по-быстрому сколотить деньжат, и, похоже, что-то такое и собирался провернуть. Но вот беда, Юджин. Мы не можем найти Дэнни, и наркотики мы тоже не можем найти. И у нас нет никаких доказательств того, что Реверс знает, где они. А это значит, что мы вернулись к тому, с чего и начинали. Вот поэтому-то я и подумал, вдруг вы мне хоть чем поможете.

— Вы меня уж извините, сэр, — Юджин потирал рот, — даже и не знаю, чем я тут вам могу помочь.

— Так, может, вам стоит над этим поразмыслить? Раз уж речь идет об убийстве.

— Об убийстве? — Юджин ошеломленно подскочил. — Фариш умер?

Было так жарко, что он даже начал задыхаться. Юджин уже с час не заглядывал в реанимацию, они с бабкой и Кертисом пошли пообедать в больничный кафетерий, и когда те доели овощной суп и банановый пудинг, Юджин велел им возвращаться, а сам остался допивать кофе.

Коп как будто удивился, но Юджин не понимал, искреннее ли это удивление или он ловко притворяется.

— А вы не знали? — спросил он. — Я увидел, что вы как раз с той стороны вышли, ну и подумал…

— Слушайте, — сказал Юджин, он уже встал и зашагал в сторону больницы, — слушайте. Мне надо вернуться к бабушке. Я…

— Конечно, конечно, — коп помахал рукой, даже не глядя в его сторону, — возвращайтесь, сделайте все, что требуется.

Юджин подошел к служебному входу и на мгновение растерянно застыл. Проходившая мимо медсестра сочувственно поглядела на него, покачала головой, и тут Юджин вдруг сорвался с места, помчался, громко шлепая ботинками по полу, и так бежал, не обращая внимания на медсестер с вытаращенными глазами, до самого отделения реанимации. Он услышал Гам еще до того, как ее увидел — тихий, сухонький, одинокий вой, и от боли у него чуть сердце не разорвалось. Перепуганный, задыхающийся Кертис сидел на стуле в коридоре, прижимая к себе огромную плюшевую игрушку, которой Юджин раньше у него не видел. Какая-то женщина из службы психологической помощи — она к ним сразу по-доброму отнеслась, встретила, отвела без всяких там проволочек в реанимацию — держала Кертиса за руку и что-то ему тихонько говорила. Увидев Юджина, она встала.

— А вот и он, — сказала она Кертису, — вот он и пришел, солнышко, так что не переживай.

Она взглянула на соседнюю дверь и сказала Юджину:

— Ваша бабушка…

Юджин кинулся к ней, хотел обнять. Но она оттолкнула его и протиснулась в коридор, выкрикивая имя Фариша странным, слабым, визгливым голоском.

Дама из психологической помощи ухватила за рукав проходившего мимо доктора Бридлава.

— Доктор, — сказала она, указывая на Кертиса, который задыхался и уже начал синеть, — ему трудно дышать.

Врач остановился, буквально на каких-нибудь полсекунды, глянул на Кертиса. Рявкнул:

— Эпинефрин!

Одна медсестра торопливо куда-то убежала. Другую медсестру он сердито спросил:

— Почему миссис Рэтлифф до сих пор не дали успокоительное?

И каким-то образом посреди этакой сумятицы — забегали санитары, Кертису сделали укол в руку ("давай-ка, зайчик, тебе сразу станет лучше"), сразу две медсестры захлопотали над его бабкой — вдруг снова возник коп.

— Слушайте, — сказал он, выставив ладони вперед, — вы уж там сделайте все, что нужно.

— Что? — переспросил Юджин, заозиравшись по сторонам.

— Я вас тут подожду, — он кивнул. — Я тут подумал, что у нас дела с вами пойдут значительно быстрее, если вы со мной доедете до участка. Когда тут все закончите.

Юджин оглянулся. Он еще до конца не осознал, что произошло, ему казалось, будто он смотрит на все через пелену тумана. Бабка утихла, и две медсестры куда-то ее увели по серому холодному коридору. Кертис потирал руку, но зато мигом перестал пыхтеть и задыхаться. Он показал Юджину свою игрушку, кажется, это был заяц.

— Мое! — сказал он, потирая опухшие глаза кулаком.

Коп все глядел на Юджина, как будто ждал какого-то ответа.

— Мой младший брат, — Юджин провел рукой по лицу. — Он умственно отсталый. Я не могу его тут одного оставить.

— Так берите его с собой, — сказал коп. — Мы его шоколадкой угостим.

— Миленький, — позвал Кертиса Юджин, и тот бросился к нему, чуть не сбив его с ног. Он вцепился в Юджина, уткнулся мокрым лицом ему в грудь.

— Люблю, — сказал он приглушенным голосом.

— Ну-ну, Кертис, — Юджин неуклюже похлопал его по спине, — ну хватит, будет тебе, я тоже тебя люблю.

— Славные они, верно? — сказал коп уже помягче. — У моей сестры тоже такой был, с синдромом Дауна. Пятнадцать лет всего прожил, но как уж мы всего любили, словами не передать. И не припомню похорон печальнее.

Юджин что-то промямлил в ответ. У Кертиса был целый набор заболеваний, среди которых были и очень серьезные, но именно об этом ему сейчас думать не хотелось. А вот что ему сейчас надо, так это спросить у кого-нибудь, можно ли взглянуть на Фариша, побыть с ним наедине пару минут, помолиться. Фариша так вроде бы никогда особенно не заботило, что там с ним случится после смерти (да и что с ним случится при жизни тоже), но это же не значит, что Господь не призвал его к себе. Ведь и до этого Господь, бывало, одаривал Фариша своей милостью.

Когда он тогда угнал бульдозер, а потом выстрелил себе в голову, все врачи в один голос утверждали, что он живет только на аппаратах, а он возьми и удиви их всех — ожил, будто Лазарь. Разве много таких, кто, можно сказать, восстал из мертвых — кто уселся бы вдруг посреди всяких реанимационных приборов да попросил принести ему картофельного пюре? Неужто Господь вот так неожиданно вырвал бы душу из лап смерти, только затем, чтобы низвергнуть ее в ад? Если ему удастся увидеть тело — взглянуть на него собственными глазами, — то он точно поймет, в каком состоянии Фариш отошел в мир иной.

— Я хочу брата увидеть, перед тем как его заберут, — сказал он. — Пойду поговорю с доктором.

Коп кивнул. Юджин развернулся, чтобы уйти, но тут Кертис, запаниковав, вцепился ему в руку.

— Хотите, оставьте его со мной, — сказал коп. — Я за ним присмотрю.

— Нет, — сказал Юджин, — нет, это ничего, я его возьму с собой.

Коп поглядел на Кертиса, покачал головой.

— Когда такое приключается, для них это счастье, — сказал он. — Счастье не понимать, что происходит, я вот о чем.

— Как будто мы что-то понимаем, — сказал Юджин.

От лекарств Гарриет клевала носом. Вдруг кто-то постучал в дверь. Тэтти!

— Душечка моя! — воскликнула она, влетая в палату. — Ну, как тут моя деточка?

Гарриет, обрадовавшись, заворочалась в кровати, протянула к ней руки. Но вдруг ей показалось, будто это все ей только снится, а в комнате никого нет. И до того это было странное чувство, что Гарриет потерла глаза, стараясь скрыть свое замешательство.

Но это действительно была Тэтти. Она поцеловала Гарриет в щеку.

— Эдит, но вид у нее здоровый! — восклицала она. — Очень живенький!

— Это потому что ей сегодня гораздо лучше, — сухо отозвалась Эди. Она положила на тумбочку книгу. — Вот, принесла тебе, чтобы ты не скучала.

Гарриет, откинувшись на подушки, слушала их разговор, слушала, как привычно их голоса сливаются в складную, приятную бессмыслицу. И вдруг оказалась совершенно в другом месте, в галерее с синими стенами, где стояла мебель в чехлах. Дождь все шел и шел.

— Тэтти! — Она села в кровати, комната была залита ярким светом.

Солнечное пятно, которое было напротив кровати, растянулось, сползло по стене, разлилось по полу глянцевой лужицей.

В комнате никого не было. Перед глазами у Гарриет все плыло, как будто она вышла из темного кинотеатра на яркое солнце. На тумбочке лежала толстая книжка в голубой обложке — дневник капитана Скотта. От одного ее вида у Гарриет стало легче на сердце, чтобы убедиться, что книга ей не примерещилась, она положила на нее руку и, позабыв о слабости и головной боли, с трудом уселась в кровати, чтобы почитать. Но пока она читала, тишина больничной палаты незаметно превратилась в ледяное, потустороннее затишье, и вскоре у Гарриет появилось неприятное чувство, будто книга обращается к ней, к Гарриет, напрямую, и ей стало не по себе. Стоило ей прочесть несколько строк, как в глаза обязательно бросалась какая-нибудь весьма недвусмысленная фраза, как будто капитан Скотт пишет именно ей, как будто бы в своих дневниках с Северного полюса он специально оставил зашифрованные послания для Гарриет. Стоило ей прочесть несколько строк, и фразы приобретали новый, важный смысл. Гарриет убеждала себя, что ей это только кажется, но бесполезно — в конце концов ей стало совсем страшно, и книгу пришлось закрыть.

Мимо палаты прошел доктор Бридлав и резко остановился, заметив, что Гарриет не лежит, а сидит в кровати и вид у нее беспокойный и перепуганный.

— Ты почему не спишь? — грозно спросил он.

Он вошел, почитал ее медкарту (на брылястом лице не дрогнул ни один мускул) и, громко топая, ушел. Через пять минут в комнату вбежала медсестра с очередным шприцом.

— Давай переворачивайся, — сердито сказала она.

Она как будто злилась на Гарриет за что-то.

Когда она ушла, Гарриет так и осталась лежать, уткнувшись лицом в подушку. Одеяла были такими мягкими. Над головой у нее вытягивались и скользили звуки. И тут она, кувыркаясь, полетела вниз, в бескрайнюю пустоту, от которой замирало сердце, в старинную невесомость ее самых первых кошмаров.

— Да не хочу я чаю, — раздался знакомый капризный голос.

Теперь в палате было темно. Рядом с кроватью стояли два человека. Над их головами висели венчики тусклого света. И тут Гарриет ужаснулась, услышав голос, которого она уже давно не слышала — голос отца.

— В кафетерии был только чай, — говорил он подчеркнуто вежливо, но так, что это больше напоминало сарказм. — А также кофе и сок.

— Я же говорила, не обязательно так далеко ходить. В коридоре есть автомат с кока-колой.

— Не хочешь — не пей.

Гарриет лежала, не шевелясь, полузакрыв глаза. Стоило ее родителям оказаться в одной комнате, как обстановка делалась мрачной и невыносимой, даже если они были друг с другом предельно вежливы. "И чего они тут делают? — сонно думала Гарриет. — Лучше б это были Тэтти и Эди".

Вдруг Гарриет с изумлением услышала, что отец упомянул Дэнни Рэтлиффа.

— Вот ведь ужас, — говорил он. — В кафетерии только о нем и разговоров.

— О ком?

— О Дэнни Рэтлиффе. Помнишь его? Маленький друг Робина. Он иногда приходил к нам во двор, они вместе играли.

"Друг?" — подумала Гарриет.

Вот теперь она точно проснулась — сердце у нее колотилось до того бешено, что она усилием воли сдерживалась, чтобы не задрожать, и, не открывая глаз, слушала, о чем говорят родители. Отец отхлебнул кофе. Продолжил:

— Он потом заходил. Уже после. Оборванец такой, ну как ты его не помнишь? Постучался в дверь, извинился, что не сумел прийти на похороны, его некому было подвезти.

“Но это же неправда! — лихорадочно думала Гарриет. — Они друг друга терпеть не могли. Мне Ида сказала”.

— Ах, да! — у матери голос стал звонче, но как будто от боли. — Бедняжка. Конечно, я его помню. Ох, какой ужас.

— Бывает же такое, — тяжело вздохнул отец. — А кажется, только вчера они с Робином играли во дворе.

Гарриет помертвела от ужаса.

— Я так расстроилась, — сказала мать Гарриет, — так расстроилась, когда узнала, что он пошел по плохой дорожке.

— С такой-то семьей? Неудивительно, что так вышло.

— Ну, не такие уж они и ужасные. Я тут в коридоре встретила Роя Дайала, и он мне сказал, что один из братьев даже зашел проведать Гарриет.

— Вот как? — отец снова шумно глотнул кофе. — То есть он знал, кто она такая?

— Скорее всего. Наверняка поэтому он и зашел.

Они заговорили о чем-то другом, а Гарриет так и лежала, с ужасом уткнувшись лицом в подушку и не шевелясь. Ей ни разу и в голову не пришло, что решив, будто это Дэнни Рэтлифф убил ее брата, она могла и ошибиться — просто-напросто ошибиться. А что, если он и вовсе не убивал Робина?

Но от одной этой мысли на нее обрушился такой чернейший ужас, раз — и будто ловушка захлопнулась, что Гарриет немедленно стала гнать эту мысль от себя. Дэнни Рэтлифф виновен, и она это знает, знает совершенно точно, потому что это единственное разумное объяснение. Пусть никто не знает, что он убийца, а вот она — знает.

Но теперь сомнения одолевали ее все сильнее, а вместе с сомнениями пришел и страх, что она, сама того не желая, совершила что-то ужасное. Гарриет попыталась успокоиться. Дэнни Рэтлифф убил Робина — это правда, иначе и быть не может. Но когда она задумалась о том, а откуда она, собственно, знает, что это правда, все ее логичные доводы вдруг куда-то испарились, и она ни единого не могла припомнить.

Гарриет прикусила губу. И почему она решила, что это он? Одно время ей просто казалось, что так будет правильно, и в этом-то все и дело. Но теперь, как и дрянной привкус во рту, ее не отпускал муторный страх. Откуда взялась эта ее уверенность? Хорошо, Ида ей много чего рассказала, но внезапно все ее рассказы (о ссорах и сломанном велосипеде) как-то потеряли свою убедительность. Ида ведь и Хили ненавидела, и совершенно безо всякой на то причины. А когда Хили приходил к ней поиграть и они с Гарриет ссорились, Ида ведь часто сразу на него набрасывалась, даже не разбиралась, кто зачинщик.

А может, она и права. Может, он и убил. Но теперь, как же теперь узнать наверняка? У нее похолодело в животе, когда она вспомнила, как скрюченные пальцы исчезали в зеленой воде.

"Ну почему же я его не спросила? — думала она. — Он же был так близко!" Но нет, она, видите ли, испугалась, только и думала о том, как бы убежать.

— Смотри! — Мать Гарриет вдруг вскочила. — Она проснулась!

Гарриет замерла. Она так крепко задумалась, что сама не заметила, как открыла глаза.

— Гарриет, смотри, кто приехал!

Отец встал, подошел к кровати. Даже в полумраке было видно, что с прошлого своего приезда он заметно прибавил в весе.

— Ну что, давненько не видала старика-отца? — Он всегда себя так называл — "старик-отец", когда хотел сострить. — Как тут моя девочка?

Гарриет покорно позволила ему поцеловать себя в лоб, стерпела, когда он небрежно потрепал ее по щеке. Эту неизменную отцовскую ласку Гарриет ненавидела, потому что этой же рукой он, разозлившись, отвешивал ей пощечины.

— Как ты себя чувствуешь? — спрашивал он. От отца пахло сигарным дымом. — Ну, молодец девчонка, поводила врачей за нос!

Он это так сказал, будто Гарриет сделала важное научное открытие или поставила спортивный рекорд.

Мать беспокойно переминалась с ноги на ногу.

— Да ей, наверное, не очень сейчас хочется разговаривать.

Не оборачиваясь, отец отрезал:

— Если не хочется, так никто ее и не заставляет.

Гарриет поглядела на отца — на его мясистое красное лицо с живыми внимательными глазками, и вдруг ей отчаянно захотелось спросить о Дэнни Рэтлиффе. Но спрашивать она боялась.

— Ну, чего? — сказал он.
— Я ничего не говорила, — Гарриет удивилась, до чего скрипучий и слабый у нее стал голос.
— Да, но хотела ведь, — отец приветливо глядел на нее. — Что там у тебя?
— Оставь ты ее в покое, Дикс, — тихонько пробормотала мать.

Отец молча, резко дернул головой — этот его жест Гарриет отлично помнила.
— Но она же устала!
— Знаю, что устала. И я устал, — говорил отец ледяным, чрезвычайно вежливым тоном. — Я восемь часов сюда на машине добирался. А теперь мне, значит, с ней и поговорить нельзя?

Когда родители наконец ушли — навещать больных можно было только до девяти, — Гарриет от страха не могла уснуть. Она сидела на кровати и не сводила глаз с двери, боясь, что вернется проповедник. Отец заявился без предупреждения — это, конечно, тоже повод для беспокойства, особенно если вспомнить, что им теперь, возможно, грозит переезд в Нэшвилл, но сейчас Гарриет было не до того — как знать, на что способен проповедник, раз Дэнни Рэтлифф умер?

Тут Гарриет вспомнила о шкафчике с оружием, и сердце у нее упало. Отец туда заглядывал нечасто, только в охотничий сезон, но вдруг именно в этот раз он, как назло, возьмет и туда заглянет. Может, не стоило выбрасывать пистолет в реку. Если бы Хили спрятал его во дворе, она бы потом вернула пистолет на место, впрочем, теперь уже поздно об этом жалеть.

Она и не думала даже, что отец так быстро приедет. Конечно, Гарриет из этого пистолета никого не убила — она отчего-то постоянно об этом забывала, — а если Хили не врет, то теперь пистолет лежит себе на дне реки. Если отец откроет шкафчик и увидит, что пистолета нет, как он догадается, что это она его взяла, не догадается ведь?

Оставался Хили. Она ему почти ничего и не рассказала — это хорошо! — но Гарриет очень надеялась, что он не станет особо раздумывать над этой историей с отпечатками. Поймет ли он в конце концов, что преспокойно может на нее наябедничать? Но, может быть, когда он поймет, что Гарриет блефовала, пройдет уже много времени?

Люди невнимательны. Им на все наплевать, они обо всем позабудут. Даже если она и оставила какие-то улики, от них скоро и следов не останется. Ведь когда Робина убили, так и вышло, разве нет? И следов не осталось. Гарриет пришла в голову тягостная мысль — что сейчас она размышляет точно так же, как когда-то размышлял убийца Робина, кем бы он там ни был.

“Но я же никого не убивала, — твердила она, разглядывая покрывало. — Он утонул. Я ничего не могла поделать”.

— Чего, лапуля? — спросила медсестра, которая зашла проверить капельницу. — Тебе что-то нужно?

Гарриет сидела не двигаясь, прижав кулак ко рту и не сводя глаз с белого покрывала, пока медсестра наконец не ушла.

Нет, она никого не убивала. Но погиб он по ее вине. А он, может, Робина и пальцем не тронул.

От этих мыслей Гарриет делалось только хуже, поэтому она изо всех сил старалась думать о чем-нибудь другом. Она поступила так, как и должна была поступить, а теперь сомневаться в собственных действиях — просто глупо. Она вспомнила пирата Израэля Хендса, который плавал в окровавленной пене возле “Испаньолы”, и в его неприглядном геройстве — в этом его ужасе, в опрокинувшихся небесах и в безбрежном исступлении — было что-то и жуткое, и прекрасное. Ее корабль захватили, и она попыталась отбить его в одиночку. Она почти стала героем. Теперь же Гарриет думала, что геройским ее поступок назвать было никак нельзя.

Под конец — под самый конец, когда ветра рвали и раскачивали палатки, когда последняя свеча, шипя, догорала на затерянном континенте, — капитан Скотт, держа карандаш немеющими пальцами, описывал в крохотной книжечке свою неудачу. Да, он храбро шел к недостижимой цели, да, он достиг мертвого, нехоженого центра земли — и ничего не добился. Рухнули все его мечты. Только теперь Гарриет поняла, до чего тоскливо ему было там, среди ледяных просторов и полярной ночи, когда Эванс и Титус Оутс уже сгинули в бескрайних снегах, а Птичка с доктором Вильсоном застыли в своих спальных мешках и уплывали от него, грезя о зеленых лугах.

Гарриет угрюмо глядела в стерильный мрак. На нее навалились тяжесть и тьма. Она узнала то, чего не знала раньше, и о чем могла и вовсе никогда не узнать. Странным образом, но тайное послание капитана Скотта все-таки дошло до нее, и в нем говорилось, что победа зачастую ничем не отличается от поражения.

Спала Гарриет беспокойно, а когда проснулась, на тумбочке стоял поднос с весьма унылым завтраком: фруктовое желе, яблочный сок и почему-то — мисочка вареного риса. Всю ночь ей снились кошмары, в которых отец нависал над ее кроватью, ходил взад-вперед по комнате и ругал ее за то, что она сломала какую-то его вещь.

Тут Гарриет вспомнила, что она не дома, и живот у нее свело от страха. Она растерянно потерла глаза, села, взяла поднос — и увидела, что в кресле возле нее сидит Эди. Она пила кофе — и не из больничного кафетерия, она пила кофе, который принесла из дома в клетчатом термосе, — и читала утреннюю газету.

— А, проснулась? Вот и хорошо, — сказала она. — Твоя мама скоро придет.

Говорила она деловитым, совершенно обыденным тоном. Гарриет снова постаралась не думать о плохом. Ведь похоже, что за ночь ничего не переменилось.

— Тебе нужно поесть, — сказала Эди. — У тебя сегодня важный день. Тебя посмотрит невролог, а там, как знать, вечером могут и выписать.

Гарриет постаралась взять себя в руки. Ей нужно притвориться, что с ней все нормально, нужно убедить невролога, что она совершенно здорова — даже если придется ему наврать. Ей нужно во что бы то ни стало попасть домой, сбежать из больницы, пока не вернулся проповедник, пока кто-нибудь не понял, что с ней на самом деле случилось. Доктор Бридлав говорил что-то про немытый салат. Вот на этом и надо стоять, вот этой версии она и будет держаться и, если ее спросят, про салат и будет рассказывать. Нужно приложить все силы к тому, чтобы никто не догадался, что причина ее болезни — вода из башни.

Громадным усилием воли она отбросила дурные мысли и перешла к завтраку. Придется съесть рис, можно представить, как будто она завтракает в Китае. Я Марко Поло, думала Гарриет, я сижу и завтракаю с Кубла-ханом. Только палочками я есть не умею, поэтому ем вилкой.

Эди снова принялась за газету. Гарриет бросила взгляд на первую полосу — и застыла, занеся вилку над миской. "ПОДОЗРЕВАЕМЫЙ В УБИЙСТВЕ ЗАДЕРЖАН", сообщал заголовок. Под ним была фотография, на которой двое мужчин тащили под руки третьего — тот обмяк и болтался между ними. К щекам у него прилипли длинные пряди волос, а мертвенно-белое лицо до того исказилось, что он и на человека-то не был похож, скорее — на оплывшую восковую фигуру: вместо рта — перекошенная черная дыра, вместо глаз — черные провалы глазниц, будто у черепа. Но Гарриет его узнала даже в таком виде — это был Дэнни Рэтлифф.

Гарриет села поровнее, наклонила голову, пытаясь разглядеть, что было написано в статье. Эди перевернула страницу и, заметив, как Гарриет, скрючившись, уставилась на газету — отбросила ее и резко спросила:

— Тошнит? Тазик принести?

— А можно газету почитать?

— Ну конечно, — Эди вытащила разворот с комиксами, протянула его Гарриет и снова, с невозмутимым видом принялась за чтение.

— Муниципальные налоги опять выросли, — сказала она. — Уж не знаю, куда они денут столько денег. Впрочем, догадываюсь куда — опять еще несколько дорог не достроят,

Гарриет сердито глядела на страничку с комиксами, даже не видя, что на ней нарисовано. ПОДОЗРЕВАЕМЫЙ В УБИЙСТВЕ ЗАДЕРЖАН. Если Дэнни Рэтлифф — подозреваемый, если его в чем-то подозревают, значит, он жив, разве не так?

Она снова украдкой посмотрела на газету. Первой полосы теперь видно не было, Эди сложила газету вдвое и принялась решать кроссворд.

— Говорят, тебя Диксон навещал вчера вечером, — всякий раз, когда Эди заговаривала об отце Гарриет, тон у нее делался ледяным. — И как все прошло?

— Нормально.

Какой там завтрак — Гарриет заерзала в кровати, стараясь успокоиться, но теперь ей казалось, что она умрет, если сию же секунду не прочтет эту газету и не узнает, что же случилось.

“Он даже не знает, как меня зовут”, — убеждала она себя. Ну, то есть это она так думала. Но если бы о Гарриет написали в газете, Эди вряд ли бы тут сидела, преспокойно разгадывая кроссворд.

“Он хотел меня утопить”, — думала она. Вряд ли он станет об этом распространяться.

Наконец Гарриет набралась духу и спросила:

— Эди, а кто это там был, на первой полосе?

Эди непонимающе уставилась на нее. Перевернула газету.

— А, этот-то, — сказала она. — Он кого-то убил. Прятался от полиции в старой водонапорной башне, но потом не сумел оттуда выбраться и чуть не утонул. То-то, думаю, он обрадовался, когда его вытащили, — Эди скользнула взглядом по снимку. — Жили такие, Рэтлиффы, на другом берегу реки, — сказала она. — И, по-моему, одно время в “Напасти” работал старик, которого звали Рэтлиффом. Мы с Тэтти его до смерти боялись, потому что у него передних зубов не было.

— А что они с ним сделали?

— С кем?

— Ну, с тем, который в газете.

— Он сознался в убийстве брата, — Эди снова принялась решать кроссворд, — и к тому же его разыскивали за хранение наркотиков. Так что, уж думаю, в тюрьму посадили.

— В тюрьму? — Гарриет помолчала. — Это в газете написано?

— Он оттуда выйдет — и оглянуться не успеешь, это уж будь спокойна, — сухо сказала Эди. — Таких, как он, только поймают, как смотришь — а его уже снова выпустили. Ты что, есть не хочешь? — спросила Эди, заметив, что Гарриет так и не притронулась к завтраку.

Гарриет прилежно принялась жевать рис. “Но если он жив, — думала она, — значит, я никого не убивала. Я ни в чем не виновата. Или виновата?”

— Вот так. Молодец. Обязательно надо поесть перед тем, как врач будет тебя смотреть, хотя я уж не знаю, что он там собирается проверять, — сказала Эди. — Но если кровь будут брать, то и голова может закружиться.

Гарриет старательно ела, склонившись над тарелкой, но мысли у нее в голове так и метались в разные стороны, будто запертые в клетке животные, и одна мысль была до того ужасной, что Гарриет, не сдержавшись, выпалила:

— А он заболел?

— Кто? Этот мальчишка-то? — сердито спросила Эди, даже не подняв головы от кроссворда. — Ох, не верю я во всю эту чушь, будто преступники, мол, больные люди.

Кто-то громко постучал в дверь палаты, и Гарриет так дернулась, что чуть не опрокинула поднос.

— Здрасте, я доктор Бакстер, — мужчина протянул Эди руку. Выглядел он молодо — моложе доктора Бридлава, но волосы у него на макушке уже начали редеть. В другой руке он держал старомодный докторский саквояж, на вид — очень тяжелый. — Я невролог.

— А-а, — Эди подозрительно оглядела его обувь — кроссовки на толстой подошве с голубыми замшевыми полосочками, в таких ходили старшеклассники из школьной команды легкоатлетов.

— Странно, что у вас тут дождя нет, — сказал врач и принялся рыться в саквояже. — Я когда рано утром выезжал из Джексона…

— Знаете, — поспешно перебила его Эди, — вы первый, кого нам тут не пришлось целый день ждать.

Она все никак не могла оторвать взгляда от его кроссовок.

— Когда я выходил из дома, — продолжал врач, — в шесть утра, по всему центральному Миссисипи было объявлено штормовое предупреждение. Вы и не представляете, какой у нас дождь лил, — он расстелил на столе серую фланелевую тряпочку, на ней, аккуратно, рядком, разложил фонарик, серебристый молоточек и какую-то черную штуковину с циферблатами.

— Мне по такой непогоде к вам пришлось добираться, — сказал он. — Боялся даже, как бы с полпути возвращаться не пришлось.

— Надо же, — вежливо сказала Эди.

— Повезло, что вообще доехал, — говорил врач. — Возле Вайдена дороги так размыло…

Тут он повернулся к Гарриет и увидел ее лицо.

— Господи! Чего ты на меня так смотришь? Больно я тебе не сделаю, — он оглядел ее, захлопнул саквояж.

— Знаешь, как мы поступим? — сказал он. — Сначала я задам тебе парочку вопросов.

Он снял с крючка на кровати ее медкарту, внимательно ее изучил — в тишине дыхание его казалось очень громким.

— Согласна? — Он посмотрел на Гарриет. — Вопросов-то ты не боишься, нет?

— Нет.
— Нет, сэр, — Эди отложила газету.
— Вопросы будут очень простыми, — сказал врач и присел на краешек кровати. — Еще скажешь, вот бы мне и в школе на экзаменах такие простые вопросы задавали. Как тебя зовут?
— Гарриет Клив-Дюфрен.
— Молодец. Сколько тебе лет, Гарриет?
— Двенадцать с половиной.
— Когда у тебя день рождения?

Он попросил Гарриет сосчитать до десяти в обратном порядке, попросил улыбнуться, нахмуриться, высунуть язык, попросил следить глазами за его пальцем, не двигая при этом головой. Гарриет послушно все выполняла — пожимала плечами, дотрагивалась пальцем до носа, сгибала и разгибала колени — стараясь дышать размеренно и казаться невозмутимой.

— А вот это — офтальмоскоп, — сообщил врач Гарриет. От него ощутимо попахивало алкоголем, но Гарриет не понимала, откуда идет запах — то ли от рук, то ли изо рта, а может, его лосьон после бритья был с таким резким спиртовым душком. — Страшного в нем ничего нет, я просто направлю сильную вспышку света на твой зрительный нерв, чтобы узнать, не повышено ли внутричерепное давление…

Гарриет, не отрываясь, глядела в одну точку. В голову ей пришла неприятная мысль: если Дэнни Рэтлифф жив, как же ей теперь уговорить Хили держать язык за зубами? Как только Хили узнает, что Дэнни не умер, наплевать ему будет на какие-то там отпечатки, он сможет болтать обо всем сколько влезет, не боясь электрического стула. А в том, что Хили захочет все разболтать, Гарриет даже не сомневалась. Придется найти способ, чтобы заставить его молчать…

Слово свое врач не сдержал, осмотр становился все более неприятным: врач засунул Гарриет в рот какую-то палочку, да так, что ее чуть не вырвало, провел ватным шариком по ее глазным яблокам, чтобы она заморгала, постучал молоточком по локтю, уколол иголкой в нескольких местах, чтобы проверить чувствительность кожи. Эди, скрестив на груди руки, стояла возле кровати и внимательно за ним наблюдала.

— Надо же, такой молодой, а уже врач, — сказала она.

Врач ничего не ответил. Он продолжал колоть Гарриет иголкой.

— А здесь чувствуешь? — спросил он.

Он уколол ее в лоб, потом в щеку, Гарриет, зажмурившись, рассерженно отдергивала голову. Ну, хотя бы от пистолета она избавилась. Хили никак не докажет, что это она его попросила пистолет забрать. Положение, конечно, отчаянное, но если так подумать, доказательств никаких — только слово Хили против слова Гарриет.

Но он же замучает ее расспросами. Ему ведь все-все захочется выведать — обо всем, что случилось на водонапорной башне, — и что ей тогда ему отвечать? Что Дэнни Рэтлифф остался безнаказанным, что она не исполнила задуманного? Или того хуже — что она ошиблась, что она не знает, кто на самом деле убил Робина, и что, может быть, никогда и не узнает?

"Нет, — вдруг запаниковала она, — так не пойдет. Нужно что-то придумать".

— Что такое? — спросил врач. — Больно?

— Немножко.

— Раз болит, это хороший признак, — сказала Эди.

А может быть, думала Гарриет, разглядывая потолок и кусая губы, пока доктор царапал чем-то острым ее стопу, может быть, это все-таки Дэнни Рэтлифф убил Робина. Это бы значительно все упростило. Уж, конечно, проще всего так и сказать Хили — что под конец, мол, Дэнни Рэтлифф во всем сознался (например, в том, что это все вышло нечаянно и он не хотел Робина убивать) и, например, даже вымаливал у нее прощение. В воображении Гарриет ядовитыми цветами стали распускаться богатые сюжетные возможности. Можно сказать, что она пощадила Дэнни и, стоя над поверженным врагом, милосердно даровала ему жизнь. Можно сказать, что ей стало жаль Дэнни и она оставила его в башне, дав ему шанс спастись.

— Ну вот и все, а ты боялась, — сказал врач, вставая с кровати.

— Можно я поеду домой? — торопливо спросила Гарриет.

Врач рассмеялся.

— Ого! — сказал он. — Не так сразу. Мы сейчас с твоей бабушкой пару минут побеседуем в коридоре, подождешь?

Эди встала и пошла вслед за врачом. Гарриет слышала, как она его спрашивает:

— Скажите, это ведь не менингит?

— Нет, мэм.

— А вам сказали, что ее рвало, что у нее понос был? И высокая температура?

Гарриет тихонько сидела в кровати. Из коридора доносился голос доктора, и ей страшно хотелось узнать, что он там о ней говорит, но он бормотал так тихо и загадочно, что Гарриет ничего не могла разобрать. Она уставилась на свои руки, лежавшие на белом больничном покрывале. Дэнни Рэтлифф жив, и она этому рада, хотя всего каких-нибудь полчаса назад Гарриет бы в это ни за что не поверила. Она рада, даже если это означает, что она потерпела неудачу. И если она с самого начала шла к недостижимой цели, можно утешиться хотя бы тем, что даже от недостижимой цели она не отступилась.

— Ничего ж себе, — Пем встал из-за стола, на завтрак у него был кусок шоколадного торта с заварным кремом, — он двое суток там проторчал. Вот бедолага. Даже если он брата и убил.

Хили ел хлопья с молоком и промолчал только ценой нечеловеческих усилий.

Пем покачал головой. После душа у него еще не просохли волосы.

— Он даже плавать не умел. Прикинь? Он там два дня подряд прыгал вверх-вниз, чтоб не захлебнуться. Я тут читал про похожую историю, когда во время Второй мировой над Тихим океаном самолет сбили. Летчики провели в воде несколько дней, только там акул было тьма. И вот они даже спать не могли, потому что надо было постоянно плавать кругами и следить, чтоб акула тебе ногу не отхватила, — он вгляделся в газетный снимок, поежился. — Бедолага. Просидел двое суток в такой помойной дыре, будто крыса в ведре. И зачем он там прятался, если плавать не умел?

Не сдержавшись, Хили выпалил:

— Все было не так!

— Ну да, — скучающим голосом отозвался Пем. — А ты прямо знаешь как.

Хили заерзал, заболтал ногами — он все ждал, когда брат оторвется от газеты или скажет что-нибудь еще.

— Это Гарриет, — наконец сказал он. — Это она.

— А?

— Это все она. Она его туда столкнула.

Пем поглядел на него.

— Кого столкнула? — спросил он. — Дэнни Рэтлиффа, что ли?

— Да. Потому что он убил ее брата.

Пем фыркнул:

— Дэнни Рэтлифф его не убивал. Ты скажи еще, что я его убил, — Пем перевернул страницу. — В школе мы все в одном классе были.

— Это он его убил, — не сдавался Хили. — У Гарриет есть доказательства.

— Да ну? И какие же?

— Не знаю... всякие разные. Она может все доказать.

— Это уж конечно.

— В общем, — Хили понесло, — она их выследила и погналась за ними с пистолетом в руках, а потом застрелила Фариша Рэтлиффа, а потом заставила Дэнни Рэтлиффа залезть на башню и спрыгнуть в бак.

Пембертон открыл последнюю страницу и погрузился в чтение комиксов.

— Надо сказать маме, чтоб давала тебе поменьше кока-колы.

— Это правда! Клянусь! — возбужденно завопил Хили. — Потому что... — но тут он осекся, вспомнив, что ему нельзя говорить, откуда он обо всем знает, и опустил глаза.

— Если у нее был пистолет, — сказал Пембертон, — чего она тогда их обоих не застрелила? Тогда б и дело было с концом, — он отодвинул тарелку, поглядел на Хили как на кретина. — Ну ты подумай, как Гарриет смогла бы заставить не кого-нибудь там, а Дэнни Рэтлиффа залезть на эту башню? Дэнни Рэтлифф — отморозок. Даже если б у нее был пистолет, он его у нее в два счета отобрал бы. Да он даже у меня пистолет отобрал бы в два счета. Хили, ты уж если врешь, так хоть сочиняй получше.

— Я не знаю, как именно ей это удалось, — упрямо сказал Хили, глядя в миску с хлопьями, — но это все она. Я знаю, что она.

— Да ты сам возьми и почитай, — Пем бросил ему газету, — тогда поймешь, какой ты придурок. Они спрятали в башне наркотики. И их не поделили. Там в воде наркотики плавали. Поэтому они туда и полезли.

Хили стоило огромных трудов промолчать. Вдруг он с неприятным чувством понял, что, кажется, наговорил лишнего.

— И кроме того, — сказал Пембертон, — Гарриет в больнице. Забыл, что ли, дурень?

— Ну, а вдруг она тоже там была, в башне? И с пистолетом? Что тогда? — сердито огрызнулся Хили. — Вдруг у нее с этими парнями завязалась перестрелка и ее ранили? Вдруг она бросила пистолет возле башни и попросила кое-кого пойти и…

— Нет. Гарриет в больнице, потому что у нее эпилепсия. Эпилепсия, дебил, — Пем постучал себя по лбу.

— Ох, Пем, — в кухню вошла мать в коротком теннисном платьице, которое подчеркивало ее загар. Волосы у нее были идеально уложены. — Ну и зачем ты ему сказал?

— Я не знал, что нельзя говорить, — обиженно сказал Пем.

— Я же тебя просила!

— Ну прости. Вылетело из головы.

Хили растерянно глядел то на мать, то на брата.

— Для ребенка это клеймо на всю жизнь, особенно в школе, — мать уселась с ними за стол. — Несладко ей придется, если слух пойдет. Впрочем, — она взяла вилку Пема, отломила большой кусок недоеденного торта, — когда мы с вашим папой об этом узнали, то совсем не удивились. Это многое объясняет.

— Что такое эпилепсия? — настороженно спросил Хили. — Это типа как чокнуться?

— Ну что ты, кроха, — торопливо заговорила мать, положив вилку, — нет-нет-нет, это совсем другое. Не вздумай нигде такое сказать. Просто это значит, что Гарриет иногда теряет сознание. У нее бывают судороги. Ну, как…

— Да вот так, — вмешался Пем.

Он наигранно, по-клоунски закатил глаза, высунул язык, затрясся всем телом.

— Пем! Прекрати!

— Эллисон все видела, — сказал Пем. — Говорит, с ней так минут десять было.

Мать, заметив, что Хили странно на нее смотрит, потрепала его по руке.

— Не волнуйся, малыш, — сказала она. — Эпилепсия — это не опасно.

— Разве что когда эпилептик за руль садится, — сказал Пем. — Или за штурвал самолета.

Мать строго на него посмотрела — впрочем, не строже обычного, то есть совсем не строго.

— Я поехала в клуб, — сказала мать, вставая из-за стола. — Хили, папа сказал, что утром сам отвезет тебя на репетицию. Смотри, никому не рассказывай в школе, о чем мы тут с тобой говорили. И за Гарриет не волнуйся. Говорю тебе, с ней все будет хорошо.

Мать ушла, и вскоре они услышали, как ее машина выехала со двора. Пембертон встал, открыл холодильник и стал рыться на верхней полке. Наконец, он вытащил оттуда банку "Спрайта".

— Ты такой дебил, — сказал он, прислоняясь к холодильнику и откидывая волосы со лба. — И как только тебя в класс коррекции не записали, удивительно просто.

Больше всего на свете Хили хотелось рассказать Пембертону, как он ходил к башне за пистолетом, но он старательно помалкивал, обиженно уставившись в стол. Как вернется домой с репетиции, сразу позвонит Гарриет. Ей, наверное, будет не очень удобно разговаривать. Тогда можно будет задавать ей вопросы, а она пусть отвечает: да или нет.

Пембертон, с треском открыв банку газировки, сказал:

— И не стыдно тебе такой бред нести? Хочешь круче казаться, а на самом деле только позоришься.

Хили промолчал. Он сразу ей позвонит. Если удастся потихоньку от всех смыться, то, может, он даже сумеет позвонить ей из автомата в школе. А как только ее выпишут, они встретятся, засядут у нее в сарае, и уж тогда она ему все расскажет — и о пистолете, и о том, как она провернула всю операцию — как застрелила Фариша Рэтлиффа, как загнала Дэнни в башню, — то-то будет круто. Она одержала победу, она добилась своего, невероятно, но факт, как она все сказала, так и сделала — и не попалась.

Он взглянул на Пембертона.

— Говори, что хочешь, мне все равно, — сказал он. — Гарриет — просто гений.

Пем рассмеялся:

— Еще бы, — сказал он, выходя из кухни, — особенно по сравнению с тобой.

CORPUS 348

Литературно-художественное издание

Донна Тартт

Маленький друг

16+

Главный редактор Варвара Горностаева
Ведущий редактор Вера Пророкова
Художник Андрей Бондаренко
Ответственный за выпуск Ольга Энрайт
Технический редактор Наталья Герасимова
Корректор Любовь Петрова
Верстка Константин Москалев

Общероссийский классификатор продукции
ОК-005-93, том 2; 953000 — книги, брошюры.

Подписано в печать 05.10.15. Формат 60×90 1/16
Бумага офсетная. Гарнитура *Swift*
Печать офсетная. Усл. печ. л. 40,0
Тираж 12 500 экз. Заказ № 7989

Отпечатано в соответствии с предоставленными материалами
АО "Первая Образцовая типография",
Филиал "Ульяновский дом печати"
432980, г. Ульяновск, ул. Гончарова, 14

ООО "Издательство АСТ",
129085, г. Москва, Звездный бульвар, д. 21, строение 3, комната 5
Наш электронный адрес: www.ast.ru
E-mail: astpub"aha.ru

"Баспа Аста" деген ООО
129085 г. Мәскеу, жұлдызды гүлзар, д. 21, 3 құрылым, 5 бөлме
Біздің электрондық мекенжайымыз: www.ast.ru
E-mail: astpub"aha.ru

По вопросам оптовой покупки книг обращаться по адресу:
123317 г. Москва Пресненская наб. д. 6 стр. 2 БЦ "Империя" а/я № 5
Тел.: (499) 951 60 00 доб. 574

Қазақстан Республикасында дистрибьютор және өнім бойынша
арыз-талаптарды қабылдаушының
өкілі "РДЦ-Алматы" ЖШС, Алматы қ., Домбровский көш., 3"а", литер Б, офис 1.
Тел.: 8(727) 2 51 59 89,90,91,92, факс: 8 (727) 251 58 12 вн. 107;
E-mail: RDC-Almaty"eksmo.kz
Өнімнің жарамдылық мерзімі шектелмеген.